Jarosław Iwaszkiewicz
Sława i chwała

tom 2

sami
swoi

Jarosław Iwaszkiewicz
Sława i chwała

tom 2

Warszawskie
Wydawnictwo
Literackie
MUZA SA
Warszawa 1997

Projekt okładki – Maciej Sadowski
Projekt graficzny serii – Maciej Sadowski
Redakcja techniczna – Mariusz Jaśtak
Korekta – Alicja Chylińska

ISBN 83-7200-022-0

Warszawskie Wydawnictwo Literackie
MUZA SA
Warszawa 1997

Rozdział szósty
Koncert w Filharmonii

I

W jesieni roku 1933 Elżbieta Szyllerówna (w papierach angielskich nazywana Elisabeth Rubinstein) przyjechała do Warszawy i dała tu parę koncertów. Najciekawszym występem znakomitej, sławnej na całym świecie śpiewaczki był piątkowy koncert symfoniczny. Program tego koncertu zawierał uwerturę do *Flisa* Moniuszki, arię Królowej Nocy Mozarta, *Szecherezadę* – cztery pieśni na głos i małą orkiestrę Edgara Szyllera, brata śpiewaczki – oraz *V Symfonię* Beethovena. Program był dostępny, interesujący, sława Szyllerówny olbrzymia, tak że publiczności zebrało się bardzo dużo.

W dzień koncertu Elżunia, która mieszkała w „Bristolu", nie przyjmowała żadnych wizyt; wyznawała zasadę, że w dniach, kiedy śpiewała, nie mówiła ani słowa do nikogo. Oczywiście często tę zasadę naruszała. Tym razem naruszyła ją tłumacząc służącej, jakie chce mieć śniadanie, a potem odbyła z Edgarem małą próbę jego pieśni. Pierwszy raz miała je śpiewać od czasu skomponowania i miała dużą tremę. Nie przedstawiały one dla niej teraz tak wielkiej trudności, jak jej się na początku zdawało, ale myślała sobie, że pieśni te są „niewdzięczne", to znaczy nie znajdą uznania u najszerszej publiczności, nie przemówią do niej tak, jak zawsze przemawiała aria z *Halki*, z *Manon* i z *Pikowej Damy*. Elżunia tym razem przyjechała bez męża, ale z kilkoma uczennicami, cudzoziemkami, które chciały jej towarzyszyć do Warszawy i posłyszeć po raz pierwszy wykonanie pieśni Szyllera. Pieśni te miały ustaloną sławę, mimo że jeszcze nikt ich nie słyszał. Pomiędzy tymi uczennicami znalazła się Hania Wolska, pani Daws, która wyobrażała sobie oczywiście, że wystarczy dziesięć lekcji u wielkiej śpiewaczki, a natychmiast zacznie sama śpiewać jak Elżunia.

Edgar był trochę rozgniewany na siostrę, że od tylu lat łudzi Hanię, obiecując jej karierę śpiewaczą, ale Elżunia się śmiała.

– Wiesz, za to, co ona mi płaci, mogłabym jej obiecać, że zostanie Adeliną Patti...

– Uważam to za wielkie okrucieństwo – powiedział Edgar.

Zaczęli próbę, Edgar trochę zirytowany. Śpiew Elżuni nie poprawił mu humoru. Pierwszą pieśń przerysowywała, przedramatyzowała, robiła fermaty, o które już wczoraj wynikła awantura z Fitelbergiem na próbie orkiestrowej. Górne nuty nabrały teraz ostrości, a Elżunia forsowała je jeszcze, chcąc dodać wyrazu i siły. Egdar nie mówił nic, ale po jego ściągniętych ustach mogłaby się siostra domyślić, że nie bardzo mu szła w smak ta interpretacja. Bez żadnych uwag ani zahaczeń prześpiewali wszystko do końca, Edgar zamknął nuty i spokojnie poszedł do swojego pokoju.

– Będzie dobrze! – wychodząc powiedział siostrze.

Ale miał co do tego duże wątpliwości.

U niego w pokoju hotelowym siedział już Artur Malski. Był to mały, chudy Żyd o bardzo piskliwym głosie i apodyktycznym sposobie mówienia. Wobec Edgara gasł, pokorniał i cichł. Tym razem wyrwał mu prawie z ręki rękopis *Szecherezady*.

– Przyjechałem z Łodzi, żeby to zobaczyć.

Edgar podał mu nuty i siadając w czerwonym fotelu, powiedział:

– Masz na bilet powrotny?

– Nie mam i nie mam pociągu po koncercie. Muszę gdzieś przenocować.

– Przenocuj tutaj na kanapce.

– Można? – spytał Artur.

Ale to „można" odnosiło się do czego innego. Malski chciał spróbować pieśni na fortepianie, a raczej na skromnym pianinie, jakie gospodarz hotelu wstawiał tutaj zawsze Edgarowi.

– Ja ci pokażę – powiedział Edgar.

Ustawił nuty na pulpicie i niechętnie, trochę bokiem usiadł przy pianinie. Brząkał tu i ówdzie po klawiaturze i podciągał chrypliwym falsetem partię głosową pieśni. Malski, gdyby nie patrzył w nuty, nic by nie rozumiał. W pewnym momencie zaniecierpliwił się:

– Puść mnie pan, ja zagram lepiej.

Edgar roześmiał się, przestał grać i z rękami jeszcze wzniesionymi do góry obrócił się na taborecie.

– To jest coś okropnego, jak pan profesor nie potrafi grać – zawołał zrozpaczony Artur.

Edgar śmiał się.

– No, pokaż, pokaż ty!

Malski zagrał akompaniament pieśni, ale Edgar go nie słuchał. Popatrywał wciąż jeszcze na drzwi. Malski się zatrzymał.

– Pan czeka na kogoś? – spytał niecierpliwie. Edgar się zmieszał.

– Nie, nie... – szepnął. – Nie podobają się tobie te pieśni?

Ale Malski nie ustępował.

– No, niech pan powie, na kogo pan czeka? Edgar uśmiechnął się z zażenowaniem.

– Jaki ty jesteś dziwny, Artur. I trochę niedelikatny...

Artur uśmiechnął się

– Myślał pan o Rysiu? – powiedział znacznie ciszej.

– Skąd wiesz? – spytał Edgar.

– Widziałem po pańskiej minie. – Artur wywołał na twarz uśmiech, który był raczej podobniejszy do bolesnego skrzywienia. – A zresztą ja sam myślałem o nim. Powinien był właśnie wejść i podać nam rękę z takim onieśmieleniem, że pot mu występował na czoło... Pamięta pan?

Edgar wzruszył ramionami.

– Pamiętam lepiej od ciebie. Każdy jego gest... Któż o nim będzie pamiętał, jak nie ja i ty...

– No i panna Helena – powiedział Malski, odzyskując kontenans.

Edgar odwrócił się do okna, Malski jeszcze przegrywał *Szecherezadę*, ale już jakby niechętnie.

– To genialne – powiedział po chwili i zatrzymał

się, zawieszając swoje malutkie rączki nad klawiaturą.

– Świństwo – zaklął nagle – że ja nie zdążyłem do Łowicza. To trzeba naszych stosunków, żeby depesza z Łowicza do Łodzi szła sześć godzin!

– Ostatecznie nic się nie stało – powiedział Edgar cichutko, jak gdyby uspokajał Malskiego – ja byłem przy nim...

– Całe szczęście – powiedział Malski ze specjalnie żydowskim akcentem, który się zawsze zjawiał u niego w momentach strapienia.

Chwilkę milczeli.

– Zresztą to nawet dobrze, że go tu nie ma w tej chwili – syknął Artur – to jest muzyka europejska. A on by zaraz zapytywał, jakie to ma znaczenie dla Polski, jakie to ma znaczenie dla Łowicza? To była jego mania. Co może pańska muzyka znaczyć dla Łowicza?

– A może to właśnie niedobrze – powiedział Edgar, odwracając się od okna i poczynając chodzić po pokoju. – Rysio miał rację pytając, co znaczy moja muzyka dla Łowicza. Przecież ona tam nie ma żadnego znaczenia...

– To i co z tego? – oburzył się odzyskując cały swój piskliwy i ostry głos Malski. – To i co z tego? Pan pisze nie dla Łowicza...

– A może właśnie należy pisać dla Łowicza? – smutnie zastanowił się Edgar. – Może nie byłbym wtedy taki samotny...

– Nic pan nie rozumiesz – Malski wzruszył ramionami. – Nie jest pan samotny... Ja jestem przy panu? Nie?

Edgar uśmiechnął się.

– Tak, Rysio też był... No, masa ludzi jest przy panu. Pana twórczość, powiadam – nie dla Łowicza, tylko dla Europy.

Uśmiech Edgara zastygł. Nie wiedział, jak Malskiemu powiedzieć, że jego muzyka nie ma najmniejszego znaczenia dla Europy.

Całą tę głupią sytuację przerwał dzwonek telefonu. Artur przyjął. Przynajmniej ta z niego była pociecha, że spławiał nieznośnych ludzi. Niestety, tym razem sam Edgar musiał podejść. Jakaś dobra znajoma prosiła, czy nie można by było przez Edgara dostać zaproszenia na raut do Remeyów. Jak zwykle po każdym ważniejszym zdarzeniu muzycznym, Stanisławowie Remeyowie urządzali przyjęcie i na tym przyjęciu starał się być, kto tylko mógł, ponieważ należało to do wielkiego warszawskiego szyku. Na próżno Edgar tłumaczył owej znajomej, że naprawdę nie może zapraszać ludzi do cudzego domu; długo nalegała, aż wreszcie obiecał, że da jej odpowiedź w czasie koncertu. I tak było w kółko – tych odpowiedzi w czasie koncertu przyobiecał kilka, a przecież musiał wysłuchać swojego utworu po raz pierwszy w należytym skupieniu. Na szczęście Elżunia była na tyle energiczna, że zarządziła, aby nikogo nie wpuszczano do artystów, toteż w pustym i dość chłodnym trójkątnym pokoju przed koncertem drżeli i niepokoili się tylko w czwórkę: Fitelberg, Edgar, Elżunia i pani Daws, która spełniała rolę sekretarki Elżbiety.

Zza drzwi dobiegał tutaj przytłumiony gwar zebranych ludzi i strojenia instrumentów. Elżunia była blada i raz po raz spoglądała w lustro. Miała na sobie suknię z mory koloru słoniowej kości i na głowie wysoko upięte białe pióra. Edgar zganił te pióra i bardzo tym wytrącił siostrę z równowagi. Spoglądała co chwila w lustro i nawet próbowała je zdjąć z głowy, ale uczesanie miało sens tylko z piórami. Potargała przy tym włosy. ·

– Wiesz, nie mówię tego po to, abyś przez cały czas koncertu myślała o uczesaniu – powiedział Edgar.

Fitelberg wyszedł – jeszcze czekał przez chwilę na schodkach prowadzących na estradę. Pani Daws szeleszcząc przemknęła do loży parterowej, koncert miał się zaraz zacząć.

– Staruszkowie mają dobre miejsca? – spytała Elżunia brata, wciąż stojąc przed lustrem. – Czy zamieszkali u Kazi?

– Tak, u Kazi. Miejsca mają dobre; trochę z boku, ale dobre. Ojciec się bardzo postarzał...

– Cóż chcesz? To szczęście, że jeszcze może pracować.

– Przypuszczam, że niedługo.

– W Polsce pracuje dwanaście lat. Wszystko ma swój koniec.

– To już piętnaście lat, jak wyjechałaś z Odessy.

– Gdybym miała syna, miałby czternaście lat.

Elżunia powoli przeszła przez zimny pokój i siadła obok brata. Na sali słychać było oklaski, dość długie, potem dobiegły pierwsze takty pełnej wdzięku uwertury.

– Pamiętasz, jak śpiewaliśmy duet z *Cyganów* Moniuszki?

– To było na imieniny cioci Antosi.

– Nie, na imieniny mamy. Nie pamiętasz? Na fortepianie stały takie olbrzymie żółte róże.

12

– I ty fałszowałaś okropnie... poczekaj... w piątym takcie, gdzie było to as. Prawda?

Elżunia się zaśmiała.

– A pamiętasz, jak wracaliśmy z wesela pani Royskiej?

– Już nie bardzo. Byłam za mała.

– Pamiętam, miałaś taki płaszczyk w kratki, z pelerynką, niebieski z czarnym.

– Płaszczyk pamiętam.

– Jechała z nami panna Hanka i papa wciąż pytał mamy: *à qui est cette femme de chambre?* *

Zaśmiali się oboje serdecznie. Edgar wziął Elżunię za rękę, przez chwilę patrzyli przed siebie, trochę w dół, jak gdyby tak widzieli Odessę, wesele pani Royskiej, wieczne roztargnienie papy Szyllera, a zwłaszcza płaszczyk w niebieskie i czarne kratki.

Nagle Edgar podniósł głowę i popatrzył na siostrę. Widział jej piękny, klasyczny profil, z nosem trochę za dużym, i spiętrzoną kopę jasnych włosów, z których wybiegały wielkie białe pióra, jak żagle wygięte w jedną stronę. Jej zamyślenie trwało.

– Słuchaj – powiedział – ty jesteś szczęśliwa. Patrz, jakie tłumy przyszły cię słuchać. Jesteś sławna...

Elżunia od razu zgadła, co Edgar myślał, i na te myśli odpowiedziała:

– Twórca nigdy nie jest samotny. Wszystkie przyszłe pokolenia są przy nim. A o nas kto pamięta po naszej śmierci?

– Nikogo nie wspominasz po jego śmierci?

Elżunia popatrzyła na Edgara jak gdyby trochę przepłoszona.

---

* ... czyja to pokojówka?

– Nie – powiedziała niepewnie.

– Nawet Józia? – spytał Edgar.

Elżunia syknęła przeciągle, wstała i skrzyżowawszy ręce na piersiach, odwróciła się do okna. Z sali dolatywał lekki motyw uwertury.

– Myślałeś o Józiu? – powiedziała po chwili.

– Tak, Józio jest szczęśliwy. Spoczywa w czymś, co nazwałabym chwałą.

Edgar się uśmiechnął.

– Chwała promieniuje jak rad, po pewnym czasie wyczerpuje się na samo promieniowanie.

Elżunia zwróciła się do brata:

– Ty nie masz pojęcia, co to jest tak sobie myśleć, że to ciało rozsypało się w proch, w nicość, w ziemię. Mówiła mi pani Royska, że podczas ekshumacji nie było prawie nic... został portfel z papierami, które podobno potwornie cuchnęły, i to całymi miesiącami, trzeba je było spalić. Tam była moja fotografia, cuchnęła...

Teraz stali oboje. Elżunia oparła obie ręce na wzniesionej ręce Edgara. Patrzyła mu w oczy.

– Ty nie masz pojęcia, jakie on miał ciało – powiedziała szeptem.

Edgar uśmiechnął się i odwrócił. Znowu chciał usiąść.

– Wiem – powiedział zupełnie niedbale i tonem konwersacyjnym – wiem, jakie miał ciało. Widziałem go całkiem nagiego, wtedy w Odessie, kiedy spał z Januszem. Piliśmy razem. Był bardzo piękny – ja to „sprawdziłem". – Z gorzkim uśmiechem, ze śmiechem lekkim nawet, usiadł w fotelu i podniósł wzrok ku siostrze.

Elżunia pochyliła się.

– Ty o tym wiedziałeś? – spytała. – Zaraz, wtedy wiedziałeś?

– Wiedziałem – krótko odpowiedział Edgar.

– I dlaczego nic nie mówiłeś?

– Cóż miałem mówić? Powiadam ci, sprawdziłem, czy jest dostatecznie piękny dla ciebie...

Elżunia ze złością, wkładając długą rękawiczkę z kredowobiałej skóry, szybko podeszła do lustra. Na sali rozlegały się oklaski.

– Rubinsteina nie sprawdzałeś – rzuciła warkliwie.

– Och, to już była twoja sprawa; myślę, że mimo wszystko zrobiłaś bardzo rozsądnie.

Elżunia odwróciła się gwałtownie i podeszła znowu do brata. Ale ten nie wstał. Więc ona pochyliła się nieco i aby nie patrzeć mu w oczy, objęła go przez plecy i schowała głowę na ramieniu, starannie uważając przy tym, aby nie rozrzucić ułożonej na nowo fryzury i nie potargać piór.

– Słuchaj, ty nie wiesz. Miałam dziecko. Józia dziecko... chłopczyk, urodził się i zaraz umarł w Konstantynopolu... miałby czternaście lat...

Edgar wciągnął powietrze otwierając usta, jakby mu tchu zabrakło. Odsunął lekko siostrę i powiedział:

– O tym nie wiedziałem.

Elżunia podniosła się. Stała wyprostowana, z głową wzniesioną do góry i z zamkniętymi oczyma. Edgar patrząc na nią mimo woli pomyślał, że ma tak prześliczne powieki jak płatki egzotycznego kwiatu. Powtórzył:

– O tym nie wiedziałem.

Nagle wpadł oboista Wiewiórski. Ze zdziwieniem spojrzał na rodzeństwo.

– Proszę pani, proszę pani – powiedział pospiesznie – dyrektor czeka. Uwertura dawno skończona. Teraz pani...

– O Boże! – zawołała Elżbieta i zakręciła się po pokoju. Trzeba było zrzucić futro, włożyć do reszty rękawiczki, znaleźć nuty. – A myśmy nie słyszeli oklasków.

– To nic, to nic – powiedział Edgar, sam przestraszony. – Zaraz się uspokoisz.

Wiewiórski naglił.

– Prędzej, prędzej.

Elżunia przyspieszyła kroku i nagle, wychodząc już z pokoju, odwróciła się do brata i posłała mu ręką w kredowej rękawiczce pocałunek. Oczy jej się zaśmiały. Wyglądało to zupełnie teatralnie.

II

Janusz i Zosia, ilekroć byli w Filharmonii, zostawiali wierzchnie ubranie zawsze u tej samej szatniarki. Urzędowała ona przy pierwszych kratkach na lewo wspaniałej szatni, nie wiadomo dlaczego, dzięki kaprysowi architekta *fin de siècle'u*, wzorowanej na malborskim refektarzu. Słupy z czerwonego marmuru źle harmonizowały z ordynarnymi wieszakami i drewnianymi kratami, przy których kręciły się fertyczne i uprzejme szatniarki. Aby wiedzieć, dlaczego Janusz zawsze się zwracał do tej pierwszej z lewej strony, trzeba sięgnąć do drzewa genealogicznego rodziny Wiewiórskich. Stanisław, lokaj księżny Anny, miał starszego brata Tadeusza, z którym w młodości bijali się porządnie, w wieku średnim nienawidzili się, bo wybrali sobie jedną „narzeczoną", a na starość nie widywali się wcale i nie uznawali. Dzieci ich jednak utrzymywały z sobą stosunki. Tadeusz był starszym woźnym Filharmonii: to on wychodził na estradę w pauzach i czasem nawet otrzymywał oklaski, gdy mocnym szarpnięciem obu dłoni wysuwał czarny fortepian z dyskretnego ukrycia na środek estrady. Tadeusz miał dwóch synów: jeden pracował u Philipsa i był żonaty z młodą, ładną osobą, tą właśnie, która przez protekcję teścia otrzymała frontowe miejsce w szatni, a młodszy, Bronek, był pierwszym oboistą orkiestry. Był bardzo dobrym artystą i w parę lat potem odegrał pewną rolę w towarzystwie miłośników starej muzyki. Janusz w dalszym ciągu utrzymywał stosunki z Jasiem Wiewiórskim, który pracował teraz w fabryce „Spłonka", a przez niego – i z jego kuzynami; tym się też tłumaczy, że zawsze musiał się ugadać z panią Dosią Wiewiórską, która witała go stale swoim:

– Uszanowanie panu hrabiemu! – na co Janusz się krzywił, ale pani Dosia mówiła to zwykle w sensie: „naszemu panu hrabiemu", albo: „panu hrabiemu, któremu mój kuzyn wymyśla od burżujów", i wychodziło to dość przyjemnie.

I tym razem, przyjechawszy na koncert Elżbietki z Komorowa, zatrzymali się przed kratką pani Dosi.

– Jak się pani miewa? – powiedział Janusz.

– A pani mała? – zagadnęła Zosia.

Pani Dosia ogarnęła Myszyńską szybkim spojrzeniem i klasnęła w ręce.

– Paniusiu kochana – zagadnęła po przyjacielsku – ależ paniusia mizerna. Co się stało?

– Chorowałam trochę – nieśmiało bąknęła Zosia.

Janusz stojący krok za żoną popatrzył porozumiewawczo na panią Dosię i położył palec na ustach.

Pani Dosia powiesiła futro Zosi na wieszaku i wracając po płaszcz Janusza powiedziała:

– E, to chyba to światło tak na panią padało (Zosi już nigdy nie nazywała „hrabiną"), bo to te lampy tak się świecą. Wydawało mi się tylko, że pani taka zielona. A pani wcale nieźle wygląda, wcale, wcale...

Poleciała, niska, krępa i jasna, z czarnym płaszczem Janusza ku wieszakom. Zosia uśmiechnęła się.

– Pożałowała mnie – powiedziała do Janusza.

Pani Dosia wróciła:

– Proszę numereczek.

Zosia wsunęła Januszowi wąską dłoń pod ramię i ruszyli stromymi schodami w górę. Janusz chodził zawsze do Filharmonii za tak zwanymi żetonami, na stałe miejsca Bilińskich, bardzo zasłużonych przy budowie tej instytucji. Miejsca te wypadały w trzecim czy czwartym rzędzie po prawej stronie; nie było to wygodne, bo dekiel fortepianu przykrywał stamtąd ręce painisty, a nawet i solista, śpiewak czy skrzypek, ginął ich oczom, zasłonięty przez dyrygenta.

Zosia szła powoli pod górę, bo rzeczywiście była osłabiona. Przed kilkoma tygodniami poroniła, w trzecim miesiącu ciąży. Wyczerpało ją to nie tylko fizycznie, ale i przygnębiło moralnie.

– Janusz – mówiła – ja ci przynoszę nieszczęście. Brzoskwinie zmarzły w oranżerii, synek nam się nie urodził...

Janusz był bardzo cierpliwy, ale martwiło go takie mówienie. Uciekał do swoich kwiatów i zostawiał Zosię samą. I dzisiaj także ledwie się dała namówić na ten koncert.

– Znowu będę sam? I tak wszędzie bywam bez żony, to głupio wygląda. A na tym koncercie muszę być, Edgar jest moim najbliższym przyjacielem, a nawet gdyby nim nie był, chcę posłyszeć jego nową kompozycję...

– I trzeba będzie nocować na Brackiej. To okropne!

Zosia bała się jak ognia Marysi Bilińskiej, a jeszcze bardziej, co dziwniejsze, panny Tekli Biesiadowskiej. Może miała rację, bo Bilińskiej było zupełnie wszystko jedno, z kim się ożenił jej brat, ale panna Tekla marzyła dla swego Janusza o takich nadzwyczajnościach, że Zosia wydała się jej ostatnim pomiotłem.

– Pewnie – mówiła do Szuszkiewiczowej – Bilińska rada, że jej brat z byle k i e m się ożenił, bo jej mniej oczy Spychałą wypiekają.

Ale Szuszkiewiczowa się nie zgadzała.

– *Oh, madame* – powiadała – *un mariage c'est quand même une chose différente...* *

Oczywiście czuło się w tych słowach aluzję do jej własnego mariażu i do upartego staropanieństwa panny Tekli.

Zresztą panna Tekla rządziła twardą ręką całym domem na Brackiej, sprzeciwiała się księżnej i wychowywała w okropny sposób Ala, na co matka nie

---

* Proszę pani [...] małżeństwo to jednak zupełnie inna sprawa...

miała najmniejszego wpływu. Wszystkie uczucia swe panna Tekla przeniosła z Janusza (po jego ślubie „z Bóg wie k i e m") na małego Ala i psuła go straszliwie.

Na przykład dziś nie chciała puścić go na koncert.

– Co tam takiemu dzieciakowi po jakiejś lafiryndzie – twierdziła z uporem.

Matka postawiła na swoim. Zabrała Ala do Filharmonii. Janusz z Zosią wchodząc na salę spotkali ich przed samymi drzwiami. Alo stał się teraz dużym, szczupłym piętnastoletnim chłopcem. Janusz, patrząc na niego, mimo woli pomyślał:

„Ciekawy jestem, czy mój byłby taki?".

– Jak się masz, Zosiu? – powiedziała Bilińska, podając rękę bratowej. – Jakże się czujesz?

– Dziękuję, doskonale – nadrabiała miną Zosia.

Alo podając rękę ciotce zarumienił się tak, że jasny czub włosów nad czołem, przekornie przegięty, stał się jaśniejszy. Matka spojrzała na niego z wyrzutem. Pod tym wzrokiem niebieskim, zimnym, Alo zakrył swoje oczy powiekami i odwrócił się. Zosi zrobiło się go żal i zdobyła się sama na inicjatywę w rozmowie.

– Dosia Wiewiórska powiada, że to tylko światło, ale ja myślę, że naprawdę bardzo źle wyglądam – powiedziała.

– Dosia Wiewiórska? *Qui est-ce?* * – spytała Bilińska, zwracając teraz na Zosię swoje zimne spojrzenie.

* Kto to jest?

– Ach, bo ty nie znasz wszystkich rozgałęzień rodziny Wiewiórskich – powiedział z uśmiechem Janusz. – Nie ma ich w *Almanach de Gotha*.

– Już chyba snobizmu nie można mi zarzucić – powiedziała Bilińska.

Zosia złapała spojrzenie Ala, który patrzył z podziwem na matkę. W długiej sukni z granatowego aksamitu i ze sznurami pereł księżnej Anny na szyi wyglądała wspaniale. Włosy miała sztucznie rozjaśnione i znikły z nich owe białe niteczki, które jeszcze niedawno się tam plątały. Parę tygodni temu wróciła z Paryża. Zosia zdobyła się na odwagę.

– Za to ty, Marysiu, wyglądasz prześlicznie – powiedziała.

Bilińska odsunęła ją jak zwykle swoim obcym spojrzeniem i aby jednak poprawić nieco wrażenie chłodu, z którego musiała sama zdawać sobie sprawę, uśmiechnęła się lekko wargami.

– Mama zawsze wygląda prześlicznie – odezwał się po raz pierwszy Alo.

Zosia chciała zażartować.

– A ja? – zwróciła się do siostrzeńca.

Zaraz tego jednak pożałowała. Alo tak poczerwieniał, że łzy stanęły mu w oczach. Na szczęście rozległ się dzwonek i trzeba było pomyśleć o zajęciu miejsca.

Janusz z Zosią siedzieli po chwili na niewygodnych, skrzypiących krzesłach wybitych czerwoną ceratą, z widokiem na brzydkie freski nad muszlą orkiestry. Muzykanci schodzili się powoli.

– Ja jestem okropna – powiedziała Zosia, tuląc swe ramię do ramienia Janusza – nie umiem rozmawiać z twoją rodziną. Zawsze muszę powiedzieć coś niepotrzebnego.

– Pociesz się – odparł Janusz – że ja mam z Marysią te same problemy w rozmowie. Cokolwiek bym powiedział, zawsze mi się wydaje, że powiedziałem nie to, co trzeba; to już jest taka maniera. Zawsze byłem wobec niej skrępowany, chociażby tym, że ojciec ją więcej kochał.

– Czy jesteś tego pewien?

– Czego?

– Że ojciec ją kochał więcej.

– Pamiętam jego śmierć.

I nagle tutaj, wobec schodzących się muzyków, kłaniając się znajomym, na przykład panu Hubemu, który zawsze na koncerty przychodził z takim starym Żydem, Janusz począł opowiadać o chorobie i o śmierci ojca, i o tym, jak koniecznie przed śmiercią chciał widzieć Bilińską.

– I właśnie wtedy przyjechała konno z dwoma kozakami, Kazio Spychała był u nas w domu, on był wtedy w POW...

Zosia pochyliła głowę i spojrzała ukosem na Janusza.

– Cóż za dziwną chwilę wybrałeś sobie, aby przypominać to wszystko – powiedziała.

Janusz zatrzymał się w swoim opowiadaniu. Zrozumiał, o co chodziło Zosi. Nigdy mu jeszcze nie mówiła o śmierci pana Zgorzelskiego, a on jej nigdy nie pytał o to. To było zawsze czymś niedomówionym. Zgorzelski umarł ze zmartwienia, że sprzedał Komorów za papierki bez wartości.

– Jeden z kozaków zwrócił Marysi woreczek z klejnotami – powiedział mimo wszystko Janusz

– za te klejnoty siostra kupiła mi Komorów. Oto co chciałem powiedzieć – postawił kropkę nad „i".

Zosia zmrużyła oczy i popatrzyła na pierwszego skrzypka, który przegrywał przed pulpitem skomplikowany pasaż.

– Szkoda ci tych klejnotów? – spytała.

– Myślę, że pomiędzy małżeństwem nigdy nie powinno być kwestii pieniężnych – dodał jeszcze Janusz.

– Ja myślę tak samo – szepnęła Zosia.

Strojenie orkiestry ustępowało jak wielkie westchnienie ku górze, mocowało się na łuku ponad konchą, skrzypce i oboje zwarły się jak dwaj zapaśnicy, i nagle wszystko ucichło, jakby nożem ucięte. Fitelberg w białym plastronie wszedł na estradę i odwracając się na podium ku publiczności, w szerokim uśmiechu ukazał swoje białe zęby.

Sala zagrzmiała oklaskami.

III

Profesor Ryniewicz mieszkał na ulicy Polnej, naprzeciwko politechniki; specjalnie wybrał to miejsce ze względu na syna, który studiował architekturę, było mu tu blisko do pracy. Młody robił znakomite postępy w nauce i był pociechą dla rodziców. Stary musiał dość daleko chodzić do uniwersytetu, gdzie jego wykłady biologii nie gromadziły zbyt wielu słuchaczy. W dzień koncertu Elżuni profesor był od rana bardzo niespokojny i wykłady, a miał ich w tym dniu tylko dwa, wbrew swemu zwyczajowi zbył dość lekkomyślnie. Trochę pogadał ze słuchaczami – wynikła wtedy kwestia osobnych ławek dla Żydów – ale w tonie spokojnym; trochę przeczytał ze skryptów i jakoś zepchnął te godziny, które go dzieliły od obiadu. Na obiedzie syna nie było, zatrzymały go prace w zakładzie architektury czy też gdzieś się wybrał z kolegami, nie wiadomo. Pani Ryniewiczowa, spokojna, jeszcze ładna kobieta, nie umiała wytłumaczyć mężowi, co syn robi. Wysłuchała z tego powodu kilku gorzkich uwag. Profesor zjadł potem bez słowa swój rosół i sztukę mięsa z musztardowym sosem, ale gdy przyszło do kompotu z jabłek, poprosił żonę o dzisiejszą poranną gazetę, jakąkolwiek gazetę. Pani Ryniewiczowa zauważyła, że zajrzał tylko na przedostatnią stronę, gdzie był dział: „Co dziś robimy wieczorem”, i odłożył numer pisma. Zrozumiała, że chciał się upewnić, o której godzinie zaczyna się koncert w Filharmonii, a ponieważ wiedziała równocześnie, że zawsze chodzili na te koncerty i stale na godzinę ósmą, zainteresowanie profesora uznała za skutek zdenerwowania. Westchnęła po cichutku i powiedziała:

– Jedzże kompot, Feliksie.

– Kiedy pewnie jest z cynamonem.

– Dlaczego ma być z cynamonem? Przecież wiem, że nie uznajesz cynamonu. Pamiętam o twoich gustach – dodała jak gdyby znacząco. Ale profesor tego nie zauważył, zjadł kompot. Gdy skończyli obiad, profesorowa przyniosła z kuchni herbatę, zjawił się wreszcie Jerzy, uśmiechnięty i zadowolony, opowiadał o jakimś koledze, który w głupi sposób oblał się na egzaminie. Profesorowa się śmiała, ale zauważyła, że mąż popatruje przez okno na chmury i nie słucha paplaniny syna. Na dworze był normalny dzień październikowy, chmury szły nisko, ale wiatr nie był silny.

Oczywiście profesorowa zrozumiała, że myśli Ryniewicza wracają ku innej jesieni, chociaż to nie było w jesieni.

"Zaraz, zaraz – pomyślała sobie – kiedy to mogło być?". I dodała głośno:

– Kiedyś ty wrócił z Rosji, Feliksie?

Ryniewicz popatrzył na nią jak przebudzony.

– Nie pamiętasz? – powiedział ze smutkiem.
– W 1918 roku.

– Nie o rok mi chodzi, to pamiętam – pani Ryniewiczowa machnęła ręką – ale o miesiąc. W październiku?

– W październiku.

– Nie pamięta mamusia? – powiedział Jerzy znad kompotu. – Ja pamiętam, jakby to wczoraj było. Bawiłem się moją kolejką elektryczną, a ojciec wszedł niespodzianie... nie poznałem go.

Profesor Ryniewicz spojrzał z wdzięcznością na syna.

– Tak, i ja tak sądziłam – powiedziała profesorowa, zamyślając się nagle – ta pogoda październikowa przypomniała mi właśnie twój powrót. To było bardzo dziwne...

– Dlaczego bardzo dziwne? – spytał gwałtownie Jerzy, zapalając papierosa. – Uważam, że to było najnormalniejsze w świecie; wrócił do nas, bo gdzież miał być?

– Mógł nie wrócić – uśmiechnęła się profesorowa.

– Moja Jadwisiu! – poprosił cichym głosem Ryniewicz.

– Nie wiesz, jak to bywało? – z pewnego rodzaju goryczą w głosie mówiła profesorowa.

– No, chyba ojciec w Rosji nie zakochał się – zaśmiał się Jerzy, dla którego zakochanie się „starego" było czymś równie śmiesznym jak niemożliwym.

Pani Jadwiga spojrzała niespokojnie na syna. Ale widząc, że obojętnie pali papierosa, wzruszyła ramionami.

– Nie byłoby to nic nadzwyczajnego – powiedziała.

Profesor się zniecierpliwił.

– Mówicie o mnie jak o nieobecnym – mruknął – traktujecie mnie już jak zdziecinniałego starca.

Jerzy przestał palić i popatrzył na ojca wzrokiem tak zimnym, jak gdyby chciał go przejrzeć na wylot.

– Przepraszam – powiedział oschle, gasząc papierosa w szklanej popielniczce.

Profesor wstał i bez słowa wyszedł do swojego gabinetu.

– Zawsze musisz czymś ojca urazić – powiedziała profesorowa, chowając cukier do bufetu.

– Mamusiu – zaprotestował Jerzy – przecież ja nic nie powiedziałem. Naprawdę chcecie, abym zawsze przesiadywał w domu, nie pozwalacie mi n i g d z i e wychodzić, a w domu stwarzacie atmosferę niemożliwą. Zastanówcie się przecież nad tym.

Pani Ryniewiczowa zamknęła drzwi bufetu mocniej, niż należało, i powiedziała:

– Wiesz, brak zastanowienia nie jest n a s z y m grzechem.

Po czym wyszła do kuchni.

Jerzy patrzył przez okno.

Rzeczywiście pogoda była nieprzyjemna, mocny wiatr wiał od strony Pola Mokotowskiego i gnał nie tylko obłoki w górze, które, pofałdowane i pomarszczone, biegły szybko jak stada zwierząt, ale i dołem duże liście, które pryskały garściami, porwane z szarych trotuarów, i małe nasionka klonów, które leciały naprzód wirując żałośnie. Jerzy zbliżył się do szyby, odchylił białą firankę i przez chwilę śledził liście i nasiona.

– Cholera – powiedział – psia pogoda. Psie życie!... – dokończył.

Profesor usiadł przy biurku, ale nie pracował, zwrócił się także w stronę okna i patrzył na liście i obłoki. Przypomniał sobie ten powrót, o którym zaczęła mówić Jadwiga, i to staranie się o przyjęcie codziennych norm: pracy, posiłku, snu, spraw wychowania Jerzego i jego nauki. To chyba było najcięższe, ale minęło. Teraz już jest prawie dobrze, może nawet zupełnie dobrze, uniwersytet, wykłady, nauka. W biologii dokonują się w tej chwili takie przemiany, że chociażby śledzenie zagranicznych wydawnictw staje się podróżą w krainę niebywałej przyszłości. Teoria powrotu epoki lodowcowej znalazła uznanie za granicą. Tylko Jerzy! Pomiędzy nim a rodzicami zawsze przepaść chłodu. Profesor starał się przypomnieć sobie swój stosunek do ojca, małego urzędnika administracji dóbr Sobańskich: czy ja też go nie rozumiałem? Czy też mnie niecierpliwił? Chyba tak.

Ryniewicz sam nie wiedział, jak bez pracy, nie pisząc i nie czytając, przesiedział przy biurku parę godzin. Wiatr przepędził chmury, potem nastały ciemności. Za oknem było czarno, a w mieszkaniu cicho. Obudził jego czujność zegar, który w stołowym pokoju wybił powoli i głębokim tonem siódmą godzinę. Przypomniał sobie, że musi wstać i iść: pójdzie piechotą, z Polnej do Filharmonii nie tak daleko, a to mu pozwoli zabić czas. Na palcach przeszedł do przedpokoju, ubrał się w palto jesienne, starannie szalem owijając gardło, wziął kapelusz i parasol: mogło padać. Gdy już miał wychodzić, otworzyły się drzwi kuchni; na tle światła zarysowała się poważna figura Jadwigi.

– Feliksie – powiedziała – dokąd idziesz?

Profesor milczał.

– Słuchaj – spokojnie powiedziała żona – po co ci to? Po co na nowo rozdrapywać zastarzałe uczucia? Nie idź, daj spokój.

Profesor nie patrzył na żonę i rękę trzymał na klamce.

– Nie mogę – powiedział.

– Ha, jak chcesz – wzruszyła ramionami żona – ale ja myślałam...

Nie dokończyła swego zdania. Trzasnęły zamknięte drzwi od kuchni i w przedpokoju znowu było ciemno. Profesor postał jeszcze chwilę przy drzwiach. Potem zawrócił na palcach. Zdjął szal i płaszcz, powiesił je na wieszaku i tak samo na palcach wrócił do swojego gabinetu. Nie zapalając światła, usiadł przy biurku. Na ulicy jaśniały latarnie. Wyjął z szuflady fotografię i przy nikłym świetle usiłował obejrzeć zatarte nieco rysy. Ale było ciemno.

IV

Edgar przemknął chyłkiem przez przedpokój i wszedł do niskiej parterowej loży, która znajdowała się tuż obok orkiestry. W momencie kiedy wchodził do loży, grzmot oklasków, który przejechał od góry do dołu salą i trwał pewną chwilę, zawiadomił go, że Elżunia poprzedzając Fitelberga weszła na estradę. Hałas trwał długo. Edgar usiadł tak, aby nie widzieć ani siostry, ani dyrygenta, słyszał tylko stopniowe milknięcie oklasków, charakterystyczne chrząknięcie Elżuni, stukanie pałeczki Ficia, parę początkowych akordów kwartetu. Od pierwszej nuty, która wyszła z gardła Elżbiety, od pierwszej gamy, która szybko wybiegła na zawrotną wysokość, Edgar poczuł, że „będzie dobrze". Mozarta Elżunia śpiewała lekko, trochę jak gdyby bawiła się czy przekomarzała. Może to nie był właściwy ton dla arii Królowej Nocy, która powinna raczej więcej mieć sztuczności, coś jak mechaniczna pozytywka, *boîte à musique*. Ale publiczność zamarła, słuchając przepięknego głosu.

„Nie, czas nic nie naruszył – pomyślał Edgar – przeciwnie, jest to zupełna dojrzałość. Jeszcze rok, dwa. Górne nuty są trochę za ostre, krzykliwe – ale to nic nie szkodzi".

Kiedy zaczęło się preludium *Szecherezady*, Edgar pochylił się głęboko w fotelu, aby jak najuważniej uchwycić te pierwsze takty: pizzicata kontrabasów w dziwnym rytmie ostinatowym i ta wijąca się fraza fletu, powtórzona o kwintę niżej przez obój. Fraza ta miała swój nieodparty wdzięk, pięknie kontrastowała z pukaniem basów – ale dla Edgara,

sam nie widział dlaczego, była ona motywem śmierci. Szecherezada opowiada bajki o cudach nieprze-
branych, a jednocześnie przecież myśli o śmierci;
jeżeli bajka nie spodoba się Szachiarowi, może
zginąć każdej chwili na szafocie. Coś z tego śmier-
telnego wdzięku było we frazie fletu – nikt oczywiście tego nie wiedział i nikt ze słuchaczy nie rozumiał, ale on wiedział: to było delikatne, słodkie,
sentymentalne nawet wołanie śmierci. I zaraz na
głos fletu i oboju odpowiadała Elżunia, siostra, za
niego:

O, nie wzywaj mnie, Dinarzado,
Bo słońce już mnie wezwało...

W pieśni po tej frazie przychodziły ruchliwe
pasaże skrzypiec i zaraz Elżunia wołała:

Słońce, co wschodzi nad miastem tak blado,
Jak gdyby mego głosu nie słyszało...

Gdzie się podziały krzykliwe fermaty? Fałszywy
dramatyzm? Elżunia tak prosto podawała muzyczne frazy, niby rozmawiając zwyczajnie z fletem,
z obojem, ze skrzypcami. Radziła się ich:

Cóż mam powiedzieć dziś mojemu miłemu?
Cóż z serca wyjąć, czym serce omotać?

Edgar wiedział, że nic nie pomoże na te pytania,
że to są pytania retoryczne, że serce zamrze,
a z nim całe to piękne życie, zamknięte we fletach
i obojach, że zamrze to serce, które nigdy nie

kochało, a z nim nadzieja na zbawienną miłość. Skrzypce wzniosły się westchnieniem wysoko, potem solo skrzypcowe zatrzymało się na flażolecie, a razem z nim wysokie cis Elżuni wzięte pianissimo zamarło i urwało się jak westchnienie. Sala nie klaskała.

Gdy przyszła druga pieśń, Edgar pomyślał, że pewnie nigdy nie znajdzie się taki badacz jego dzieł, który spostrzeże, że to, co teraz grają wiolonczele, jest augmentacją i odwróceniem fletowego „tematu śmierci" z pierwszej pieśni. Tak wielu muzyków zamyka na stronach swoich partytur im jedynie znajome aluzje, cytaty, żarty, o których słuchacz nigdy nie wie, badacz zaś wie tylko czasami. A przecież to „powiększenie" właśnie sprawiało, że nastrój pieśni, szept wiolonczeli, to, co Elżunia mówiła cichutko, jak gdyby opowiadała osobom w pierwszym rzędzie krzeseł o swoim synku, który się urodził i umarł w Konstantynopolu, wiązało się bezpośrednio z nastrojem pierwszej pieśni, wynikało z niej.

... Zanurzyć tylko trzeba twarz
W ogromny zapach tego bzu
I zaraz życie, młodość, czas
Staną się wielką łaską snu...

Przypomniał sobie Edgar taką chwilę; wypłynęła wyraźnie przed jego oczami, gdy pochylony w fotelu, spuściwszy powieki, słuchał szmerliwych westchnień smyczków, które grały akordy nie unisono, ale występowały jedne po drugich. Kiedyś, był jeszcze bardzo młodym chłopcem, miał czternaście lat, gimnazjum w Odessie zamknięto właśnie z powodu jakiejś epidemii i matka wysłała go na wakacje do Moliniec. Było to w pierwszych dniach maja, naokoło dworu w Molińcach, naokoło klombu rosły gęste krzaki bzu; bawił się wtedy z córką kucharki, małą Maszką, nie podejrzewając nawet, że w tych zabawach tkwią pierwiastki miłosne. I kiedyś Maszka przyszła przed dom w całym wieńcu bzów na głowie, „zakwiczana u bezowi", jak mówiła, i Edgar, wąchając niby to ów bez, ugryzł Maszkę w ucho. I teraz, kiedy Elżunia prawie bez głosu, wznosząc się w górę małymi tercjami, mówiła:

Ty wiesz, ty wiesz,
Jaka łaskawość drzemie w kwiatach bzu...

poczuł naprawdę zapach owego wiosennego bzu i zapach ciała Maszki, kiedy ją ugryzł, i potem przypomniał sobie, że Maszka miała takie same oczy jak Helena. Tak go ten blask owego wiosennego dnia owiał całego, przyjechał wtedy po deszczu, liście w kształcie serca błyszczały całe mokre i pachniały gorzko, przygrzane promieniami; przyjechał ze Skwiry wynajętymi końmi, bo nie było bryczki z Moliniec – i kiedy stawiał stopy na ścieżce przed gankiem, w miękkiej glinie odbijały się jego ślady...

Nie zauważył, kiedy przeszli do trzeciej pieśni. Tutaj już nie było fletów, chociaż tytuł pieśni brzmiał *Flety w ciemności*, tylko wielkie westchnienie wszystkich smyczków wzbierało od samego początku, aby wybuchnąć w górę przy słowach:

... Flety śpiewają, a ciebie nie ma,
I ciemno, ciemno, noc i ciemno tak...

Edgar powoli otrząsał z siebie tamte wspomnienia, o których wiedział, że gdzieś były zamknięte
w tych pieśniach i zatajone jak podziemne źródła
muzyki. W delikatnej tkance muzycznej kryła się
Maszka i zapach jej dziecinnego jeszcze ciała, i po-
łysk liści bzu, i ślady stopy na mokrej glinie, nawet
wspomnienie żółtego błyszczącego trzewika, który
miał wtedy na nodze.

Słuchał trzeciej pieśni jak czegoś obcego. Elżunia
zrobiła tu takie crescendo, jakiego dawno nie słyszał. Głos jej rósł jak olbrzymia wzbierająca woda,
i nagle, gdy orkiestra urwała, został sam pod sufi-
tem Filharmonii, niby prosta biała kolumna.

Zaczęła się pieśń czwarta. Zasłuchana publiczność nie przerywała oklaskami poszczególnych pieśni. Tutaj teraz przez orkiestrę przelatywały ostre
fragmenty (tak samo zrobione z motywu *Szecherezady*) goniąc w tumulcie – i głos siostry wydobył się
ponad ten tumult, równy, spokojny, pełny, opowiadający:

Gdy księżyc wzeszedł na czarnym niebie,
Chmury go chciały wygonić...

To było najpiękniejsze, ten wielki spokój Elżuni,
która ponad burzę orkiestry wznosiła wysokie swoje portamenta. Edgar odchylił się w tej chwili
w swoim krześle i zobaczył ją, jej profil, ponad
wznoszącym się i opadającym smyczkiem pierwszego skrzypka. Wydała mu się w pierwszej chwili

kimś nieznajomym. Pióra przedłużały niepotrzebnie kształt jej głowy, a przy tym Elżunia zmieniła
się bardzo od czasu najradośniejszego ich spotkania, kiedy śpiewała w Odessie *Verborgenheit*; po
chwili przypomniał sobie, że owo podniesienie głowy, wspaniały gest *le port de la tête**, jak mawiała
ciocia Michasia, zauważył u niej podówczas po raz
pierwszy – i teraz znowu widzi ją, tak samo wzno-
szącą głowę i rzucającą raz po raz owo as, którego
tak nadużył w swojej pieśni, gdzieś aż pod galerię.

– Ach, Boże – powiedział do siebie – skąd ona
bierze jeszcze tyle głosu i tyle owej *Innigkeit***,
która zupełnie odmienia charakter jego pieśni?
Skąd ona bierze to coś, co tak pomnaża wszystko,
co ja piszę? Czy ona ma także stale to samo przeczucie śmierci? W młodości zdawało mi się, że
umrę młodo, ale dopiero później dowiedziałem się,
że zawsze się umiera młodo. I o tym napisałem te
pieśni. Czy ona to rozumie? Na pewno nie. Ona nie
miewa przeczucia i takich okropnych, miotających
uczuć. Ona to wszystko odkrywa bezwiednie
– i podaje innym do stołu jak potrawę, sama jej nie
kosztując. Ona jest prawdziwą Szecherezadą.

Patrzył teraz uważnie na nią. Zamknęła usta, bo
orkiestra – teraz już prawie tutti – znowu wybiegła
ku górze i uderzała łamanymi akordami w niebo,
pragnąc zakryć zakochany księżyc. I znowu nagle
odezwało się to es-as Elżuni, opadając potem kilkoma nutami ku dołowi. Ta kwarta miała w sobie
coś z upału i kurzu Odessy, z brzękania koni

---

* noszenia głowy
** intymności

policmajstra Tarły, z tego rozbijania się morza o skały. Potem już morze nigdy, nigdzie się tak nie rozbijało, rozszerzając się w pieniste warkocze, w muzykę kwart, w blask słońca, jak wtedy na Średnim Fontanie. „Ciekawy jestem – pomyślał słuchając wzlotów muzyki Edgar – czy ona myśli teraz o Odessie?".

Elżunia zamknęła raz jeszcze usta, orkiestra głuchym łopotem raz jeszcze przebiegła po wszystkich rejestrach – i nagle zabrzmiał wielki majorowy akord i śpiewaczka wzięła to ostatnie as, czyste i kryształowe. Potem wszystko umilkło, potem odezwały się oklaski, a wreszcie okrzyki: „Autor, autor!". Edgar, idąc na estradę, na schodkach zetknął się z siostrą; uczesanie rozplątało się jej trochę nad czołem i pióra przekrzywiły się. Miała oczy pełne łez. Pochyliła się nagle ku bratu i chwyciła go za ramiona:

– Już nigdy w życiu nie będę tak śpiewać jak dzisiaj – powiedziała.

V

Na koncerty symfoniczne pan Hube chodził zawsze z panem Złotym, na polu muzycznym mieli gusty jednakowe; prawdę powiedziawszy, i w tej dziedzinie Złoty wywierał ogromny wpływ na Hubego. Złoty nienawidził wszelkiej muzyki współczesnej, a zwłaszcza muzyki Edgara; Hube w swoim nie wykształconym zresztą poczuciu wielkości i bezpośredniości *Szecherezady* zwrócił się, w momencie kiedy Elżunia, unosząc tren białej sukni i chwiejąc piórami nad czołem schodziła z estrady, ku swojemu wspólnikowi z roześmianą twarzą.

– No, myślałem, że panu nareszcie podoba się muzyka Szyllera – powiedział jeszcze klaszcząc.

Ale pan Złoty, który dzisiaj przybył w towarzystwie swej młodej i ładnej żony, minę miał nieprzekonaną i nie klasnął ani razu w swoje grube dłonie. Kiwał tylko negatywnie głową.

– Ale to chyba pan przyzna – powiedział Hube – że śpiewa ona ładnie.

– Śpiewa ładnie – obojętnie powiedział Złoty.

– Prześlicznie – potwierdziła pani Złota, na której największe wrażenie zrobiła toaleta Elżuni i białe pióra nad głową.

Publiczność wstała z krzeseł. O parę rzędów przed Hubem siedziała Ola z dwoma synami przy boku. Antek i Andrzej byli dziś pierwszy raz w Filharmonii i stary Hube, obserwując chłopców z tyłu, widział, jak im płonęły uszy od samego początku koncertu i że siedzieli wyprostowani jak struna po obu stronach krzesła matki. Teraz jednak nie wytrzymywali i wstając z miejsca poczęli się poszturchiwać. Matka ich skarciła surowo.

– Andrzej nie umie się zachowywać – mruknął Antek do matki.

– Cicho bądźcie – powiedziała Ola i zwróciła się do Hubego:

– Dlaczego pan nie zabrał z sobą na koncert Huberta?

– Hubert miał być dziś wieczorem u kolegi – odpowiedział Hube.

Chłopcy wiedzieli, że to nieprawda, i spojrzeli na siebie znacząco. Wiadomo było, że ten wstrętny

Złoty nienawidzi Huberta i nie pozwala panu Hubemu zabierać syna na koncerty. Tak przynajmniej Hubert przedstawił im tę sytuację... Pani Ola jednak wzięła powiedzenie Hubego za dobrą monetę:

– Och, jaka szkoda, na pewno by mu się podobały te pieśni wujka Edgara.

Ola nazywała Edgara „wujkiem", bo tak mówili o nim jej chłopcy – zupełnie bez powodu. Zdawało jej się, że każdy chłopiec w wieku Antka czy Andrzeja powinien mówić o Szyllerze „wujek Edgar". Hube nastroszył się na to powiedzenie Gołąbkowej.

– Naprawdę? Pani tak sądzi? Ja myślę, że to nikomu nie może się podobać, cóż dopiero młodym chłopcom. Jak oni to mogą zrozumieć?

– Moi rozumieją, prawda, Andrzeju? – zwróciła się do młodszego, który nie wiedząc, o czym matka mówi, potwierdził na wszelki wypadek:

– Aha!

Hube wzruszył ramionami.

– Pani ich wychowuje w poszanowaniu muzyki współczesnej od samego zarania – powiedział ironicznie. – Czy pani jest krewną Szyllerów?

– Nie, ale ich znam od dzieciństwa i dlatego dzieci mówią na pana Edgara „wujku". No, ale to pan przyzna chyba, że ona pięknie śpiewa?

Tu wtrącił się do rozmowy pan Złoty, który nie opuszczał Hubego ani na krok.

– Tak, Mozarta śpiewała naprawdę znakomicie – powiedział.

Ola popatrzyła na Złotego z pewnym zdziwieniem. Hube się zmieszał.

– Pani nie zna mego wspólnika – przedstawił: – pan Seweryn Złoty.

Pan Złoty wyciągnął rękę.

– Pana Gołąbka to ja dobrze znam – powiedział – to bardzo solidny kupiec.

– I bardzo miły człowiek – dodał Hube – nie ma go dzisiaj na koncercie?

– Nie – zaśmiała się Ola – on się na muzyce symfonicznej strasznie nudzi, a śpiewania ma dosyć w domu.

Andrzej rzucił na matkę niechętne spojrzenie i dość czerwone jego uszy jeszcze bardziej poczerwieniały.

– To wielka szkoda – powiedział Hube – wiele przez to traci. Ale młodych pani zaprawia od wczesności? Co?

– Jak pan do polowania – zaśmiała się Ola.

Wyglądała w tej chwili bardzo ładnie i powiedziało to jej spojrzenie Hubego.

– Pani często śpiewa?

– Nie, nie – zaprzeczyła zbyt żywo – tylko wtedy, kiedy nikt nie słyszy.

– Ja niekiedy podsłuchuję, jak mama śpiewa – powiedział nagle półbasem Antek.

– No, widzi pani, ma pani swoich słuchaczy – śmiał się Hube – mój syn też mi nieraz mówił, że panią słyszał.

– Och, Hubert to prawie u nas domowy.

Ale synowie pociągnęli Olę do foyer, napili się wody sodowej z sokiem przy bufecie, za którym stała przystojna panna w spiętrzonej złotej fryzurze; należało to do takich samych przyjemności jak wysłuchanie całego koncertu. Hube został sam ze Złotym i jego żoną, nie odchodzili od niego na krok.

– Tam jest poseł belgijski – powiedział nagle Hube, nachylając się do wspólnika – może do niego podejść?

– To nic nie pomoże – szeptem odparł Złoty – co on nam poradzi? On nic nie poradzi. Pan myśli, że „Fabrique Nationale" słucha rządu. Ona sama dyktuje rządowi, co ma być. To wielki kapitał.

W tej chwili poseł belgijski uprzejmie skłonił się Hubemu, ten nie wytrzymał i podszedł do niego. Przywitał się.

– Czy mógłbym wpaść kiedy do pana posła? – zapytał.

– Ależ oczywiście, jak zawsze. Czekam na pana nawet – dodał z uśmiechem – spodziewałem się pańskiej wizyty. – I zaraz po tym znaczącym powiedzeniu wycofał się jak prawdziwy dyplomata na neutralny teren: – Prawda, jak ta śpiewaczka pięknie śpiewa?

Hube zauważył, że cudziemcy nie wymieniają polskich nazwisk, nawet gdy brzmią jak „Szyller". Pan poseł powiedział „ta śpiewaczka".

– Wspaniała – potwierdził Hube i odszedł znowu w stronę Złotego.

– No i co? – spytał pan Seweryn.

– No, nic. Powiedział, żeby przyjść do niego.

– Dużo to on nie zrobi.

– Może. Ale nie zawadzi pójść.

– Najlepiej rozmawiać z adwokatami.

– Adwokat zawsze puści z torbami. Z tego niewielka korzyść. Adwokaci między sobą się porozumiewają i jeszcze podzielą się dochodem. Nie, to już chyba na własny rozum. Jeżeli Hubert na przykład przejmie wszystkie akcje, czy on będzie też odpowiedzialny?

Pan Złoty przez chwilę popatrzył uważnie na Hubego, a potem wzruszył ramionami i odwrócił wzrok na mędrca medytującego nad trupią głową, który widniał na fresku po prawej stronie estrady.

– Chyba nie, trzeba zobaczyć w statucie.

– Więc, nie, panie Złoty? Nie odpowiada?

– Zdaje się, że nie.

Olbrzymie inwestycje, które poczyniła firma „Jeździec i Myśliwy" na budowę fabryki, wyczerpały wszystkie kredyty. W tym momencie wystąpiła belgijska „Fabrique Nationale" o natychmiastowy zwrot wszystkich należności. Ponieważ zarówno „Jeździec i Myśliwy", jak fabryka pod nazwą „Spłonka" były spółkami firmowo-komandytowymi, Hube jako jeden z firmowych odpowiadał za ten olbrzymi dług zagraniczny całością swego majątku. Sytuacja przedstawiała się wręcz tragicznie. Z Belgii przyjechał specjalny urzędnik, który miał załatwić sprawę; pan Złoty spędzał z nim długie wieczory na konferencjach w Hotelu Europejskim i wracał z tych konferencji z bardzo ponurymi horoskopami.

– Oni uczepili się pana – mówił do Hubego – bo pan ma taki wyraźny majątek...

– Pewnie, że mam wyraźny majątek, żadnych niewyraźnych interesów nigdy nie robiłem. Ale pan chce powiedzieć, panie Złoty, że ja mam uchwytny majątek.

– No, może być. Uchwytny majątek.

Sprawa ta bardzo męczyła pana Hubego, i teraz, w Filharmonii, nie przestawał o niej myśleć.

– Więc Hubert by nie odpowiadał? – spytał raz jeszcze.

– Co ma odpowiadać? – Takie dziecko! – westchnął pan Złoty.

Tymczasem Ola, przeciskając się od foyer z powrotem na salę, spostrzegła w cieniu balkonu, z boku siedzących, starszych państwa Szyllerów. Pani Szyllerowa, wysoka, korpulentna, nic się nie zmieniła, ale stary pan Szyller skurczył się, zgarbił, posiwiał i oczy miał nie roztargnione, jak dawniej, ale jak gdyby trochę przerażone czy zniecierpliwione. Gdy się Ola do nich zbliżyła, spojrzała na nią nieufnie, nie chciała nawet myśleć, że niechętnie.

– Tak dawno państwa nie widziałam – mówiła – tak zawsze państwo ukryci w swojej cukrowni. Nigdy państwo do Warszawy nie przyjeżdżają?

– Mąż czasami – mówiła za oboje Szyllerowa – ale tylko za interesami, wskoczy do Warszawy i zaraz jedzie z powrotem. Bardzo dużo pracy w cukrowni, i to w jego wieku...

– Chwała Bogu, że teraz państwo mogli przyjechać.

– A, gdzież znowu, na koncert Elżuni? To trzeba było. Nawet teraz, pani wie, akurat kampania się w cukrowni zaczęła. Ale na koncert Elżuni...

– Ach, jak ona cudownie śpiewa – powiedziała Ola – prawda?

– Hm, pani Olu, co nam tam mówić, starym – powiedziała znowu pani Szyllerowa. – Zachwyceni siedzimy, *taj hodi!* – dodała ukraińskie wyrażenie.

W tym momencie stary Szyller rzucił na Olę, tak samo ukradkiem, bardzo niechętne spojrzenie. Ola zwróciła się ku niemu:

– Czy pan nie podziela zachwytu pani Szyllerowej? – spytała z prostotą.

Szyller poruszył się na krześle z niecierpliwością.

– Przyznam się pani – powiedział, jakby prze-
zwyciężając się – że nie rozumiem moich dzieci.

Oli zrobiło się przykro. Pani Szyllerowa usiłowała zatrzeć to wrażenie.

– On nigdy nie mówi tego, co myśli – powiedziała z uśmiechem – jestem przekonana, że pieśni
Edgara wzruszyły go.

– Do pewnego stopnia – odpowiedział stary
Szyller, jak gdyby powracając na ziemię – ale czuję
się także bardzo zażenowany. W sztuce jest jak na
mój gust za dużo ekshibicji. Ja, przyznam się, jestem zażenowany, kiedy widzę na estradzie moją
córkę ustrojoną, umalowaną, z piórami na głowie
i opowiadającą zebranym ludziom myśli mego syna. *Que voulez-vous? C'est trop fort pour moi.* ★

– Niepodobna odmówić mu racji – powiedziała
pani Szyllerowa, z zażenowaniem spoglądając na
Olę. – Ja też doznaję trochę tych samych uczuć.

Ola zawahała się.

– Oni nam dają tyle pięknych rzeczy – powiedziała.

– Tak, na pewno – westchnęła pani Szyllerowa
– ale dla nas są przede wszystkim naszymi dziećmi.

Stary Szyller pociągnął nosem i parsknął potem
głośno.

– No, ale trudno. Dzieci są zawsze inne niż
rodzice.

★ Cóż? To jest za dużo jak dla mnie.

VI

– Wiesz, nie chce mi się słuchać Beethovena – powiedziała Zosia do Janusza – Chodźmy lepiej do pokoju artystycznego... do Szyllerów.

Janusz spojrzał uważnie na żonę. W oczach jej, głęboko osadzonych, czaił się niepokojący ognik.

„Czyżby wiedziała, że tam jest Hania Daws?" – pomyślał. Ale zaraz się uspokoił. Zosia wzięła go pod ramię.

– Te pieśni mnie trochę zdenerwowały – powiedziała prawie szeptem.

Janusz nie lubił tego szeptu u Zosi. Był on zawsze wyrazem tych stanów psychicznych, za którymi nie mógł podążyć. Zosia w takich chwilach stawała się kimś obcym – i nagle niezrozumiałym. Janusz nie chciał się przyznać sam sobie, ale szept Zosi – o specjalnym zabarwieniu, tak jak gdyby jej gardło ściskało zbyt silne uczucie – napełniał go lękiem.

– Jak chcesz – powiedział. – Mnie też nie bardzo się chce tej symfonii...

Przeciskali się szerokim przejściem między krzesłami w stronę wyjścia za „kulisy" estradowe, ale tłum był dość gęsty i posuwać się było trudno. Nagle ktoś klapnął Janusza po ramieniu. Odwrócił się gwałtownie. Za nim stał człowiek niedużego wzrostu, którego Janusz na razie nie poznał. Była to tylko chwila, przez którą cały kłąb wspomnień zebrał się i rozwinął nagle, odkrywając odległe perspektywy.

– Henryk – powiedział na pół z radością, na pół ze zdziwieniem.

Był to rzeczywiście Antoniewski. Janusz nie widział go od czasów Paryża. Wiedział tylko, że malarz porzucił swój zawód i niespodziewanie począł robić karierę polityczną. Zwłaszcza w ostatnich latach.

– Wiesz, tak myślałem, żeby spotkać ciebie – mówił Antoniewski, witając się. – Właśnie powiadałem do żony w mojej stolicy, kiedy wyjeżdżałem: Chciałbym spotkać Janusza. No, i co się z tobą dzieje?

Janusz uśmiechnął się i przypominając sobie gest młodości, pochylił głowę na bok i spode łba, z przekorą spojrzał na Antoniewskiego.

– Ze mną, to nieciekawe. Ale co się z tobą dzieje? To dopiero zadziwiające.

– Nie takie bardzo – powiedział Antoniewski. – Pamiętasz przecie... w Kijowie. Zawsze robiłem w polityce.

– Ale w jakiej? – przekornie zapytał Janusz.

Henryk widać uważał, że lepiej tych spraw nie precyzować, bo poprosił Janusza o przedstawienie żonie.

– Prawda – zaśmiał się Janusz – ty nawet nie znasz mojej żony! – I dodał oficjalnie: – Pan wojewoda Antoniewski, moja żona.

Zosia jak gdyby z pewnym lękiem czy wahaniem podała rękę przyjacielowi męża.

– Jak twoja małżonka? – w dalszym ciągu Janusz robił z siebie dobrze wychowanego i oficjalnego. W pytaniu tym było mało serdeczności.

– Dziękuję ci. Doskonale – odparł Antoniewski.

Rozmowa zdawała się na tym wyczerpana. Nie było to dużo jak na spotkanie dwóch przyjaciół, którzy tyle razem przeżyli i tak dawno się nie widzieli.

Ostatecznie Henryk chcąc podtrzymać konwersację powrócił do powiedzenia Janusza.

– Nie widzę tak wielkiej różnicy w mojej dawnej polityce a obecnej – powiedział.

– Przeprowadzasz zgodę polsko-ukraińską? – uśmiechnął się złośliwie Janusz.

Henryk się żachnął.

– Nie ja to robię – powiedział – wszyscy.

Januszowi przypomniała się księżna Anna i jej sceptycyzm, w pewnych wypadkach wyrażany tak niewielką ilością słów.

– *Vous le croyez, monsieur?* ⋆ – spytał.

Henryk zrozumiał słowa, lecz nie odczuł intencji Janusza.

– Przecież to piękne zadanie – zawołał – pomyśl sobie, zresztą sam się urodziłeś i wychowałeś pośród tego narodu. Jakże tak można?

Janusz się zaśmiał. Popatrzył na Antoniewskiego uważnie. Na pozór nic się nie zmienił, te same po malarsku długie włosy, spadające w nieładzie na czoło, te same jasne i wypukłe oczy. Ale twarz mu obrzękła pewnym dostojeństwem. Nigdy nie myślał tego dawniej, patrząc na swego przyjaciela, ale teraz wydało mu się, że świetnie wyglądałby w kontuszu.

– Tylko nie możesz ujednolicić tej polityki – znowu przekornie przekrzywiając głowę, konstatował Janusz – na północy masz innego sąsiada, na południu innego – i poglądy wasze się różnią. I to na kardynalne sprawy.

⋆ Pan w to wierzy?

– Widzę, że się orientujesz – powiedział Antoniewski i strzepnął palcami. Patrzył przy tym nie na Janusza, ale w przestrzeń. – Co ty właściwie robisz?

– Ja? – zdziwił się Myszyński. – Gospodaruję.

– Gdzie?

– A tu, pod Warszawą. W Komorowie.

– Cóż to za gospodarstwo?

– Malutki folwarczek. Reforma rolna mi nie grozi. Kwiaty, nowalie...

– Ba! – westchnął Antoniewski. – To chyba niedaleko od mojej Moszczenicy?

– Czy myślisz, że jakoś sobie dasz radę? – spytał Janusz, jak gdyby nastając na dawnego przyjaciela. Zosia podniosła oczy na męża, wydawał się jej inny niż zwykle. Nie znała Janusza z epoki jego przyjaźni z malarzem. – Nie darmo rodziłeś się we młynie nad Moszczenicą. Chłop jesteś... i młynarz.

– Gdybym to ja wiedział... – speszył się Antoniewski pod wzrokiem Myszyńskiego. – Wszystkie wydarzenia pod znakiem zapytania...

– Wszystkie? – Janusz nastawał w dalszym ciągu.

Antoniewski się zniecierpliwił.

– Cóż ty mnie tu na egzamin polityczny bierzesz? – zawołał. – To nie miejsce po temu, przyjdź jutro do hotelu. Albo wiesz co? Przyjedź do mnie, do Łucka, to zobaczysz na miejscu – pogadasz, porozmawiasz. Wy, warszawiacy...

– Przed chwilą powiedziałeś, że urodziłem się i wyrosłem wśród Ukraińców.

– Aleś się zwarszawił – zaśmiał się Antoniewski, pokazując swoje duże, białe zęby. – Przyszliśmy tu podziwiać naszego Szyllera i jego piękną siostrę. No, nie?

– Rzeczywiście – zrezygnował nagle Janusz, ustępując ze swego stanowiska. – Nie wiem, co mnie ugryzło. Te sprawy mnie przecież interesują minimalnie.

– I co? Nie masz już ochoty nigdy wsiąść do nieznanego pociągu i jechać gdzieś na południe? – spytał po chwili niezręcznego milczenia.

Antoniewski popatrzył na niego na pół nieprzytomnie, przypominając sobie najwidoczniej skądsiś te słowa. Ale nie wiedział, skąd je zna.

– Mówiliśmy sobie te słowa w Paryżu? – spytał.

– Ależ nie – uśmiechnął się Janusz – o wiele, wiele lat wcześniej. Kiedyśmy jeszcze nie zrealizowali sobie Paryża. Wydawał nam się wtedy niedostępny...

– Wtedy w górach? – spytał Antoniewski.

– W górach – odpowiedział Janusz.

– Aha, pamiętam – powiedział Henryk – pamiętam. Ale to nieprawda, że myśmy potem zrealizowali to, o czym myśleliśmy w górach. Zupełnie nie. To, cośmy potem zrealizowali, było zupełnie inne.

Janusz skinął głową.

– A to, co realizujesz teraz, jest jeszcze zupełnie inne – powiedział i ścisnął Antoniewskiego za ramię.

– Mogę cię zapewnić. Zupełnie inne.

Janusz już chciał iść.

– A co się dzieje z Ariadną? – spytał Antoniewski. – Nic nie wiesz?

– Nic nie wiem – zimno odpowiedział Janusz i zwracając się do żony, powiedział: – Chodź, Zosiu, przejdziemy do pokoju artystów.

I podał rękę Antoniewskiemu jak jakiemu „dalekiemu znajomemu".

VII

Pani Royska schodząc w przerwie z balkonu, na którym siedziała, natknęła się na schodach na Spychałę. Stał niedbale oparty o ścianę i palił papierosa. Ostatnio cerę miał żółtą i niezdrową, powiadano, że nie był dobrze z płucami i dużo miał zajęcia w ministerstwie. Pani Royska ucieszyła się z tego spotkania. Lata całe nie widziała dawnego nauczyciela swych synów.

– Dzień dobry, panie Kaziu – powiedziała.

Był wieczór i nikt już od dawna nie mówił mu „panie Kaziu" – uśmiechnął się więc, całując panią Royską w rękę. Taki początek rozmowy usposobił go życzliwie i radośnie. Przypomniał sobie, że właściwie mówiąc, nie miał dłuższej rozmowy z Royską od pamiętnych dni odeskich, kiedy to pani Ewelina zakończyła pogawędkę obietnicą przysłania „na pociechę" Oli. Kazimierz wiedział, że pani Royska nie mogła mu zapomnieć sprawy swojej siostrzenicy, ucieszył się więc z serdecznego tonu, w jaki uderzyła jego dawna chlebodawczyni. Ona widocznie myślała o tym samym, bo także wspominała dawne czasy.

– Ja z panem dłużej nie rozmawiałam chyba od czasu Średniego Fontanu – powiedziała, z czego Spychała wywnioskował, że się tu zanosi na dłuższą rozmowę. Pani Royska jednak powiedziawszy te słowa zamilkła i stojąc przed Kazimierzem nagle popatrzyła w bok, jak gdyby za szybą znajdującego się tam okna ujrzała nie szaroniebieski ton październikowej nocy, ale jakiś daleki widok. Milczała, a Spychała przypomniał sobie, że ta ostatnia ich rozmowa sprzed dziewiętnastu lat dotyczyła przecież Józia, zrozumiał, że pani Royska myśli o synu. Nie wiedział, jak się przerzucić na materie budzące mniej wspomnień.

– Elżunia już wtedy bardzo pięknie śpiewała – powiedziała wreszcie pani Ewelina i odwróciwszy wzrok od okna, spojrzała na Spychałę, ale tak, jak gdyby słowa przez nią wypowiedziane zawierały zupełnie inną, osobliwą i daleko głębszą treść. Spychała jednak uchwycił się tego tematu. Powtórzył słowa Marii:

– Oczywiście, dzisiaj to już nie jest ta świeżość co dawniej, ale za to zyskała siła interpretacji....

– Prawda, prawda? – żywo zareagowała pani Royska. – I co za cudowne pieśni. Edgar to bardzo wielki muzyk...

Spychała dorzucił jeszcze kilka zdań zasłyszanych od Marii i pani Daws. Sam nie miał pojęcia o muzyce, a nie chciał się z tym (nie wiadomo dlaczego) zdradzać. Pani Royska żywo potakiwała i Spychała sądził, że rozmowa się na tym skończy. Chciał ją ograniczyć jak najbardziej do pustej wymiany frazesów. Każde opuszczenie się poniżej tej powierzchni groziło – czuł to – zawikłaniem się w sprawy przykre i trudne. Ale ponieważ trzeba było coś mówić, zapytał:

– A cóż porabia... pani syn?

W momencie kiedy już zaczął pytanie, zorientował się, że wyleciało mu z pamięci imię tego syna.

Dlatego zapytał tak dziwnie. Pani Royska jednak dopomogła jego pamięci.

– Walerek? – spytała niechętnie. – Mieszka w Siedlcach ze swoją nową żoną. Mają córeczkę. Bardzo miłe dziecko...

– Nawet nie wiedziałem, że się ożenił po raz drugi – powiedział Spychała, byle tylko mówić, wiedział doskonale o rozwodzie Walerka, ale jak ognia bał się pauz w tej rozmowie i wzroku pani Eweliny zwracającego się na okno. W tej chwili schodami przeszła Ola z synami. Spychała z zainteresowaniem pochylił się ku pani Royskiej i ciągnął bez przerwy: – Czy to dawno nastąpiło?

– Ach, to się ciągnie już parę lat – zbagatelizowała sprawę pani Royska. – Walerek ma tylko rozwód prawosławny i właśnie w tej sprawie chciałam z panem pomówić.

Spychała wyprostował się i z twarzy jego znikł wyraz zainteresowania. Ola z chłopcami zniknęła u góry w drzwiach wiodących na salę.

„A więc jednak interes" – pomyślał Spychała nie bez zadowolenia. Lubił myśleć o tym, że jest ważny i potrzebny ludziom, i to mu pochlebiało, kiedy wszyscy myśleli, iż wiele może. Nie domyślał się, o co może chodzić Royskiej, i nie chciał jej ułatwiać sytuacji. Mimo woli pomyślał: „starej Royskiej", i popatrzył na jej włosy.

Siwiała oczywiście, ale pod siwiejącymi włosami jaśniało zawsze to białe, czyste czoło, które – pamiętał to doskonale – robiło na nim takie wrażenie w Molińcach. A oczy były zawsze takie żywe, duże, błyszczące, jakby przed chwilą zaszły łzą wzruszenia czy ożywienia. Spychała pomyślał:

„U diabła, ile ona może mieć lat? Wtedy w Molińcach musiała być zupełnie młoda, a mnie się zdawało, że stara". I pomyślał, że cały czar wspomnień starego domu i tej rodziny, i jego miłości do Oli polegał tylko na tym, że temu domowi patronowała pełna wdzięku kobieta, tak młoda, że straszno mu było dziś o tym pomyśleć.

Pani Royska, przemagając się, po chwili zaczęła jakieś zdanie, ale jednocześnie Spychała powiedział nie słuchając:

– Pani zawsze tak pięknie wygląda.

Pani Royska przerwała swoje i popatrzyła uważnie na Kazimierza.

Twarz jego, gładko ogolona, dość pełna, o cerze ciemnej, południowo smagławej, wzniesienie głowy bardzo pewne siebie i spojrzenie przenikliwe dużych, zimnych, szarych oczu w niczym nie przypominały owego prostego studenta z Odessy. Pani Royska bezwiednie spojrzała na jego nogi, ale nie spostrzegła na nich dawnych ordynarnych „galicyjskich" buciorów. Buty Spychały – robione na zamówienie u najlepszych szewców warszawskich – z lakierowanymi nosami, ściętymi nieco z boku, tak samo niepodobne były do dawnego jego obuwia, jak dawne szczere spojrzenie do dzisiejszego bardzo zimnego wzroku, który wciąż spoczywał na jej twarzy.

– Zwracam się do pana z tą prośbą, ale nawet nie wiem, czy to właściwa droga – powiedziała wreszcie, zająknąwszy się lekko na słowie „prośba". „Może bym wprost powiedziała Marii?" – zastanowiła się pani Ewelina i znowu spojrzała na buty Spychały.

– O cóż chodzi, proszę pani? – spytał Kazimierz
– czy to długa sprawa? Może by lepiej w biurze...

– Tak, oczywiście – uśmiechnęła się pani Royska,
i Spychale wydał się ten uśmiech przesłonięty jakimś smutkiem, woalką lat czy welonem żałoby
– ale pan jest w biurze taki niedostępny. Po prostu
onieśmiela mnie pan...

Spychała wzruszył pamionami.

„Kpi czy o drogę pyta?" – pomyślał. Zawsze go
właśnie pani Royska onieśmielała. Tak już zostało od
molinieckich czasów, że w obrębie jej wzroku odczuwał sztywność rąk i nóg i nie mógł zebrać myśli.

„Do cholery – jeszcze dodał w myślach – czy ja
kochałem się w niej? Nie w Oli?".

– Chodzi mi o rzecz bardzo prostą. Staram się
o rozwód katolicki dla Walerka, pan rozumie, ślub
prawosławny mi nie wystarcza.

– Oczywiście, rozumiem – powiedział Spychała,
nagle okrywając się rumieńcem.

Pani Royska spostrzegła ten rumieniec i zmieszała się ostatecznie. Sprawa ślubu była najbardziej
nietaktowną sprawą, jaką można było poruszyć
wobec Spychały czy Marii. Ale trzeba było brnąć
dalej. Pani Ewelina znowu wpatrywała się w okno
za plecami Spychały i teraz już co krok jąkając się
i zacinając, ciągnęła:

– Marysia zna dobrze księdza Meysztowicza
w Rzymie, przecież to był taki wielki przyjaciel
księżny Anny nieboszczki. Czy nie mogłaby do
niego napisać z poparciem tej sprawy?

Rumieniec znikł z policzków Spychały. Przybrał
ton urzędowy, jak gdyby siedział przy biurku
w swoim gabinecie:

- A czy sprawa jest już w Rzymie?
- Od trzech lat.
- Czy nie wolałaby pani, aby nasz ambasador poruszył to w Konsystorzu?
- Nie, oczywiście, że nie. Do Skrzyńskiego pisałam, to nasz znajomy jeszcze z czasów kijowskich. Ale tu tak dużo zależy od księdza Meysztowicza, a on na sam dźwięk nazwiska Marysi...

Spychała znów się zapłonił.

„To już nie wiem dlaczego" – pomyślała Royska, poprawiając się jednakże:

- Nazwisko księżny Anny zrobi wszystko. Walerek sam nie dba o to ani ta jego żona...
- Naturalnie powiem zaraz pani Marii...

Spychała mówił o Bilińskiej „pani Maria" do osób bardziej zaprzyjaźnionych.

- Na pewno napisze...
- Ja sama zresztą jej o tym przypomnę – powiedziała pani Royska, nagle ogarnięta jakąś pewnością siebie. Znowu górowała nad Spychałą. – Tylko chciałam przez pana zadziałać, bo to może będzie miało więcej... autorytetu.

Zrobiło się koło nich pusto na schodach. Portierzy w wiśniowych kurtkach zaciągali zasłony na kłapiących w obie strony drzwiach. Zaraz miała się zacząć druga część koncertu.

- Musimy już iść na salę – powiedział do pani Royskiej Spychała.

Nagle Royska spoważniała. Położyła mu rękę na ramieniu, byli prawie sami na schodach.

- To dla mnie takie ważne – powiedziała – ja się tak boję o Walerka.

Ale zaraz sama otrząsnęla się z tej powagi. Jej rozszerzone przez chwilę oczy uśmiechnęły się nagle i dodała, idąc po marmurowych schodach w górę:

– Ale pan pomyśli sobie Bóg wie co o mnie. Pan powinien rozumieć matkę.

– Znam panią od tak dawna – bąknął Spychała, postępując za nią w górę.

Royska się odwróciła.

– Pan tak kochał Józia – szepnęła i znowu oczy jej się rozszerzyły. – Nikt tak go nie znał jak pan.

Ale w tej chwili zabrzmiały oklaski i musieli się bardzo pospieszyć, aby zająć miejsca. Rozstali się przed drzwiami prowadzącymi na salę.

VIII

Na drugą część koncertu Edgar nie wrócił do loży. Siedzieli w zimnym, trójkątnym pokoju, czekając na koniec symfonii: on, Elżbietka, Hania Daws i Malski. Malski gadał, unosząc się na drobnych stopkach i biegając po pokoju.

– Nie wiem czemu, ale ciągle myślę o biednym Rysiu! – wołał piskliwie. – Jak by on na panią patrzył! On tak zawsze dziwnie patrzył na kobiety... Jak dzieci na wystawy sklepowe... Jakby kobieta była czymś więcej – czy może mniej niż człowiek...

Elżbietka zwróciła się do Edgara:

– Kiedy, właściwie mówiąc, Rysio umarł? Nie pamiętam...

– Wiesz, i mnie się ta data w głowie zaciera...

– Niechże pan usiądzie – powiedziała pani Daws do Malskiego.

Ale Malski chodził tam i z powrotem po salonie. – Po takich rzeczach nie można się uspokoić – wołał – nie wolno się uspokoić. To musi nas poruszyć do samego dna.

Edgar siedział głęboko w fotelu przysuniętym do sofki, na której wpółleżała Elżunia. Nie słuchał Malskiego i nie spoglądał na nikogo, w milczeniu patrzył w okno. Trzymał Elżunię za rękę, za białą matową rękawiczkę, tak jakby byli dwojgiem dzieci. Elżunia leżała na sofie, z głową opartą o poduszki, jednak wodziła oczami za Malskim i uśmiechała się. Wszystko, co mówił Artur, bawiło ją ogromnie. Drugą, wolną ręką wachlowała się lekko, chociaż w pokoju było zimno. Policzki jej pałały. Włosy i pióra odchylały się i trochę drżały od powiewu jej dłoni.

– To jest po prostu za intymne – krzyczał Artur, biegając po pokoju – to jest nieprzyzwoite. Tak, tak, to nieprzyzwoite, zwyczajny ekshibicjonizm. To nie jest sztuka...

Hania Daws zżymała się.

– To przekracza dozwolone granice. A, prawda? A Rysio chciał sztuki dla Łowicza! Biedny Rysio!

– To jest dla Łowicza, to dla całego świata – powiedziała Hania – i w dozwolonych granicach.

– Wstrząsające, wstrząsające – drżał Malski na całym ciele.

– Zwłaszcza w pani wykonaniu – powiedziała Hania takim tonem, jakby chciała usprawiedliwić swój brak umiejętności śpiewu.

– Tak, tak, prawda – wołał z całą frenezją Malski, klaszcząc w ręce jak stara panna – prawda, prawda,

i w pani wykonaniu. Boże, jak ta kobieta śpiewa.
Prawda, pani Daws, jak ona to śpiewała.

– Prawda – powiedziała Hania, zapalając papierosa.

W tym momencie jednak otworzyły się drzwi
i pani Daws papierosa nie zapaliła. Zwróciła się do
wchodzących (był to Janusz i Zosia) i na chwilę
zastygła nieruchomo. W tym zagapieniu się z palą-
cą zapałką w ręku, z ustami wpółotwartymi zwrócona ku Januszowi nagle zmieniła się zupełnie.
Spod nałożonej szminki i spod nałożonej maski,
spod zupełnie amerykańskiego, stereotypowego
uśmiechu na chwilę wydobyła się słowiańska, prosta – i nawet można powiedzieć serdeczna twarz
Hani Wolskiej, córki stróża z Odessy. Elżunia popatrzyła na nią ze zdziwieniem: ten dawny ruch
głowy, ten uśmiech nieśmiały i wyraz oczekiwania
w oczach przeniósł ją tak gwałtownie do tamtych
czasów przed wyjazdem do Konstantynopola, aż
serce jej mocno zabiło. Pomyliła się też i zwracając
się do Edgara powiedziała: to Józio i Zosia, zamiast:
to Janusz i Zosia.

Wszystko to trwało tyle czasu, ile paliła się zapałka. Płomień doszedł do końca, sparzył Hanię w palce; syknęła i rzuciła czarną nitkę. Malski się zniecierpliwił.

– Co pani wyrabia? – spytał stojąc pośrodku
salonu z rękami w kieszeniach. – Papierosa pani nie
umie zapalić?

Pani Daws nic nie odpowiedziała. Cała „maseczka"
powróciła tak nagle, jak gdyby ktoś jej twarz
zakrył malowaną chustką. Zapaliła drugą zapałkę.
Tymczasem Janusz witał się z Elżunią i Edgarem.

Wciągnął w krąg rozmowy Zosię, która znowu się nagle i niepotrzebnie zmieszała i widać było, że waży każde słowo, nie wiedząc, co powiedzieć. Bąkała jakieś zachwyty.

– No, powiedz, Janusz? – spytał Edgar. – Powiedz szczerze, jak ci się podobały moje pieśni.

Janusz usiadł na wolnym krześle i trochę się namyślał, patrząc na splecione dłonie.

– Wiesz – powiedział po chwili – powiem ci prawdę. Te pieśni nic mi nie mówią.

– Ach, Boże, Janusz – jęknęła Zosia, przysiadając się na kanapce obok Elżuni.

– Jak ty to rozumiesz? – zupełnie spokojnie, ale chłodno zapytał Edgar.

Malskiego zatkało. Zatrzymał się pośrodku pokoju, wyciągnął swoje łapki z kieszeni i machnął nimi, nie mogąc wydać z siebie dźwięku, jak człowiek, któremu z trudnością zbiera się na kichnięcie.

– Zaraz ci to wytłumaczę – zaczął powoli Janusz i podnosząc oczy powiódł nimi po zgromadzonych. Dopiero po minach wszystkich zrozumiał, że mówi niepotrzebne rzeczy. Przerwał więc i milczał przez chwilę zmieszany.

– Zdaje się, że wywołałem powszechne zgorszenie – dodał po chwili – ale to nic. Postaram się wytłumaczyć, to nie jest bynajmniej żadne potępienie Edgara...

– Nie obawiam się tego – ironicznie rzucił Edgar.

– Bynajmniej. Ale chodzi mi o taką rzecz...

Znowu zastanowił się przez chwilę, patrząc na połączone palce.

– Nie jest dla mnie obojętne – ciągnął wreszcie – jak dalece był szczery kompozytor tworząc owo dzieło. Wiesz – powiedział innym tonem – widziałem kiedyś twoją fotografię, Edgarze, w jednym z amerykańskich magazynów – tu mimo woli przelotnie spojrzał na panią Daws. – Byłeś na niej uśmiechnięty serdecznie i trzymałeś w ręku mały kwiatek stokroci, jak na renesansowym obrazie. Wydało mi się to okropne, ta poza i ten kwiatek! Coś tak nieszczerego, nieprawdziwego, nierzeczywistego. Czy czegoś z tej stokrotki nie ma w twoich nowych pieśniach?

Potoczył po raz drugi okiem po zebranych i znowu ujrzał na wszystkich twarzach zmieszanie.

– Czy z wami nie można mówić szczerze?

Malski odzyskał wreszcie zdolność mówienia.

– Po co? Na co szczerość? – zawołał patetycznie, stojąc przed Januszem. – Co komu po pańskiej szczerości? To tylko nieboszczyk Rysio zawsze mówił o szczerości...

– Czemu ty ciągle wspominasz Rysia? – szepnął Edgar.

– Więc ja nie mam nic do powiedzenia? – obraził się Janusz.

– Może pan ma – wołał, czupurząc się, Artur – ale nikt tego nie potrzebuje. Tak o Edgarze mówić nie wolno! Nie wolno!

– A cóż to za jakieś zakazy? Co znaczy „nie wolno"? Dlaczego? – pytał Myszyński.

Edgar uśmiechał się tylko i paląc papierosa oglądał sobie końce bucików. Elżunia patrzyła to na Janusza, to na brata swoimi nic nie rozumiejącymi wypukłymi oczami.

– Ja nic nie pojmuję – powtarzała. – Cóż to jest? Czego on chce od ciebie, Edgar? – A wreszcie, zwracając się do Janusza, zapytała wręcz: – Nie podobają ci się te pieśni? Przecież są piękne.

– Piękne, naprawdę piękne – powiedział Janusz – ale ja nie tak piękno pojmuję.

– Zostałeś zawsze tym samym dziwakiem – wstawiła pani Daws niespodzianie, Zosia spojrzała na nią ze zdziwieniem.

W tej chwili wpadł Cherubin Kołyszko, widać było po nim, że nie był na koncercie, spóźnił się i przychodził w tej chwili wprost z podwórza, nie mógł się też od razu zorientować, czy pieśni do jego słów już zostały wykonane, czy też jeszcze nie. Witając się czekał, że czyjeś odezwanie się ułatwi mu sytuację, ale nikt się nie odezwał, tak że wreszcie musiał zaryzykować:

– Pięknie, pięknie, pani Elżbieto – zawołał, całując śpiewaczkę w rękę.

Wszyscy się uśmiechnęli, zdawali sobie sprawę z tego, że Cherubin kłamie, ale jemu było wolno wszystko. Edgar popatrzył tylko na niego z ironią.

– Niewart pan takich pieśni – powiedział Malski, podając dłoń Cherubinowi, a potem machnął ręką, jak gdyby strzepywał obecność poety ze swojej świadomości.

Janusz nachmurzył się. Zastanowił się nad tym, dlaczego Cherubinowi pozwolono na wyraźne kłamstwo. Nie podobało mu się to. Zosia spostrzegła nachmurzenie męża i uśmiechnęła się do niego dziecięco i rozbrajająco. Ale Janusz nie spostrzegł, zdawało się, tego uśmiechu i odwrócił głowę, słuchając w dalszym ciągu fałszywych zachwytów Cherubina.

Teraz mu się dopiero te pieśni podobały.

IX

W dużym pokoju łowickiego organisty Jarzyny było o tej porze wilgotno i ciemnawo. Helena z hałasem ustawiła wymyte naczynia w kredensie. Stary siedział w głębokim, obszernym fotelu, ze słuchawkami na uszach. W owych czasach koncerty nadawano bezpośrednio z sali. Stary Jarzyna miał mały detektor i dwie pary słuchawek.

– Zaraz będą nadawać pieśni pana Edgara – powiedział do Heleny, która przysiadłszy układała świeży papier pod talerze w dolnej części kredensu.

Ale Helena udawała, że nie słyszy. Nie odpowiadała ojcu. Wyprostowała się i przegięła w tył. Krzyż ją bolał mocno, cały dzień spędziła przy maszynie. Sędzina potrzebowała sukni na jutro.

– Posłuchaj, Helu – łagodnie powiedział Jarzyna.

– Co mi tam – mruknęła. – Obejdzie się.

Powlokła się do kuchni.

Chociaż to już tyle lat minęło od śmierci Rysia, na fortepianie stał otwarty zeszyt z notatkami muzycznymi zmarłego. Jarzyna nie śmiał tego ruszać, a Edgar obiecał to obejrzeć – ale od tego czasu, co „mały" umarł, wcale nie był w Łowiczu. Jarzyna raz nawet pisał do niego, ale nie otrzymał odpowiedzi.

Teraz siedział ze słuchawkami, które mu nadawały wygląd przebranego pieska. Białe wąsy wydobywały się spod zaplątanych sznurów. Z daleka dolatywał do niego głos zapowiadacza, który wymieniał tytuły pieśni i nazwisko autora tekstów. Brzmiało to jak czytanie katalogu ogrodniczego, takie było wszystko nieznajome dla starego Jarzyny. A wkrótce doszła do niego i muzyka. Najprzód aria Królowej Nocy.

Stary Jarzyna, aczkolwiek niewykształcony, miał jednak naturę muzyczną i potrafił ocenić wspaniały głos i szkołę śpiewaczą Elżuni – i chociaż muzyka dochodziła do jego uszu zniekształcona przez niedoskonałość odbioru – to przecież cały urok Mozarta i precyzja wykonania były dla organisty dostępne. Niestety, to, co nastąpiło potem, głęboko go rozczarowało.

Dużo zawsze słyszał o Edgarze od wnuka.

Dwa lata, które Rysio przebył w Warszawie, po ukończeniu szkoły w Łowiczu, spędził w najbliższym otoczeniu Edgara. Mimo że był bardzo małomówny, jednak czasami przyjeżdżając na wakacje opowiadał dziadkowi o nauczycielu. Rysio był w konserwatorium i miał tam profesorów, Edgar jednak był dla niego „nauczycielem" w tym dawnym, biblijnym znaczeniu tego słowa. Rysio pamiętał wszystko, co mu Edgar mówił, chociaż nie wszystko rozumiał – a już najmniej umiał powtórzyć. Ale dziadkowi ze słów tych powstał obraz muzyka bardzo inny od obrazu tego człowieka, który jadł kiedyś u nich zupę rakową – i jeszcze parę razy potem przyjeżdżał, aby zabrać Helenę na spacer po Arkadii.

Teraz zaś, kiedy słuchał tych czterech pieśni, nie widząc ani pełnej sali, ani białych piór Elżbietki, tylko mając przed oczami ciemny, wilgotny i niski pokój z niedużą ilością mebli, widząc krzątającą się Helenę, pochylającą się przy brązowym i niskim kredensie z błyszczącymi kolumienkami – obraz ten nie mógł się urealnić ani tak, ani inaczej. Do uszu jego dobiegały bezładne, zdawało mu się, dźwięki i słowa wyraźnie wypowiadane przez Elżbietkę, ale słowa, które mówiły mu o nieznanych i niezajmujących przedmiotach albo jeżeli wymieniały rzeczy znane (np. flet), to w zestawieniach, które mu się wydawały nader dziwaczne.

Kiedy przebrzmiało owo ostateczne, czyste i wysokie as, które na sali zdawało się zamykać jako klamra olbrzymie przeżycia zebranych, i rozległy się oklaski – ten nieskoordynowany, głupi i niewytłumaczalny hałas w słuchawkach – stary Jarzyna odplątał sznury i odkładając czarne muszelki rozejrzał się po pokoju, jakby się chcąc upewnić, że nic się tutaj w Łowiczu nie zmieniło. Potem przymknął oczy i przechylił się w fotelu. Gdy otworzył powieki, Helena stała przed nim.

– No, i co? – spytała, podpierając się w boki.

Jarzyna odwrócił wzrok.

– I nic... – powiedział. – Ja nie wiem.

– Jakże tam nasz pan Edgar?

Powiedziała to z wielką goryczą w głosie, jak gdyby pytanie miało zupełnie inną treść, i nie doczekawszy się odpowiedzi, znowu skierowała się do bufetu. Jarzyna spojrzał w jej kierunku z wyrazem boleści.

– Gdyby tu był Rysio... – szepnął.

– No, to co? – spytała Helena, która widać bardzo uważała na słowa ojca, bo posłyszała szept z dość daleka dochodzący.

– Gdyby tu był Rysio – powiedział organista nieco głośniej – toby mi może to wytłumaczył.

– A tak ojciec nie rozumie?

– Nie rozumiem – bezradnie skonstatował stary.

Helena udała się w kierunku kuchni, ale zatrzymała się po drodze.

– Co tu jest do rozumienia? – mówiła jakby do siebie. – Każda muzyka jednakowa, trochę hałasu, i już... nie ma o czym gadać.

– Ty nie czujesz – westchnął Jarzyna.

– A co mam czuć? To zabawa dla panów. Pan Edgar nie ma co robić, to pisze takie coś i ludzie muszą tego słuchać... A po co tego słuchać? Po co o tym mówić? Żeby mu pieniędzy do kieszeni napędzać? On tych pieniędzy to wcale tak dużo nie ma.

– Skąd wiesz? – spytał ojciec.

– Wiem, bo wiem... – zirytowała się Helena. – A tamta także, jeździ po Londynach, po Amerykach, a taka sama dziwka jak każda inna...

– Helu, bój się Boga – słabo bronił się Jarzyna.

– A pewno. Niby to ja nie wiem. Pan Edgar mi opowiadał, że za bogatego Żyda za mąż wyszła – dla pieniędzy.

– Nie znasz tych spraw i gadasz – zirytował się wreszcie organista.

– Pewnie, że nie znam. Gdzie mi tam do wielkich państwa – stała teraz pośrodku pokoju i machała ścierką. Wydawało się, że głowa jej sięga do sufitu. – To nie dla mnie. I powiem ojcu, nie dla nas ta cała ich muzyka. I dobrze, że Rysio umarł, bo on się też do tego nie nadawał...

– Okropny masz język, Helu – powiedział Jarzyna.

– Prędzej czy później by go zamęczyli. Tata pamięta, jak on zawsze powiadał. No, nie pamięta ojciec? „Co z tego ma Łowicz? Ja chcę, żeby ta

muzyka była dla Łowicza". – Helena zaśmiała się.
– Tylko że on się mylił, dla Łowicza w ogóle muzyki nie ma.

Stary organista złożył ręce.

– Sama co niedziela słyszysz. Mszę Moniuszki śpiewamy...

– A baby się drą: „My chcemy Boga, my chcemy Boga..." To ma być muzyka?

Postąpiła parę kroków w kierunku drzwi i zatrzymała się. Zwróciła się do ojca i kiwając groźnie palcem, powtórzyła z cichym ogniem w głosie:

– Dla Łowicza nie ma muzyki.

Znaczyło to zapewne w jej pojęciu: „Dla Łowicza nie ma szczęścia".

Stary Jarzyna siedział przez chwilę ze spuszczoną głową. Potem twarz ukrył w dłoniach. Nie ma Rysia, leży tam pod murem i już tylko kości z niego zostały. Ciekawe, jak ten garb wygląda w szkielecie?

Wszystko pamięta jak wczoraj. Rysio spocony leżał w alkowie i wyglądał, jakby go już z trumny wyjęli. Edgar przyjechał samochodem i szybko wszedł do tego pokoju, lekko pociągając nogą. Natknął się na Helenę, która stała przy stole. „Do umarłych to pan przyjeżdża – powiedziała – a żywi to niech umierają". Edgar poszedł wprost do alkowy i usiadł przy łóżku. Rysio był przytomny i uśmiechał się do niego. Tylko już nic nie mówił... Edgar go wziął za rękę...

Stary Jarzyna wstał i zbliżył się do fortepianu. Nad fortepianem w wąskiej, złoconej ramie wisiała fotografia Rysia w stroju do pierwszej komunii. Późniejszej fotografii wnuka już nie miał. Fotografia

była ohydna, rysy dziecka zacierały się, kolor fiole-
towy odbitki zamazywał wyraz, widać tylko było
wielkie oczy chłopca i dużą białą kokardę nad
łokciem.

– Nic z ciebie nie zostało, nic, nic – mamlał
niejasne wyrazy stary organista. – Ty byś mi wytłumaczył... bo ja nic nie rozumiem...

Trzęsącymi się rękami zaczął grzebać w stosie
papieru nutowego, leżącego dotychczas na fortepianie, tak jak to zostawił Rysio. Spomiędzy ar-
kuszy wypadła podobizna Edgara Szyllera, był to
wycinek z jakiegoś cudzoziemskiego tygodnika.
Edgar siedział w dość sztucznej pozie, z przystrzy-
żonym wąsikiem, który nadawał jego pięknej twarzy gogusiowaty wyraz, i z papierosem w ręku.
Jarzyna trzymał ten wycinek w ręku i powtarzał jak
pijany:

– Panie Edgarze, dalibóg, nie rozumiem.

Weszła Helena. Zobaczyła, że ojciec coś trzyma
w ręku, i schyliła mu się przez ramię.

– Tsss – syknęła – skąd się to tu wzięło. Tyle razy
przewracałam te papiery i nie widziałam...

Wyjęła ojcu podobiznę Edgara z ręki i podniosła
ją ku lampie. Przypatrywała się jej z dziwnym,
drwiącym, ale jakby trochę zmiękczonym wyrazem.

– Patrzcie go, jaki to elegancki – powiedziała
– ale podobny.

– Przewracałaś te papiery? – spytał zaniepokojony organista.

– Ano tak, brałam tam papier – odpowiedziała
niedbale, nie odrywając oczu od trzymanego pod
lampą wycinka.

– Przecież ci mówiłem: nie wolno tego ruszać.

Helena wzruszyła ramionami.

– Ojej! – powiedziała i schowała podobiznę Edgara do kieszonki na piersi – nie będą przecie te papiery wiecznie leżały na fortepianie. Muchy to tylko paskudzą...

Jarzyna chwycił stos nutowy i ważył go w ręku. Wydał mu się daleko lżejszy.

– Coś z tym zrobiła? – zapytał gwałtownie.

– O, znowuż tatuś zaczyna – irytowała się Helena. – Był tu przecież ten Żydek z Łodzi, Artek, no, to zabrał...

– Już po wizycie Malskiego było tego więcej.

– Nie będzie to przecie tu wiecznie leżało.

– Helena!

– Co komu po tym?

Jarzyna zbliżał się z wolna ku córce. Postać jego wyprężała się i sztywniała, było to zarazem i groteskowe i przerażające. Helena spróbowała się zaśmiać, ale potem się rozmyśliła.

– Ojej! – powiedziała i szybko zwiała ku kuchni.

Stary rzucił trzymany stos pokreślonego papieru nutowego na fortepian i szybko podszedł do kredensu. Otworzył drzwiczki, ale że było ciemnawo, nic w środku nie widział. Zanurzył przeto ręce we wnętrze szafki i zaczął obmacywać papiery podesłane pod kieliszki i filiżanki. Delikatnymi, czujnymi palcami wyczuł na tym papierze deseń pięciolinii. Jęknął cicho i począł wyszarpywać papier spod naczynia gwałtownymi, nerwowymi ruchami. Garść kieliszków wyleciała na podłogę z wielkim brzękiem, ale stary nie zważał na to i wciąż szarpał papiery.

Helena wpadła z kuchni.

– Ojciec – wrzasnęła – upiłeś się czy co? Nie będziesz przecie tłukł naczyń.

Stary podniósł obu rękami w górę odzyskane papiery. Oczy błyszczały mu okrutnie.

– Ty, ścierwo! – zasyczał – zawsze go nienawidziłaś. Zawsze byłaś o niego zazdrosna... Teraz po śmierci chcesz go dobić... osikowym kołem...

Helena nie wytrzymała.

– Tak, osikowym kołem – krzyknęła przeraźliwie – dosyć mam tego upiora! Żyć tutaj nie można, nic, tylko Ryś a Ryś! Zawsze tak było. A czy to ja swojego życia nie mam? A czy to ja nie człowiek? A czy mi życie niemiłe?

Upadła na jedyny fotel i rozpłakała się głośno, szczerze, otwarcie, nareszcie z całych sił swoich i z całego serca.

Jarzyna przestraszył się tego płaczu, podreptał szybko ku fotelowi, zostawiwszy papierzyska na kredensie, i począł głaskać córkę po głowie.

– Heluś, co ci jest? – powtarzał bez sensu. – Nie płaczże, córunia. Czyż to ty nie moja córka? Moja ostatnia?

– A widać, że nie córka – przez łzy wołała Helena – bo mnie ojciec nawet nie pożałuje. To całe moje życie... całe moje życie...

Szloch bolesny zatykał jej słowa w gardle.

– Chyba się zabiję – wyrzuciła nagle.

Stary pochwycił ją za głowę.

– Córka – szeptał – córka. A cóż ja ci poradzę? Ja sam... ja sam...

I więcej już nic nie mógł powiedzieć. Przytulił tylko swoją głowę do zalanych łzami policzków Heleny i też się rozpłakał.

X

Dosia Wiewiórska była muzykalna z natury, osłuchała się zresztą przez tyle lat spędzonych w garderobie Filharmonii, że odróżniała z daleka, z dołu, wszystkie perypetie koncertowe. Kiedy zabrzmiał po tragicznym minorze wspaniały major finału *V Symfonii* wstrząsnęła się, odrzuciła z siebie drzemkę czy zamyślenie, w którym była pogrążona od pół godziny, i przygotowała się do kampanii. Rzuciła okiem na szereg płaszczy i futer, wiszących gęstą masą na wieszakach, popatrzyła na kapelusze przemieszane, męskie i damskie, uważając, czy wszystko w porządku i zgadując, od której sztuki przyjdzie jej zacząć. Zauważyła wówczas, że w obszernym hallu, wśród osób, które przyszły tutaj po koncertowych słuchaczy, było kilku znajomych. Naprzeciw jej bariery, naprzeciw jej „królestwa", jak to sobie nazwała, chodził tam i z powrotem, statecznie, jak mu to jego tusza nakazywała, pan Franciszek Gołąbek. Uśmiechnął się do niej przyjaźnie.

– Dzień dobry, a raczej dobry wieczór panu dyrektorowi – powiedziała Dosia. – Widziałam, widziałam, żona dzisiaj z synami przyszła. Takie już duże chłopaki!

Gołąbek zapytał:

– A czy to się prędko skończy, nie wie pani?

– Musi zaraz się skończyć, już trąby grają – zawołała Dosia.

– Moja żona u pani się rozbierała?

– Nie, pani dyrektorowa to zawsze tam głębiej, u pani Weroniki. Ale niech pan tam nie idzie, tam zawsze taki tłok.

W tryumfie fanfar na górze dało się zauważyć pewne ożywienie, woźni w czerwonych kurtkach zjawili się na schodach, szoferzy, którzy grzali się w hallu, wyszli na ulicę. Paru słuchaczy zeszło już ze schodów, ubrało się prędko i opuściło Filharmonię. Widać było, że koncert już się kończy.

Nagle chodzące w obie strony na zawiasach szklane drzwi hallu otworzyły się szybko i młoda, wysoka dziewczyna wpadła wprost prawie na Gołąbka. Odsunęła się gwałtownie i chociaż twarz miała zafrasowaną, uśmiechnęła się mimo woli. Ukłoniła się.

– O mało nie wpadłam na pana dyrektora – powiedziała – przepraszam. Ale ja bardzo spieszę się do cioci. – Podeszła do barierki. Dosia się trochę zirytowała.

– Jadźka – powiedziała – jak ty łazisz! A na pogawędkę to mogłaś przyjść wcześniej. Koncert się już kończy.

Jadzia, czyli „Żermena", podeszła do kratki i tak jakoś dziwnie patrzyła na Dosię, że ta się zaniepokoiła.

– Co się stało? Zgłupiałaś czy co? – spytała w zniecierpliwieniu.

„Żermena" powiedziała bardzo zwyczajnie:

– Wujka aresztowali dzisiaj po południu. Teraz u nas jest rewizja.

– W imię Ojca i Syna – szepnęła Dosia blednąc. – A co się stało?

– Czy ja wiem? Przyszedł jeden i powiedział. A teraz stróżka nie wpuściła mnie na górę, powiada: przyszli żandarmi i rewizja.

– Jacy tam żandarmi, teraz nie ma żandarmów.

– Nie znam się na tym. Dość, że przyszli...

– O mój Boże... – Dosia załamała ręce. – Cóż ta Jasia teraz zrobi?

– Właśnie... – szepnęła „Żermena". – Co teraz robić?

Gołąbek zainteresował się ich rozmową. Podszedł do kratki.

– Co się stało – spytał. – Macie obydwie takie miny.

– Nic, nic – odparła szybko Wiewiórska i mrugnęła cichcem na Jadźkę, żeby nic nie mówić.

W tej chwili huknęła burza oklasków w górze i zaraz spłynęła fala publiczności marmurowymi schodami. Lecieli, jakby ich kto gonił, i wszyscy panowie na wzniesionym w górę palcu mieli miedziane blaszki kontramarkarni. Hall zalała nagle powódź ludzi, ale w górze jeszcze huczały klaskania. Przy kratkach powstał tłok, nawet się trochę popychano.

Dosi, kiedy odbierała pierwsze numerki, ręce latały i nie mogła trafić na właściwe okrycia. Publiczność się niecierpliwiła.

– Prędzej, pani kochana, prędzej! – wołano.

– Już, już, już – mówiła Wiewiórska i oddawała palta w niewłaściwe ręce.

– Tutaj, pani, tutaj – gniewali się goście.

„Żermena" odstąpiła tylko krok od kratki i znosiła cierpliwie tłok, jaki koło niej powstał. Ludzie irytowali się na nią.

– Dlaczego panienka tu stoi? Tu i tak ciasno – spytał wysoki, chudy pan.

– Widać, jak stoję, to potrzebuję – odpaliła – *voilà*!

Pan obejrzał się na nią ze zdziwieniem.

Chłopcy Gołąbkowie zlecieli ze schodów dość późno, ale za to naprawdę jak huragan. Ola powiedziała do męża:

– Zostań z dziećmi, ja odbiorę palta.

Andrzej schwycił ojca za rękę i przez chwilę nic nie mówił, miał tyle rzeczy do opowiedzenia i wszystko mu się tłoczyło razem do ust, aż zamilkł. Antek go uprzedził.

– Panna Elżunia śpiewała jak anioł – powiedział – i pan Hube był.

– Ale Huberta nie przyprowadził – wypalił wreszcie Andrzej – i jeszcze powiedział, że Hubert poszedł do kolegi. A to przecie nieprawda. Dlaczego pan Hube kłamie?

– Bo on się boi Złotego – mruknął Antoni.

– Chłopcy, nie gadajcie głupstw – powiedział uśmiechając się pan Gołąbek.

– Kiedy to nie głupstwo, tatusiu – Andrzej ciągnął go za rękę, odzyskał już całkowicie panowanie nad sobą i nie dawał dojść Antkowi do słowa – to prawda, najprawdziwsza prawda. A wodę sodową to sprzedawała taka panna, co uczesana jest jak ciocia Michasia.

Ciocia Michasia nie pozwalała chłopcom nazywać się babcią.

– Tylko miała jasne włosy – powiedział poważnie Antek i zarumienił się znowu, tak jak to on potrafił.

Ola nadeszła z płaszczami.

– Jakże tam było? – spytał pan Franciszek.

– Prześlicznie – powiedziała Ola i nagle łzy zakręciły się jej w oczach. Stała trochę bezradnie z paltocikami chłopców na ręku. Pan Franciszek udał, że nie widzi jej wzruszenia.

– No, dajże, to ci pomogę – powiedział tylko, nie patrząc na nią ani na chłopców.

Ola odczuwała zawsze pewne niezadowolenie męża, gdy zabierała chłopców do teatru, teraz, kiedy wzięła ich po raz pierwszy do Filharmonii, niezadowolenie pana Franciszka było jeszcze większe. Oczywiście rozumiał to jako odsuwanie się od niego w dziedzinę, która była mu obca. Muzyka była dla niego czymś niedostępnym i irytowało go, że żona znajduje w niej takie upodobanie. Ola zrozumiała to i chciała jakoś pocieszyć męża.

– Szkoda, że nie byłeś z nami, spotkaliśmy tylu znajomych. Hube pytał o ciebie...

– I Złoty także – wstawił z ironią Antek – mówił, że zna tatusia.

– A jakże, zna – powiedział Gołąbek – ja go też znam jak łysego konia.

Janusz z Zosią pożegnali się w pokoju artystycznym z przyjaciółmi i schodzili w milczeniu schodami do garderoby. Dopędziła ich Bilińska.

– Nie idziecie do Remeyów? – spytała.

– Nie, Zosia bardzo zmęczona – powiedział Janusz.

– No, to zajdźcie przed snem do mnie na herbatę.

Zosia wiedziała, iż ta „herbata" ma znaczenie zbyt dosłowne, i ze smutkiem popatrzyła na Janusza.

– Ależ oczywiście – powiedział on – zajdziemy – a nachylając się do Zosi, dodał przyciszonym głosem: – Panna Tekla da nam na pewno coś na kolację.

Na dole wpadli na Szuszkiewiczów. Ona chwyciła Janusza za ramię. Od czasu późnego zamążpójścia stała się bardzo romantyczna i wszędzie węszyła miłość.

– *Quelle femme charmante que cette madame Rubinstein* – powiedziała – *vous étiez amoureux d'elle à Odessa, n'est-ce pas?* ★

Stary Szuszkiewicz chrząknął i przykrył białe wąsy dłonią. Zosia go nie znosiła, przypominał jej zawsze sprzedaż Komorowa.

– O, to zupełnie nowa dla mnie wiadomość – zaśmiała się do Janusza. Ten wzruszył ramionami.

Tu z wielkim trzaskiem podskoczył Adaś Łęcki i całował po rękach „ciocię" Szuszkiewiczową i „panią hrabinę" Zosię. Miał nieznośną manierę głośnego wykrzykiwania tytułów.

– Chciałem w tych dniach pomówić z panem hrabią – wołał do Janusza.

Janusz po swojej rozmowie w garderobie artystów nie bardzo się interesował sprawami, jakie mu mógł przedstawić Adaś. Zapewne była to znowu propozycja jakiegoś dość mętnego interesu, jaki mu siostrzeniec Szuszkiewicza systematycznie podsuwał, nie zrażony stałymi odmowami.

– To w sprawie mego szwagra Goldmana – dodał Łęcki.

Stary Szuszkiewicz zmarszczył się z niesmakiem.

– Tutaj mówić o interesach, mój Adasiu! – zrobił uwagę Łęckiemu.

★ Jakże urocza ta pani Rubinstein [...] pan był w niej zakochany w Odessie, nieprawdaż?

– Cóż robić, pan hrabia taki nieuchwytny – odmeldował się Przebija-Łęcki znowu z ogromnym hałasem.

Pani Dosia nie podawała im przez chwilę palta, z numerkiem w ręku zatrzymała się i patrzyła z wahaniem na Janusza. Nie wiedziała, czy ma mu powiedzieć. „Żermena" zbliżyła się o krok i dotknęła łokcia Januszowego. Zosia spojrzała niespokojnie na męża.

– Czy pan hrabia wie? – szepnęła Dosia. – Janek aresztowany.

Janusz nie rozumiał.

– Jak to, dlaczego? – spytał zdumiony.

Zosia zza pleców męża wyjrzała na „Żermenę". Stała wysoka, smukła, ze ściągniętymi brwiami i ze spuszczonymi powiekami. Mimo że nie widać było jej oczu, cała postawa miała coś wyzywającego.

– Co za pytanie, Janusz! – szepnęła i zwracając się do Dosi, spytała: – Czy możemy coś pomóc?

– Może księżna – szepnęła Dosia prawie niedosłyszalnie, wydawało się jej, że powinna ukrywać to, że prosi kogoś o protekcję – ale to pewnie Stanisław powie.

– Biedny stary – westchnął Janusz.

Co prawda już *gros* publiczności opuściło hall, Ola z mężem, który prowadził Andrzeja za rękę, dawno już wyszli, ale jeszcze przy kratkach szatni stało sporo osób, zaczęły się one niecierpliwić długą rozmową pani Dosi z Januszem i Zosią.

– Pani Wiewiórska – ostro powiedział stojący obok Hube – rozmowy to na potem.

Dosia przelotnie spojrzała na siwego fabrykanta i skoczyła swoim prawdziwie wiewiórczym ruchem po szuby Myszyńskich. Jadzia otarła się o Hubego. Za nimi stali Złoci.

– Panie dyrektorze – z pewnego rodzaju właściwą jej głosowi kpiną powiedziała Jadzia – wujka aresztowali.

Złoty na dźwięk tego zdania odwrócił się ku niej gwałtownie.

– Co ty tutaj takie rzeczy mówisz? – żachnął się.

– A gdzie mam mówić – głośno powiedziała „Żermena" – w komisariacie?

– Co się stało? – zawołał głuchawy pan Hube, odbierając od pani Dosi swoje piękne futro na fokach. – Kogo aresztowali?

– Wiewiórskiego – powiedział Złoty ze smutkiem i zgorszeniem.

– Jakiego Wiewiórskiego? – pytał znowu głośno Hube, nie mogąc trafić do rękawa.

– No, tego Janka, co teraz miał zastąpić w „Spłonce" niemieckich majstrów.

Hube wdział wreszcie palto.

– Jak to, mojego robotnika aresztowano? A za co? – Hube zdziwił się, że coś podobnego mogło go spotkać. – To przecież nasz najlepszy robotnik.

– Ale on komunista – Złoty nachylił się nad uchem Hubego i starał się sprowadzić rozmowę do innego registru.

– Na pewno należy do partii.

Hube zdziwił się jeszcze bardziej.

– Komunista? Niemożliwe. Jemu się zupełnie dobrze działo. Zupełnie przyzwoicie zarabiał.

„Żermena" zaśmiała się szeroko. Dosia zatrzymała się z futrem pani Złotej w ręku i zmierzyła ją od głowy do stóp poważnym i gniewnym wzrokiem.

– Idź stąd – powiedziała – nie masz tu nic do roboty.

Dziewczyna powściągnęła swój śmiech, zawróciła na pięcie i nie mówiąc ani słowa pani Dosi ani nikomu ruszyła ku wyjściu. W ruchomych drzwiach otarła się o Myszyńskich. Minąwszy ich odwróciła się ku Januszowi i nie bez satysfakcji powiedziała:

– Pan hrabia to wujkowi jeszcze w Paryżu przepowiadał.

Na dźwięk tego głosu Zosia przytuliła się mocniej do ramienia Janusza.

– To okropna dziewczyna! – powiedziała z drżeniem w głosie.

XI

Pan Hube zszedł ze Złotym schodami frontowymi. Stał tam już jego samochód. Wielka czarna limuzyna z Piotrem przy kierownicy była zupełnie pusta, ale Hubemu nie przyszło nawet do głowy zaprosić wspólnika i jego żonę do środka. Żegnał się z nimi przy drzwiczkach samochodu.

– Do widzenia, do jutra. Trzeba będzie zatelefonować do posła belgijskiego.

Złoty jednak reagował tak, jak gdyby Hube zaprosił go do samochodu.

– Dziękuję, dziękuję. My z Anielką zawsze wracamy piechotą do domu. To niedaleko. Zdrowo przed zaśnięciem...

Pożegnali się i poszli. Wtedy zza limuzyny wyskoczył wysmukły, wysoki na swoje dwanaście lat chłopiec, w zakopiańskim kożuszku przepasanym rzemykiem.

– Hubert! Skąd się tu wziąłeś? – zawołał Hube, który już siedział w samochodzie.

– Przyjechałem po tatka! Ale schowałem się od tych tam – kiwnął z pogardą głową w stronę odchodzących Złotych i gramolił się do samochodu, zajmując miejsce obok Piotra. – Spotkałem Antka i Andrzeja, mówili, że fajny był koncert.

– A że cię panna Felicja puściła – mruknął stary Hube.

– Wcale nie pytałem się. Ale dlaczego nie miała mnie puścić? Nudno w domu. Lekcje wszystkie odrobiłem, Gołąbki poszły na koncert... telefonowałem do nich.

– Za dużo siedzisz przy telefonie. Dzwonisz cały dzień.

– Jak mogę dzwonić cały dzień, kiedy dzwonię tylko do Gołąbków – powiedział Hubert z wyrzutem.

– To prawda – mruknął Piotr.

– A jak śpiewała pani Szyllerówna? – spytał Hubert.

– Bardzo pięknie.

– A jak była ubrana? – znowu interesował się Hubhuby.

– Co cię obchodzą damskie kiecki? – zirytował się pan Stanisław.

– Bo ja lubię, jak kobieta jest ładnie ubrana – sentencjonalnie powiedział Hubert.

Piotr uśmiechnął się.

Hubertowi przypomniała się brązowa futrzana peleryna.

– A panny Tatarskiej nie było na koncercie?
– spytał.

Pan Hube się zaniepokoił.

– Skąd ty znasz pannę Tatarską? – spytał.

– Sam tatek mi ją pokazał w zeszłym roku
– przeciągnął Hubert – a teraz już nie pamięta. To
bardzo ładna osoba – dodał poważnie.

Piotr nie wytrzymał.

– Już pana Huberta panny interesują – powiedział odwracając się do Hubego.

Ten zirytował się na dobre.

– Niech Piotr się nie ogląda, bo znowu kogoś
przejedziemy.

– Znowu, znowu – warczał Piotr – jakie znowu?
Czyśmy to kiedy co przejechali?

– No, a tę gęś pod Nadarzynem? – sprzeciwił się
Hubert.

– Gęś to nie kogoś – powiedział Piotr.

Państwo Złoci obeszli róg gmachu Filharmonii
i skierowali się ulicą Sienkiewicza ku Marszałkowskiej. Mieszkali dość daleko na Siennej, tuż za gma-
chem stowarzyszenia sprzedawców sklepowych,
ale zawsze z teatru, do którego rzadko chodzili, czy
też co piątek z koncertu wracali piechotą. Ledwie
wyszli za róg, spostrzegli przy tylnym wyjściu
zgromadzoną garść ludzi, czekającą na artystów.

– Że też im się chce stać na takim wietrze – powiedziała pani Złota – i po co?

– No, chcą zobaczyć naszych artystów *au naturel*
– uśmiechnął się pan Złoty.

– Czy ona wyjdzie na ulicę z tymi piórami?
– zainteresowała się pani Złota.

– A co ma z nimi zrobić?

Zatrzymali się chwilkę przy zgromadzeniu, gdyż nie mogli przecisnąć się w dalszą drogę.

– Co oni teraz zrobią po koncercie? – spytała pani Aniela męża.

– Mówił Hube, że idą na raut do Remeyów.

– Jacy to Remeyowie?

– No, Stanisław Remey. Syn starego Remeya. Aleja Róż.

– Aha. A to bogaci ludzie?

– Bogaci. Bogatsi od nas. To na pewno. Ale oni coś za dużo tych rautów urządzają. Daj im Boże jak najdłużej.

W tej chwili jeden ze stojących przed bramą ludzi obejrzał się na nich i ujrzawszy Złotego ukłonił mu się. Zrobiło się trochę luźniej i państwo Złoci mogli przecisnąć się przez tłum.

– Kto ci się kłaniał? – spytała pani Aniela.

– Profesor Ryniewicz – odpowiedział – on zawsze u nas kupuje naboje. Chyba gdzieś poluje, ale gdzie, to nie wiem.

– A czego on jest profesor?

– Biologii, na uniwersytecie.

– Taki profesor i żeby tak stał przed bramą!

– Prawda – potwierdził zdanie żony Złoty.

Ryniewicz stał już dosyć długo, razem ze studentami, uczennicami konserwatorium, kilkoma zatwardziałymi melomanami, których zawsze widziałeś w drugim rzędzie lewego balkonu. Było mu trochę głupio, a zarazem czuł się jak w latach studenckich, kiedy zasypywali kwiatami Modrzejewską, a wyprzęgali konie z karety Paderewskiego. Nikt go tu zresztą nie znał i był spokojny, że nie odgadną jego incognito.

Zniecierpliwiło go zjawienie się Złotych, ale znik-
nęli oni po chwili. Ludzie przed bramą zaczęli się
niepokoić.

– Coś długo nie wychodzą – mruknął jakiś chra-
pliwy bas obok profesora. Ryniewicz spojrzał
i osłupiał. Obok niego stał otulony w przewiewną
jesionkę Gorbal. Aktor poznał go.

– I pan profesor tutaj?

Gorbal powiedział to zupełnie normalnie, ale po
jakimś nieuchwytnym odcieniu Ryniewicz domyślił się, że Gorbal jest pijany.

– Tak, przechodziłem – bąknął niepewnie.

– A ja przyszedłem tutaj naumyślnie – z uporem
w głosie powiedział Gorbal. – Naumyślnie! Stoję na
wietrze i chcę zobaczyć, jak ona przejdzie nie
patrząc na nikogo... królowa...

– Był pan na koncercie? – spytał profesor.

– Byłem. Ma takie pióra na głowie... i królowa...

– Czy to należy do obowiązków królowej nie
patrzeć na nikogo? – zniecierpliwił się profesor.

– Profesor żartuje, a ja...

Nie wiadomo, co by powiedział Gorbal, bo w tej
chwili tłum poruszył się, szoferzy stojący na jezdni
zapuścili motory. W głębi bramy zamajaczyła grupka ludzi, na których czekano.

Najpierw wyskoczył Malski, tłumaczący coś zatulo-
nemu w obszerne futro Fitelbergowi. Skakał naokoło
niego, zabiegał z tej i tamtej strony i gadał głośno.

– No, przecież ja panu nie potrzebuję tłumaczyć,
że te pieśni są genialne. Że Szyller w ogóle jest
genialny.

W głębi ukazała się pomiędzy wspaniałym płaszczem Hani Daws a powoli ruszającym się Edgarem

nieduża postać Elżbietki. Miała na sobie długie gronostaje i usta zatulone białym fularem, który obejmował całą jej głowę, nienaturalnie wydłużoną przez pióra. Poznała natychmiast profesora i kiwnęła do niego wesoło ręką. Nie odzywała się ani słowa ze względu na głos. Jeszcze zakrywała wargi ręką w białej rękawiczce. Ryniewicz przecisnął się ku niej i pocałował w drugą rękę.

– Chciałem choć tak – powiedział.

Elżunia zakiwała głową i w blasku ulicznych latarni oczy jej zaświeciły wesołością. Ale nie powiedziała ani słowa: nie mogła. Zatrzymała się na chwilkę i spozierała na milczącego profesora. Widać było, że czeka na komplement. Ale profesor nie był na koncercie, nie słyszał jej, milczał. Poczuł, że go z tyłu ciągnie ktoś za płaszcz. Wycofał się, a gromadka artystów ruszyła ku samochodom, trzasnęły otwierane drzwiczki. Zebrani próbowali klaskać, ale dźwięk zmarzniętych dłoni rozległ się słabo na otwartej przestrzeni.

To Gorbal ciągnął profesora za mankiet.

– Chodźmy, profesorze – powiedział – ona i tak nic panu nie powie.

Tymczasem państwo Złoci posuwali się pomału ulicą Sienną w kierunku swojego mieszkania. Było dość ciemno i ruch przechodniów przerzedzał się w miarę oddalania się od Marszałkowskiej. Przez chwilę szli w milczeniu. Pani Aniela myślała o Hubem. Od dawna intrygował ją świat, do którego należał wspólnik jej męża. Nie rozumiała, dokąd odjechał on tą czarną, wspaniałą limuzyną. Co robił w tym świecącym lampami mieszkaniu w Alejach, bez żony, bez gospodarstwa. Wydawał się jej bardzo piękny. Oczywiście najważniejsze dla niej były ich własne interesy, ale niepokoiły ją interesy Hubego. Czuła, że ten starszy siwy pan jest zbyt lekkomyślny.

– Seweryn – zagadnęła męża – może to niedobrze, że nasz Bronek chodzi do tego małego Hubego?

– Oj, ten Bronek – powiedział pan Złoty – jemu już nic nie pomoże.

– Ty tak nie mów – westchnęła pani Aniela – Bronek to jest dobre dziecko. Tylko że ma to malowanie w głowie.

Pan Złoty żachnął się:

– Trzynaście lat chłopak, to mu się jeszcze to malowanie sto razy w głowie przekręci.

– On się pewnie nie położył – zauważyła pani Złota – tylko czeka na nas i rysuje. Czemuś ty go nie wziął na koncert? Widziałeś, Gołąbkowie byli.

– Ale Hubert nie był.

– To prawda.

Chwilę szli w milczeniu.

– Co on z tego będzie miał? – rzuciła w przestrzeń pani Złota. – Rysuje i rysuje. Sam papier ile kosztuje.

– Wyleci mu to z głowy, głupie maniery – sarknął pan Złoty.

Pani Złota w dalszym ciągu miała wątpliwości. Limuzyna Hubego nie dawała jej spokoju. Przez jakiś czas kroczyli bez słowa. Ale pani Aniela nie wytrzymała.

– Słuchaj, Seweryn – powiedziała do męża – co to jest z tymi Belgami? Czy oni naprawdę mogą zabrać wszystko Hubemu? Z jakiej racji oni mogą zabrać?

– Co ty się tam na tym znasz – zniecierpliwił się Złoty. Nie lubił, kiedy żona rozmawiała z nim o interesach, chociaż przyznawał, że nie jest w tym względzie „taka" głupia.

– Mogą zabrać, i koniec. Takie jest prawo.

– Ale jak jest takie prawo, że oni mogą wejść na jego majątek, to dlaczego ty powiedziałeś, że oni nie wejdą na majątek Huberta? Jak oni mogą brać, to wezmą i od małego – tu żadne przepisanie nie pomoże.

Pan Złoty wiedział, że Anielcia ma głowę do interesu, ale to rozumowanie zdumiało go. Rzucił okiem na żonę i zacisnął usta ze zdumieniem. Ale milczał.

Aniela nalegała:

– Ale dlaczego ty powiedziałeś, że do Huberta nie będą mieli pretensji?

– Ja nic nie powiedziałem – wykrztusił wreszcie Złoty – to on sam powiedział. A jak kto jest taki głupi, że dwadzieścia pięć lat siedzi w firmie i nie rozumie statutu spółki – to niech sam za to pokutuje.

– A ty nie możesz uratować tego całego interesu? – spytała jeszcze Aniela, gdy dochodzili już do domu.

– Po co ja mam go ratować? To nie mój interes. Ja go uratuję, jak on już będzie mój.

Gdy zadzwonili do mieszkania, otworzył im senny, rozkudłaczony Bronek. Wypytywał ich długo o koncert i o chłopców Gołąbków.

XII

Gorbal zaciągnął profesora Ryniewicza do małej knajpy, zwanej „mordownią", na Siennej, niedaleko Marszałkowskiej. W zaduchu i dymie siedziały tam przy stolikach szare figury skromnych mieszkańców tej okolicy. Wódka, którą im podali, była ciepława, a śledź na zakąskę twardy i pokryty niedobrą, zwiędłą jakąś cebulą. Ale Gorbal nie zważał na to. Ogarnęła go nagle pijacka elokwencja; on, zazwyczaj milczący, rozgadał się na całego. Ułatwiało to sytuację profesorowi, który nie miał wielkiej ochoty do rozmowy; nawet drugi i trzeci kieliszek nie rozwiązały mu języka. Odczuwał to, co czasami ogarniało go przy niektórych wykładach: znużenie i niemożność opanowania nieprzepartej chęci ucieczki. Nie mogąc się ruszyć, uciekał w milczenie.

Gorbal mówił cały czas o Elżuni, maniacko przyczepił się do tego tematu, nie rozumiejąc, że słowami swymi sprawia przykrość Ryniewiczowi. Każde z nich – jako że dość wulgarne, swoiste – raniło go boleśnie.

– Panie, ta kobieta śpiewa, do cholery – powiedział Gorbal, wpierając w profesora swoje malutkie oczka – a wie pan, czego potrzeba, aby tak śpiewać? Talentu, oczywiście, głosu! Naturalnie, ale przede wszystkim pracy! Co za praca w tej doskonałości, jak ona to wszystko wykuła. Pan wie, jak pracowała Modrzejewska? Jak ona się uczyła na starość Laodamii? Padała na fotel i ryczała jak bóbr, a potem znowu brała się do nauki. Praca to podstawa każdego artysty, prawdziwego artysty...

– Pan dawno zna Szyllerównę? – spytał trochę zniecierpliwiony profesor.

– W Odessie tam się u nich jeszcze pętałem, podczas wojny. Przecież i pana profesora tam poznałem, prawda?

– Zdawało mi się, żeśmy się poznali dopiero w Warszawie. Ale, prawda, przypominam sobie, był pan u nas w zimie... wtedy... tak...

Profesor zatrzymał się i spojrzał w dal, jak gdyby ujrzał przed sobą dawne czasy. Wzrok jego zaszklił się. Jednak wódka działała.

– Tak – mruknął – dawne czasy.

Obejrzał się po „mordowni" i przypatrzył się po kolei, już trochę z pijaną sztywnością, siedzącym tam osobom. Malarz dziwak z czerwonowłosą modelką, paru robotników, paru typków z miasta siedziało przy poplamionych serwetach. Profesor przestraszył się tego towarzystwa.

– Wpadliśmy – powiedział – to strasznie obskurna knajpa.

Gorbal popatrzył na niego z pogardą, odsunął go wzrokiem w dal i swoim zwyczajem uderzając dłonią w stół rozpoczął długą perorę. Jak wszyscy alkoholicy, po niedużej dawce wódki był zupełnie pijany.

– Jak profesor mówisz? – wołał. – Słusznie profesor mówisz! Wpadliśmy, i to dla kobiety, wpadliśmy. Co mnie ona? Profesor wie? Jakie to może mieć znaczenie? Kobieta? Fiume, panie profesorze, fiume! Mgiełka, puchu marny, tyle co nic... śpiewa, panie, ale jak śpiewa, jak słowik, Adelina Patti, Kiepura to pies przy niej... i oto dwóch poważnych ludzi dla niej stoi w tłumie na ulicy... profesor i artysta... i więcej nic. Ona przechodzi i nawet nic nie powie, amen, cisza... nie może mówić, głosu dla nas szkoda... jej głos, a my... co za różnica... ona i my, królowa i pachołki...

Profesor próbował protestować, ale Gorbal zalewał go potokiem słów w ten sposób, że nie mógł wydobyć z siebie głosu. Wreszcie przekrzyczał towarzysza:

– Pleciesz pan. Co to ma jedno do drugiego? Pewnie, że po koncercie nie mogła mówić na powietrzu. Musi szanować swój głos, przecie to majątek.

Ale Gorbal jak głuszec zatokował się i nie słuchał słów profesora.

– Księżniczka i świniarki – wiesz pan, jak w bajce Andersena... nie raczyła na nas spojrzeć... psia jej krew...

– Panie, panie – próbował powstrzymywać go profesor.

Ale Gorbal nie dawał się uspokoić.

– Pomyśl pan... tutaj takie zdarzenia... takie możliwości... Świat się kończy, koniec kultury. Rozumiesz pan? Koniec kultury... a ona sobie tiu-lu-lu, tir-lir-lir, a potem nie gada do człowieka. Orientujesz się pan, profesorze, w tych dysproporcjach?

Ryniewicz poczuł, że trochę sztywnieje. Ale przytrzymał Gorbala za rękaw.

– A skąd pan wiesz, że świat się kończy? – spytał.

– Nie wiem... nie wiem... – powiedział Gorbal – pojęcia nie mam, najdroższy uczony, ale czuję to. Rozumiesz pan? Intuicja!

– Bo czy pan wie, że nam grozi w każdej chwili powrót epoki lodowcowej?

– Jak to... lodowcowej? – zbaraniał Gorbal.

– Lodowcowej. Ziemia regularnie, co kilkadziesiąt tysięcy lat, cała pokrywa się skorupą lodową.
I to jak w zegareczku: re-gu-lar-nie! I wiesz pan! Ja
to wyliczyłem z dokładnością... od dwustu lat powinna już być znowu cała jednym lodowcem.

– Od dwustu lat? – Gorbal udawał zdziwienie
czy też rzeczywiście obraz zlodowaciałej ziemskiej
skorupy zrobił piorunujące wrażenie na jego
zamroczonym wódką umyśle. Dość, że wytrzesz-
czył oczy.

– Tak! Spóźniła się... epoka lodowcowa spóźniła
się...

– No, i co z tego?

– Rozumie pan? Nie rozumie pan? To znaczy, że
teraz każdej chwili, ale to absolutnie każdej chwili
mogą powrócić lodowce.

– Bajeczne – szepnął Gorbal.

– Zaczyna się zima. Chłodno, śnieg, mróz. Sprawa normalna. Ale potem coraz chłodniej. Marzec
– mróz. Kwiecień – coraz zimniej. I powoli – w czerwcu, powiedzmy, w lipcu, góry lodowe zaczynają
się posuwać z góry na dół, z północy na południe,
marzniemy, panie Gorbal... marzniemy...

W pijanej głowie profesora Ryniewicza wobec
elokwencji Gorbala teoria naukowa zmieniła się
w jakiś obrazek z kalendarza. Profesor po chwili
połapał się, że plecie głupstwa.

– Oczywiście to nie jest tak – powiedział – to
wygląda daleko poważniej.

Gorbal roześmiał się wielkim śmiechem.

– Co? – wołał. – Jeszcze poważniej? A niech pana
ludzie kochają, drogi profesorze, jakże to może być

w jeszcze poważniejszym kształcie. Zamrozi nas, a my tu – hahaha! hihihi!

– Głupstwa pan plecie – oburzył się Ryniewicz.

– A pan, profesorze? Do szczętu ta kobita zamąciła panu umysł – do czortików, do epoki lodowcowej... – Gorbal zanosił się od śmiechu.

Profesor Ryniewicz chciał ostro zaprotestować.

Ale czy to wypił za dużo wódki od razu, czy też rozebrało go gorąco i zaduch w „mordowni", czy też stało się to pod wpływem emocji dzisiejszego dnia, nagle poczuł dotkliwe mdłości. Zerwał się od stolika, kelner pospiesznie wskazał mu drzwi do ubikacji, ledwie ich dopadł, zwymiotował gwałtownie wódkę, śledzia i nawet dzisiejszy obiad. Odbiło mu się potężnie.

– Psiakrew – powiedział, wyprostowując się – a jednak ten kompot był z cynamonem!

XIII

Janusz i Zosia mieli parę kroków od Filharmonii do mieszkania Bilińskiej na Brackiej. Przeszli Jasną i Zgodą do pałacyku, trzymając się pod ręce i nie mówiąc ani słowa. Na Januszu zrobiła duże wrażenie wiadomość o aresztowaniu Wiewiórskiego, Zosia spostrzegła to dobrze i chciała zwrócić jego myśli na inne tory. Ale jakoś nie wiedziała, o czym mówić. Miała jeszcze w uszach głos Elżbietki i tony wzbierającej jak rzeka orkiestry, ale po tym, co Janusz mówił w pokoju artystów, nie poruszała tej sprawy. Było jej przykro, że nie podzielał entuzjazmu, który czuła w sercu.

Gdy zadzwonili na Brackiej, otworzyła im panna Tekla i powiedziała, że księżna z Alem już wróciła i czeka na nich w małym salonie na górze. Zosia, zdejmując przed wielkim lustrem włóczkową czapeczkę, którą miała na głowie, westchnęła ciężko. Janusz stał tuż za nią i przeglądał się w matowej, zestarzałej szybie zwierciadła. Poklepał żonę po ramieniu.

– *Du courage* * – powiedział – herbata nie będzie trwała długo.

Zosia uśmiechnęła się do jego odbicia w lustrze.

– Popatrz na nas – dodał Janusz – czy my nie jesteśmy ładną parą?

Odbicie ich w lustrze przyćmione mgłą zużycia nie było bardzo wyraźne. Chudzi i mizerni wydawali się płynąć w zielonawej wodzie jak dwa wydłużone wodorosty. Zosia wzdrygnęła się.

– Wyglądamy jak topielcy – powiedziała i odwróciła się na przedpokój. – No, chodźmy – dodała weselej i wziąwszy Janusza za rękę, wbiegła z nim na górę. Janusz się zasapał.

– Zosia – śmiał się – dajże spokój! Też masz pomysły!

– *Du courage, mon ami, du courage* ** – odwzajemniła mu się Zosia i zupełnie swobodnie wpadła do salonu.

Maria podniosła się ze swojego wielkiego fotela stojącego przy białym fortepianie i z pewnym zdziwieniem spojrzała na wchodzących. Alo, oparty o fortepian i zarumieniony, szczęśliwym wzrokiem spotkał wuja i wujenkę.

---

* Odwagi.
** Odwagi, mój drogi, odwagi!

– Jesteście nareszcie – niskim głosem powiedziała Bilińska. – Alo się nie mógł doczekać. A on musi już iść spać.

Zosia z wdzięcznością popatrzyła na Ala, lecz nie wiedziała, co ma mu odpowiedzieć. Alo też jak gdyby chciał wyrzec jakieś słowo, nie mógł się jednak na nie zdobyć, chrząknął tylko głęboko. Myszyńscy zasiedli w fotelach i księżna zadzwoniła na służącego.

Kiedy Stanisław wniósł herbatę, Janusz i Zosia wymienili znaczące spojrzenia. Po minie Stanisława widać było, iż wie już o zamknięciu syna, nie była to zresztą mina zbolała czy dramatyczna. Widać było, że Stanisław jest wściekły. Zosia uśmiechnęła się do siebie samej, tak się ta mina Stanisława wydała jej nieoczekiwana.

Bilińska, podając filiżanki z gorącą herbatą i ustawiając na stole talerzyki z suchymi ciasteczkami i grzankami z czarnego chleba (specjalność tego domu!), próbowała bawić brata i bratową rozmową towarzyską. Zadawała im pytania:

– Jakże się wam podobała Szyllerówna? Prawda, co to za zły gust wpinać sobie do fryzury wysokie białe pióro? Wyglądała jak dzika, jak ta Murzynka paryska... jakże się ona nazywa? Jak Josephina Baker...

Zosia uśmiechnęła się otwarciej.

– Jestem taka prowincjonałka – powiedziała – mnie toaleta Elżbietki wydała się zachwycająca...

– Kokietujesz wszystkich swoją parafiańszczyzną – powiedział Janusz, niecierpliwie mieszając herbatę łyżeczką.

Zosia poczerwieniała aż do nasady włosów.

– Widzisz, tutaj nie mam kogo kokietować – mruknęła.

I wtedy mimo woli spojrzała na Ala. Siedział jak na szpilkach i był równie czerwony jak ona. Jego duże niebieskie oczy wydawały się podobne do sinej porcelany w kontraście do purpury policzków. Zrobiło się jej nieprzyjemnie.

– Janusz ma dzisiaj swój zły dzień – zwróciła się do szwagierki – takich rzeczy nagadał o *Szecherezadzie*.

– A czy się nie podobały tobie pieśni Szyllera? – spytała Bilińska.

Janusz popatrzył z wyrzutem na Zosię.

– Czy mam wszystko na nowo powtarzać? – zapytał. – Już tłumaczyłem, że mi się pieśni Edgara bardzo podobają, ale że chodzi mi o inne rzeczy...

Bilińska machnęła ręką.

– Nie lubię twojej teorii sztuki – powiedziała.

Janusz ze złością siorbnął herbatę. Przez chwilę panowało milczenie. Nagle odezwał się Alo, głosem lekko zachrypniętym czy zahamowanym z emocji:

– Wuju, a co jest teraz w oranżeriach w Komorowie?

– Tuberozy – lakonicznie odparł Myszyński.

– Nie masz pojęcia, jaki cudowny zapach w oranżerii – zwróciła się Zosia bezpośrednio do Ala – dusi kompletnie, gdy się do niej wejdzie. Podobno tak pachną kwiaty tropikalne. – Potem powiedziała do księżnej: – Puść, Marysiu, kiedy Ala do nas. Zobaczy kwiaty w oranżerii, popoluje trochę. U nas w tym roku bardzo dużo kuropatw.

– Nie lubię, kiedy Alo strzela – bezapelacyjnie stwierdziła Bilińska.

Janusz popatrzył na nią uważnie.

– Obawiam się, że będzie musiał dużo nastrzelać się w życiu – warknął.

– Cóż to za okropne przepowiednie – zaśmiała się Maria. I aby zatrzeć nieprzyjemne wrażenie, jakie sprawiło powiedzenie Janusza, spytała: – Napijesz się jeszcze herbaty?

– Dziękuję – powiedział Janusz – musimy już iść spać. Zosia jeszcze niedobrze się czuje, a jutro trzeba jechać wcześnie do Komorowa. No, Alek – dodał – kiedy przyjedziesz na kuropatwy?

Alo popatrzył w milczeniu na matkę.

– Na kuropatwy, nie na kuropatwy – ale przyjedź – powiedział serdecznie wuj i ucałował go w głowę.

Kiedy byli już u siebie, w dawnym pokoju Janusza na drugim piętrze, zaszła jeszcze do nich panna Tekla.

Oczywiście natychmiast rozpoczęła rozmowę o aresztowaniu Jasia. Stanisław dowiedział się o tym po południu i ku zdziwieniu wszystkich nie zmartwił się, tylko rozzłościł. Powiedział podobno: zawsze mu mówiłem, że te jego bunty tak się skończą. Panna Tekla dodała opowiadając o tym:

– Nawet nie myślałam, że ten Stanisław taki rozsądny człowiek. Zawsze mi się wydawało, że nienawidzi nas wszystkich, a jednak okazało się, że jest oddany.

Panna Tekla cieszyła się – tak przynajmniej wyglądały pozory, że ktoś z nią podziela oddanie się domowi Bilińskich bez reszty. Całe swoje życie umieściła w cieniu ich „wielkiego" życia i z całego serca pragnęła, aby to życie było

naprawdę „wielkie", to znaczy zewnętrznie błyszczące. Cierniem dokuczliwym wydawało się jej
małżeństwo i odosobnione, szare, zwyczajne życie
Janusza. Zosię uważała za przyczynę odsunięcia się
Janusza od „świata" i zlewała na jej głowę wszystkie swoje żale. Tym razem jednak niedługo rozmawiała z młodymi, po chwili zjawił się Stanisław
i poprosił o wydanie obrusu i serwet na jutro,
wysunęła się więc zaraz za nim, cichutko stąpając
w swoich filcowych, futerkiem obramionych trze-
wikach.

Janusz i Zosia zostali sami. Zosia poczęła się
rozbierać, Janusz usiadł w fotelu i palił papierosa.
Myślał o czasach, kiedy jako kawaler zajmował ten
pokój i ucząc się w Wyższej Szkole Handlowej
marzył o wyjeździe do Paryża. Przez krótką chwilę
przypomniała mu się Ariadna i jej po męsku, po
parysku ostrzyżona głowa. Tymczasem Zosia, na-
rzuciwszy na siebie wyjęty z szafy różowy „warszawski" szlafrok, usiadła na łóżku i również zamyśliła się.

– Pomyśl sobie – powiedziała nagle – tutaj życie
idzie swoją koleją, koncert, herbata, obrazy, czyste
serwety, a tam człowiek poszedł do więzienia. Kamień wpadł w wodę, a żaby rechocą i trzciny
szumią...

Janusz puszczał krążki dymu dość niezdarnie,
niedawno nauczył się palić od swojego ogrodnika.
Milczał przez chwilę i potem powiedział obojętnie:

– Tak zawsze było!

– Nieprawda – gorąco powiedziała Zosia – nieprawda. Było tylko wtedy, kiedy była walka.

– Walka jest zawsze – mruknął Janusz sennie.

– Walka! Ale o co? – w dalszym ciągu z zapałem mówiła Zosia – a ty zawsze jednakowy. „Walka! Walka!", a właściwie mówiąc, już śpisz na tym fotelu, puszczając kłęby dymu. Po coś ty się tego palenia nauczył? – dodała zgryźliwie.

– Moja droga – powiedział Janusz – czy jeżeli ja będę krzyczał i podnosił głos, i machał rękami, to coś się od tego zmieni? Ani mój los, ani los Jasia się od tego nie zmieni.

– Od twojego gadania na pewno się nie zmieni.

– To prawda – powiedział Janusz – i w ogóle nie mówię dużo, nie tylko w tej chwili. I od tego, czy będę mówił, czy nie będę mówił – nie tylko losy nasze się nie zmienią, ale w ogóle nic się nie zmieni.

– Pytanie, czy trzeba, aby się zmieniło.

– Nie, to pytanie niepotrzebne. Musi się zmienić. Ale wszystko zależy od tego, co będę robił.

– Nic nie robisz – szepnęła Zosia.

– A nic – powiedział Janusz.

Znowu wypuścił kilka kółek dymu i śledził je uważnie. Zosia ściślej ogarnęła się w szlafrok. Milczeli przez kilka dobrych chwil.

– Zimno tu jakoś – powiedziała Zosia – nie chce mi się iść do łazienki.

A potem załamała ręce.

– Jak ja nie lubię tutaj nocować – zawołała patetycznie – tu zawsze tak strasznie nieprzyjemnie. I myśli takie jakieś nieprzyjemne.

– A w Komorowie myśli przyjemne? – spytał Janusz.

– Ciągle mi stoi przed oczami ten Jasio – ciągnęła Zosia, nie zwracając uwagi na pytanie Janusza

– i ten kpiący wyraz tej dziewuchy, kiedy patrzyła na nas w szatni. Dlaczego ona na nas patrzyła takimi zmrużonymi oczami? Wstrętna ta cała „Żermena".

– Wiesz, ja jej się nie dziwię, że ona na nas patrzyła zmrużonymi oczami. Przypuszczam, że zupełnie nie rozumiała, dlaczego się tam znajdujemy.

– Przecież ona chyba rozumie, co to jest koncert?

– Co to jest koncert, pewnie rozumie. Ale co to jest koncert w dniu aresztowania jej wuja i opiekuna, tego na pewno nie rozumie. Tego może i my byśmy nie rozumieli.

Zosia poruszyła się na łóżku, ale zamiast wstać położyła się na wierzchu i odchylając róg kołdry przykryła nim sobie nogi. Zamyśliła się przez chwilę.

– Więc wszystko to, co było takie piękne, Elżbietka Szyllerówna i te pieśni Edgara, i ta muzyka taka... łaskocząca, nie, nawet nie łaskocząca, porywająca, no i chociażby ten Beethoven, którego nie słuchaliśmy, to wszystko nie ma żadnego znaczenia dlatego tylko, że Jasio Wiewiórski siedzi w ciupie?

Janusz uśmiechnął się, przechylił się w krześle i położył swą dłoń na zwisającej ku ziemi ręce Zosi.

– Nie, to wszystko ma znaczenie – ale ma i n n e znaczenie.

– Jakie? – zaniepokoiła się Zosia.

– Nie takie, jakie nadawaliśmy koncertowi słuchając go, i nie takie, jakie Edgar nadawał swoim pieśniom komponując je i słuchając ich potem ze łzami w oczach. Widziałem go w loży... Oni wciąż myślą, że ocalenie ludzkości leży w sztuce. To chciałem powiedzieć po koncercie, ale mnie nikt nie rozumiał, i ty także mnie nie zrozumiałaś.

– Boś mnie nie przygotował do tego. Nigdy mi nie mówisz, co myślisz.

Janusz znowu siedział spokojnie i patrzył na dymek z papierosa.

– Ja dotychczas tak nie myślałem. Ale właśnie w czasie koncertu przyszły mi te wszystkie myśli do głowy, i potem... i dlatego ci nigdy o tym nie mówiłem. Zresztą w ogóle nie mówię o takich rzeczach, wydaje mi się to za patetyczne, za wielkie, zwłaszcza tam na wsi, gdzie grzebię się w nawozie i hoduje prymule. Widzisz – dodał – ja w przeciwieństwie do ciebie lubię nocować „na Brackiej". To mi przypomina moje kawalerskie czasy i wszystko, co tutaj przeżyłem. Było tego zresztą bardzo niewiele. Ja właściwie już wszystko przeżyłem tam, w Mańkówce. W zupełnej młodości i samotności ze zdziwaczałym ojcem, jego granie na pianoli nie miało naprawdę żadnego znaczenia.

– Bo ty się doszukujesz znaczeń metafizycznych we wszystkich drobiazgach życia, we wszystkim, co nas otacza.

– Nie znasz mnie, Zosiu – z pewną goryczą powiedział Janusz – przypisujesz mi poglądy metafizyczne.

Zosia zerwała się z łóżka, usiadła przed lustrem i poczęła się czesać na noc. Gdy wygładziła upięte włosy, twarz jej wydawała się jeszcze mizerniejsza, a oczy bardziej zapadły. Gniewał ją ten wyraz choroby i smucił przypomnieniem niedawnego nieszczęścia.

– A skąd ja mam ciebie znać? – powiedziała, szarpiąc grzebieniem warkocz. – Skąd? Nigdy cię nie poznam, siedzisz jak mruk i za każdym razem mówisz co innego. Za każdym razem, co mamy dłuższą rozmowę, wydajesz mi się inny – ale co gorsza, nie nowy! Twoje odmiany są krążeniem wokół tego samego kółka, do którego jesteś przywiązany niewidzialnym, ale bardzo mocnym sznureczkiem.

Janusz spojrzał na nią uważnie i zapalił drugiego papierosa.

– Nadymisz – powiedziała Zosia.

– Wywietrzymy – bronił się Janusz.

– Zawsze jesteś taki skryty.

– Ty tak samo. – Janusz przesiadł się na inne krzesło, aby lepiej widzieć Zosię, lubił patrzeć, jak się czesała, ruchy jej były zręczne, choć nerwowe.

– We mnie nic nie ma – uśmiechnęła się – pusty gliniany dzban.

– Na piękne polne kwiaty.

– Ty nie lubisz polnych kwiatów, ty lubisz tuberozy – Zosia zwróciła się do Janusza, okręcając się na toaletowym taborecie, i nareszcie uśmiechnęła się do niego jasno i po prostu.

– A ty mnie jednak znasz – przekornie powiedział Janusz. – To powiedzenie o przywiązaniu do kółka świadczy o tym wyraźnie. Znasz mnie może lepiej, niż ci się samej zdaje.

– To wszystko są raczej jakieś domysły. Ale wracając do koncertu – powiedziała, dość bezradnie rozkładając ręce – czy ty naprawdę nie możesz mi tego wytłumaczyć? Jakie to ma znaczenie?

Janusz uśmiechnął się.

– Uparta jesteś – powiedział – spytaj o to Jasia, kiedy go wypuszczą z więzienia.

– A on wie? – zdziwiła się Zosia.

– Na pewno! – Janusz wstał i zrzucił marynarkę.
– On wie na pewno! – a potem dodał:
– Wiesz, i ja bym tak chciał raz w życiu coś wiedzieć na pewno!
I pocałował żonę w czoło.

XIV

Starzy Szyllerowie, ilekroć przyjeżdżali do Warszawy – a zdarzało się im to bardzo rzadko – zatrzymywali się u swojej dalekiej krewnej, pani Kazi Brzozowskiej. Pani Kazia mieszkała przy ulicy Zgoda, było to więc bardzo dobrze położone locum – i z Filharmonii droga była niedaleka. Pani Kazia miała trzech synów. Dwaj z nich, malarz i literat, byli w tej chwili w Anglii, najmłodszy, muzyk, siedział jeszcze w Zakopanem, lubił bowiem górskie wspinaczki. Obecnością swoją więc państwo Szyllerowie nie sprawiali kuzynce najmniejszego kłopotu.

Starsi państwo sumiennie wysłuchali symfonii Beethovena i przeczekawszy największy tłok w szatni, ubrali się i wyszli, drepcąc powoli w stronę mieszkania pani Brzozowskiej. Wszyscy o nich zapomnieli – zostali więc sami, i nawet nie wspominali o tym. Do samotności już byli przyzwyczajeni.

Szli milcząc. Dopiero w połowie drogi pani Paulina zrobiła gorzką uwagę:

– Jacy ludzie są teraz źle wychowani. Remeyowie powinni byli nas zaprosić na raut...

Stary Szyller wstrząsnął się i sarknął, jak to było jego zwyczajem:

– Ty jesteś zawsze dziecinna, Paulino. Czegóż się ty mogłaś spodziewać po t a k i c h ludziach...

– Niczego wielkiego się nie spodziewam. Ale to przecież zupełnie zrozumiałe. Bądź co bądź, jesteśmy rodzicami Edgara i Elżbiety...

Szyller jeszcze się otrząsnął.

– Może nas tylko martwić, że oni przestają z tego rodzaju towarzystwem. Bo i co to za towarzystwo? Handel nasionami...

– To nie o to chodzi, nie o to chodzi – powtarzała pani Paulina – to zupełnie inny odcień sprawy.

Pani Kazia mieszkała w podwórzu, na pierwszym piętrze. Zadzwonili. Otworzyła im sama gospodyni, wysoka, schludna starsza pani, z siwą koafiurą starannie przyczesanych włosów. Jej niebieskie oczy spoglądały bardzo ciepło, a lekki ruch głowy, rodzaj nerwowego ticku, nie był u niej nieprzyjemny. Ucieszyła się z powrotu kuzynów.

– Rozbierajcie się, siadajcie i opowiadajcie. Idźcie do salonu, zaraz wam zrobię herbaty.

Stary Szyller pomógł żonie zdjąć ciężkie futro, w jakie się była ubrała raczej dla parady niż dla chłodu, i weszli do saloniku. Był to mały pokój z paroma meblami, jedyną ozdobą jego był duży czarny fortepian i półka z nutami. Starzy usiedli. Szyller na małym zydelku obitym kremową materią, pani Paulina w obszernym fotelu. Zapaliła zaraz papierosa i swoim zwyczajem patrzyła na brzydką wiszącą lampę, puszczając dym w jej stronę, jakby jej składała hołd przy pomocy kadzidła.

– Właściwie mówiąc, co my mamy Kazi do opowiadania? – spytała pani Szyllerowa po chwili milczenia.

– Nic – powiedział Szyller, podrywając prawe ramię.

– Mnie się zdaje – mówiła dalej pani Paulina – my nawet nie wiemy sami, cośmy przeżyli. Wydaje mi się to jakieś upokarzające. Dobrze powiedziałeś tej małej Oli.

Stary Szyller wziął z półki zeszyty nutowe i założywszy okulary w czarnej rogowej oprawie, pilnie je przeglądał.

Spojrzał na żonę znad okularów.

– Ta cała Ola nie jest już mała, mała była w Odessie. Teraz to stara baba. Nie umiesz po prostu zauważyć, jak się wszystko starzeje.

Pani Paulina uśmiechnęła się.

– Że ty się starzejesz, to dawno zauważyłam. I robisz się nieznośny stary tetryk. Nawet te twoje roztargnienia pogubiłeś gdzieś razem z humorem i optymizmem. Ale dzisiaj zauważyłam – kiedy oni wyszli na estradę – że nasze dzieci się postarzały. Bardzo postarzały.

– Dzieci? – spytał pan Szyller, nie odrywając oczu od nut i nawet cicho pośpiewując wyczytaną melodię pomiędzy zdaniem a zdaniem. – A cóż ty sobie wyobrażałaś? Dawno przestały być dziećmi...

– Dla nas nigdy nie przestaną być dziećmi.

– Tak się to zdaje. Czasem pod koniec lata znajdują się w krzakach takie puste, wylęgłe gniazda... opuszczone gniazda. Ptaszki wyfrunęły.

Tu odsunął nuty i popatrzył otwarcie na żonę.

– Właśnie – zrozumiała od razu Szyllerowa, o czym mówił – ale dzieci dla rodziców zawsze zostają dziećmi. I najdziwniejsze to jest, kiedy się spostrzega, że własne dzieci starzeją się. Były naszymi dziećmi. A teraz stoją oko w oko ze starością. Pamiętamy ich w fartuszkach, w pierwszych mundurkach. A teraz, wiesz, widziałam, że Elżunia ma już siwe włosy, nie widać ich jeszcze z daleka, ale jak się czesze...

– Co ty mówisz? – zdziwił się mimo wszystko stary Szyller. – Siwe włosy? Ty nie zaczęłaś tak wcześnie siwieć.

– Wcześniej.

– Naprawdę? A ileż ona ma lat ta nasza Elżbietka. Zaraz, zaraz... kiedy się ona urodziła?

– Pomyśl – powoli powiedziała pani Paulina, patrząc na lampę – pomyśl, ona za miesiąc kończy czterdzieści pięć lat... To tylko dlatego, że nie mamy wnuków, nie orientujemy się w czasie. Michasia ma już wnuków kupę. Widziałeś synów Oli, to już duże chłopaki, jak to wszystko rośnie.

– Jak to wszystko rośnie – powtórzył nagle spokojnie Szyller – jak to wszystko się zmienia. Wiesz, jeszcze jako młody chłopiec nie lubiłem znajdować takich gniazdek, opuszczonych gniazdek.

Tym razem oburzyła się pani Paulina.

– Co ty wciąż o tych gniazdach? No, wylecieli – to wylecieli. I pomyśl sobie, jak dawno wylecieli. Powinieneś był się przyzwyczaić.

– A co? Może nie przyzwyczaiłem się?

Pani Kazia weszła z herbatą i z kanapkami.

– Pewnie jesteście głodni – powiedziała, stawiając tacę na stoliku. – Z emocji nie jedliście obiadu.

– Byliśmy na obiedzie u Edgara. W „Bristolu" – powiedziała pani Paulina.

– I jakie macie wrażenie z koncertu? – spytała

pani Kazia, siadając na krześle tak, jakby się przygotowywała do wysłuchania długiej relacji.

Małżeństwo popatrzyło na siebie niepewnie.

– Oczywiście, bardzo nam się podobało – powiedziała pani Paulina po pewnej chwili, pospiesznie, jak gdyby pragnąc zatrzeć to wrażenie niepewności. – Elżunia tak pięknie wyglądała – i wspaniale śpiewała. A pieśni Edgara są bardzo wzruszające.

– Strasznie żałuję, że mój Rudzio nie mógł tego słyszeć. On w tym roku kończy konserwatorium – ale góry to dla niego, zdaje się, jeszcze większa pasja niż muzyka.

Pani Paulina uśmiechnęła się. Wiedziała, że najmłodszy syn Kazi ma jeszcze inną pasję, silniejszą niż góry i niż muzyka.

– Dla mnie to wszystko, co Edgar komponuje – powiedział Szyller spokojnie i poważnie – muszę się przyznać, jest dosyć obce. Egzotyka i jakieś takie dziwne brzmienie. Oczywiście, ja wiem, że rodzicom czasem trudno jest zrozumieć dzieci. Ale...

Kazia obruszyła się.

– Co też ty mówisz, Ludwiku – powiedziała. – Ja moje dzieci rozumiem doskonale, a wiecie – każdy z mych synów obrał inny zawód artystyczny.

Pani Paulina uśmiechnęła się.

– Czy to czasami, Kaziu, nie są twoje złudzenia?

– Jakie złudzenia?

– No, to, że ci się tak zdaje, jakbyś rozumiała twoje dzieci. Przecież ostatecznie dzieci – to są dzieci, i chciałoby się, aby na zawsze zostały dziećmi. A one rosną, dojrzewają, nawet starzeją się...

– Nawet starzeją – powtórzył Szyller.

– I to wszystko dzieje się tak jakoś poza nami. Od pewnego punktu naszego życia stajemy się „tymi starymi" i nie mamy już żadnej siły oddziaływania – nawet im przeszkadzamy...

– Przeszkadzamy? Co też ty opowiadasz, Paulinko – zupełnie szczerze i bez zaniepokojenia powiedziała pani Kazia. – Zawsze im jesteśmy potrzebni.

– Czy ja wiem? – powiedział pan Szyller. – Nigdy jeszcze nie odczułem tak bardzo jak dzisiaj, że już jestem moim dzieciom niepotrzebny. Szczęśliwie mam moje życie, moją cukrownię, moją pracę... Bo tak, to cóż? Ani Edgar nie potrzebuje mnie, żeby skomponować swoją *Szecherezadę*, ani Elżbietka, aby ją zaśpiewać.

– Może jeszcze herbaty? – spytała pani Kazia.

– Wiesz, Kaziu, że z przyjemnością – powiedziała Paulina. – Może ja sama przyniosę?

– Nie, cóż znowuż, jesteście moimi gośćmi. Tak się z was cieszę – gospodyni zabrała obie filiżanki i wyszła do kuchni.

– Nie mów lepiej takich rzeczy obcym ludziom – zaczęła pani Paulina, zapalając nowego papierosa. – Oli w Filharmonii też nagadałeś niepotrzebnie.

– Masz rację, Paulinko – spokojnie powiedział Szyller – ale to mnie tak boli.

– Och, ostatecznie... – nie dokończyła Paulina.

Szyller wziął do ręki znowu ten sam zeszyt nutowy i przeglądał go starannie. Jego oczy wydawały się specjalnie duże i błyszczące pod wypukłymi szkłami okularów. Znowu pomrukiwał pod nosem, przewracając karty podłużnego kajetu.

– Co ty tam oglądasz? – spytała, bez ciekawości zresztą, jego żona.

– Tu są kwartety Beethovena, na cztery ręce.
– Na cztery ręce? Takie jak były nasze?
– Zdaje się. To samo wydanie.
– Pokaż.
Szyller podał jej zeszyt.
– Aha – powiedziała pani Paulina – pamiętasz, jakeśmy je grali?
– Pewnie – z nieznaczną zmianą w głosie powiedział Szyller.
Stary w odpowiedzi zanucił trochę głośniej pierwszą frazę andante.
– O, widzisz ten kwartet F-dur, i ten... C-dur. Pamiętasz to andante.
Pani Paulina otworzyła fortepian, podniosła pulpit i rozłożyła na nim nuty. Jednym palcem wystukała frazę, którą przedtem nucił jej mąż.
– Och, ile mi to przypomina – powiedziała, odchodząc od instrumentu.
– Prawda? – powiedział jeszcze miększym głosem Szyller.
– Byłam wtedy w poważnym stanie. Oczekiwałam Edgara.
– Właśnie. Może umuzyczniliśmy go.
– Chyba nie. To andante to jest rezygnacja...
– Akurat pod dzisiejszy wieczór – znowu z suchą ironią powiedział stary.
– Zagrajmy, słuchaj, Ludwik – powiedziała Paulina.
– Jak chcesz – zgodził się mąż.
Siedli do fortepianu. Pani Paulina w basie, a on we wiolinie, tak jak dawniej grywali, i zaczęli *andante con motto quasi allegretto*.
Rozległa się owa fraza szeroka, schodząca w dół i parokrotnie uparcie powracająca. A potem temat

poboczny, oparty na zmniejszonym akordzie. W muzyce tej prostej, upartej i szerokimi falami płynącej odezwała się nuta smutku, rezygnacji i jakiegoś świeżego, górskiego osamotnienia. Przelewające się frazy, którym odpowiadały imitacje we wszystkich głosach, porwały grających. Stary Szyller, nie zdając sobie sprawy z tego, podciągał falsetem, pragnąc wzmocnić melodię czy też chcąc jeszcze głębiej wyrazić przenikające go uczucie. Przypominał w tej chwili Edgara. Nie zauważyli nawet, jak pani Kazia weszła z herbatą i postawiwszy tackę na krześle, usiadła sama tuż przy drzwiach, słuchając w skupieniu.

Andante przebiegło przez wszystkie swoje perypetie, płynąc prawie jednakowymi szóstkami. Tylko ku końcowi pierwszego okresu przychodziły tu szesnastkowe figuracje, pełne zadumy i zupełnego wyrzeczenia. Pani Paulina wykonała je z przejęciem, a pan Ludwik podciągał prawie szeptem, wytrzeszczając oczy, błyszczące pod wypukłymi okularami. Wreszcie figuracja zacichła czterokrotnym powtórzeniem westchnienia, głębokiego westchnienia – była to czysta muzyka, ale i przyjęcie życia, zgadzanie się na życie... i na śmierć.

– Och, jak ślicznie graliście – zawołała pełna entuzjazmu pani Kazia, podchodząc do fortepianu.

– Rzeczywiście – z ironią powiedział stary Szyller.

Przez chwilę siedzieli, nie wstając od fortepianu. Widać było, że ogarnęło ich wzruszenie. Wreszcie pani Paulina poruszyła się, sięgnęła po papierosy.

– Ten Beethoven jakoś nas oczyścił – powiedziała z zażenowanym, prawie młodzieńczym uśmiechem do Kazi.

Rozdział siódmy
Osty nad katedrą

I

W parę miesięcy po śmierci Zosi i w parę tygodni po śmierci Malwinki Janusz wybrał się do Krakowa. Był to pierwszy paroksyzm owej choroby, której doznawał przez wszystkie nadchodzące lata, aż do wojny, choroby polegającej na tym, że chciał być tam, „gdzie już był"; chciał na nowo przeżywać te miejsca, gdzie zaznał chociażby chwilowego uspokojenia, czegoś, co sobie jako szczęście wyobrażał. Z początku były to miejsca naokoło Komorowa, dokąd chodził z Zosią na spacery, miejscowości, które odwiedzał z nią razem albo sam na początku małżeństwa, położone pod Sochaczewem ogrodnictwa, gdzie u kolegów swoich i pana Fibicha odnajdywał jakieś nowe gatunki kwiatów czy jarzyn, które by się do komorowskich cieplarni i inspektów nadawały.

Wczesną wiosną jeszcze zaczął owe długie, parogodzinne spacery, które go prowadziły lasem za ogrodem aż po Puszczę Kampinoską, aż po Brochów, gdzie brali ślub, tak jak rodzice Chopina, aż po te odległe części lasu, które były najdalszym rezerwatem, czymś, o czym nikt nie pisał, a co było tak bardzo piękne i tak doskonale wpływało na jego usposobienie.

Początkowo nie myślał o tym, aby te przechadzki miały sprawiać mu jakąś przyjemność czy co najmniej dystrakcję. Chciał po prostu zmęczyć się, aby po powrocie zwalić się na łóżko i spać jak zabity. Pragnął zmordować swój zdrowy i mocny organizm, a także spać tak mocno, żeby mu się nic nie śniło. Bo jeżeli sen przychodził, to zaraz zjawiała się Zosia „na promyku" czy też zwyczajnie zjawiała się, czasami nawet lekko pukając do drzwi sypialni albo tylko uchylając je lekko i zaglądając przez szparę. Najgorsze to było właśnie owo zaglądanie przez szparę, gdy Zosia nie dawała się widzieć. Śpiący wiedział, że ona tam jest, że stoi za drzwiami, że szuka dziecka – dla niego nie ma ani wzroku litości, ani gestu kochania – tylko zaziera do ciasnej ich komorowskiej sypialni, czy nie ma dziecka. Janusz we śnie chciał pokazać dziecinny pokój, ten pokój „ogrodowy", prosto z sieni, gdzie Malwinka sypiała, dopóki jej serce się nie zatrzymało; chciał powiedzieć: ona jest tam, ale nie mógł się poruszyć, spał, a Zosia stała za drzwiami i czekała, aż on jej dziecko odda. Kiedyś krzyknął przeraźliwie: „Nie ma, nie ma, nie ma, przecież sama zabrałaś!". Krzyk jego rozległ się w nocy okropny, sam domyślał się, jak był przerażający. I wtedy posłyszał ciche pukanie, właśnie z tego pokoju, gdzie mieszkała Malwinka, ktoś do niego pukał, jak w więzieniu przez ścianę. Była to Jadwiga, która po śmierci dziecka nie wyprowadziła się z tego pokoju. Dopiero znacznie później przeniosła się do pokoju położonego za kuchnią.

Jadwiga znalazła się całkiem naturalnie w Komorowie. Jeszcze w ostatnich miesiącach ciąży przyszło do głowy żonie Janusza, żeby zwrócić się do pani Dosi Wiewiórskiej. Chciała ją poprosić o polecenie jej jakiejś pielęgniarki, bo czuła się coraz słabsza i nie miała nadziei, aby mogła owo przybywające maleństwo karmić. Pani Dosia zaczęła jej mówić o „Żermenie", o Jadwidze. I pani Dosia, i Zosia wiedziały, że Jadwiga nigdzie utrzymać się nie może przez swój bardzo nieznośny charakter i przez swoją ruchliwość mało mającą sobie równych. Ale obie doszły do wniosku, że „a nuż dziewczyna przywiąże się do dziecka" i że może to dać bardzo dobre rezultaty.

Zosia co prawda miała w stosunku do Jadwigi bardzo dziwne i skomplikowane uczucia. Od owego wieczoru w Filharmonii, kiedy Jadzia tak zuchwale sobie poczynała, bała się jej po prostu – i po zastanowieniu lękała się ją wezwać do Komorowa, przeznaczyć na opiekunkę swojego dziecka. Z drugiej strony Jadwiga fascynowała ją, wiedziała, że dziewczyna przywiązana jest do Janusza, że mu jest wdzięczna za opiekowanie się wujem i za wszystko, co Janusz robił, aby Wiewiórskiego spotkała jak najlżejsza kara (co mu się zresztą nie udało). Rozumiała, że będzie jej bardzo trudno z Jadwigą, a jednocześnie, że nikomu innemu nie będzie mogła tak zaufać we wszystkich sprawach.

Janusz nigdy nie mógł zapomnieć dnia, kiedy Jadwiga przyjechała do Komorowa. Ten moment także mu się śnił od czasu do czasu. Przed ganek, przez to podwórze, którego Janusz nie lubił i nigdy się nie mógł do niego przyzwyczaić, przez to podwórze w deszcz jechała mała żółta bryczka. Jechała przed ganek (i we śnie nie mogła dojechać), ale w życiu dojechała. I Janusza zamiast niepokoju, którego się spodziewał, ogarnął głęboki spokój. Nareszcie jest ktoś energiczny w Komorowie.

Ostatnie tygodnie przed połogiem Zosia leżała, czuła się niezmiernie osłabiona. Miała jechać do lecznicy do Warszawy, ale poród przyszedł niespodziewanie szybko, dobrze, że zdążono przywieźć z Sochaczewa położną. Ów dziecinny pokoik szybko zmieniono w izbę porodową. Jadwiga wyszorowała ją do białości. I wszystko odbyło się tak szybko i sprawnie. Janusz będąc w sypialni, chociaż czuwał, jak przez sen posłyszał głos nowego człowieka, który już odtąd miał istnieć i zająć tak ważne miejsce w jego życiu.

Zosia umarła w dziesięć dni potem, i to z zupełnie niewytłumaczonych powodów. Była bardzo słaba po porodzie i leżała cały czas. Odzyskiwała siły powoli, ale odzyskiwała; nagle dostała krwotoku – i to krwotoku gardłowego – z niesłychaną obfitością krew tryskała jak z rany, posłano natychmiast po lekarza. Samochód przywiózł go w trzy kwadranse, ale lekarz Zosię zastał już nieprzytomną. Janusz pochylał się nad nią: „Zosiu!, Zosiu!", ale ona nie otwierała oczu. Czarne jej włosy rozrzucone po poduszce brzydko pachniały potem.

Nie śniła mu się nigdy tak blada, leżąca w łóżku ani złożona chorobą, ani jako matka małej Malwinki, trzymająca dziecko na ręku. Śniła mu się zawsze zdrowa, chodząca po komorowskich pokojach jak po swoim gospodarstwie i albo w tej jasnej bluzce, w której brała ślub, albo w innej bluzeczce w czerwone desenie, w której ją zastał wtedy, kiedy pierwszy raz przyjechał do Komorowa. I kiedy tak w nocy słyszał, jak stawała za drzwiami i uchylając je lekko, patrzyła przez szparę na Janusza, na pokój, na wszystko – chociaż jej nie widział, wiedział, jak była ubrana. Ta bluzeczka w czerwone desenie, dosyć wulgarna, miała jakieś inne, symboliczne znaczenie – i zawsze to, co miała na sobie Zosia przychodząc do niego w nocy, zawierało jakieś ukryte, ale bardzo ważne znaczenie. Znaczenie to było mu wiadome we śnie, ale kiedy się budził, nie umiał na nie odpowiedzieć, nie umiał odpowiedzieć jasną, wewnętrzną odpowiedzią na pytanie, które mu zadawała Zosia.

Przecież chyba wiedziała, instynktem macierzyńskim wiedziona, że mała żyć nie będzie. A może i nie wiedziała? Czyż przykładałaby taką wagę do tego, aby dziecku koniecznie nadać imię swej dawno umarłej matki: Malwina? Czyż chciałaby nadać maleństwu to mięsiste, kolorowe imię, gdyby wiedziała, że dziecko żyć nie będzie? Doktor powiedział zaraz po urodzeniu, że mała ma wrodzoną wadę serca, na którą nic poradzić nie można, i że nie przeżyje nawet pół roku. Ale Malwinka przeżyła równe siedem miesięcy. Gaworzyła już do Janusza i do Jadwigi, kiedy pochylali się nad jej łóżeczkiem. Najgorsze były te sny. Janusz potem przypomniał sobie, że zaczęły się tego samego dnia, kiedy Zosia umarła. Gdy nad ranem zasnął ciężkim snem, nagle wydało mu się, że jedzie karetą czy nawet otwartym powozem do ślubu z Ariadną. Powóz był zaprzężony w cztery białe konie, Ariadna w białej ślubnej sukni, z welonem, a zamiast bukietu trzymała na ręku dziecko jakieś, mizerne i chude, z ruchów podobne do małpki i spoglądające na niego małymi, żółtymi oczkami. Ariadna trzymała go pod rękę i przyciskała się mocno do niego, bo konie nagle uniosły w powietrze cały powóz i ich razem z tą małpką. „Trzymaj mnie, trzymaj, bo upadnę!" – wołała Ariadna, ale powóz w powietrzu wywrócił się i to dziecko czy małpka spadało na dół przed nimi, rozcapierzywszy wszystkie kończyny. I Janusz obudził się z tą okropną świadomością, że chociaż ten sen nie był najgorszym z koszmarów, to właśnie tego snu nie zapomni do końca życia.

Właściwie noce jego składały się z tej mieszaniny snów i bezsenności, które zmieniały jego istnienie w czuwanie na jawie bez poczucia rzeczywistości otaczającego świata. Zauważył – ale dopiero po pewnym czasie – że wydaje nieświadomie zrazu jakiś rodzaj jęku czy podwójnego westchnienia, chrząknięcia raczej wewnętrznego, bez otwierania ust. Ten straszny dźwięk podobał mu się nawet i z czasem potrafił go wywołać dowolnie, siedząc przy obiedzie, chodząc po ogrodzie, nawet roz-mawiając z Fibichem czy z Bilińską, która uważała za swój chrześcijański obowiązek (robiła się coraz bardziej pobożna) przyjeżdżać jak można najczęś-ciej do brata. Było to prawdziwe utrapienie dla Janusza, z przerażeniem widział przez okno ogól-nego pokoju maskę samochodu Bilińskiej, ukazują-cą się w bramie zasypanego słomą podwórza. Prze-ciwnie, nie irytował go Alo, chociaż znajdował się teraz w okropnym okresie życia; wciąż podkreślał, że nie jest snobem, że ma „zwyczajnych" przyjaciół i jeździ na polowania z przedstawicielami bardzo pospolitych kółek myśliwskich, nieomal założo-nych przez fryzjerów i kelnerów. Alo był bardzo przejęty śmiercią Zosi, lecz nie umiał wyrazić swych uczuć. Przyjeżdżał i tkwił bez ruchu w pokoju Janusza. Mimo to Janusz wyczuwał w nim więcej szczerości i otwartości niż u Marii. Alo uciekał się teraz do opieki Janusza w walce przeciwko matce i Spychale, którzy go chcieli koniecznie wysłać z powrotem do Anglii.

– No, pojedź sobie na rok do Anglii – powiedział Janusz do siostrzeńca – co ci to szkodzi? A potem będziesz chodził na tę swoją utrapioną Akademię.

– Kiedy ja już chcę na Akademię – mówił Alo.

Powtarzało się to za każdym razem, co Alo przyjeżdżał do Komorowa. A przyjeżdżał teraz często. Zresztą miał jeszcze czas do przyszłej jesieni...

Edgar napisał tylko jeden list. Ostatecznie nic się z tej jego Ameryki nie wykluło i siedział w Warszawie, ale nie śmiał po prostu przyjechać do Janusza. Tak, że właściwie mówiąc, Janusz był bardzo samotny. Nie miał się do kogo zwrócić ze słowem i kiedy przychodził wieczór pełen ciszy i spokoju, wiatr huczał, ogień płonął – wszystkie akcesoria wiejskiej samotności – pozostawiony był na pastwę snu i jawy z tym snem pomieszanej.

I wtedy to w jego skołatanej głowie zaczął dojrzewać pomysł, nie pomysł, nieopanowane pragnienie „zagrania" wszystkiego od początku. Wynurzały się jak we śnie zarysy heidelberskiego lasu, tych „kasztanowych puszcz", i słów poety, którego Horst nazywał *der Dichter*, i chciało mu się wypróbować siebie. Czy znowu z tych wszystkich skomplikowanych spraw, z tych wszystkich widoków na dolinę Neckaru i Mannheim w głębi purpurowego horyzontu, wyłoni się nieskończone pragnienie miłości do prostej dziewczyny? Czy znowu porzuci to wszystko i pojedzie do Krakowa?

Chciało mu się bezgranicznie odegrać raz jeszcze tę nie uświadomioną komedię, jazdę z myślą o odnalezieniu za wszelką cenę dziewczyny, która do niego przyszła po błocie z Sochaczewa; chciał zagrać ten wielki „teatr dla samego siebie", jakim była jazda na złamanie karku do małego polskiego miasta.

Ze snów wynikała potrzeba zobaczenia dawnego szlaku tej drogi. Jeszcze żyła Malwinka, kiedy już wiedział, że pojedzie do Krakowa. A małe serduszko Malwinki, które widać było, jak nierówno bije w jej klatce piersiowej, gdy dziecko rozbierano do kąpieli, zatrzymało się pewnego dnia zupełnie niespodziewanie około samego południa. Nic nie dawało przewidzieć tej katastrofy. Malwinka śmiała się jeszcze tego ranka, nie śmiała się, ale uśmiechała się nieco bokiem, do ojca, jeszcze podnosiła nóżki do góry i chwytała się za palce nóg. Nie wyglądała mizernie, lekarze nawet mówili, że jest za gruba. Rano śmiała się – w południe jej nie było. Trochę słońca jesiennego wpadało wtedy do pokoju.

I właśnie wówczas Janusz zdecydował, że pojedzie do Krakowa. Nie chciał sobie odpowiedzieć po co. Chciał obejść te domy, tamten na Salwatorze i ten na Gołębiej. I być w tej restauracji, a może nawet wejść do pani doktorowej Wagnerowej, zobaczyć przedpokój przedzielony brązową aksamitną portierą i spytać się. Nie, lepiej spytać ciotki Marty, taka była inteligentna, ongi ładna, z szyją obwiązaną fioletową aksamitką. Zapytać się ciotki Marty:

„Proszę pani, czy ja kochałem Zosię?".

II

Ale już się inaczej jechało do Krakowa niż wtedy. Wtedy wracali przez Częstochowę i nie dojeżdżając do Warszawy przesiedli się na Dworcu Zachodnim na Sochaczew. A teraz jechało się przez Radom nową jednotorową linią, która robiła wrażenie nie ujeżdżonej drogi. Stacje stały tu samotnie, a pojedynczy tor przemykał się polami i lasami, jakby świeżo położony i jakiś taki nie na serio. Była tu stacja Bartodzieje, która przypominała coś Januszowi, słuchiwał tę nazwę w domu Gołąbków. Mokre pola, niewesołe lasy, wszystko to w ciemnym jesiennym świetle, w potokach deszczu, który przebiegał nad niską ziemią i wciąż jak gdyby zawracał, niepodobne były do owych czerwcowych widoków. A zresztą ściemniło się od razu, na zachodzie zza sinej chmury wyjrzał podłużny malinowy szlak, w wagonie zapalono światło – i zrobiło się tak bardzo obco, że Janusz chciał zawracać do domu.

Żadne miasto nie zmienia się tak bardzo na jesień i zimę jak Kraków. Przynajmniej tak myślał Janusz, wysiadłszy na dworcu, i znowu idąc przez Planty na Sławkowską do Grand Hotelu. Planty były zabłocone i w gołych szturpakach źle oświetlonych elektrycznością próżno byś szukał kształtów letnich krzewów i drzew. Pachniało także tutaj krakowską, niską wilgocią i w powietrzu wlokła się gęsta nieprzezroczysta mżawka. Brama Floriańska stała niska i fiołkowa, przechodził pod nią mały, śmieszny niebieski tramwaik, który wyglądał jak dziecinna zabawka.

Ku przykrości Janusza w Grandzie miejsc nie było. Portier przysięgał się na wszystkie świętości, widocznie tak było naprawdę. Musiał zamieszkać w Saskim. Chociaż obok siebie położone i na jedną wychodzące ulicę, Grand i Saski bardzo różniły się komfortem. Janusz zresztą machnął ręką na brak bieżącej wody i na pęknięte fajansowe, wielkie, staromodne misy stojące na marmurowej umywalni. „Moi rodzice mieszkiwali «Pod Różą» i dobrze było" – powiedział do siebie. W ogóle po przyjeździe do Krakowa czuł się podniecony i nie chciał się przyznać do tego, że pozbawione zieleni i uroku ciepła miasto wydawało mu się ponure i że się bał samotności t u t a j.

Czym prędzej położył się spać. I spał głęboko aż gdzieś do trzeciej, kiedy go obudził głos jakiegoś pijanego, idącego Sławkowską i śpiewającego na całe gardło „Jak to na wojence ładnie". Janusz przebudził się, słyszał tę pieśń, ale nie bardzo zdawał sobie sprawę z tego, gdzie się znajduje. Poza tym ta piosenka wydawała się nierzeczywista, t u t a j nie można było jej śpiewać. Przynależna była do innego pejzażu i do innych snów. Rzeczywiście, kiedy zasnął, przyśnił mu się Józio Royski, stał przy łóżku i wyciągał do niego rękę, mówiąc: „Nic to, Baśka, nic to, Baśka". Powtarzał te wyrazy za nim jakby pacierz czy różaniec i z tymi słowami na ustach znowu się obudził, ale niezupełnie. Tkwił w łóżku i wydawało mu się, że tkwi w nim jak gwóźdź w desce. I znowu powtarzał przez sen: „Jak gwóźdź w desce".

Kiedy się wreszcie zrobiło jasno, wstał, ale był bardzo niewyspany i niepewny, czy dobrze zrobił przyjeżdżając tutaj. Usiadł ubrany i ogolony w fotelu i patrzył na olbrzymi pokój o podwójnym łóżku, na listopadowe światło przebijające się przez zamglone okna – i siedział tak dość długo. Potem poszedł na śniadanie do cukierni w Grandzie. Usiadł tam w „loży" okiennej i patrzył na ludzi przechodzących. Uprzejmy kelner postawił herbatę, bułeczki i masło na śliskim marmurowym stole. Położył „Ilustrowany Kurier Krakowski" w bambusowej ramce, ale Janusz nie tknął gazety.

Oczywiście ulicą szli znajomi. Najprzód Ludwisiowie Morstinowie w lodenowych burkach, widać przed chwilą przyjechali ze wsi. Pani Morstinowa zobaczyła buciki wystawione w oknie po przeciwnej stronie i pobiegła im się przyjrzeć. Mąż wzruszył ramionami i poszedł sobie naprzód, trzymając ręce założone z tyłu, suchy i zgarbiony. Janusz mu chciał coś powiedzieć, ale nie wiedział co. Zresztą Morstin nie zauważył go i poszedł. Potem szedł olbrzymi, chudy, wysoki Franciszek Potocki w ogromnej pelerynie do samej ziemi. Janusz uśmiechnął się nawet. Kraków zawsze taki sam.

Poprzez mgłę i obłoki, długo kokosząc się i grymasząc, wyjrzało wreszcie słońce. Była już dziesiąta. Janusz z pewną ulgą pomyślał, że tutaj nie dolatuje hejnał z wieży mariackiej. Nie chciałby go teraz słyszeć.

„Pora jechać na Salwator!" – pomyślał. Wstał, zapłacił i poszedł w stronę rynku. Tym razem nie miał ochoty iść na Salwator piechotą. Chciał jechać tramwajem.

Ale ponieważ tramwaj odchodził sprzed kościoła Mariackiego, więc Janusz wszedł na chwilę do środka. Objął go nagle ten podniebny kształt, kształt okrętu, smukłego żaglowca, i ten osobliwy ciemnożółty, brązowy właściwie mówiąc, ciepły a rozproszony koloryt, który ma na świecie jedynie ta świątynia. Ołtarz Stwosza był akurat otwarty. W żółtym cieniu kościoła boczne skrzydła połyskiwały tylko mokrym blaskiem złota. Natomiast grupa środkowa była oświetlona jarzącymi gromnicami i martwym światłem elektrycznym. Mimo wielkiej ilości bab, mimo ulotnych obłoków tworzących się z oddechów, Janusz przeniknął z tłumem aż pod sam ołtarz i ujrzał postać „zasypiającej" Madonny. Cały gest jej opadającego ciała odczuł po prostu w swoim ręku, w objęciach, które tak niedawno, zdawało się, czuły martwe ciało drobnej kobiety. Zwisające bezwładnie dłonie Madonny podobne były do spływających strumyczków wody. Te jedne ręce były nieziemskie, a reszta, zwłaszcza ten ciężar, ciężar, jaki odczuwał olbrzymi apostoł, ten ciężar już sztywniejącego ciała, z którego odeszła... Co? Co odeszło z tego ciała, co mogło odejść, skoro nagle to, co było człowiekiem, stawało się garstką zgnilizny?

Nie umiał wytrzymać długo w tym tłumie i przed tym ołtarzem, który wyobrażał śmierć młodej kobiety. Ściany koloru pni sosnowych dźwigały zbyt dużo aniołów, żeby mógł im zawierzyć, żeby mógł na nie patrzeć spokojnie i śledzić linie gotyckie łączące się w górze ponad olbrzymim krucyfiksem. „Dlaczego tutaj pełno mąk w tym kościele?" – myślał Janusz – i po chwili odpowiedział sobie: „Bo to we mnie się wszystko dzieje, nie w tym kościele".

Musiał wyjść na powietrze, blade, jesienne. Mickiewicz głupio wahnięty do tyłu, jakby się cofał
przed kimś, stał naprzeciwko kościoła i stały do-
rożki. Ostatecznie Janusz zdecydował się pojechać
na Salwator dorożką. Żałował potem tego, bo
zmarzł, drogo go to kosztowało, a Kraków z tej
człapiącej dryndy w poranek późnej jesieni wydał
mu się wyjątkowo smutny. Wisła płynęła tuż za
domkiem ciotki Marty, i także była żółta, wezbrana,
niespokojna i nieładna, zupełnie inna niż ta, którą
pamiętał sprzed pięciu lat.

Dopiero kiedy zadzwonił, uprzytomnił sobie, że
nie ma ciotce Marcie nic do powiedzenia i że
w ogóle nie wie, po co tu przyjechał. Otworzyła mu
służąca, wysoka i poważna, poprosiła do „salonu"
i znowu patrzył na pianino, na fotografie w ram-
kach i dziewięciorniki pomiędzy ramkami na ścianie. Od Wisły płynącej za oknami żółte światło
osiadało na białych ścianach. Janusz czekał dość
długo.

Wreszcie się ukazała ciotka Marta. Taka sama,
wysoka, o pięknych rysach, z szyją owiniętą fiołkowym aksamitem, tyle tylko, że teraz nie miał jej
co powiedzieć. Dopiero w tej sytuacji spostrzegł, że
ciotka jest na tyle inteligentna, aby się nie zdziwić,
i na tyle dobra, żeby nie zadać mu żadnego rażące-
go pytania. Wizyta zaczęła się tak, jakby była czymś
najnaturalniejszym w świecie. Zaczęli rozmawiać
o pogodzie, o tym, jaka jesień jest przykra w Krakowie i jak daleko do miasta z ulicy Gontyny.

Janusz siedział na kanapce, lekko przechylając
głowę i jak gdyby przypatrując się deseniom na
obiciu, odpowiadał obszernie, równym głosem na

fazy rozmowy inicjowane przez ciotkę. Tylko w pewnym momencie, może już po półgodzinnej rozmowie, ciotka, trochę rozwiewając swe szaty i lniane kudełki na głowie, przysiadła się do niego na kanapkę. Położyła dłoń na jego dłoni. Janusz drgnął i popatrzył na nią z przestrachem, ze zgorszeniem prawie, jakby popełniła najgorszy nietakt.

– Może chcesz mieć fotografie Zosi? – spytała ciotka.

– Nie, dziękuję p a n i – powiedział Janusz, jakby wyzwalając się z koszmaru.

I zaraz chciał już iść.

– Nie posiedzisz jeszcze chwilkę? – spytała ciotka Marta, która znowu już siedziała opodal na foteliku.

Janusz potrząsnął głową.

– Nie – powiedział – muszę iść. I tak nie znajdę nigdzie jej śladów.

Teraz ciotka przestraszyła się. Zagryzła usta. Janusz zrozumiał, że powiedział coś bardzo nietaktownego. Chciał na to zareagować.

– Przepraszam – nagle powiedział.

Wstali oboje i Janusz pocałował ciotkę w rękę, starając się nie patrzeć na nią. To unikanie wzroku ciotki Marty uczyniło go niezgrabnym i potknął się dwa razy o fotele. Doszedł do drzwi i wziął ręką za futrynę, jakby się chciał przytrzymać. Ciotka patrzyła na niego nadal z przestrachem. Widział, że trochę podejrzewa go o to, że jest nietrzeźwy.

– Ja chciałem jeszcze raz o coś ciotkę spytać – powiedział Janusz prawie niegrzecznie. Ale naturalnie nie wypowiedział tego pytania, o jakim myślał w drodze. Stali chwilkę naprzeciw siebie, nie mówiąc ani słowa. Ciotka nerwowym ruchem głaskała aksamit swojej fiołkowej obroży. Widać było, że boi się słów Janusza. Ale Janusz przełknął ślinę i powiedział tak jakoś głucho:

– Czy ciotka myśli, że do tych Wagnerów można zajść?

Ciotka Marta westchnęła z ulgą:

– Oczywiście. Pani Wagnerowa to bardzo dobra kobieta.

Pani Wagnerowa była rzeczywiście bardzo dobra, ale nie była bardzo mądra. Toteż ogromnie zdziwiła się wizytą Janusza i zadawała niepotrzebne pytania. Janusz odpowiadał na nie z całym opanowaniem. Chodziło o to, że mieszkanie profesorostwa wydało mu się zupełnie inne niż wówczas, kiedy tutaj przyszedł po raz pierwszy; wcale nie takie ciemne i nie zakurzone. Po chwili dopiero zrozumiał, że w przedpokoju zdjęto owe brązowe aksamitne zasłony i że było w nim pusto i bardzo wybielono: przy ścianach stały wąskie półki pełne cudzoziemskich książek. Uprzytomnił sobie dopiero tutaj, że nie był w tym mieszkaniu głębiej niż w przedpokoju i że dlatego ten wielki profesorski gabinet z dębowymi szafami po sam sufit wydał mu się obcym, ale ładnym pokojem. Profesorowa wypytywała go o wszelkie szczegóły śmierci Zosi i, o dziwo, to, czego by nikomu bliskiemu nie powiedział, mówił z całą łatwością zupełnie obcej osobie; co więcej, sprawiało mu to pewną przyjemność. Nareszcie mógł się wygadać – i nawet mówił o śmierci dziecka, choć o to profesorowa już go nie pytała. I właściwie pojął w czasie tej rozmowy, że nic go w tej chwili oprócz tych szczegółów nie

interesuje, że wszystkie jego myśli kręcą się naokoło tych szczegółów: jak Zosia wyglądała, jak
była ciężka, kiedy ją wkładał do trumny, jak
na pół przytomna ściągała z rąk pierścienie i oddawała jemu.

– O, te pierścionki – pokazał doktorowej, nosił
bowiem je zawsze w kieszonce od kamizelki – jeden ma pięć brylantów, a drugi pięć rubinów i pięć
brylancików...

Profesorowa spojrzała na niego zdumiona. Domyślił się, że podejrzewa go, iż chce jej te pierścionki sprzedać.

Uśmiechnął się do niej i powiedział;

– Widzi pani, ja bardzo zdziwaczałem.

Wstał, pożegnał się i wyszedł. Była może godzina
pierwsza. Słońce mżyło przez mgły, spojrzał ku
Wawelowi, wieże nabrały barwy fiołkowej, przy-
kryte mgłą, były dalekie, obce i sztuczne. Jakby
wycięte z papieru na szopkę.

– Ot i wszystko – powiedział głośno do siebie.
– No, i co dalej?

Rzeczywiście odwiedził dwa domy i nic mu to
nie dało. Ani na chwilę nie zapełniło tej potwornej
pustki, jaką odczuwał nie tyle naokoło siebie, ale
w sobie. Poszedł powoli, trochę człapiąc po błocie
jak stary człowiek, w stronę Rynku. Na linii AB na
pewno spotka kogoś.

„Przecież w Krakowie wystarczy postać pięć minut na linii AB, a spotka się wszystkich, kogo się
chce i nie chce spotkać z mieszkańców tego miasta". – Janusz stanął przy sklepie Fiszera i spoglądał
na Sukiennice, wieżę ratuszową, wieże mariackie.
– „W tym domu mieszkał Goethe – westchnął – ale

dawno, na początku życia, jeszcze kiedy daleki był od pisania drugiego *Fausta"*.

„Zamiast jechać do Krakowa – pomyślał Janusz – trzeba było pójść w Warszawie do Edgara, on by mi pomógł".

Oczywiście wiedział, że Edgar by mu nie pomógł, że pomoże mu tylko czas. Ale jakoś trzeba było ten czas spędzić, jakoś przetrwać, jakoś być. A poza tym w tym byciu odpowiedzieć sobie na parę pytań, na parę najprostszych pytań. Nie takich zasadniczych: co to jest świat? co to jest człowiek? Ale na to tak proste pytanie: czy ja kochałem Zosię? dlaczego uciekłem z Heidelbergu? dlaczego przyjechałem wtedy do Krakowa? dlaczego przyjechałem teraz?

I oto bynajmniej nie krakowianina spotkał. Z tłumu, jaki zwykle o tej porze przewija się, stoi, gapi się na linii AB, nagle wynurzył się dobry znajomy z Warszawy, typowy tej Warszawy produkt: Adaś Przebija-Łęcki.

– No i co pan hrabia tutaj stoi na rogu jak latarnik? – rzucił mu się prawie w objęcia, ściskając za oba ramiona. – To spotkanie, co? Ja przecie pana hrabiego (tego „pana hrabiego" wywołał na cały głos, aby każdy przechodzień słyszał, właśnie w tym wykazując całą swą warszawską naturę, bo co znaczy hrabiowski tytuł dla Krakowa?) lata całe nie widziałem. Dokąd pan hrabia idzie?

Janusz zasłonił się niewyraźnym uśmiechem.

– Bo ja idę na obiad i nie mam żadnego towarzystwa. Jestem tu za interesami wujka, to znaczy księżny-siostry. To świetne spotkanie, pójdziemy razem na obiad, co?

Janusz zgodził się natychmiast. Właściwie mu to nawet odpowiadało. Pójść samemu do tej restauracji, gdzie był wówczas z Zosią, co by mu to dało? A tak, właśnie z tym bęcwałem, który będzie pił wódkę, krzyczał na kelnerów, klepał Janusza po ramieniu i wołał to swoje „panie hrabio" na całą salę. To było właśnie może to, czego mu było najbardziej potrzeba: postponowanie bólu, zatarcie wspomnień, upicie się wódką, tu w tym Krakowie, w tym samym Krakowie. Nawet ucieszył się do tej myśli i kiedy szli w kierunku restauracji, wziął Adasia pod ramię. Łęcki uradował się niepomiernie z tego zaszczytu i starał się iść jak najwolniej, żeby jak najwięcej ludzi ich tak widziało. Gdy przechodzili „Pod Baranami", Adaś spytał:

– Bywał pan tutaj?

I gdy Janusz z uśmiechem zaprzeczył głową, wyczytał w krągłych, kocich oczach Adasia niedowierzanie.

„Buja mnie facet, ale niech tam" – zdawał się myśleć młody chłopiec.

Adaś Łęcki był daleko bardziej doświadczonym krakowianinem niż Janusz. Zaprowadził go do dobrej, choć malutkiej restauracji na Grodzkiej, już za kościołem Świętego Andrzeja. Mijając ten kościół, Janusz chciał się zatrzymać, zobaczyć; powiedzieć coś o Tatarach, którzy go oblegali, ale Adam nie słyszał go.

– Idziemy, panie hrabio, idziemy – ponaglał. Widocznie spieszyło mu się do tej knajpy.

Na czerwonych ceratowych kanapkach poczuł się od razu jak u siebie w domu. I zaczął odgrywać rolę gospodarza, choć Janusz ani na chwilę nie

łudził się, że sam będzie musiał beknąć za wszystko. Adaś zaczął od pół litra i śledzika. Januszowi
było wszystko jedno. Wypili.

W restauracji była tylko chuda bufetowa, gruź-
liczka o płomiennych oczach, oraz plugawy, mały,
za bardzo już nadskakujący kelner, który z punktu
nie podobał się Januszowi. W miarę jak mu zaczynało szumieć w uszach, podobał mu się coraz
mniej.

Zresztą bardzo mało mówił. Pozwalał mówić
Przebija-Łęckiemu. Ten zaś po dwóch kieliszkach
zaczął roztaczać przed nim świetne perspektywy.
Nie tyle przed nim, ile przed jego siostrzeńcem. Za
rok czy półtora miał Alo zostać pełnoletnim i objąć
cały majątek zostawiony mu przez babkę. Mają-
kiem tym administrowała na razie księżna Maria.

– Nie ma pan pojęcia, panie hrabio – mówił
Adaś, smarując bułkę świeżutkim masłem i okłada-
jąc ją śledziem – nie ma pan pojęcia, jaka pana
siostra, chociaż ma trudności z posagiem tej francuskiej księżny, jest ścisła w rachunkach. Wuj to
czasami za głowę się łapie...

– To może właśnie jest zaleta? – pytał Janusz, na
którego jakoś wódka dzisiaj nie działała. – Zwłaszcza jeżeli chodzi o cudze pieniądze.

– Proszę pana, ależ ona nie umie korzystać
z okazji – bezceremonialnie już mówił Adaś.

Janusza zaniepokoił fakt, że Adaś rozkładał się
już po tak niewielkiej ilości wódki.

– Ona trzyma wszystko w papierach, tak ją wujaszek uczy. Nie wszystko oczywiście, bo tego
w gruncie rzeczy jest jak lodu, ale trzyma w papierach, w kapitałach, za granicą. Podobno jej pan

Spychała duże sumy umieszcza w bankach zagranicznych...

Janusz się tutaj troszkę zmarszczył. Adaś był na tyle przytomny, że co prędzej zmienił temat rozmowy.

– Więc, proszę pana, gdyby tak założyć stajnię wyścigową?

Janusz cofnął się na swojej czerwonej kanapie i prawie się zaśmiał.

– Panie Adasiu – powiedział – gdzież stajnia wyścigowa w naszych czasach? Nie stać nas na to...

– No, ale wyścigi prowadzimy?

– Dobrze, do tego przecież trzeba fachowców.

Kelner przyniósł szklaną miseczkę pełną ciemnych rydzyków w occie.

– To śmierć na wątrobę – powiedział Janusz.

– Cierpi pan na wątrobę? – spytał Adaś.

– Trochę.

– Furda wątroba. No, ha, jedziem dalej – powiedział Łęcki, podnosząc znowu w górę swój kieliszek.

– Powoli, powoli – mitygował go Janusz.

Ale czuł, że go wódka rozbiera; niby nic, a stracił precyzję w ruchach. Zawadził o widelec, serwetka mu upadła na podłogę. Kelner ją podniósł i powiedział:

– Służę panu hrabiemu.

Janusz wzruszył ramionami:

– Już wie, że jestem hrabią.

Adaś mrugnął.

– Niech się pan nie wzrusza – powiedział – oni tu wszystkim hrabiują. Oni i mnie nazywają hrabią...

Janusz się zawstydził. Był jeszcze na tyle trzeźwy.

– Niech pan zbuduje stajnię u siebie w Komorowie – wołał z zapałem Adaś po trzecim kieliszku.

– Przecież to świetny interes.

Janusz nie dawał się złudzić tymi perspektywami.

– Panie hrabio, jaką ilością gotówki może pan rozporządzać?

– Ależ ja nie mam żadnej gotówki – bronił się Janusz.

– Te, te, te, za bardzo pana szanuję, panie Januszu – mówił Adaś – żeby posądzać pana o brak gotówki.

– Ależ, panie Adamie, skądże?

– No, cyk – mówił Adaś, podnosząc nowy kieliszek. Nie czekał na kelnera, nalewał sam.

Janusz nie opierał się. Zgadzał się na każdy kieliszek, wychylając do dna, ale głowę miał mocniejszą od Adasia.

– Zbudujemy panu hrabiemu t a k ą stajnię – pochwalił się Łęcki – wyznaczy się okólnik. Para dżokejów – i już. A jaka frajda! A jaka forsa, kiedy koń wygra. Fuchs!

To słowo „fuchs" tak wrzasnął, że kelner pomyślał, iż to na niego. Poszedł galopem do okienka kuchennego i przyniósł dwa ciemnobrązowe wysmażone befsztyki, osypane górą mocno przypieczonej cebulki. Postawił oba talerze przed jedzącymi i stanął opodal z miną psa, który się przypatruje, jak państwo jedzą.

Janusz czuł, że mu się trochę w oczach mąci. Jednocześnie napełniła jego serce nieprzebrana

wdzięczność do Adasia, że go wyciągnął do tej
knajpy, że nie musiał teraz samotnie siedzieć w hotelu i zastanawiać się, po co właściwie tu przyjechał. Starał się to wyrazić.

– Ja panu jestem strasznie wdzięczny – powtarzał wielokrotnie – bardzo wdzięczny. Pan wie, ja
tu przyjechałem... ot, przyjechałem... i proszę pana... Dlaczego mamy sobie mówić panie? Wypije-
my bruderszafta...

Adaś był już tak pijany, że nic na nim nie robiło
wrażenia. Na trzeźwo myśl, że z Januszem My-
szyńskim mógł być po imieniu, napełniłaby go
dumą i rozkoszą. Teraz mu to nie zaimponowało.

– Bruderszafta? – powiedział. – Dobrze, będziemy pili brudzia. Kelner – zawołał bardzo głośno,
choć upodlony sługa stał bardzo blisko – drugiego
litra!

– Jak to – spytał z przerażeniem Janusz – tośmy
tamto wydudlili?

– Wydudlili – pijacko mówił Adaś, trzymając
pustą butelkę za szyjkę i podając ją kelnerowi
– wydudlili. Tak hrabiowie piją! Rozumie pan?

Oddał butelkę i chciał pięścią stuknąć w stół, ale
Janusz schwycił go za rękę.

Nastąpił więc bruderszaft. Adaś przesiadł się do
Janusza na kanapkę i ślinił go obrzydliwie. Janusz
wycierał się serwetką. Ale wszystko mu się miesza-
ło przed oczami. Adaś siedząc już przy nim bełkotał
znowu o jakichś interesach.

– Ja bo wam się zawsze dziwię – powtarzał
w kółko swoje – ja bo się wam zawsze dziwię. Tyle
forsy... i wszystko marnują. Chowają po safesach,
po bankach... A tu trzeba ruch, ruch, ruch – poka-

zywał przed nosem Januszowi – ruch! Rozumiesz, Janusz?

Janusz zupełnie się upił. Nic mu to zresztą nie pomogło, był na dnie rozpaczy i nigdy się nie czuł jeszcze tak samotny. „Na dnie, dosłownie na dnie" – powtarzał w kółko Adasiowi, ale ten nie zwracał na to uwagi.

– Kompot z ananasa! – bełkotliwie mówił do kelnera.

Potem była czarna kawa i do wszystkiego mnóstwo wódki.

– Ty mnie nie rozumiesz – tłumaczył Janusz – ty mnie nie rozumiesz. Ty nie rozumiesz, że jestem zupełnie sam.

Ale Adaś nie dawał za wygraną.

– Musisz zbudować w Komorowie stajnię, założyć stajnię wyścigową. Komorów specjalnie się do tego nadaje.

Janusz wściekł się.

Odsunął od siebie talerzyk z kompotem, aż kieliszki się wywróciły, i wzdrygnął się z ohydy.

– Mnie żona umarła, a ty mi o stajni wyścigowej...

I był tak pijany, że ukrył twarz w dłoniach i tak siedział. A wszystko w głowie i naokoło głowy kręciło się szybko i rozpływało w tym krętym ruchu i najokropniejsze było, najwstrętniejsze, że pomimo wysiłku nie mógł tego kręcenia się powstrzymać. Miał uczucie, że ma w głowie wirówkę, która mu mózg przemienia w masło.

Adaś się speszył ostatnim powiedzeniem Janusza i jakby trochę wytrzeźwiał. Zażądał od kelnera rachunku. Na dworze dawno już się ściemniło.

- Musimy zmienić lokal – powiedział poważnie, gdy Janusz odjął ręce od twarzy. I poklepał Janusza po przyjacielsku po udzie. To było najohydniejsze dla Janusza.

Ale wyszli. Było ciemno i zimno. Trzymali się pod ręce. Szli Grodzką ku Rynkowi. Znowu mijali kościół Świętego Andrzeja.

- Tylko mi już nic nie mów o tym kościele – powiedział Adaś. – Ten Kraków to obskurna dziura.

Rzeczywiście Januszowi Kraków wydawał się straszny. Było ciemno, lampy paliły się przymglone, oddychać było trudno z powodu jesiennej wilgoci. Szli dość niepewnym krokiem. Janusz nie słuchał, co tamten plótł bez przerwy. Wreszcie do świadomości jego dobiegły mamlące słowa:

- Mówię ci, Janusz, tam jest taka dziewczyna! To zupełnie porządny lokal! Mówię ci!

- A gdzie? – spytał Janusz.

- Jedziemy – zawołał Adam i poszli nieco prędzej.

Dobrnęli do postoju taksówek za Sukiennicami i wpakowali się do starego, ale bardzo obszernego samochodu.

Adaś powiedział:

- Ten samochód jak łóżko, moglibyśmy ją tutaj zaprosić. Tę dziewczynę.

- No, no – powiedział szofer – taksówka to nie jest żadna niemoralność.

Adaś się roześmiał i śmiał się całą drogę, aż zajechali do owego nocnego lokalu położonego przy ulicy Wolskiej, na zapleczu jakiejś przyzwoitej kamienicy.

Oczywiście na lokal nocny było jeszcze wcześnie. Wielka, zalana żółtawym światłem sala świeciła pustkami. Jednakże przy jednym ze stolików, ukrytym dyskretnie w głębokiej i ciemnawej loży, siedziały „fortancerki". Zimno było na sali i wilgotno jak na podwórzu, powkładały więc biedactwa sweterki wełniane i takież same swetry robiły na drutach. Gdy spostrzegły pierwszych gości, nie przejęły się tym i długie kościane druty w ich rękach migały w dalszym ciągu. Było ich cztery czy pięć, brzydkie i chude, tkwiły przy tym stole jak Parki złej doli, snujące nitki nieudanych żywotów.

Janusz i Adaś usiedli przy stoliku tuż obok „parkietu". Nieduży stolik mógł pomieścić najwyżej trzy osoby. Janusz zauważył, że wytrzeźwiał nieco, cała ta sala dansingowa nie zjeżdżała wciąż na bok jak tamta restauracja; niestety, kiedy popatrzył na Adasia, z żalem stwierdził, że u młodego zabijaki w głowie działo się znacznie gorzej niż przedtem. Siedział przed nim czerwony i spocony, wytrzeszczając oczy.

Ale i wytrzeźwienie Janusza okazało się złudne. Na chłodzie, na dworze czuł się lepiej, zaledwie jednak usiadł przy stoliku, znowu wszystko mu się zaczęło bakierować w głowie; stolik oddalał się i wirował.

– Czarnej kawy – powiedział do kelnera, który stał nad nimi od dłuższej chwili.

Gdy mógł rozejrzeć się trochę przytomniejszym wzrokiem, spostrzegł, że na stoliku stoi dzbanek czarnej kawy, a przed nim dymi szklanka z tym czarnym napojem. Prócz tego stała na stole butelka francuskiego koniaku. Obok Adasia siedziała młoda,

chuda, cherlawa i brzydka kobieta w zielonej dekol-
towanej sukni naszywanej błyskotkami, które Januszowi wydawały się rojem lecących świetlików.
Adaś trzymał dziewczynę za rękę.
Januszem nagle owładnęły skrupuły dobrego
wychowania.

– Przedstaw mnie pani – powiedział do Adama.
– No, jużeście się przed chwilą witali – bełkotał
Przebija.
– Nie pamiętam.
Dziewczyna zaśmiała się i popatrzyła z ciekawością na Janusza. Ujrzał, że miała duże, czarne i niezmiernie wyraziste oczy. Wydała mu się raczej
sympatyczna.
Adam już nalewał koniak na dno wielkich, pę-
katych kieliszków. Ale ręka mu drżała i nalewał
za dużo.
– Oszalałeś – powiedziała dziewczyna. – Jak wle-
jesz w siebie taki kieliszek koniaku, będziesz zupełnie do niczego.
Janusz spróbował umoczyć wargi w napoju. Koniak pachniał mocno i tak znakomicie, że przy-
prawiał o zawrót głowy. Wciąganie powietrza pomogło, we łbie mu się rozjaśniło.
Muzyka zaczęła grać i Janusz spostrzegł, że dansing napełnił się publicznością. Widać jednak zdrze-
mnął się na chwilkę, tak siedząc przy stoliku. Fotele
były wygodne. Janusz zobaczył, że Adaś poprosił
tamtą dziewczynę do tańca. Uczuł prawdziwą ulgę,
gdy został sam. Poprawił się w fotelu i rozejrzał się
po sali. Jeszcze nie była pełna. Parę par tańczyło na
parkiecie. Muzykanci grali raźno, bo to był dopiero
początek. Mieli na sobie niebieskie półfraczki.

Samotność Januszowi przerwał jakiś paneczek w jasnoszarym ubraniu, który bez ceremonii przysiadł się do jego stolika. Janusz popatrzył na niego ze zdziwieniem, ale nie powiedział ani słowa.

Pan, jeszcze młody, jasny blondyn, uśmiechnął się do niego.

– Przepraszam – powiedział wreszcie – widzę, że pan taki samotny.

Januszowi znowu kręgi latały przed oczami. Uśmiechnął się bezradnie.

– Człowiek jest zawsze samotny – powiedział.

– O to, to, to, to! – ucieszył się nieznajomy i Janusz spostrzegł, że tamten też jest pijany.

Ale tamten po chwili uspokoił się i spojrzał na Janusza poważnie.

– Dla pana samotność jest niedobra – powiedział.

Janusz wzruszył ramionami.

– Niestety, nic na nią nie mogę poradzić.

– Pan nie powinien szukać pociechy w kieliszku.

Janusz nagle się oburzył, jak to pijani.

– A dlaczego? – spytał gwałtownie.

– Bo to nie odpowiada pańskiej psychice, tak samo jak towarzystwo tego faceta – wskazał brodą puste miejsce, gdzie siedział Adam.

– Skąd pan to wie? – bez zainteresowania zresztą spytał Janusz.

– Wiem, bo się domyślam. Dość jest spojrzeć na pana, aby wiedzieć wszystko.

– Zaraz wszystko...

– No, tak. Oczywiście nie wszystko. Ale stan, w jakim się pan w tej chwili znajduje. Wie pan co – powiedział nagle serdecznie, kładąc rękę na dłoni

Janusza – ja panu coś poradzę. Niech pan idzie teraz do hotelu. Niech się pan położy i zaśnie. Tak będzie najlepiej.

Janusz odchylił się w krześle i zmrużył oczy. Chciałby w tej chwili takiej ciszy i spokoju. Po cóż się w ogóle tutaj znalazł?

– Prawda? – mówił nieznajomy. – Panu będzie najlepiej w hotelu.

Janusz otworzył oczy i ujrzał przed sobą pospolitą, ale oświetloną mądrymi oczami twarz tamtego pijanego gościa.

– Prawda – przyznał – tylko że ja znowu w hotelu będę taki okropnie samotny.

– Tak. Ale to lepiej. Wódka do pana nie pasuje. Ja dlatego tak panu to mówię, że sam jestem pijany.

– Dziękuję panu – powiedział Janusz.

– Chodźmy – powiedział blondyn – odprowadzę pana do szatni.

Wyszli. Blondyn, który był trzeźwiejszy, wziął od Janusza numerek i wyszukał mu płaszcz. Gdy się już Janusz ubrał, wpadł na niego Adam.

– No, nie, Janusz. Ty psujesz każdą zabawę – naskoczył na Myszyńskiego tak, jak gdyby spędzili razem co najmniej dwa karnawały. – Dlaczego wychodzisz? Tak się nie robi. Co powie Karolinka?

– To już mnie najmniej obchodzi – powiedział Janusz uśmiechnięty. Od kiedy powziął decyzję powrotu do hotelu, poczuł się znakomicie. Był pewny siebie...

Tamten blondyn włożył na niego płaszcz i powiedział spokojnie do Adama:

– Pan już musi iść do domu.

Powiedziane to było tak autorytatywnie, że Adam ustąpił. Przypuszczał, że ten nieznajomy ma jakieś prawa specjalne.

– No dobrze, to ja idę z tobą – zrezygnował Przebija-Łęcki.

– Pan odprowadzi pana do hotelu?

– Ależ oczywiście, że odprowadzę – tylko, Janusz, trzeba zapłacić.

Janusz się skrzywił.

– Ja już nie mam pieniędzy – powiedział.

Poczciwy blondynek zamachał rękami.

– Ja ureguluję rachunek. Proszę się nie niepokoić. – I zwracając się do Adasia powiedział: – Niech panowie idą prosto do hotelu. A gdzie pan Myszyński mieszka?

– W Saskim.

– Ostatecznie to niedaleko. Ale może znajdziecie taksówkę.

Gdy znaleźli się na ulicy, Adam wyraził ubolewanie:

– Ach, mój Boże, tak się wszystko pięknie zapowiadało. Dlaczego ty wyszedłeś?

– Nie wiem – odpowiedział szczerze Janusz.

– A kto to był ten jegomość, że się tobą tak zaopiekował?

– Nie wiem – powtórzył Janusz.

– Jak to, nie wiesz? – po pijanemu zdziwił się Adam. – To przecie jakiś twój znajomy.

– Pierwszy raz go widzę – przyznał się Janusz.

– Zdawałoby się, najbliższy przyjaciel.

– To tak między pijakami – uśmiechnął się Janusz.

Znaleźli się przed hotelem. Weszli.

– Ten pan będzie nocował ze mną – powiedział Janusz do portiera. – Adam, daj panu dowód osobisty.

Adam spojrzał zdziwiony na Janusza.

– Ja miałem nocować u cioci.

– Tutaj ci będzie lepiej.

Obu panów portier odprowadził aż do numeru. Niepokoił się trochę, bo obaj wydali mu się bardzo pijani. Łóżka stały obok i oba były rozłożone. Mężczyźni rozebrali się i położyli. Adam zgasił światło.

Janusz sięgnął do łóżka Adama i objął go przez piersi. Adam się przepłoszył.

– Zwariowałeś? – powiedział.

– Nie, nic. Ja ci nic nie zrobię – powiedział cicho Janusz – tylko chciałem czuć drugiego człowieka przy sobie.

I zatrzymał rękę na włochatej piersi Adama. Przypomniał sobie, że kiedyś tak zasypiał obok Józia. Że dotykał w ten sposób czystego, pięknego i zdrowego ciała Józia. Ciało Adama było spocone, włochate, obrzydliwe, napełniało go wstrętem. Ale czuł pod palcami bicie jego serca i to sprawiało, że zapadał w pijacki sen nie tak okrutnie, okrutnie samotny.

III

Janusz przekonał się, że nie ma co robić w Krakowie, zwłaszcza kiedy nazajutrz obudził się w pustym i nieznajomym pokoju hotelowym z dotkliwym bólem głowy. Zdecydował się bezzwłocznie wracać do Komorowa. Adaś wyszedł z rana, nie zostawiwszy mu żadnych wiadomości. Janusz poszedł do Orbisu na róg Świętego Jana, żeby kupić bilet na popołudniowy pociąg.

Pogoda w dalszym ciągu była nieprzyjemna, jesienna; duszne mgły włóczyły się po Krakowie, tyle tylko, iż czuło się słońce za tymi mgłami, które żółtawe i blade zbierały się jak podniebne kopuły nad wieżami.

Naprzeciwko kościoła Mariackiego na linii AB był nieduży sklep z kwiatami. W Krakowie piękne kwiaty są u bab na rynku, kwiaciarnie (jak oni tam mówią: „kwieciarnie") nie są nadzwyczajne. Zwłaszcza o tej porze jesiennej mało było ładnych okazów w oknie. Tyle tylko, że pośrodku witryny leżała przygotowana dla kogoś ślubna wiązanka. Kwiatów było mało, więc właściciel magazynu skorzystał, że miał w sklepie bukiet przeznaczony dopiero na popołudnie, i ozdobił nim pustą wystawę. Zwyczajna wiązanka białych róż, przetkana iluzją i związana białą wstążką, przedłużona, żeby była okazalsza, dwoma sztywnymi, pogrzebowymi kaliami – leżała jak spowinięte w biel niemowlę, wzruszająca swą naiwnością, pretensjonalnością, całym ubóstwem prowincjonalnego miasta.

Janusz syknął, ujrzawszy tę wiązankę, ale stanął przed oknem zafascynowany. Pamiętał, jak szedł z Zosią ową ścieżką pomiędzy kłosami, gdzie kłosy uderzały Zosię po twarzy, a jego po ramionach, i kiedy mu się wydało, że żona idąc przed nim niesie nie biały ślubny bukiet, ale dziecko na ręce. Któż to będzie dzisiaj brał ślub tutaj? I w jakim kościele? W Mariackim, oczywiście... Ileż wiary człowieka w życie mieści się w jednym takim bukiecie, niezłomnej wiary, której nic nie spłoszy.

W pociągu postanowił od razu wejść do wagonu restauracyjnego i napić się trochę czerwonego wina; myślał, że mu to dobrze zrobi i na ból głowy, i na to głupie uczucie bezradności i niepotrzebności, na katzenjamer nie po wczorajszym koniaku, ale po wczorajszych wizytach u cioci Marty i u pani profesorowej. Ostatecznie musiał się pogodzić z tym, że na pewne sprawy nic nie może pomóc. Jak chory szuka ulgi przybierając to tę, to ową pozę na łóżku, tak on szukał pomocy w zewnętrznych zdarzeniach – i oczywiście żadna pomoc nie przychodziła. Człowiek nie tylko w śmierci jest samotny; śmierć jest tak potężna, że wobec kolosalności tego zdarzenia może by nawet zapomniał o samotności. Ale w cierpieniu jest jeszcze bardziej samotny. I nic tu nie pomoże, ani fotografie od cioci Marty, ani wódka Adasia Przebija-Łęckiego. Nic nie można poradzić, trzeba przetrwać.

Za oknem szybko mijały podkrakowskie widoki, pagórki, dołki, wszystko okryte jesienną runią żyta albo smugami orki. Słońce przed zachodem na chwilę wyjrzało z chmur. Obrzuciło cały ten ubogi pejzaż smutnym, spóźnionym blaskiem. Trzeba przetrwać.

– Dzień dobry panu – posłyszał głos – można usiąść?

Do jego stolika przysiadł się gość, ów blondyn z zadartym nosem, który się wczoraj zaopiekował Januszem na dansingu.

– Przepraszam – powiedział usiadłszy – ja panu stale przeszkadzam i narzucam się moim towarzystwem. Nazywam się Martwiński, doktor Martwiński...

Janusz słyszał gdzieś to nazwisko, ale w gruncie rzeczy nic ono mu nie mówiło. Uśmiechnął się jednak.

– Przeciwnie – powiedział – chciałbym dzisiaj z kimś rozmawiać.

– W przeciwieństwie do wczoraj?

– O, wczoraj też bardzo chciałem, tylko że nie mogłem – uśmiechnął się.

– Powrót odbył się szczęśliwie? – spytał doktor.

– Jak najbardziej. Proszę, może się pan napije.

– Dziękuję. Czerwone wino bardzo dobre w takich razach.

Doktor nagle spoważniał.

– Mnie się tylko zdaje, że pan nie powinien tego powtarzać. To nie są sprawy dla pana.

– Och, panie doktorze – Janusz wzruszył ramionami – niech pan nie zaczyna z tej beczki. Przecież wy nie wiecie, co jest dla człowieka dobre, a co złe.

– Przeciętny lekarz oczywiście nie wie. Ma swoje przepisy, które stara się wmówić w pacjenta. Ale ja, jak panu wiadomo, jestem psychiatrą.

Janusz się zmarszczył.

– Czy może freudystą?

– Tak poniekąd i freudystą. Oczywiście z wieloma, z bardzo wieloma zastrzeżeniami. Psychologiem siłą rzeczy muszę być. I dlatego właśnie powiadam panu, nie powinien pan zaczynać takich rzeczy. Ten pana towarzysz, ile tylko chce, to kompleksja byka, a nerwy jak postronki, ale pan.. nie radzę.

– Jeżeli mam być szczery – powiedział Janusz – a przecież przed psychoanalitykiem trzeba jak na spowiedzi...

– Szczerzej, jeszcze szczerzej jak na spowiedzi. Nie trzeba robić sztucznego portretu.

– Tak. Więc jeżeli mam być szczery – to co? To zostaje mi tylko jedno: pustelnia.

– I mnie się zdaje, że tak będzie najlepiej. Pustelnia, czyli samotność, odcięcie od świata. Pana świat we wszystkich znaczeniach tego słowa zdaje się nigdy nie interesował.

– Owszem. Oblicze świata.

– Podróże? Podróże to także jest odcinanie się, odcinanie się od swojego środowiska, wyobcowanie się: samotność.

– *Die Liebe liebt das Wandern* * – nieoczekiwanie dla samego siebie powiedział Janusz. Była to cytata z pieśni Schuberta, którą śpiewała Ola.

– A to zupełnie inna sprawa – uśmiechnął się doktor Martwiński i twarz mu się tak rozjaśniła przy tym uśmiechu, że Januszowi zrobiło się jakoś raźniej na duszy. – Bo niewątpliwie zamknąwszy się w samotności – ciągnął dalej lekarz – będzie pan miał wkrótce wszystkiego dość. I wtedy, *a contario*, znajdzie pan nareszcie miejsce w życiu.

– Panie doktorze, przyznam się panu – powiedział Janusz – że już od czterdziestu lat szukam tak zwanego miejsca w życiu i nie bardzo mogę je znaleźć. Jestem dyletantem pod każdym względem.

Martwiński wzruszył ramionami.

– Można i tak brać życie – powiedział. – Zdawało mi się jednak, że pan ma dość solidny materiał w sobie na prawdziwe tworzenie czegoś. Nie na wieczne dyletanctwo.

– A jednak – powiedział Janusz i zamyślił się patrząc przez okno.

---

* Miłość lubi wędrówki.

Pejzaż krakowsko-kielecki przemykał za oknem. Zupełnie inny niż pejzaż okolic Komorowa. I Janusz pomyślał, że jest dla niego zupełnie obcy.

– Czy pan nie myśli, że moje wykolejenie pochodzi z tamtego urazu... że zostałem, panie doktorze, jak to mówi Barrès, *un déracine**. Czy gdybym pozostał na Ukrainie, gdybym się włączył w nurt rewolucji, nie odczuwałbym tej obcości wszystkiego? Byłbym z czymś związany.

Doktor popatrzył uważnie na Janusza. Nie była to raczej rozmowa z wagonu restauracyjnego.

– Pan się dziwi, doktorze? – spytał Janusz. – Ja mam jeszcze rozwiązany język po wczorajszym pijaństwie. A pan, panie doktorze, działa na mnie tak rozluźniająco. Sam pan wie o tym i sam pan do tego dąży.

Martwiński uśmiechnął się.

– Nie ma mowy o dążeniu – powiedział. – To samo się tak składa. Przecie nie wiedziałem o niczym przysiadając się do pana w tym nocnym lokalu.

– O czymś pan musiał wiedzieć, to na pewno. Inaczej by się pan nie przysiadł.

– Wiedziałem jedno – poważnie powiedział psychiatra – że ten pański kolega to nie jest towarzystwo dla pana.

– Raczej ja go wciągnąłem do tego lokalu – zauważył Janusz.

– Tak, rozumiem. Ale po co pan w ogóle przyjeżdżał do Krakowa?

---

* wyrwany z gruntu ojczystego

– Sam nie wiem. Nosi mnie teraz. Chcę odwiedzać miejsca dawnych wspomnień.

– Czy wszystkie miejsca wspomnień? – znacząco spytał Martwiński.

Janusz uśmiechnął się wątle i nie odpowiadał przez chwilę.

– Taki dla mnie obcy ten pejzaż – skonstatował.

– Niech pan poszuka innych pejzaży.

– Nie – stanowczo powiedział Janusz – ja szukam nie innych pejzaży.

– Nikt nigdy nie wszedł dwa razy do tej samej rzeki – zauważył lekarz.

– Właśnie. Toteż ja nie poszukuję wszystkich miejsc wspomnień. Szukam tylko dwóch rodzajów pejzaży. Ale zmieniają się one ogromnie... Przynajmniej dotyczy to Krakowa.

Milczeli przez chwilę. Janusz z wysiłkiem patrzył w kieliszek czerwonego wina. Ściągnął brwi w skupieniu, jakby miał się zdobyć na coś ważnego.

– Kochałem dwie kobiety – powiedział nagle i podniósł wzrok na doktora.

Martwiński jakby się przepłoszył trochę tym wyznaniem, które sam wywołał.

– I właśnie nie jestem pewien, czy kochałem – dodał Janusz. A potem znowu uśmiechnął się bezradnie i rozłożył ręce na obrusie.

– Nic nie wychodzi, chociaż chcę sprawdzać na miejscu – powiedział.

– Takie rekonstrukcje życiowe zazwyczaj się nie udają. Ale ja panu radziłbym inną rzecz: niech pan pojedzie do kraju swego dzieciństwa i młodości. Niech pan zobaczy, jakie to na panu zrobi wrażenie.

– Mam właśnie taki plan – powiedział poważnie Janusz – na razie odwiedziłem Kraków.

– Tak. Tylko pan obrał złą metodę. Alkohol nigdy nic nie rozjaśnia, raczej zaciemnia. Alkohol to zbyt prymitywne. No, i to towarzystwo.

– Inaczej byłbym bardzo samotny – szepnął Janusz.

– Chyba dla pana nie pierwszyzna.

– Tak, ale właśnie wczoraj to było nie do zniesienia.

– Ludzie typu Adasia Przebija-Łęckiego nie zabijają samotności. A przy tym oni nawet po pijanemu załatwiają jakiś interes.

I właśnie w tej chwili do wagonu restauracyjnego wszedł Adaś w towarzystwie jakiejś młodej, bardzo eleganckiej damy. Zawahał się przez chwilę, nie wiedząc, czy ma udać, że nie widzi Myszyńskiego, czy też się z nim przywitać. Ale już było za późno, musiał brnąć. Rzucił się więc do wczorajszego towarzysza.

– Ach, Janusz, przepraszam cię najmocniej, musiałem cię opuścić o świcie – wołał na cały wagon, podkreślając specjalnie owo „cię". – I nawet nie umówiłem się, kiedy mamy wracać,

– Mogłeś mi zostawić parę słów, jeżeli nie chciałeś mnie budzić – powiedział obojętnie Janusz.

– Oczywiście, naturalnie – oburzał się sam na siebie Adaś – ale, wiesz, obiecałem cioci, że będę u niej nocował. – To moja kuzynka – ściszając głos, wskazał oczami damę, która zajęła miejsce w głębi wagonu – bałem się, że ciotka poczciwa będzie się niepokoić, zerwałem się o świcie i poleciałem na Batorego. Bardzo cię przepraszam. No, ale mimo to wracamy razem...

– Tak, to świetnie się składa – potwierdził Janusz.

– Przepraszam cię, ale rozumiesz – powiedział Adaś, pochylając się nonszalancko w ukłonie. Pachniało od niego wódką i wodą kolońską wybornego gatunku. Odszedł tryumfalnie ku swojej towarzyszce.

– Panie doktorze – przypomniał sobie Janusz – ale pan za nas wczoraj zapłacił?

– Doprawdy głupstwo – powiedział Martwiński i przycisnął swą białą dłonią rękę Janusza do obrusa – ale proszę pana, ten pan jest na złej drodze. Niech pan uprzedzi siostrę.

– Siostra ode mnie nie przyjmuje uwag – uśmiechnął się ironicznie Janusz – zwłaszcza w sprawach administracyjno-majątkowych.

– Pan już chce iść? – spytał lekarz.

– Właściwie tak. Może się jeszcze zdrzemnę przed Warszawą. Mam bardzo dobry fotel, przy oknie.

– Gdyby pan czegoś potrzebował – powiedział lekarz – ja zawsze jestem na pańskie rozkazy.

Janusz uśmiechnął się jeszcze inaczej, z powątpiewaniem.

– Wie pan, że ja na razie do lekarzy się nie udaję.

– Zawiódł się pan na nich?

– Nie zawiodłem, bo im nigdy nie ufałem. Ale co do dziecka, to mi powiedzieli. Od razu po urodzeniu mówili, że mała serce ma niedoczynne, czy jak tam oni mówią...

– Ja jestem tylko psychiatrą – powiedział jak gdyby z odcieniem ironii Martwiński. – Lekarzem duszy... – tu ironia była jasna.

Janusz się oburzył.

– Nie lubię, gdy ktoś traktuje z ironią własny fach.

– Ja nie ironizuję.

Martwiński znowu położył ciepłą dłoń na zmarzniętej ręce Janusza. Spojrzał rozmówcy prosto w oczy i powiedział:

– Niech więc pan jedzie. Niech pan szuka miejsc, gdzie pan tracił po kawałku to najcenniejsze, co mamy: życie. Niech pan obejrzy wszystko. Młodości i tak pan nie znajdzie i nie odpowie pan sobie na żadne z tych pytań, które pan sobie stawia. Tylko niech pan nigdy nie staje na brzegu przepaści.

Janusz cofnął rękę, zawołał kelnera i zapłacił. Żegnając się z doktorem, powiedział po prostu:

– Dziękuję.

Potem położył się w swoim wagonie do wezgłowia i spał lub drzemał. Czuł, że Adaś dwa razy stawał w progu przedziału, ale udawał, że śpi, aby tylko nie słyszeć jego okropnego głosu. Późnym wieczorem dojechał do Warszawy i przenocował na Brackiej. Mówił z panną Teklą o Adasiu, ale ona tylko wzruszała ramionami:

– Nic o nim nie umiem powiedzieć. To faworyt faworyta.

IV

Do Odessy Janusz dostał się latem 1936 roku po usilnych zabiegach Spychały o wizę. Nie mógł jechać jednak przez Kijów ani przez Rumunię i morzem, jak przez chwilę pragnął, ale musiał skierować się przez Moskwę. Zresztą w Moskwie przejechał tylko wieczorem z dworca na dworzec i już nazajutrz cały dzień zmierzał na południe znajomym pejzażem Wołynia i Ukrainy. Z najwyższym rozczuleniem odnajdywał pamiętny horyzont, niebywale szeroki i nie przesłonięty żadnym drzewem, żadnym laskiem. Aż po granice widzialności ciągnęły się nieskończone łany zboża. Żniwa się jeszcze nie zaczęły, ale kłosy już bielały i złociły się. Słońce zachodziło na czystym niebie, jak gdyby zanurzało się w złote fale zbóż. Po zachodzie słońca nie ochłodziło się i panowało owo nieduszne gorąco, charakterystyczne dla ukraińskich nocy. Pociąg szedł wolno i stawał dosyć często. Gdy przychodziła wieś, była to prawdziwa wieś, ogromna, rozrzucona wzdłuż wąwozu czy też nad brzegiem obszernego, lazurowego stawu. Przed wieczorem wjechali w równiny stepowe. Zaorane i zasiane, różniły się one jednak od pól Ukrainy. Były płaskie jak stół i pozbawione wdzięku. Nie było widać ani wzgórz, ani malowniczych lewad. Wklęsłe „bałki" miały inny charakter.

W nocy nie spał. Przypomniał sobie podróż z Mańkówki sprzed dwudziestu dwóch lat. I ponieważ odbywał tę samą prawie drogę, nazwy stacji, konfiguracje terenów, sam rytm pociągu, który się nie zmienił, przywoływał mu w pamięci szczegóły, które mu się zdawały od dawna zupełnie zapomniane. Teraz pamiętał – choć przed tygodniem jeszcze nie mógłby nazwać – jakimi końmi przyjechał na stację. Jak była obita bryczka, która go przywiozła, i który był furman na koźle. Pamiętał, jakie miał na sobie ubranie, szare, a właściwie

mówiąc ciemnogołębiowe, wysoki kołnierz (sztywny, gdzieżby inaczej!) i zielony krawat. Gdy zamykał oczy, wydawało mu się chwilami, zwłaszcza
kiedy drzemał, że to jeszcze jest tamta podróż
– i że wkrótce pozna Ariadnę, zawrze przyjaźń
z Edgarem. A Wołodia? Przecież gdzieś tutaj
musiał być.

Kiedy z rana wysiadł na dworcu, zakaperowała
go natychmiast przedstawicielka „Inturista", mała
i czarna Fanny Naumowna. Powiedziała mu bezapelacyjnie, że jest on pod jej opieką – i rzeczywiście odwiozła jak bagaż do hotelu, gdzie ulokowała
go po dość długich pertraktacjach z rozmaitymi
władzami, których było nad podziw dużo na każdym piętrze. Hotel był to dawny „Continental",
nazywał się obecnie „Moskwa". Dopiero kiedy został sam w olbrzymim, wysokim pokoju z oknami
jak arkady, poczuł się zmęczony i położył się spać.
Rozebrał się, wlazł do łóżka i zasnął tak mocno, że
nie wiedział zupełnie, gdzie jest, kiedy się obudził.
Wielkie łoże i wysoki sufit wydały mu się koszmar-
nym widziadłem. Trwało dosyć długo, zanim
oprzytomniał.

Otrzeźwił go telefon. Fania Naumowna pytała go
nienaganną francuszczyzną (Janusz udawał, że zapomniał po rosyjsku), jakie ma zamiary na popołudnie. Janusz powiedział, że nie ma żadnych zamia-
rów, i prosił swą przewodniczkę, aby zaszła do
niego koło siódmej. Pójdą gdzieś na kolację.

– Dzisiaj tak gorąco – powiedziała Fania – pójdziemy na taras.

– Jak pani sobie życzy – potakiwał Janusz – możemy na taras. A gdzie to jest?

– To niedaleko, w nowym hotelu „Leningrad".

– Doskonale.

Janusz zgodził się skwapliwie, gdyż nic to mu nie mówiło. Wstał, ubrał się i wyszedł na ulicę. Już z rana, zaraz po przyjeździe, miał to samo uczucie, w tej chwili umocniło się ono w nim ostatecznie. Miał wrażenie, że jest w zupełnie obcym, nie znanym mu mieście. Chociaż nie urósł od czasu swojego wyjazdu z Odessy, miasto to wydawało mu się mniejsze, niższe, niż je sobie zapamiętał. A poza tym zamieszkane przez ludzi, którzy mu się wydali czymś zupełnie egzotycznym. Nie byli to Azjaci, ale też i nie Europejczycy. Poubierani wszyscy w jednakowe płócienne pantofle, w wypłowiałe granatowe spodnie i zadziwiające jakieś koszulki. Poza tym zdziwiło go to, że wszyscy mieli teczki w ręku.

„Dlaczego, do licha, oni mają te teczki w ręku?"

Tłum nie był smutny, przeciwnie, pełen był południowego ożywienia, a kobiety (słynne „odesitki") bardzo przystojne. Tylko to wszystko razem wydało mu się zupełnie obce, niezrozumiałe. Poza tym uderzyło go pozbawienie barw. Opakowania, papiery, sukienki dziewcząt, buty, cukierki – wszystko było jednakowego, wypłowiałego koloru. To było najbardziej obce. Toteż uciekał okiem do miejsca, gdzie na rogach ulic całe drewniane stoły na kółkach zawalone były stosami truskawek i malin. Jasny kolor owoców cieszył go.

Ale ponadto zastanawiało go ogromnie to, że tyle ludzi było na ulicy. Bezustanny, pospieszny ruch ludzkich postaci nasunął mu na myśl wiersz Puszkina:

Skolko ich, kuda ich goniat,
Czto tak żałobno pojut? *

Trotuary były zawalone spieszącymi się ludźmi, wszyscy szli szybko, wymijając jedni drugich, nie patrząc na siebie, drepcząc pospiesznie ku jakimś nie dającym się wyraźnie określić celom.

Zaglądał w twarze ludzi. We wszystkich czytał jednakowy pośpiech i napięcie. Wyrazom twarzy brakło rozprężenia. Muskuły twarzy były przyzwyczajone do ściągnięcia. Usta były zaciśnięte i oczy unikały cudzego wzroku; zwłaszcza u starszych osób dało się zauważyć owo zamknięcie wyrazu twarzy na trzy spusty. Młodzi, jak to młodzi. Ci się śmieli. Chłopcy oglądali się na kobiety. Ale Janusz nie mógł określić, kim są oni: czy to robotnicy portowi, czy młodzi urzędnicy, czy studenci? I wszyscy tacy drobni, szybcy i tacy obcy, zupełnie obcy. A kiedyś przecie czuł się w tym mieście jak u siebie. Dość prędko wrócił do hotelu i czekał na Fanię Naumownę. Zastanawiał się nad tym, co ma jej powiedzieć: po co przyjechał do Odessy; ale Fanny Naumowna nie zadała tego pytania. Jak gdyby nie interesowało to jej czy też wiedziała dokładnie, o co chodzi. Spytała tylko, co chciałby zobaczyć.

– Oczywiście morze – powiedział Janusz – pojedziemy jutro rano na plażę, do miejscowości letniskowych.

Fanny Naumowna nie zadała także Januszowi pytania, tak zdawałoby się prostego. Nie spytała go, czy zna Odessę.

---

* Ilu ich jest, dokąd ich gnają,
że tak śpiewają żałośnie?

Na propozycję odwiedzenia *dacznych miestnostiej** zasugerowała Januszowi, żeby jutro pojechać „na Fontany".

– Bo tu są tak zwane trzy Fontanny – poczęła objaśniać, po czym urwała nagle i spojrzała na Janusza. Jasne było, że wie wszystko.

Ale nie wszystko wiedziała. Przekonał się Janusz o tym zaraz tego wieczora, kiedy poszli na kolację. Siedzieli na tarasie wysokiego domu. Przy sąsiednich stolikach widziało się ludzi równie nieokreślonych, co na ulicy. Tyle tylko, że widać było w nich przyjezdnych. Przyjezdnych z Moskwy, z Leningradu – ze stolic. Rozglądali się z pewną dezaprobatą po tarasie.

Ale Januszowi się tu podobało. Zarówno w nakryciu, jak w sylwetkach kelnerów przyczaiły się tu resztki minionego czasu. Same stoły przypominały mu centralną salę jadalną w Koziatynie, węzłowej stacji, przez którą przejeżdżał, ile razy trzeba było jechać do Kijowa czy do Żytomierza. Na tym tarasie, osłoniętym z jednej strony wysoką szklaną ścianą i markizami, panował taki sam zapach jak w Koziatynie: zapach barszczu ukraińskiego ze śmietaną i pierożków pieczonych z kapustą. Chciało mu się rozłamać ów upieczony pulchny pierożek i powąchać kapuściane nadzienie, pomieszane z ryżem i siekanymi grzybkami. Zamówił sobie bulion z pierożkami. Łudził się, że będą zupełnie takie same jak w Koziatynie. Ale chociaż palmy w dużych donicach były takie same i sztywne nakrochmalone serwetki też były zupełnie takie same jak

---

* letniskowych miejscowości

dawniej na dworcu – i kelner dobrotliwy i poufny, zupełnie taki sam jak wówczas, kiedy Janusz zasiadł z ojcem przy okrągłym, centralnym stole – pierożki były zupełnie inne, ze złej mąki, nie wypieczone. I chociaż na tarasie panował apetyczny zapach starodawnej restauracji – nadzienie pierożków pozbawione było owej woni. Fanny Naumowna kazała podać jakiegoś krymskiego wina. Dobrze ochłodzone, w smukłych butelkach, wydawało się Januszowi znakomite, nabierał dobrego humoru i zaczął żartować ze swoją przewodniczką na temat burżuazyjnego trybu życia, jaki ona wiedzie, oprowadzając cudzoziemców po Odessie.

Jego towarzyszka westchnęła.

– Pan zapomina, że ja mam dom – i moje osobiste sprawy.

Powiedziała to tak szczerze, że Januszowi zrobiło się przykro.

Wychylił drugi kieliszek doskonałego wina.

I wówczas zauważył, że ktoś na niego przenikliwie spogląda. Pod tą właśnie szklaną ścianą siedział jakiś wojskowy. Obok niego para dzieci, właściwie mówiąc, nie dzieci, ale pacholąt. Dziewczyna miała może lat piętnaście, chłopak jakieś dwanaście. Oboje byli bardzo mocnymi brunetami, o południowej urodzie, która w tej chwili była wprost uderzająca; wiedziało się jednak – rzuciwszy nawet przelotne na tych młodych spojrzenie – że uroda to płocha, że nie będzie trwała długo. Ich ojciec, ów wojskowy, również zapewne był kiedyś bardzo piękny. Zostały mu w twarzy owe wielkie, mokre, południowe oczy, które u mieszkańców Kaukazu nabierają takiej ekspresji, oczy sarny, oczy niektórych rosyjskich tancerek. Ale oczy te tkwiły w całkiem rozpłyniętej twarzy, niegdyś ostry nos zamienił się w spuchnięty organ, owal twarzy obwisł w specjalny sposób, tworząc pod brodą i pod uszami nieprzyjemne fałdy.

Janusz z początku ignorował uparty wzrok wojskowego wlepiony w niego. Nie orientował się w sowieckich odznakach i nie wiedział, jaką ma rangę siedzący naprzeciwko. Zajęły Janusza urocze dzieci. Dziewczynka z przymilaniem się prosiła, aby jej nalać trochę wina, na co ojciec widocznie się nie zgadzał; potem zajęła się bratem, widząc, że ojciec nie zwraca uwagi na dzieci i patrzy uparcie w przestrzeń. Braciszek był zadziwiający, kształtny, nieduży, o olbrzymich czarnych oczach i z wyrazem nieopisanego wdzięku na ściągniętej, chudej rasowej twarzy. Jakiś błysk oczu małego przypomniał Januszowi dawne, nie określone bliżej wrażenia. Jakieś teatralne podniesienie tych oczu (chłopak coś udawał i wyraźnie się zgrywał, zgrywał dla ojca, dla siostry, dla kelnera – dalej już jego ambicje nie sięgały i nie zwracał uwagi na otoczenie, czuł się jak w domu) przypomniało Januszowi bardzo dokładnie pewien wieczór w Odessie i bezwiednie powtórzył zapomnianą dawno strofkę:

O krasnyj parus
W zielonoj dali,
Czornyj stieklarus
Na tiemnoj szali.

Fanny Naumowna zaśmiała się.

– Twierdzi pan, że pan nie umie po rosyjsku, a mówi pan wiersze Błoka.

Janusz się zmieszał.

– Zapomniałem. A to są wiersze Błoka?

– Oczywiście. Skąd pan je pamięta?

Janusz nie odpowiedział, tylko spojrzał uważniej na siedzącego naprzeciwko wojskowego. Zauważył tylko, jak ten powolnym i nieznacznym gestem, patrząc ciągle na niego, podniósł wskazujący palec do góry i położył go na swoich wargach. Znak milczenia był bardzo wymowny.

Janusz pobladł i odwrócił oczy. Dopiero teraz go poznał. To był Wołodia. Zaczął się śmiać nienaturalnie i zagadywać Fanny Naumownę.

– Przecież pani chyba zna moją biografię – powiedział, pochylając się ku niej – pani wie, że kończyłem gimnazjum w Żytomierzu. Tylko że od tego czasu nie mówiłem po rosyjsku, zapomniałem zupełnie. Ale jeżeli pani chce, możemy próbować po rosyjsku... Tylko że mi będzie brakowało słów...

– *Mais non, non, non* – śmiała się dość nieoczekiwanie Fania – *on parle français si c'est plus facile pour vous.*

– *Comme vous voulez* ★ – powiedział Janusz.

Kelner pochylił się konfidencjonalnie i znowu nalał kieliszek wina.

Janusz podniósł go do ust i spostrzegł, że mu się ręce trzęsą. Bał się spojrzeć ku stolikowi, widział bokiem, że się tam coś dzieje.

Fanny Naumowna zaśmiała się.

– Niech pan popatrzy – powiedziała – jaki ten chłopczyk uroczy. Ale rozpieszczony... (*bałowanyj malcziszka...* – dodała po rosyjsku).

★ Ależ nie, nie, nie [...] możemy mówić po francusku, jeżeli to dla pana łatwiejsze. – Jak pani sobie życzy.

Janusz rzucił przelotne spojrzenie. Chłopak klęczał na krześle wsparty łokciami na stole i w ten
sposób jadł lody. Ojciec gniewał się na niego i mówił do niego coś groźnie, wskazując, że wszyscy na
niego patrzą, ale to na małym nie robiło żadnego
wrażenia.

Janusz czym prędzej odwrócił wzrok od tego
stolika. Widział, że Wołodia, przemawiając do syna,
rzucił parę spojrzeń na Janusza. Był przerażony
tym gestem milczenia. Czy to oznacza całkowite
zamknięcie przeszłości i dla niego, i dla Wołodii?

– To podobno jacyś śpiewacy – powiedziała jego
przewodniczka.

– Jak to? Śpiewacy?

– Ci mali podobno śpiewają – tak mi mówił
kelner – powiedziała Fanny Naumowna. Pomimo
pewnego doświadczenia nie spostrzegła gry spojrzeń wymienionej pomiędzy dwoma stolikami. Zawołała kelnera i zażądała jeszcze lodów. Janusz
przestraszył się. Obawiał się, że to będzie zbyt
długo trwało.

– Może lepiej nie?

– Dlaczego? Tutaj mają zawsze bardzo dobre
lody – poczciwie powiedziała Fania.

Zjedli lody i wypili kawę. Janusz czuł na sobie
wzrok otyłego wojskowego. Ze strachem, aby nie
spojrzeć w tamtą stronę, podniósł się od stolika
i udawał strasznie zagadanego z Fanny Naumowną. Wyczytał w oczach młodej kobiety wyraz lęku,
nie bardzo wiedziała, czemu przypisać takie ożywienie Janusza i taki nacisk, jaki kładł na rozmowę
z nią. Szczęśliwie zeszli z tarasu i Janusz się nie
obejrzał. Zresztą nie potrzebował się oglądać. Gdy

znalazł się w swoim gorącym pokoju hotelowym, ledwie zamknął powieki, zaraz widział otyłego wojskowego, wpatrującego się w niego bez przerwy, i tę parę przepięknych dzieci, które kaprysiły przy stole. Nie chciał sobie przyznać, że ten mały w każdej pozie, w każdym ruchu – zwłaszcza kiedy ukląkł na krześle przy stole i łakomie jadł lody, przypominał mu Ariadnę.

Przyjechał do Odessy, aby odszukać jej obraz, przypomnieć sobie tę ulicę, gdzie do niej przychodził, ten dom, w którym ją poznał. I nie znalazł ani tego domu, ani tej ulicy. Wszystko było zupełnie inne i zupełnie obce. Ale to klęczące na krześle dziecko, ten chłopak o męskiej twarzyczce, ostrzyżony tak jak Ariadna była ostrzyżona w Paryżu, z tą chudością młodości był po prostu żywą, młodą Ariadną. Na to nie był przygotowany i podziwiał sam siebie, że miał jeszcze siły tam przy stole rozmawiać z Fanny Naumowną, pić wino, jeść lody i nawet jednym mrugnięciem oczu nie odpowiedzieć Wołodii na jego gest nakazujący milczenie.

Jednocześnie niecierpliwił się sam na siebie. Tak bardzo już zagłębił się w „dobre wychowanie", że mógł nie dać poznać po sobie, jak mocne uczucia szarpały jego serce. Serce biło mu jak młotem, nagle poczuł się jak młody, inny, odrodzony i nic z tych uczuć nie uzewnętrzniło się.

Co robić? Teraz miał wszystko. Mógł wracać do Warszawy. Podobieństwo bratanka do Ariadny rozwiązało mu wszystkie zagadnienia. Zawsze, wszędzie tylko Ariadna. Ale ta dawna Ariadna, ta w pretensjonalnej sukni ze szklanymi perłami, ta pierwsza Ariadna, ta Ariadna z wierszy Błoka – ta, która już nie istniała, która od dawna znikła i nie mogła już żadnym sposobem ukazać się na nowo.

Zasnął i śniła mu się Zosia. Wiedział, że umarła, ale była żywa i rozmawiała z nim siedząc na kanapie w Komorowie. Odchylała głowę w tył, jak to robiła zawsze za życia, kiedy się śmiała i kiedy była w dobrym humorze. Śmiała się bardzo wesoło i nagle przestała się śmiać i wzięła Janusza za rękę. Patrzyła mu prosto w oczy i powiedziała: „To pewnie dobrze, że ja umarłam, będziesz się mógł kochać w tej swojej Ariadnie!", i potem zbliżała twarz do jego twarzy i oczy do jego oczu, i oczy jej się powiększały, patrząc na niego, i twarz się cała powiększała, zbliżała się i jednocześnie rozpływała dookoła. Zbudził się z krzykiem.

Nie spał, ale nie był zupełnie przytomny. Nie pamiętał dokładnie, a chciał sobie właśnie przypomnieć, czy Zosia wiedziała o Ariadnie. Czy mówił jej kiedy o Ariadnie? Musiał chyba mówić; na pewno mówił. Bo jeżeli nie powiedział jej o Ariadnie, to ją niegodnie oszukiwał. Musiał pewnie jej powiedzieć, że była taka kobieta w jego życiu. A czy mówił Ariadnie o Zosi? Rozumiał, że na pół drzemał teraz i że te myśli, które w nim rosły, to sny. I stopniowo te myśli zmieniały się w czerwone, rozsypane na straganach truskawki i cała jego miłość stała się takim stosem owoców. I Zosia pochylała się nad truskawkami, a on jej mówił: „Ja ci zawsze mówiłem, Zosiu, że ja was kocham!". Mówił w liczbie mnogiej, bo Zoś było dużo, kilka, kilkanaście. A Zosia kiwała przecząco głową i powiedziała: „To wszystko nie tak, bo ja umarłam, i dobrze, że umarłam, bo teraz przynajmniej wiem, że mnie nie kochałeś!". „Ależ ja kochałem!" – krzyknął Janusz i znowu się na pół zbudził. Ciężko mu było spać w tym odeskim hotelu po spotkaniu z Wołodią i jego dziećmi.

Ale nazajutrz wstał jak gdyby wypoczęty, koło jedenastej zjawiła się Fanny Naumowna. Trzymała w ręku kopertę.

– Jest do pana list.

– List? – zdziwił się Janusz.

– Jakieś zaproszenie.

Janusz ze zdziwieniem spostrzegł, że zapraszają go na dziś wieczór na koncert urządzony z okazji spotkania odeskich pedagogów. Bardzo był zdziwiony. Nazwiska artystów biorących udział w koncercie nic mu nie mówiły. Spojrzał na Fanię.

– Nie pójdzie pan?

– A jak pani sądzi?

– Czy ja wiem? Zdaje mi się, że może pana interesować zobaczenie takiego przeciętnego, zwyczajnego naszego koncertu. Radzę panu pójść.

– Pani jest sama mądrość, panno Fanny – powiedział Janusz niespodziewanie rozbawiony.

– A teraz pojedziemy nad morze – powiedziała przewodniczka.

Pojechali, tak jak dawniej, tramwajem. Wysiedli na Średnim Fontanie.

Dopiero kiedy boczną dróżką zeszli na plażę, Janusz zorientował się, że to właśnie była willa Szyllerów. Zmiana oprawy całego domu podkopała jak gdyby jego istnienie. Ogrodzenie było skasowane czy też rozkradzione. Ogrodu nie było, akacjowe zarośla, w których ukrywał się Józio i gdzie rozmawiała Ola ze Spychałą (Janusz znał te miejsca z ustnej tradycji), nie istniały, skasowane było też zejście od willi na „prywatną" plażę. Dom stał goły i żółty, gdy się patrzyło nań z dołu, z plaży, i robił wrażenie czegoś niezmiernie starego. Jak grzyb zapadł się w ziemię ze starości i dach był miejscami nierówny: musiał przeciekać. W oknach bez firanek, we wszystkich pokojach, na górze i na dole widniały żelazne łóżka. Była to jakaś kolonia letnia czy prewentorium dla dzieci. Mnóstwo małych ludzi w wypłowiałych sukienkach kręciło się naokoło domu, dzieci jak owady obsiadły balkony i otwory okien; niektóre były nagie i mizdrzyły się do słońca.

Nigdy bardziej niż siedząc na plaży (nie rozbierali się ze swoją przewodniczką) i patrząc to na niezmiennie piękne spiętrzenie lazurowego w zielone pasy morza, to na ów dom zmalały i opuszczony, jak dom zagubionego dzieciństwa – nigdy bardziej niż wtedy Janusz nie odczuł swojej przynależności do zbiorowego ludzkiego istnienia, gdzie jego cechy indywidualne stawały się nieważkimi akcydensami. Zbiorowość ludzka była jak fala – i mimo że stanowił tylko składnik, tylko kropelkę tej fali, starał się pojąć znaczenie wznoszenia się tego i rozbijania na pianę. Na próżno. Zdawał sobie sprawę, że jego wysiłek myślowy równa się wysiłkowi tej molekuły wody morskiej, która by chciała zrozumieć znaczenie, wysiłek i przeznaczenie fali, w której się znalazła.

Janusza nigdy bardziej dotychczas nie uderzyła ta niemożność pomyślenia za wszystkich i pojęcia za wszystkich. Bo przecież i ta fala, i jej uderzenie o brzeg, i rozbicie się na pianę – nie ma żadnego znaczenia. Nie może być wytłumaczona żadnym sposobem. Usiadł beznadziejnie na piasku i pełen żałości popatrywał na Fanię, która, nie okrywając się parasolką trzymaną w ręku, z rozkoszą wystawiała swoją twarz na słońce, przymykając wielkie, czarne, „słodkie" oczy.

– Pan podobny jest do Chińczyka – uśmiechnęła się do niego, otwierając lekko powieki.

– Skądże znowu? – zaśmiał się Janusz.

I patrząc na Fanny Naumowną myślał o tym, jak różny wyraz mogą mieć owe mokre, wilgotne, czarne oczy, którymi ludzkość obdarzały Azja i jej pogranicza. Oczy Fanny były zupełnie inne niż oczy owego małego chłopca, który jadł wczoraj lody.

– Jaki piękny dzień dzisiaj – powiedział, byle tylko nie milczeć nieznośnie. W tym milczeniu Fanny Naumowna gotowa jest odgadnąć wszystko.

– Pójdzie pan na koncert? – spytała przewodniczka.

– Jeszcze nie wiem – odparł.

I nagle zirytował się na siebie i na doktora Martwińskiego, który mu powiadał: „Spróbuj pan – zobacz". Co miał zobaczyć? To zupełnie śmieszna zabawa i niegodna czterdziestoletniego mężczyzny, chęć powrotu do spraw i uczuć od dawna przeminionych. Przecież nie trzeba na to doświadczenia – mówił sobie – wystarczy tylko ścisłe rozumowanie: nigdy się nie wchodzi dwa razy do tej samej rzeki. Pragnienie jakiegokolwiek powrotu jest niemożliwe. I gdybyśmy ten powrót wymyślili i zapisali na papierze – to także musimy się zawieść, bo powrót na papierze jest tylko wyborem fragmentów, poszczególnych słów, poszczególnych barw i poszczególnych kawałków czucia. Cały prąd tamtego czasu minął bezpowrotnie. Zatrzymać go może tylko jedna rzecz: fotografia. I przypomniał sobie, że miał gdzieś w Komorowie taką wyblakłą fotografię z tego tutaj dziś nie istniejącego ogródka, z panią Royską, Józiem, Edgarem Szyllerem i wstążką Elżbietki, którą Edgar trzymał w ręku, częściowo nawinął na palec. Fotografia także była drobnym wycinkiem ówczesnej rzeczywistości, ale było to tak, jak gdyby zaczerpnął jedną kroplę owej rzeki czasu i przechował ją do dziś dnia w probówce. Kropla wyschła, został tylko ślad, jak daleko sięgała.

Więc po co pojechał do Odessy? Mógł wyjąć fotografię z szuflady biurka w Komorowie i obejrzeć, jak oglądał czasem fotografie Zosi i jedną małą fotografijkę prawie zupełnie zatartą, fotografijkę Malwinki. W życiu nigdy nie można mieć starych rzeczy, w życiu można mieć tylko rzeczy nowe.

Zrozumiał to jeszcze bardziej wieczorem na koncercie. Dopiero przy trzecim numerze pojął, skąd przyszło dla niego to zaproszenie. Koncert odbywał się w jakiejś dużej ludowej hali, nowo powstałej na miejscu zburzonych domów w okolicy dworca. Jechało się tam daleko. Fanny Naumowna wydawała się bardzo znudzona faktem, że musiała pójść na ten koncert. Najprzód grała jakaś bardzo dobra pianistka. Trochę martwiło to Janusza, że sala stawiała tej muzyce zdecydowany opór, siedziała cicho, ale jak zimny mur. Wyczuwało się to przy każdym takcie, przy każdym trudniejszym pasażu.

Sala nie chciała jej słuchać. I gdy pianistka zakończyła gromkie pasaże końcowej stretty (jak Elżbietka lubiła słowo stretta – Janusz słyszał po prostu, jak z lubością je powtarzała, tak mocno podwajając owo „t" – stretta, stretta), publiczność zdawkowo zaklaskała, krótki grom oklasków przetoczył się do galerii w dół przez salę i zamilkł w pierwszych rzędach. Jasne było, że sala na coś czeka. Nie było to oczekiwanie na drugi numer programu. W tym numerze ukazał się znakomity animator teatru lalkowego, który mając na palcach rąk dwie laleczki, odgrywał całe dramaty i komedie. Sala, poza kongresem miejscowych pedagogów, zawierała masę młodzieży: przyprowadzono tu liczne szkoły, które znalazły łatwe pomieszczenie w olbrzymim lokalu. Oczywiście dzieci śmiały się z pokazywanych kukiełek i cieszyły się znakomitą zręcznością i wyrazistością ruchów artysty. Ale po oklaskach Janusz wyraźnie odgadnął, że czekali na coś jeszcze innego.

To, na co sala czekała, objawiło się w trzecim numerze. Na estradę wyszło owo rodzeństwo, które Janusz widział wczoraj w restauracji. Oboje byli w białych pikowych ubrankach i Janusz zauważył, że chłopak nie był o wiele niższy od dziewczyny. Sala oszalała. Para śpiewaków widocznie dobrze była znana młodocianej publiczności, bo zaczęły się wołania: „Annuszka, Kola!", i dyktowanie, co mają śpiewać. Przez ten czas, co za parą biało ubranych dzieci przekradała się nieśmiało akompaniatorka w czarnej sukni, Janusz rzucił okiem na program. Zobaczył: „Duet z opery *Lakmé* wykonają Anna i Nikołaj Ariadiny". Zdrętwiał. Nie zauważył dotychczas tego pseudonimu, który mu winien był powiedzieć tak wiele.

Dzieci zaczęły śpiewać. Zadziwiające było, że to Anna śpiewała partię mezzosopranu, a Kola śpiewał partię Lakmé. Czystość i wysokość, krystaliczna jakość tego głosu była czymś nieporównanym. Uczony duet, cały w sekstach, brzmiał tak niebywale w wykonaniu tych dwojga, że sala zamarła. I Janusz zamarł z zachwytu. Zauważył tylko szybkie spojrzenie Fanny Naumowny, która zerknęła na niego z pewnego rodzaju niepokojem. Nawet na tle rosyjskich słuchaczy Janusz zadziwiał swoim przejęciem się muzyką. Duet falował (bo przecież to jest barkarola) i wznosił się w górę, i opadał w dół, ale piękno jego wydało się Januszowi zbyt szklane, zbyt napełnione kryształami. Był tak przejęty, że nawet nie zauważył, kiedy duet dobiegł do końca i dzieci ukłoniły się, niezgrabnie, z dziecinnym wdziękiem, i wybiegły. Ale sala nie dała im na tym skończyć. Musiały wśród potwornego tumultu wrócić, potem znowu się ukłonić – i nareszcie pojawić się w towarzystwie akompaniatorki. Na bis zaśpiewały *Kołysankę* Brahmsa. Tę z pieśni ludowych.

Januszowi dech w piersiach zaparło: owa prosta, kołysząca melodia, wymagająca nucenia półgłosem, oddana była przez te dzieci z nieprawdopodobną intuicją artystyczną, z taką niczym nie zafałszowaną szczerością muzyczną, jakiej nigdy się nie spotyka u dorosłych artystów. Może jedna Elżbieta tak potrafiła, wówczas, dawno, tu właśnie w Odessie, gdy na pożegnanie śpiewała dla Józia... Wysokie, czyste nuty, które z taką łatwością wydobywał ze swego gardła Kola, brzmiały w tym chłopięcym timbrze jak uderzenia celesty. Precyzja atakowania nut i muzykalność, która sprawiała wrażenie, że to wszystko samo wychodzi – zachwycały. To było zawrotne. Publiczność zażądała jeszcze jednego bisu.

Teraz zaśpiewały duet Czajkowskiego do słów Goethego: *Wanderers Nachtlied* *. Rosyjski przekład genialnego wiersza był strofkowy i nie oddawał poezji niemieckiej. Muzyka też była jakby za bardzo przeniknięta cygańskim romansem. Ale jak te dzieci to śpiewały!

Janusz patrzył na Kolę z niemym zachwytem. Nie mógł klaskać po oddzielnych pieśniach. Widział przed sobą tego chłopczyka, którego głos lada dzień musiał zniknąć, widział tę pociągłą twarzyczkę i mokre oczy podobne do oczu Ariadny, kiedy deklamowała Błoka. Tylko tamto to była deklamacja, fałsz. A tutaj to przeniknięcie się samym duchem muzyki.

Nie pylit doroga,
Nie drożat listy,
Podożdi niemnogo
Otdochniosz i ty... **

Warte nun balde ruhest du auch... *** Janusz zrozumiał. Oto właśnie to nowe, to zachwycające, co mu przynosi życie. Powrotu nie ma do rzeczy

---

* Nocny śpiew wędrowca.
** Wśród sennej mgły. Ptactwo w gęstwinie przycichło. Zaczekaj, rychło spoczniesz i ty.
*** Zaczekaj, rychło spoczniesz i ty...
     (przekł. z niem. G. Karskiego)

minionych, ale właśnie jak dziś nad brzegiem morza widział, że po każdej fali, która bezpłodnie rozbija się o piasek, wzbiera inna, nowa fala. I ona znowu niesie nowe muszle, nowe cuda skondensowane w kropli wody – i tak samo się załamie. I że na tym polega co dzień nowy, inny urok życia. Szukał tu wspomnień – i nic nie odnalazł. Obce miasto, obce domy, obcy ludzie, z których nikogo już nie znał. Ale za to przyszła do niego ta pieśń, ten kryształowy, upajający, łamki jak sopel lodu i jak sopel lodu topliwy, głos, który go zapewniał:

... Podożdi niemnogo
Otdochniosz i ty...

Czekać! Teraz tylko czekać na wielkie uspokojenie. A każdy dzień przyniesie nową kroplę wody życia.

Popatrzył nagle na Fanny Naumownę.

Skurczona, zgarbiona, skupiona w sobie, siedziała obok niego, nie pamiętając o nim. Nawet nie patrzyła na śpiewające dzieci. Patrzyła głęboko w siebie i płakała.

– Co pani? – spytał ją Janusz.

V

Edgar Szyller tej jesieni, która była słotna i brzydka (nie przychodziły te „pyszne dnie", tak przez niego lubiane), dość często wieczorem zaglądał do Oli. Gołąbkowie kolację jedli o ósmej, potem chłopcy szli zaraz do swojego pokoju. Helenka jadała osobno i o ósmej już spała, taki był reżim surowy, zaprowadzony przez ciocię Michasię. O dziewiątej Ola sama, czasami w towarzystwie męża i pani Koszekowej, siedziała w salonie. Za szybami ociekającymi deszczem wył wiatr i chwiała się targana podmuchami latarnia. Tu było spokojnie i ciepło, Ola cieszyła się zawsze z odwiedzin Edgara. Odkładała książkę, zaczynała opowiadać o dzieciach. Czasami – ale bardzo rzadko – coś śpiewała. Edgara trochę odrzuciło od muzyki. Ostatnio musiał pracować dając lekcje w szkole muzycznej. Muzyka jako twórczość („dyletancka twórczość", mawiał niesprawiedliwie Szyller) mogła go pociągać, ale muzyka jako zarobkowanie to było dla niego straszne. Pierwszy rok harmonii (do septakordu zwiększonego włącznie) udzielanej dość przypadkowej zgrai uczniów, z których żaden nie zdradzał zapałów do teoretycznych zagadnień wiedzy muzycznej – nie był specjalną atrakcją. Edgar czuł się bardzo osamotniony i zmęczony. Pokój, który zajmował na Wareckiej, był bardzo zimny i nie posiadał żadnych powabów w takie jesienne wieczory. Oczywiście stało tam pianino, leżał nutowy papier. Ale Edgar odczuwał zbyt wielkie zmęczenie, aby mógł komponować, gdy pod wieczór powracał do zimnego mieszkania. Kładł papier na stole, temperował ołówki. Ale potem przez długie godziny chodził w kółko po malutkim pokoju, lękając się spojrzeć na białą kartę. Taka biała karta zawsze napełniała go strachem, zanim nie przemógł się i nakreślił na niej pierwsze takty. Teraz coraz rzadziej potrafił wziąć się w garść,

164

zasiąść do stołu i szybkim ołówkiem notować znaki na pięciolinii. „Jakie to prymitywne!" – powiadał zawsze, zapisując swe myśli muzyczne. Coraz mniej miał okazji do powtórzenia tych słów. W ciągu września, który był dawniej najpłodniejszym miesiącem, napisał trzy malutkie, jednostronicowe preludia. Posłał je Elżuni do Londynu, ale nie otrzymał od niej żadnej odpowiedzi.

Zagrał kiedyś te preludia Oli. Bardzo była nimi poruszona: dwa były żywsze, środkowe powolne, medytujące, „poważne" – jak mówiła Ola.

– To są bardzo dziwne utwory – szepnęła – one jak gdyby coś przepowiadają.

Edgar się uśmiechnął.

– Nie bawiłem się nigdy w żadne przepowiednie – powiedział – one raczej coś opowiadają.

Ola się zastanowiła.

– A o czym opowiadają? – spytała.

Edgar wzruszył ramionami.

– Chciałabyś się dowiedzieć... Ale to wszyscy opowiadają. Wszyscy wiedzą... „Cała Warszawa". Wiesz przecie, co się stało.

Ola położyła swoją dłoń na ręce Edgara.

– Ja się nigdy plotkami nie interesuję. Zresztą nawet sobie nie wyobrażam, aby jakiekolwiek potoczne zdarzenie, nawet najbardziej dramatyczne, mogło być opowiedziane przez takie rzeczy, jak te preludia.

– Ale wiesz – powiedział Edgar – kiedy ona do mnie przyszła, to już dwa preludia były napisane. Nawet jej to „poważne", jak ty mówisz, zagrałem. Powiedziała, że przypomina jej improwizację Rysia. Czy ty słyszałaś kiedy, jak Rysio improwizował na organach?

Ola zaprzeczyła.

– No, więc widzisz, nawet nie możesz osądzić. Tak, niewątpliwie to drugie preludium opowiada o rozczarowaniu, jakim dla mnie była śmierć Rysia.

– „Rozczarowanie"? Czy to właściwe słowo?

– Właśnie, jak najwłaściwsze. Nie mogę przecie tego nazwać nieszczęściem, bo Rysio nie był dla mnie kimś najbliższym...

– To raczej ty byłeś dla niego kimś najbliższym.

– Tak, i dlatego chciał mnie widzieć przed śmiercią, koniecznie chciał mnie widzieć. Ale dla mnie to było rozczarowanie. Bo myślałem, że Rysio tak wiele mógłby stworzyć. Że jego istnienie będzie miało tak wielkie znaczenie dla sztuki... A tymczasem on umarł i nic z tego nie zostało. Nie zapisał nigdy żadnej swojej improwizacji. A jego kompozycje fortepianowe były bez większej wartości. To zawsze tak złości Artura...

– I zapisałeś jedną z jego improwizacji w tym preludium?

– Och nie, to byłoby za proste. Zresztą nie potrafiłbym. Jego improwizacje były zawsze bardzo kunsztowne w formie, a to preludium, jak wszystko u mnie, jest takim wylaniem dźwięków, rzeczką, małym strumykiem...

– Ładne...

– Właśnie, to tylko ładne. Nie ma w sobie nic z wielkości. Ale chciałem wyrazić w nim moje rozczarowanie. To znaczy nawet nie chciałem wyrazić... tylko wtedy, kiedy pisałem, myślałem wiele o Rysiu i o tym, jaka szkoda, że umarł i że nic po nim nie zostało, i że ten grób w Łowiczu jest pewnie już bardzo zaniedbany. I tak mi się pisało. I właśnie wtedy przyszła Helena...

– Czy ty kochasz Marysię?

– Marysię? Bilińską? Czy ja wiem? Tak powiedziałem Helenie...

– Wiem.

– Skąd wiesz?

– Powiedziałeś mi kiedyś o tym.

– Zabawne. Nie pamiętam, że prowadziliśmy taką rozmowę.

– Prowadziliśmy różne rozmowy. Jeszcze w Odessie. I teraz, kiedy już znałeś Helenę.

– Otruła się w sąsiedniej bramie.

– Wiem.

– I to jest najstraszniejsze, to ta okropna wulgarna forma wszystkiego. Wtedy kiedy się chce, żeby wszystko było takie... już nie piękne... ale ładne w życiu... nagle tak się gmatwa.

– No i co? Zostają takie preludia?

– Widzisz, mnie się zdaje, że to niedobra kalkulacja. Że skondensowanie takiej ilości ludzkiego cierpienia na jednej stroniczce nutowego papieru nie ma wiele sensu...

– A jakiż inny można nadać sens ludzkiemu cierpieniu? Kobiety...

Tu Ola zatrzymała się i nie ciągnęła swej myśli. Edgar nie nalegał i nie chciał, aby Ola kończyła zdanie. Zamyślił się. I pewnie znowu zapomniał o tej rozmowie, czekając, gdy przy innej okazji będzie mógł znowu mówić o Helenie i o Rysiu, i o jej wulgarnym samobójstwie, i o skarbach, jakie złożono do trumny razem z garbatym wnukiem organisty.

Pewnego razu z Edgarem przyszedł Janusz.

Ola się zmieszała na jego widok.

Nie umiała teraz rozmawiać z Januszem. Właściwie mówiąc, nigdy nie potrafiła znaleźć jakichś wspólnych zainteresowań czy prowadzić z nim nawet zwyczajnej wymiany zdań. Zawsze ją w jakiś sposób onieśmielał, i to nawet w znaczniejszym stopniu niż Edgar, który przecież siłą swej indywidualności gasił jej wszystkie możliwe „rozumy" i „dowcipy". Ale Edgar miał niezwykłą ilość dobroci, która sprawiała, że onieśmielenie mijało po chwili.

Nieszczęście Janusza oddzielało go od wszystkich nieprzebytą ścianą, przynajmniej tak zdawało się Oli. Nie mogła zaimprowizować słów, z którymi miała się do niego zwrócić.

– Przyprowadziłem ci Janusza – powiedział Edgar – bo chciałem mu pokazać te moje preludia.

Ola pomyślała, że biedny Edgar nadaje tym preludiom jakieś specjalne znaczenie, aby zatrzeć ich znikomość. Zapomniała, że sama uważała preludia za bardzo znaczne w rozwoju twórczości Edgara utwory. Po chwili sobie to dopiero uprzytomniła. „Muszę uważać na siebie – pomyślała. – Robię się skłonna do złośliwych wniosków. Edgar naprawdę nie ma komu pokazać nawet tych preludiów".

Janusz uśmiechnął się niepewnie.

– Wiesz – powiedział do Oli – mnie jakoś teraz nie bardzo interesują nowe utwory muzyczne. Wolę stare.

– Zawsze lekceważyłeś moją twórczość – z wyrzutem powiedział Edgar – nigdy nie zapomnę tego, co powiedziałeś po moim ostatnim koncercie...

– Wtedy kiedy Elżbietka śpiewała *Szecherezadę*?

Mimo to Edgar przegrał owe trzy preludia – i to dwa razy z rzędu.

Owo środkowe brzmiało bardzo pięknie: zamyślone, „poważne", powtórzyła Ola.

– Czy to rzeczywiście takie istotne – spytał Janusz – że te preludia istnieją?

Edgar wzruszył ramionami.

– Oczywiście wszystkie najpiękniejsze rzeczy na świecie mogłyby nie istnieć. Ale jest w nich jakiś sens. Dla mnie przynajmniej jak najbardziej znaczący. Te preludia nadają sens memu dzisiejszemu istnieniu...

– Raczej cię łudzą – powiedział Janusz.

– Jaki się jednak ty zrobiłeś straszny – powiedziała Ola z dreszczem. – Nie wierzysz w wewnętrzne potrzeby tworzenia.

– Nie, ja wierzę tylko w wewnętrzną potrzebę istnienia. Gdybyśmy jej nie mieli, dawno wszyscy dyndalibyśmy na sosnach...

Edgar powtórzył początek preludium. Smutna fraza podnosząca się trzema nutami w górę i opadająca do dołu.

Janusz zamyślił się.

– To jest piękne – powiedział.

– Tylko ta fraza? – spytał Edgar. – Te cztery nuty?

W tej chwili zadzwonił telefon i Ola poszła do przedpokoju. Wróciła uśmiechnięta.

– Wiecie, kto dzwonił? – spytała. – Cherubin. Pytał, czy nie wiem, jak można osiągnąć Janusza. Powiedziałam, że jest w tej chwili u mnie. Zaraz tu przyleci.

Janusz się skrzywił.

– Co? Nie dogadza ci spotkanie z Kołyszką? – spytała Ola. – Przepraszam...

– Miałem nieostrożność za bardzo dawnych czasów być szczerym z tym człowiekiem. Zawsze się teraz rumienię, kiedy go spotykam.

– Co ci przyszło do głowy? – spytała Ola. – Być szczerym z Cherubinem!

– Byłem jeszcze wtedy bardzo młody – westchnął Janusz. – To było zaraz po powrocie z Rosji... Byłem wtedy takim naiwniakiem.

Edgar odwrócił się od fortepianu.

– A teraz już nie jesteś naiwniakiem? – spytał, uśmiechając się.

– W każdym razie już nie takim prymitywnym jak wówczas – powiedział Janusz. – Chociaż i teraz żyję jak we śnie.

Edgar znowu wziął akord i na jego tle tych parę nut, pierwszy takt preludium.

– To musi być bardzo przyjemne żyć jak we śnie.

– Nie wiem, czy moje życie można zaliczyć do przyjemnych – zastanowił się Janusz, nie patrząc na Edgara – w każdym razie ja go tak nie odczuwam.

– Żyjemy jak w akwarium – powiedziała Ola.

– Złote rybki – z jakimś zacięciem powiedział Edgar i zaczął bawić się palcami po klawiszach. – Debussy... – dodał.

– Szczupaki czasami lubią zjadać złote rybki – powiedziała Ola.

– Cóż ty pleciesz? – oburzył się Edgar. – Złote rybki żyją w akwariach, a szczupaki w rzekach, w jeziorach, na szerokich wodach. Jakże więc szczupaki mogą zjadać złote rybki? Nie mają płaszczyzny spotkania...

– No, a jeżeli akwarium się zbije? – spytała Ola.

– Jeżeli akwarium się zbije, to złote rybki zdechną, zanim się dostaną do wody, gdzie buszują szczupaki. Nie, jakoś ci to porównanie nie wyszło – dodał.

– Może nie wyszło. Ale że jesteśmy trochę jak złote rybki, to pewne – rzuciła Ola, idąc do przedpokoju, bo zadzwoniono od frontu.

Nikt może się tak nie zmienił w ciągu tych lat piętnastu jak Cherubin Kołyszko. Z cienkiego młodzieńca w niestarannym stroju zrobił się gruby pan bardzo elegancko odziany, w garniturze szytym przez Dorocińskiego, w jedwabnej koszuli i z dość jaskrawym krawatem na szyi. Mimo to nie zmieniła się jego ruchliwość ani złośliwość. Inteligencja trochę osiadła, zrobił się bardziej adwokatem niż pisarzem. Prowadził kancelarię adwokacką i występował w wielu bardzo głośnych procesach politycznych. Bronił komunistów – i to nawet dość znacznych. W procesie brzeskim nie brał jednak udziału. Czy się nikt do niego nie zwrócił, czy też nie uważał siebie za dostatecznie pospolitego, aby „babrać się w tym paskudztwie" – jak cały proces nazywał.

Rzucił się po prostu na Janusza. Można było przypuszczać słuchając jego serdeczności, że spotkali się tu dwaj przyjaciele. Miał nawet ten nietakt, że wspomniał o jego „nieszczęściach". Ola przepłoszona spojrzała na Cherubina.

– Czy pan pisuje jeszcze wiersze? – pytał Janusz.

Teraz Cherubin się przeląkł tego pytania. Widać było, że go chcą zepchnąć na stanowiska, na jakich już nie chciał sam stawać.

– Wiersze? Coraz mniej – pisuję teraz krytyki w pismach literackich.

– A właśnie niedawno czytałam – powiedziała Ola. – Ma pan bardzo piękny sposób traktowania książek. Taki poetycki...

– Właściwie mówiąc – powiedział Edgar – krytyka to także poezja.

– Wszystko jest poezją – wzruszył ramionami Janusz – a w gruncie rzeczy nic takie określenia nie znaczą. Co to jest poezja?

– Ach, wasze rozmowy stale zaczynają się i kończą na definicji poezji. Jakeście się państwo nie zmienili przez wszystkie te lata.

– Bo zawsze jeszcze jesteśmy w epoce *Szecherezady* – powiedział Edgar. – Wszystko jedno jakiej, Rimskiego-Korsakowa czy mojej...

– Ach, to ogromna różnica. Tamta *Szecherezada* to epoka naszej młodości.

– Raczej *Verborgenheit* – zamyślił się Edgar zostawiając palce na klawiszach.

Przez chwilę milczeli. Ale zaraz potem powrócili do codziennych spraw.

– Co tam wspomnienia – mówił adwokat-poeta – sny! Ważniejszy dzisiejszy dzień!

Cherubin Kołyszko chciał koniecznie w tych dniach widzieć Janusza u siebie. Janusz przyjechał tylko na parę dni do Warszawy z Komorowa i miał dużo spraw do załatwienia. Zaproponował więc spotkanie zaraz na następny dzień.

Kołyszko miał teraz poważną kancelarię adwokacką na Kapucyńskiej. W solidnym warszawskim domu na drugim piętrze zajmował kilkupokojowe mieszkanie, chociaż nie był żonaty. Janusz idąc do niego przypomniał odwiedziny na ulicy Przyrynek, w tym starym przytułku i w tej amfiladzie pokojów, gdzie stała stara fisharmonia. Nic nie przypominało tutaj tej staroświeckiej budowli. Ale też nic nie było tutaj ze współczesności, ani w samej kamienicy, ani w mieszkaniu pełnym klubowych foteli i aksamitnych zasłon. Janusz uśmiechnął się trochę ironicznie, wchodząc do tego przybytku solidnej adwokatury.

„To dziwne – pomyślał sobie – że ja zawsze muszę jak gdyby podśmiewać się z tego biednego Kołyszki. – I nagle uderzył się w czoło: – Przecież to jest postać z Dickensa, naturalnie, Cherubin Kołyszko jest postacią z Dickensa. Po kiego diabła koniecznie chciał, abym ja dziś do niego przyszedł? Jakie on ma zamiary? Jeszcze czegoś komuś ode mnie potrzeba?".

Zapadł w wiśniowy fotel klubowy. Z zupełną obojętnością przyjął do wiadomości fakt, że już jeden z tych foteli był zajęty przez grubego, jasnego jegomościa o wybitnie semickich rysach. Gruby jegomość ledwie się podniósł z fotela.

– Przepraszam – powiedział – ale ten Cherubin ma takie fotele, że trudno się jest z nich podnieść. To urodzony sybaryta...

Janusz uśmiechnął się, bo nieznajomy jegomość wymawiał słowo „sybaryta" zupełnie tak jak księżna Anna. Jak gdyby dźwięki „y" i „r" niechętnie przechodziły mu przez gardło. Coś niesamowicie arystokratycznego i pełnego pretensji brzmiało w głosie grubego jegomościa. Chociaż Janusz nie lubił patrzeć na ludzi, jednak teraz podniósł wzrok na faceta, który siedział naprzeciwko niego po-

grążony w olbrzymim fotelu, i począł mu się przy-
patrywać.

„Jakiż to osobliwy człeczyna" – pomyślał sobie.

Twarz nowo poznanego, jak gdyby trochę spu-
chnięta, jak gdyby trochę naburmuszona czy nadęta pychą, była nieregularna. Prawa strona była
zupełnie inna niż lewa. Lewa liryczna i posępna,
prawa pełna energii i wyrazu zdecydowania. Jasne
włosy nieporządnie układały się nad czołem, jak
gdyby nigdy nie były czesane, w ustach czaiły się
resztki białej śliny, która wydzielała się zbyt obficie
w momentach, kiedy ten człowiek mówił. Janusz
nie słyszał jego nazwiska, a może Kołyszko wcale
go nie wymienił.

– Pan podobno wyjeżdża do Hiszpanii? – obcesowo zapytał grubas.

Janusz spojrzał na niego głęboko zdziwiony.

– Ja? – zapytał. – Ani mi to przez myśl przeszło.

I zwracając się do Kołyszki, który dość oficjalnie
usiadł za biurkiem, jakby chciał podkreślić, że asys-
tuje przy urzędowej rozmowie, dodał:

– Zacząłem się ostatnio włóczyć po świecie, to
mnie już plotki wrobiły w Hiszpanię. Ciekawy
jestem, po której miałbym być stronie?

– Oczywiście po stronie Franco. Ma pan tam
podobno krewnych.

– Panie Cherubinie – zaniepokoił się Janusz – co
to wszystko znaczy?

Cherubin uśmiechnął się niepewnie i bawił się
nożem do rozcinania papieru. Tamten jegomość
poruszył się niechętnie w fotelu:

– Zaraz panu to wszystko wytłumaczę. My do-
staliśmy wiadomość – przeciągał, bynajmniej nie

spiesząc z wytłumaczeniem, kogo miał na myśli mówiąc „my" – że ma pan towarzyszyć siostrze, pani Bilińskiej, która właśnie teraz chce odwiedzić swoją szwagierkę i jej krewnych. A ponieważ majątki hrabiny Caserty znajdują się niedaleko Burgos, siłą rzeczy muszą się państwo znaleźć po stronie generała Franco. Wszak to jasne? – zapytał bardzo rzeczowo i bez uśmiechu.

– Nic jeszcze o tym nie wiem – zakłopotał się Janusz.

– Zapewne siostra nie zdążyła tego panu powiedzieć – rozmawiający strącił popiół z papierosa do niebieskiej popielniczki, która była jedyną jasną plamą w całym tym ciemnym gabinecie. – A może chce pana postawić przed faktem dokonanym? Boi się, aby się pan nie wzbraniał. Spotka więc pana którego dnia z paszportem i biletem w ręce.

Janusz absolutnie nie mógł się połapać, czy nieznajomy jegomość kpi z niego, czy też mówi na serio. Spojrzał na Cherubina, ale ten unikał jego wzroku.

– Chyba nie mylisz się, Jerzy? – powiedział do swojego gościa. – Tak obcesowo zacząłeś. Mam wrażenie, że pan Janusz się przestraszył.

– Boże mój, co za podejrzenie – zaśmiał się Janusz i ten śmiech wrócił mu natychmiast panowanie nad sobą. – Nie odczuwam najmniejszego strachu. Przeciwnie, bardzo bym chciał znaleźć się w Madrycie...

– No, chyba na razie do Madrytu będzie pan miał daleko – powiedział spokojnie ten, którego Kołyszko nazywał „Jerzy".

– Ale i Burgos coś warte – zauważył Myszyński.

- Czy pan zna Hiszpanię? – spytał obcy pan.
- Nie, nigdy jeszcze tam nie byłem – powiedział Janusz.
- Zresztą to wszystko jedno. Mielibyśmy do pana prośbę. Mamy do przesłania pewien list...
- Jak to? Do kogo?
- Adresat będzie na razie anonimowy.
- To jakże ja go znajdę?
- Nie będzie pan potrzebował go szukać. On sam przyjdzie do pana, jak tylko pan będzie w Burgos.
- Ach, to piękna podróż – naturalnie westchnął Kołyszko.
- W tej chwili nie bardzo – powiedział Janusz, patrząc na dymek z papierosa – i bardzo mnie zastanawia przyczyna, dla której moja siostra miałaby się teraz właśnie tam wybrać... w odwiedziny do krewnych.

Jerzy uśmiechnął się.
- A może nasze informacje nie są zupełnie ścisłe. Nie chciałbym jednak pana jeszcze raz trudzić. Może pan na razie mi powie: gdyby pan jechał do Hiszpanii, czy podjąłby się pan przewiezienia pewnego listu?
- Czy to jest list do rewolucjonistów? – spytał Janusz. – I co może taki list zawierać?
- Czy to nie jest panu wszystko jedno? – spytał w odpowiedzi Jerzy. – Oczywiście wolałby pan wiedzieć, jaka jest treść tego listu, ale niestety nie mogę tego panu powiedzieć. O tym sam nie wiem. Zresztą pana nic nie spotka, jedzie pan w towarzystwie pańskiej siostry... O ile się nie mylę, hrabia Caserty jest adiutantem generała Franco.

– Łudzi się, że tu chodzi o restytucję monarchii – dodał z jakimś snobistycznym zadowoleniem Cherubin.

Janusz spojrzał znowu na swojego rozmówcę. Siedział rozparty w fotelu i zupełnie otwarcie patrzył na Janusza w sposób ironiczny. Januszowi zrobiło się nieprzyjemnie.

– Wyglądam w tym wszystkim dziwnie – zauważył z niechęcią.

– A jakby pan wolał? Czy żeby to był list do generała Franco, czy też do rewolucjonistów?

– Zdaje mi się, że to właśnie generał Franco uważa się za rewolucjonistę i powstał przeciwko władzy legalnej? Nie? – zirytował się Janusz.

– Widzę, że pan jest dobrze poinformowany – powiedział Jerzy.

– A ja widzę, że pan ma mnie za kompletnego idiotę. – Janusz wstał z fotela i zaczął się przechadzać po gabinecie.

– Ach, panie kochany – powiedział zaniepokojony Kołyszko – niechże się pan tym wszystkim nie przejmuje. Nie chce pan wziąć listu, to nie...

Janusz spokojnie patrzył na niego.

– Niech się pan postawi w moim położeniu. Wszyscy igrają mną jak kot z myszką. Siostra moja wysyła mnie do Hiszpanii...

– Może to nieporozumienie.

– Nie może to być nieporozumienie. Widzę po waszych minach, że wiecie o tym o wiele lepiej ode mnie. A może i nie tylko to wiecie? Wszystko mi jest jedno.

– Nie chciałbym, aby pan czuł do nas jakiś żal – powiedział jeszcze Jerzy.

– O jakich tu może być mowa żalach? Mógłbym najwyżej mieć żal do mojego losu, że stworzył ze mnie wiecznego kibica. Ale i kibice potrzebni... nawet w naszych czasach. Oczywiście, że wezmę list...

– Odda pan temu człowiekowi, który panu powie, że przychodzi od Jerzego. Wszystko jedno, czy będzie mówił po hiszpańsku, czy po francusku, czy może jeszcze jakim innym językiem... W każdym języku imię wymówi tak, jak ja teraz wymawiam: „Jerzy". I odda pan mu ten list.

– I więcej nic?

– Więcej nic.

– Kiedy ten list otrzymam?

– W dzień wyjazdu.

Janusz pożegnał się szybko i wrócił na Bracką. Stanisław w przedpokoju powiedział mu, że księżna czeka na niego w salonie i że ma do niego ważny interes.

– Wiesz – powiedziała Marysia Bilińska, gdy wszedł do małego salonu – mam do ciebie prośbę.

Janusz usiadł spokojnie na kanapce i oglądał końce swoich butów.

– Czy nie mógłbyś mi towarzyszyć do Hiszpanii?

– Do Hiszpanii? – udał zdziwienie Janusz. – A po co?

– Mam pewne sprawy majątkowe, które muszę omówić z hrabiną Caserty. A ona teraz jest w Hiszpanii. Ich majątek leży pod samym Burgos.

– A oni są w majątku?

– Nie. Administrują nim mieszkając w Burgos. Musimy pojechać do Burgos....

Janusz się zaśmiał.

178

– Musimy – powtórzył. – Chcemy... to inna sprawa. Czy masz jakieś polecenia z MSZ? – dodał obcesowo.

Marysia zaśmiała się.

– Wyglądałabym bardzo niewyraźnie w roli Maty-Hari. Nie. Chodzi mi jeszcze o niektóre sprawy spadkowe. Za dwa lata Alo będzie pełnoletni. Chciałabym, aby swój majątek mógł objąć bez żadnych przeszkód i żeby zastał stan interesów w największej czystości...

VI*

Jechali przez Biarritz i Saint-Jean de Luz. Samochodem z jakimś nie bardzo pewnie wyglądającym szoferem. Janusz czuł się znakomicie i coraz bardziej bawiła go ta cała wyprawa. Co prawda nie odczuwał jej powagi, raczej uważał to za jakąś improwizowaną zabawę.

Z Saint-Jean de Luz skierowali się ku Pirenejom i zbliżyli się do wąwozu, w którym niegdyś dął w róg wspaniały rycerz Roland. Papiery mieli wszystkie w porządku i ambasador polski w Paryżu ze strachem bożym – po prostu z lękiem w oczach – wręczał księżnej te przepustki.

– Boże drogi, proszę księżnej – powiadał – czy akurat pani musi tam jechać w takiej chwili? Czy to są naprawdę tak ważne sprawy?

---

* Niektóre pomysły tego rozdziału zaczerpnięte są z książki Ksawerego Pruszyńskiego *W czerwonej Hiszpanii.*

– Sprawy materialne są zawsze najważniejsze, panie ambasadorze – zaśmiała się lekceważąco Bilińska.

Janusz chodził za nią jak cień, ale ambasador na jego temat nie wyrażał żadnych obaw. Wspaniały i wąski wąwóz wcinał się w góry jak nóż. Co kilkaset metrów stali strażnicy żandarmerii francuskiej, ale widać byli uprzedzeni o przejeździe samochodu, bo nie zatrzymywali podróżnych. Dopiero na samej granicy odbyły się wielkie ceregiele.

Oczywiście urzędnicy francuscy zrozumieli, że mają tu do czynienia z jakimś wyjątkowym wypadkiem i sprawnie zapisali nazwiska podróżujących, ich wiek i różne takie informacje. Nie zaglądali do kuferków. Za to Hiszpanie pozwolili sobie na długie dochodzenie przez tłumacza. Tłumacz wzruszał ramionami (był to pół Francuz, pół Hiszpan, pełen młodego wdzięku), ale musiał przekładać rodzeństwu bezmyślne pytania, które badający żandarm uważał zapewne za sprytne i zaskakujące.

– Pani mu wybaczy – powiedział tłumacz nareszcie – ale niech pani zrozumie. Tutaj zaraz są ci okropni Baskowie. On się boi, że państwo do nich jadą.

Janusz uspokoił go:

– Niech się pan nie lęka. My bardzo dobrze rozumiemy... Wiemy doskonale, jaka jest w tej chwili sytuacja na tej granicy...

– Co on powiedział? Co on powiedział? – zaniepokoił się żandarm. Tłumacz zmieszany bełkotał byle co.

Wreszcie udało im się wykpić z tej całej matni.

– Ty już nie pamiętasz rosyjskich żandarmów – powiedziała Marysia – nie jeździłeś przed wojną za granicę. Szalenie mi ich ci Hiszpanie przypominają...

Janusz spojrzał na drogę. Szybko oddalali się od gór, zjeżdżając w dolinę. Była gładka, brązowoczerwona i monotonna. Droga przesiekała ją prosto jak strzelił. Spalone, nie zaorane pola ciągnęły się wielkimi płatami aż po sam horyzont.

– Mnie i ten pejzaż – powiedział – przypomina Rosję.

Marysia nic nie odpowiedziała.

Brązowe pola jak gdyby nadymały się, kolorem i fakturą przypominając weneckie żagle. Wysoka równina Starej Kastylii uderzała przede wszystkim swoją barwą. Miejscami ciemnofiołkowy brąz zapadał się w dolinkę.

– Na Podolu takie dolinki nazywają „bałki" – powiedziała Bilińska.

W owych „bałkach" szeregi topoli, smukłych, wysokich i jeszcze zupełnie zielonych, ciągnęły się długimi rzędami, a liście ich, bardzo błyszczące, poruszały się na wietrze, z rzadka tylko przetykane żółtymi plamami.

W jednej z dolinek ujrzeli mały folwark. Niskie budynki koloru ziemi skupiły się w kwadrat. Na klepisku obok folwarku leżały złote pszeniczne pokosy. Kręciły się po tej pszenicy sanki uwiązane do kołka pośrodku. Sanki te ciągnął czarny, błyszczący byczek, a na dziwnym wehikule siedziała gruba baba w obfitej czarnej sukni i w czarnej chuście na głowie.

Janusz obejrzał się ze zdziwieniem na widok tej prymitywnej młocki.

– O takich rzeczach „u nas na Ukrainie" dawno zapomnieli – uśmiechnęła się Bilińska.

Bocznymi drogami wyminęli Pampelunę i podjechali do miasteczka, które się nazywało Alsassua.

Tutaj się zatrzymali, chcieli coś zjeść, do Burgos było jeszcze daleko.

Miasteczko, a właściwie wioska, poruszyło się zaalarmowane przybyciem francuskiego samochodu. Dzieci i młodzież bez żenady otoczyły pojazd. Starsi spoglądali z daleka – i bardzo podejrzliwie. Szofer nalegał, aby zaraz jechać, Marysia jednak twierdziła, że umiera z głodu. Piętrowy dom, który zdał się być cały ulepiony z gliny jak gniazdo jaskółcze, nosił dumny napis dużymi literami: „Hotel la Perla". Weszli, aby „coś zjeść". Tymczasem to coś, jak zwykle w Hiszpanii, zmieniło się w długą listę potraw. Marysia opowiadała Januszowi i onieśmielonemu szoferowi, że dawniej „w całej Europie" bywało takie menu. Co prawda podawano prędko, ale nim zdołano postawić przed gośćmi i zabrać prawie nie tknięte: jakąś potrawkę z móżdżku, muszelki natkane zieloną masą, bardzo tłustą wieprzowinę – przeszła godzina i zaczęło się ściemniać. Gdy rejestr obiadu doszedł do kawy, szofer wyszedł i zaraz wrócił z bardzo głupią miną: wszystkie cztery gumy były przekłute i samochód osiadł w sposób równie śmieszny, co smutny. Janusz sprawdził meldunek. Rzeczywiście jechać dalej było niepodobna.

Marysia bardzo się zirytowała, jak gdyby to nie z przyczyny jej „straszliwego głodu" zrobiła się ta cała heca. Szofer twierdził, że na reperację i sklejenie gum potrzebuje co najmniej trzech godzin przy świetle, musiano więc nocować w Alsassua. Szofer ze strachem ułożył się w samochodzie, aby go pilnować: boć przecie nie bez przyczyny maszynę tak okaleczono. W hotelu „Perla" zaś był tylko jeden pokój wolny, co prawda duży, na piętrze, ale tym zabawny, że podłoga jego pochylała się spadzisto ku oknom i gdy się po nim chodziło, miało się wrażenie, że się wypadnie na plac. W miasteczku zaległy jesienne ciemności. Łóżka stały pod dwoma przeciwległymi ścianami pokoju, dość daleko od siebie. Marysia kazała przynieść staroświecki parawan, którym otoczono jej łoże – tworząc jak gdyby sypialnię. Służbę stanowiła stara pokojówka i młodziutki chłopak, niezwykle zastrachany. Bardzo wcześnie ułożono się do snu, za oknami było ciemno i w dalekiej stronie brzmiały gdzieś gitary i mandoliny. Nie grały one sentymentalnych pieśni południowych, ale szybkie, chwytne, wesołe marsze hiszpańskie w typie „matchicha". To także przypominało Januszowi Odessę.

Była zaledwie dziesiąta, gdy zgasili światło. Bilińska już chwilę mościła się na swoim łóżku. Było ono równie pochyłe jak podłoga całego pokoju, i kołdra zsuwała się z nóg. Janusz patrzył w okno. Gdy wzrok przyzwyczaił się do ciemności, okno stało się granatowe i ukazały się wielkie gwiazdy.

– Jak to dawno już, kiedy spaliśmy w jednym pokoju? – spytał siostry.

Marysia poruszyła się.

– Nie pamiętam, czy w ogóle sypialiśmy kiedy w jednym pokoju.

– Jak to? – powiedział Janusz. – A kiedy mieliśmy szkarlatynę?

– A tak, podczas szkarlatyny.

– Ile wtedy mieliśmy lat? Ja osiem...

– No, to ja czternaście – powiedziała Bilińska.

Janusz chrząknął znacząco. Różnica wieku między nimi stawała się z każdym rokiem mniejsza.

– Jak te gitary grają – zwróciła Marysia rozmowę na inne tory. – Z czego oni się tak cieszą?

– Z tego, że Franco wygrywa – rzucił ironicznie Janusz.

– O, rzeczywiście.

– Nie, ale to przyjemna taka muzyka z daleka.

– Jak dla kogo.

– Po szkarlatynie leżeliśmy w jednym pokoju. Pannie Tekli było łatwiej nas tak pielęgnować. I właśnie muzyka ojca dolatywała tak z daleka jak teraz te gitary. Co on wtedy grywał?

– Nie pamiętam.

– O, ja dobrze zapamiętałem te czasy. Ojciec zawsze przychodził mówić nam dobranoc. Nad twoim łóżkiem się pochylał i całował w czoło, a mnie z daleka kiwał ręką i mówił: *bonne nuit*.

– Nie pamiętam.

– Ale ja pamiętam. Nigdy tego nie zapomnę. Ten żal, jaki wzbierał w moim sercu za każdym razem, co ojciec całował ciebie w czoło.

– Musiałeś mnie nienawidzić.

– Nie, to nie była nienawiść do ciebie. Żal w sercu, żal, że takie mam życie, a nie inne. Zupełnie jak teraz.

– A teraz – masz żal do życia?

– Bo mnie tak jakoś głupio urządziło.

– Życie urządziło ciebie czy ty urządziłeś życie? Janusz zaśmiał się.

– Mądra jesteś – powiedział.

– Zawsze mnie traktowałeś z ironią. Uważałeś mnie za idiotkę – ze złością powiedziała Bilińska.

– Chyba nie. Gdzieś we wczesnych latach – przypominał sobie Janusz, patrząc na granatowe okna – może nawet ciebie kochałem. Aleście z tego mojego uczucia zrobili ładną miszkulancję.

– Zrobili? Kto?

– Ojciec przede wszystkim. Ojciec z tą swoją fanatyczną miłością do ciebie wszystko popsuł. Mając piętnaście, czternaście lat, w epoce twojego mariażu nienawidziłem ciebie.

– A teraz nie nienawidzisz?

– Nie. Teraz nawet ciebie lubię. Łączy nas tyle wspomnień. Tylko zawsze zastanawia mnie, jak bardzo jesteśmy różni. Dziwi mnie, że brat i siostra mogą być do tego stopnia do siebie niepodobni.

– Ja jestem podobna do ojca, ty do matki – cicho i jakby w zamyśleniu powiedziała Bilińska.

– Czy ty dobrze pamiętasz matkę? – spytał Janusz.

– Jak przez mgłę – po chwili, po namyśle, podczas którego zapewne przywoływała w pamięci rysy zmarłej, powiedziała Marysia. – Byłam dość dużą dziewczynką, kiedy się ty urodziłeś, ale byłam otoczona guwernantkami, nauczycielkami... Mało ją widywałam. Jadałam w dziecinnym pokoju – z pewną goryczą dodała. – Ale mama była piękna, wysoka, smukła i miała takie rysy jak ty. Brwi do góry nieco końcami skośno wzniesione i ten równy, krótki nos. Usta, zdaje się, miała inne. Pamiętam ją także w trumnie...

– Była ciemna jak ja – skonstatował Janusz.

– Właśnie. Dlaczego teraz pytasz o matkę?

– Lepiej teraz niż nigdy. Nigdyśmy o matce nie rozmawiali.

Marysia gorzko się zaśmiała.

– Nigdyśmy o niczym nie rozmawiali – zauważyła. – Uważasz widocznie mnie za zbyt głupią, abym cię mogła zrozumieć.

– Za głupią?

– Wydaje mi się, że Zosia nie była wcale mądrzejsza ode mnie, a z nią potrafiłeś rozmawiać.

– Niestety – westchnął Janusz – także niedużo.

Marysia poruszyła się w łóżku, jak gdyby opierała się na łokciu. Przez chwilę słychać było daleki chór mandolin i gitary.

– Dlaczego ty się właściwie ożeniłeś z Zosią? – zapytała spokojnie Marysia. – Powiedz mi naprawdę.

– Wiesz, że nie wiem – odpowiedział Janusz od razu, nie robiąc żadnej pauzy. To sformułowanie nie potrzebowało żadnego zastanowienia.

Przez chwilę milczeli. Nareszcie wesołe marsze umilkły i rozległy się brzęki, jakie gitary wydają poprzedzając pieśni,

– Ach, niech oni nie śpiewają – wyraziła pobożne życzenie Bilińska.

– Wiesz, szofer mi powiedział, że Pampeluna otoczona jest przez Basków.

– Trudno, jutro już będziemy w Burgos. Tu nas nie zabiorą.

– Ty jednak jesteś odważna – westchnął Janusz.

– Zapominasz, co przeszłam dwadzieścia lat temu.

– Jakoś ich wyminęliśmy, jadąc tutaj – powiedziała Bilińska po chwili, bo Janusz stanowczo gotował się do snu. Patrzył na granatowe okna i słuchał brzęku gitary, który się przybliżył. I nagle począł mówić spokojnie i cicho, potem się ożywił.

– Myśmy nigdy z sobą nie rozmawiali naprawdę. Raczej jesteśmy w stosunkach salonowych. Nie powiedziałaś mi nigdy, ani razu przez cały czas naszej młodości... i potem... nie powiedziałaś mi nigdy nic z tych rzeczy, co siostra mówi do brata. Co Elżunia mówiła Edgarowi. Nie powiedziałaś mi nigdy, co o mnie myślisz. A przecie musiałaś coś o mnie myśleć. Nie powiedziałaś mi nigdy, co sądzisz o moim gospodarstwie – nawet. A przecież to ty kupiłaś mi Komorów... Może dlatego, żeby z czystym sumieniem rozporządzić drugą częścią uzyskanych pieniędzy, ale kupiłaś mi Komorów... razem z Zosią. Kupiłem ją, jak Połaniecki Marynię... i też nigdy mi nic nie powiedziałaś. Przecież jestem ten bezpłodny, niepotrzebny, nieproduktywny odprysk, ostatnie ogniwo naszej rodziny, naszej klasy... Przypomniał mi się Janek Wiewiórski i cała „poezja proletariatu"... Przecież widzisz, że marnuję się, że gniję, że piję, że siedzę miesiącami w Komorowie bezczynnie i bezmyślnie... i nic, nic nigdy mi nie powiedziałaś. Nie miałem nigdy matki, a ty byłaś moją starszą siostrą, znacznie starszą – wiesz dobrze, chociaż udajesz, że nie pamiętasz, wiesz dobrze, o ile starszą. Mogłaś mi zastąpić matkę. Wiedziałaś, że ojciec mnie nie cierpiał. Matki nie miałem. A ty byłaś zupełnie na to wszystko obojętna, przepuszczałaś mnie mimo swoich oczu jak jakiegoś przechodnia na ulicy. Gardziłaś moją żoną... ponieważ nie była *quelqu'un* *. I teraz nagle w hiszpańskiej wiosce, w tej czarnej nocy ośmielasz się zadać mi pytanie: dlaczego ja się ożeniłem z Zosią? Nie masz najmniejszego prawa moralnego pytać mnie o Zosię... – i po chwili: – Ja cię nigdy o Kazimierza nie zapytałem.

Skończył głośno i z ferworem. Od strony parawanu doleciał go dźwięk, jakby kto drapał paznok-

---

* kimś

ciem w ścianę. Czy to w ten sposób Marysia wyra-
żała swoją niecierpliwość?

– Śpisz? – zapytał.

– Nie – odpowiedziała krótko i wyraźnie, bardzo
trzeźwym głosem. I po chwili dodała:

– Rozmaite są pojęcia o rodzinie na świecie.
Mnie się wydaje, że żadna osoba *bien élevée** nie ma
prawa włazić z kaloszami do duszy innej osoby.
Staram się zawsze być delikatna. Nigdy nikomu nie
zadaję niepotrzebnych pytań. I rzeczywiście nie
wiem, skąd mi to przyszło. Zadałam ci pytanie
zupełnie niepotrzebne.

Janusz zaśmiał się gorzko.

– Zawsze jesteś taka sama – powiedział. – „Księżna Bilińska", *bien élevée*. Czasami podejrzewam, że
w ogóle serce ci się zmieniło w *carnet mondain***.
Masz tam zapisane terminy przyjęć i daty urodzin
czy raczej imienin. No, oczywiście także daty ob-
cinania kuponów. Tego się nie zapomina. A jednak
coś się tam w tobie porusza: najlepszy dowód, że
zapytałaś mnie o Zosię. Chciałaś się dowiedzieć,
czy ją kochałem. Otóż dowiedz się: kochałem ją,
kochałem, kochałem. Tak, kochałem Zosię, chociaż
się to wam wszystkim wydaje nieprawdopodobne.

– Niepotrzebnie się unosisz – spokojnie powiedziała Marysia. Widocznie odzyskała całą rów-
nowagę.

W tej chwili gitara brzęknęła pod samym oknem
i nagle poderwał się gwałtowny lament zaśpie-
wany pełnym głosem przez chłopca obdarzonego

---

* dobrze wychowana
** kalendarzyk towarzyski

barytonem o wyjątkowo słodkim brzmieniu. Głos natężył się i wzniósł wysoko, opadając zawrotnie trudnymi melizmami. Śpiewak stał tak blisko, że zdawało się, był w tym samym pokoju. Potem urwał tak gwałtownie, jak zaczął. Słychać było oddalający się krok i gitara odezwała się znacznie dalej w ciemności.

– Dziwna noc – powiedział Janusz.

Przez chwilę milczeli.

– Ja się wcale nie unoszę – znowu zaczął on – tylko mnie bardzo niecierpliwi twoje umiarkowanie. Stosujesz je zresztą zawsze, całe życie, gdy chodzi o moją osobę. Uważasz, że jestem „wulgarny".

– Co ci się śni, Janusz? – dość niepewnym głosem powiedziała Marysia.

– Śni mi się. Zawsze mnie nienawidziłaś. Może za to, że byłem mężczyzną.

– Taki mężczyzna.

– Oho, kłujesz...

– A ty mnie... kochałeś – skonstatowała Marysia.

– Nie mówmy o tym.

– A ty się bardzo zastanawiałeś nad moim życiem? Czy ty wiesz o mnie choć setną część tego, co ja wiem o tobie? Czy ty kiedykolwiek starałeś się ułatwić mi sytuację? Czy kiedykolwiek zainteresowałeś się tym wszystkim, co ja przeżywałam... *depuis toujours, depuis cette nuit terrible...* * Czyś ty mi kiedykolwiek podał braterską rękę? O, nie myśl, że ja na to czekałam. *Je savais que c'était impossible.* **

---

* zawsze, od tej strasznej nocy
** Wiedziałem, że to niemożliwe.

Znałam cię, znałam cię o wiele lepiej niż ty mnie. A ty nie miałeś pojęcia o moim życiu, poczynając od mego ślubu. Biliński... nic nie wiesz o Bilińskim...

Janusz rzucił, tak jakby się uśmiechał w ciemności:

– Nikt nic nie wie o Bilińskim.

– Nikt nic nie wie o Bilińskim... i o mnie – ciągnęła Marysia. – Gorzej, że nikt nic nie wie o Bilińskiej.

– Starałaś się o to.

– Tak, ukrywałam moje życie. Ale czy ty choć raz zastanowiłeś się nad tym, jakie było to życie? Ile się musiałam namęczyć?

– Bo stwarzałaś sobie fałszywe obowiązki.

– Jak to?

– Powinnaś była od razu wyjść za mąż za Spychałę.

– Och, łatwe są twoje decyzje. Póki żyła księżna Anna, nie mogłam. A potem... O, ta baba mnie obstawiła. Wiedziała, że będę się bała gospodarowania hrabiny Caserty.

– Nie rozumiem tych wszystkich skrupułów.

– Właśnie. Powinieneś mi był choć raz w życiu powiedzieć, że nie rozumiesz tych wszystkich skrupułów.

– W tej chwili ci mówię.

– Trochę za późno – sarkastycznie powiedziała Marysia.

– Czybyś mnie posłuchała?

– Nie. Oczywiście, że nie. Ale wiedziałabym przynajmniej, że ktoś coś o mnie myśli, że ktoś coś o mnie uważa... że sądzi, jak mam postąpić. Że ktoś oprócz mnie samej myśli o moim życiu. Ty nigdy nie pomyślałeś o moim życiu. O to mi chodzi, to ci mam do zarzucenia. Więcej nic.

– Zupełnie to samo co ja tobie. Nie zastanawiałaś się nad moim życiem.

– Kupiłam ci Komorów, to znaczy, że zastanawiałam się, jak będziesz żył. Wiedziałam, że bez cieplarni nie dasz sobie rady.

– Jak mam to zrozumieć?

– Jak chcesz. Ale nie możesz mi odpłacić tą samą monetą. Ja miałam to swoje trudne i wstydliwe życie. Unikałam wzroku Ala. A jednak umiałam pomyśleć o tobie...

– Jednym słowem, ty jesteś ta lepsza – powiedział zniecierpliwiony Janusz i wylazł z łóżka. Podszedł w piżamie do okna, potykając się o meble na spadzistej podłodze.

– Uważaj, wylecisz przez okno – powiedziała Marysia – ta podłoga jest okropna.

– Jeżeli nawet wylecę, to dziura w niebie się nie zrobi – rzucił Janusz.

– Niestety, żadna ludzka śmierć nie wywołuje dziury w niebie.

– Niestety.

Okno było ogrodzone rodzajem kutej balustradki. Janusz oparł się o nią i spojrzał na placyk miasteczka. Było zupełnie czarno. Kiedy się tak przechylił w ciemność i ciszę, doleciał go bardzo daleki, nieokreślony pogłos, jak gdyby przeciągły huk.

– My tu gadamy – powiedział – a tam armaty grają. Słyszysz?

Milczeli przez chwilę.

– Taki daleki huk – mówił Janusz – słyszysz?

– To armaty? – ze zdziwieniem spytała Marysia.

– Chyba armaty. Nic innego nie może być.

– A skąd?

– Chyba spod Pampeluny.

– Biją się?

– Biją.

– A po co?

– To już ich spytaj. Albo hrabiego Caserty, który jest podobno adiutantem generała Franco.

– Intendentem – poprawiła Marysia.

– Nie jest to wielka różnica.

Janusz wrócił do łóżka i ułożył się cierpliwie na drewnianym, skrzypiącym wyrku.

– Pamiętasz, jakeśmy jechali na odpust do Berszady? Było straszne błoto i ojciec kazał zaprząc sześć koni, cztery w poręcz i dwa w lic z przodu. Jechaliśmy otwartym brekiem i błoto waliło nam na twarze. I powiedziałem potem, że wyglądasz jak indycze jajko – a ty się rozpłakałaś.

– Och, nie dlatego się rozpłakałam, że powiedziałeś ten głupi dowcip.

– Wiem. Wiem, dlaczego się rozpłakałaś. Kochałaś się w Dmyterku, który powoził. Był taki śliczny, młody i pięknie wyglądał w kozackiej liberii z czerwonym pasem.

– Skąd wiedziałeś?

– Domyślałem się. Łatwo się było domyślić. A właściwie mówiąc, domyśliłem się w momencie, kiedy się rozpłakałaś. Okropnie mi było ciebie żal.

– Naprawdę?

– Jedyny raz, kiedy mi cię było żal. Naprawdę żal. Potem to już mnie tylko niecierpliwiłaś. Nigdy nie miałem pretensji do tego, żebyś mnie nazywała dobrym bratem.

– To prawda.

Znowu rozległy się kroki i jakaś jakby niecierpliwa dłoń uderzyła w gitarę, w pudło gitary, co się rozległo prawie jak wystrzał.

Janusz westchnął.

– Nie mamy spokojnej nocy – powiedział. – Gitary i armaty.

Marysia przeciągnęła się.

– Jesteśmy przecież w Hiszpanii – powiedziała cedząc słowa po swojemu.

VII

W Burgos nad cytadelą jest takie jedno miejsce na wzgórzu, gdzie rosną wysokie osty. Zupełnie jak na granicy Podola i Kijowszczyzny. Prawie nie widać stamtąd dachów cytadeli, natomiast katedra widna jak na dłoni, można przeto uważać, że to jest „wzgórze nad katedrą". Janusz odkrył to miejsce w parę dni po przyjeździe i spędzał tu całe ranki na czytaniu. W hotelu „De Londres" było piekielnie nudno. Mieszkali tutaj oficerowie Franco, jadalnia była pełna mundurów – a na nich gapiono się podejrzliwie. Szwagierka Bilińskiej także tu mieszkała. Bilińska spędzała na rozmowach z nią całe popołudnia. Z rana nie wychodziła ze swojego pokoju. Janusz jak zwykle wstawał wcześnie, brał książkę i szedł na swoje wzgórze. Burgos jest niedużym miastem i drogę miał niedaleką. Ulicą Lain Calvo dochodził do katedry, mijał ten budynek, podobny do bukietu zasuszonych kwiatów, i ścieżkami wzdłuż muru cytadeli dochodził do spalonego wzgórza z bodiakami.

Janusz zaopatrzył się w Paryżu w jakiś ogromnie teraz modny tom filozoficzny Auclaira *De la tristesse humaine* *, grubą książkę wydaną przez Plona, trochę trudną do noszenia. Jednakże dźwigał ją teraz codziennie na owo wzgórze i pracowicie ją czytał. Nie miał nic lepszego do roboty. Treść książki francuskiego pisarza bynajmniej nie odpowiadała ponuremu tytułowi. Filozofia była łatwiutka, twierdziła, iż człowiek smuci się i kłopocze niepotrzebnie. Auclair przytaczał przy tym biografie sławnych ludzi, podając tysiączne o nich szczegóły, co jedli, co pili, jak (i z kim!) sypiali, i starał się pokazać, jak byli szczęśliwi. Wszystko to opowiedziane znakomitym stylem, pełne pięknych porównań i bezbłędnie zbudowanych zdań, było tak oderwane od prawdziwego życia, że czytanie książki wprawiało Janusza w rodzaj euforii. Tym właściwościom dziełko Francuza zawdzięczało zapewne rozgłos i powodzenie. Kontrast rzeczy „o smutku ludzi" z otaczającym światem był zbyt wielki, aby Janusz mógł te piękne okresy brać na serio. Zwłaszcza tu, w Burgos, gdzie go w hotelu otaczali sami wojskowi: pewni siebie oficerowie sztabowi i całe szamerowane otoczenie generała Franco, które prócz tego, że wzbudzało w Januszu odrazę, nudziło go potężnie. Sam nie rozumiał tego, co się z nim dzieje i skąd się tu wziął. Wolał owo wzgórze, aby w samotności uciekać od prawdy i czytać te pięknie napisane bajki o „wielkich" ludziach.

---

* *O smutku ludzkim*

„Raczej bym wolał jednak *Bajki z 1001 nocy*"
– myślał sobie Janusz, zasiadając na wypalonym
przez słońce wzgórzu i otwierając źle zbroszurowa-
ne arkusze wielkiej książki.

Gdy podnosił oczy znad kart słodkawego dzieła,
widział przed sobą wzdęte, wysokie wzgórze
– wznoszący się nad miastem brunatny płaskowyż
Starej Kastylii i w załomie tej wyżyny wieże katedry. Wobec tych dwóch ogromów i miasto samo,
i cytadela gubiły się w dole.

Z tego miejsca, gdzie siedział, wieże katedry
widniały tak, jakby się podnosiły z ziemi lilie
polne. Pośrodku ogromnej nawy wznosiła się
kopułka otoczona drobnymi wieżyczkami – ta już
zupełnie do kwiatu podobna. To był naprawdę
zadziwiający obiekt – i jak gdyby realniejszy od
rzeczy, które Janusz wyczytywał w modnej francuskiej książce. Zadziwiający szesnastowieczny
gotyk tkwił w pejzażu zupełnie tak samo jak
wielki krzak ostu, obok którego Janusz siedział na
kamienistym, częściowo tylko pokrytym trawą
gruncie.

„Co za cierpliwość! Tak długo, przez tyle wieków
budować w jednym stylu. Dlaczego my teraz tak
nie możemy?".

Zaraz pierwszego dnia, kiedy Janusz wdarł się na
owo wzgórze nad cytadelą i bardziej kontemplował
pejzaż przed sobą, niż czytał książkę, zauważył
młodego człowieka, który przyszedł tą samą ścieżką co i on. Wysoki, szczupły i bardzo czarny chłopiec w obszernym, podług tutejszej mody noszo-
nym berecie, ujrzawszy wygodne miejsce pod krzakiem bodiaków zajęte, stropił się nieco i zawahał.

Zatrzymał się i przez chwilkę patrzył na Janusza, ale ujrzawszy widać, że czyta francuską książkę, zdecydował się, przeszedł obok Janusza i siadł na wzgórku dość daleko od niego, tak że garb naturalny zakrył go przed wzrokiem cudzoziemca. Spojrzenie, jakim obdzielił Janusza, przechodząc koło niego, zdradziło, że uważa go za natręta. Janusz akurat w tym miejscu natrafił na ustęp nieco ciekawszy: Auclair podawał wiadomości nie znane mu dotychczas ze „szczęśliwego" życia Leonarda da Vinci. Zagłębił się przeto w książkę i nie zwracał uwagi na to, co się naokoło dzieje. Słyszał tylko, że chłopiec chrząka od czasu do czasu i pociąga nosem jak pracowity uczeń pełen staranności siedzący nad wypracowaniem. To sapanie przeszkadzało mu nieco, znowu więc oderwał wzrok od książki.

Daleki brązowy horyzont nad żółtymi, jak wydłubanymi w koronkowym jaspisie wieżyczkami i wieżami katedry, wydał mu się pociągający. Nawet trochę tajemniczy, chociaż jednocześnie bardzo rodzimy. I tutaj Hiszpania mu przypominała Podole i podróże do Marysi Bilińskiej. Ostatnia rozmowa z Alsassua nie przybliżyła mu dzisiejszej Marysi; była mu ona wciąż jednakowo obca; otoczyła ją jednak atmosfera najodleglejszych wspomnień. Rozmowa z siostrą przypomniała mu dzieciństwo – i ten step przed oczami nasuwał najdawniejsze skojarzenia. Nie darmo przypomniał mu się odpust w Berszadzie.

Spojrzał na zegarek: trzeba już było iść na śniadanie. Niechętnie wracał do towarzystwa, które pozostawił w hotelu „De Londres". Nudziły go rozmowy pyszałkowatych panów, z których zresztą niewiele rozumiał: większość z nich prowadzona była po hiszpańsku. W języku tym zaledwie się rozpoczynał orientować. Gazety już mógł czytać.

Gdy stanął na równe nogi, mógł widzieć chłopca. Siedział opodal, trochę w dole i z wielkim wysiłkiem, licząc coś na palcach i powtarzając półgłosem, pisał ołówkiem w dużym ceratowym zeszycie. Zrzucił beret z głowy – był krótko ostrzyżony – i pisząc tak, smarując swoim ołówkiem, przypominał uczniaka rozwiązującego arytmetyczne zadanie na procenty.

Janusz uśmiechnął się i zrobiwszy parę kroków pochylił się nad młodzieńcem.

– *Que faites-vous ici?* ★ – zaryzykował francuskie pytanie.

Chłopak odpowiedział mu znakomitą francuszczyzną.

– O Boże... tak mnie pan podszedł. Ja tu codziennie przychodzę pracować i zawsze siedzę na tym miejscu, które pan mi dziś zabrał.

– Jutro ustąpię panu tego miejsca, a sam siądę gdzie indziej – powiedział Janusz.

– A pan jutro znowu przyjdzie? – spytał chłopiec.

– Chyba tak. Jeżeli będzie pogoda.

– O, pogoda teraz pewna. Przez cały październik.

– Wobec tego przyjdę. Co mam robić?

– Pan cudzoziemiec? – spytał tamten.

– Tak.

– Ładne, co? – wskazał szerokim gestem sterczące żółte kwiaty katedry.

_____

★ Co pan tu robi?

– Tamto ładniejsze – pokazał Janusz wznoszące się fiołkowe pola.

– Stara Kastylia – z jakimś dziwnym akcentem powiedział chłopiec.

Janusz spojrzał na niego ze zdziwieniem.

– Pan nie jest Hiszpanem? – spytał.

– Bask – krótko powiedział chłopiec i zachmurzył się.

– Pan jest Baskiem? – zdziwił się Myszyński.

– Słyszał pan o takim narodzie? – z ironią spytał mały.

– A pan słyszał o Polsce? – spytał Janusz.

– Pan Polak? – niedowierzająco przeciągnął chłopiec.

– Baskowie robili wielkie fortuny w Ameryce Południowej – powiedział Janusz, byle coś powiedzieć.

– Ale w kraju... w domu, nie można powiedzieć, aby się im szczególnie dobrze powodziło... – mruknął chłopiec i naciągnął beret gestem, jakby chciał ukryć swoją głowę.

– Tak, słyszałem – z powagą powiedział Janusz i usiadł koło młodego Baska. Przez chwilę milczeli.

– Co pan tu robi? – spytał Janusz, biorąc z jego rąk książkę w kartonowej szkolnej oprawie z szarego marmurkowego papieru.

Chłopiec wyrwał gwałtownym ruchem książkę z dłoni Janusza. Janusz zażenował się swej bezpośredniości.

– Przepraszam – powiedział i podniósł się z ziemi. – Już późno, muszę iść do miasta – dodał. – Do widzenia!

Chłopiec odpowiedział „do widzenia" tonem rozkapryszonego dziecka, które coś przeskrobało i żałuje swego czynu. Rzucił przy tym Januszowi błagalne spojrzenie. Janusz udał, że tego nie widzi, i zszedł na dół. W hotelu zapomniał o spotkaniu, pokłócił się z Bilińską o bohaterów Alkazaru. Marysia bardzo się nimi entuzjazmowała.

Nazajutrz, kiedy wyszedł z książką na wzgórek, młody Bask już siedział pod ostami. Ujrzawszy Janusza poczerwieniał jak burak i zaczął jeszcze namiętniej smarować w zeszycie, zaglądając raz po raz do marmurkowej książeczki. Gdy Janusz przechodził obok, podniósł oczy na niego i powiedział nieśmiało:

– *Bonjour!*

Janusz odpowiedział śmiechem.

Usiadł trochę niżej i już obrzędowo jak gdyby, zanim otworzył optymistyczną książkę, dowodzącą, że smutek nie ma sensu, rzucił okiem na widok przed sobą. Po drugiej stronie rzeczki Arlanzón widniał ogród, specjalnie jakoś dzisiaj oświetlony, a nad nim wątłe zielone topole. Jak pielgrzymi wchodziły one na okryte jednolitym ścierniskiem wzgórze.

Nagle chłopak zjawił się obok niego i usiadłszy podał mu rękę.

– Nazywam się José Amundzarain – powiedział – i jestem poetą. Ostatnie lata mieszkałem w Paryżu.

Janusz ucieszył się z tej zmiany frontu.

– Och, jak to dobrze, że pan się na mnie nie gniewa – powiedział. – Byłem rzeczywiście zbyt natarczywy. Nie wiedziałem, że to jest tajemnica.

– To żadna tajemnica – powiedział chłopiec, podając mu książkę – to jest po prostu *Antygona*.

Janusz się zdziwił.

– I co pan z tym robi? – spytał.

– Tłumaczę to na baskijski język – powiedział José – już przełożyłem więcej niż połowę. Chciałbym, aby moi bracia – zawahał się przed tym patetycznym słowem – przeczytali kiedyś *Antygonę* we własnym języku.

– Nie jest jeszcze przełożona?

– Nie. Literatura baskijska jest taka uboga. Jesteśmy biedni.

– Nie wszyscy.

– Tak. Ci, co się wzbogacą, zapominają po baskijsku. Stają się Hiszpanami albo Francuzami.

– Ach, tak.

– My jesteśmy biednym narodem – westchnął José. – Jeszcze teraz...

– Co teraz? – spytał bezmyślnie Janusz, bo przecież wiedział, o co chodzi chłopcu. Baskowie walczyli.

José popatrzył na Janusza z wyrazem pogardy w oczach. Czaiło się w nich poczucie wyższości starego, odwiecznego narodu wobec parweniusza.

– Kiedy *Antygona* urodziła się w głowie Sofoklesa, a nawet kiedy mit o Antygonie powstał, my byliśmy starym narodem – powiedział José – mieliśmy swoją wielką literaturę – zapewne – bo nic się z niej nie przechowało.

Janusz teraz wziął z całą swobodą szarą książeczkę z rąk młodzieńca. Był to tekst *Antygony* po grecku. Do książki włożono małe ponumerowane karteczki, na których drobnym, ale wyraźnym pismem widniały przepisane na czysto strofy i antystrofy tragedii w trudnym języku kraju Euzkadi.

W zeszycie José Amundzarain pisał na brudno. Mazał z wielkim zapałem.

– Niech pan przeczyta – powiedział Janusz.

Chłopiec nie dał się prosić. Zrzucił beret i podłożywszy go sobie pod książkę, rozpoczął lekturę. Najpierw czytał po grecku. Janusz nie znał greckiego, było mu to jednakże obojętne. Słuchał przenikliwej deklamacji młodego człowieka tak, jakby rozumiał. Zresztą znał prawie na pamięć owo pierwsze wystąpienie Kreona:

... was z tłumu mieszkańców
Samych wybrawszy, coście zawsze stali
I Lajosowi wiary dochowali...

José przeszedł potem na tłumaczenie. Twardy język baskijski brzmiał mocno, a strofy siedziały jakby rzeźbione w twardym południowym drzewie.

Janusz cały czas przypatrywał się chłopcu. Zwrócił uwagę na jego ostrzyżone włosy. Układały się inaczej niż u innych młodych ludzi spotykanych na ulicach Burgos. Młodzieńcy w Alsassua także się tak nie czesali. Krótkie włosy obejmowała odciśnięta obręcz beretu. Janusz domyślił się, że José jest w wojsku. Tam go ostrzygli i dlatego wyglądał tak niedobrze. Ale dlaczego był po cywilnemu?

Amundzarain czytał dość długo. Wreszcie połapał się, że Janusz słucha tego przez grzeczność, i urwał w pół strofy. Uśmiechnął się z zażenowaniem, kiedy powiedział do swego słuchacza:

– Przepraszam, wynudziłem pana. Zapomniałem, że pan nic nie rozumie.

Janusz chciał go pocieszyć:

– Ależ to brzmi bardzo pięknie. Jaki dziwny język...

– Stary – uśmiechnął się José – starty jak takie kamyki, co znajduje się na dnie rzeki.

– Dużo macie poetów?

– Mamy ich coraz mniej – powiedział José ściągając brwi.

– Co to znaczy?

– Ostatnio zginęło sześciu.

– Jak to „zginęło"?

– Rozstrzelali ich...

– Kto?

– Różni. Raz ta strona, raz druga. Jednego zabili swoi.

– Tak się zabijacie?

– Pan się dziwi. Czy pan nie wiedział, że teraz jest wojna domowa w Hiszpanii?

– Wy jesteście przeciwko Franco?

– A jak pan myślał? My nie jesteśmy przeciwko nikomu, my jesteśmy tylko „za". Jesteśmy za niepodległością Basków. A tego wszyscy Hiszpanie się obawiają. Zarówno monarchiści, jak republikanie, zarówno faszyści, jak socjaliści... Wszystkim jesteśmy solą w oku.

Janusz oczywiście wiedział, że w kraju jest wojna. Słyszał przecie i te armaty pod Pampeluną i widział co dzień przy stolikach w restauracji hotelu „De Londres" umundurowanych ludzi. Ale jeszcze nigdy nie posłyszał tak materialnie wypowiedzianych słów: zabity, rozstrzelany, zamordowany – ksiądz Aristimuno rozstrzelany, ksiądz Panregui zabity, poeta Lemona zamordowany, nowelista Onandio zabity, powieściopisarz Aterri rozstrzelany. Janusz przestraszył się tej monotonnej listy. Ilu trzeba by proporcjonalnie rozstrzelać u nas poetów i pisarzy? Gdy tu rozstrzelano sześciu na piętnastu. Świetny tłumacz, ksiądz Markiegi, rozstrzelany. A u nas, gdyby rozstrzelano Boya, co by się stało? Tu ten młody poeta z obojętnością prawie, z zastygłą twarzą, na której nie widać nienawiści, wymienia tych wszystkich umęczonych.

„Gdzie jest ludzka kultura?" – myśli Janusz – i zadaje potem to pytanie młodemu. Młody się uśmiecha. Gdyby nie był tak młody, uśmiech byłby cyniczny.

– Pan mieszka tutaj? – pyta Janusz.

– Mieszkam u siostry – odpowiada tamten z przymusem – moja siostra mieszka w Burgos. Przyjechałem do niej na parę tygodni.

José miesza się. Janusz chce go uspokoić.

– Niech pan się nie boi. Ja nie jestem szpiegiem.

– A po co pan tu przyjechał? – szczerze pyta tłumacz *Antygony*.

– Przyjechałem... także z siostrą. Moja siostra przyjechała odwiedzić tu krewnych.

– Dziwny znalazła sobie czas na odwiedziny.

Janusz nie potrzebował tej uwagi młodego Baska, aby wiedzieć, iż nie był to czas na podróż turystyczną czy rodzinną do Hiszpanii. Wolał powrócić do *Antygony*.

... O ty kamienna łożnico, do której w podziemie
Zejść muszę, o przybytku wieczystego trwania,
Gdzie znajdę wszystkich moich...

– Czy ja panu przeszkadzam? – spytał Janusz.

– Właściwie mówiąc, nie. Nawet mnie interesuje rozmowa z panem, chciałbym powiedzieć panu bardzo wiele. Ale w gruncie rzeczy nie mam czasu. Muszę jak najprędzej skończyć ten przekład. Przyjechałem do siostry tylko na dwa tygodnie...

– W dwa tygodnie chce pan przełożyć wierszem całą *Antygonę*?

– Miałem już przedtem cały materiał przygotowany. Nie potrzebuję już w tej chwili słownika. Widzi pan – mam zeszyt i książkę.

– Ale dlaczego pan się tak spieszy? – spytał Janusz, myśląc w tej chwili o czym innym.

José znowu poczerwieniał jak burak.

– Muszę zaraz wracać... tam...

Janusz nie zastanowił się nad tym, co owo „tam" oznaczało. Nagle poczuł, że i on musi wracać tam, do domu, chociaż nie mógł się spodziewać żadnego spotkania. Nikt na niego nie czekał. Jadwiga? Uśmiechnął się boleśnie.

– Widzi pan – powiedział do młodego Baska – każdy z nas ma jakiś swój cel i swój los. Czy warto spieszyć do własnego losu?

Bask spojrzał na niego ze zdziwieniem.

– Pan, zdaje się, mnie zupełnie nie rozumie – westchnął przy tym.

– Prawdopodobnie – wzruszył ramionami Janusz – jesteśmy jakby na przeciwległych biegunach. Skąd możemy się rozumieć?

– Jak to skąd? Przecież jesteśmy ludźmi. Czy możemy się zgadzać na takie rozstrzyganie ludzkich spraw? Przecież to jest okropne. To zgroza, która powinna wstrząsnąć naszymi sumieniami, to najważniejsze. Czy pan tego nie odczuwa?

– Najgorsza jest samotność – pozornie bez związku powiedział Janusz, ale Bask zaprzeczył mu gwałtownie.

– Najgorsze jest fałszywe społeczeństwo – powiedział – hierarchia ułożona nie tak, jak potrzeba. I zamiast tłumaczyć *Antygonę* trzeba zajmować się mordowaniem ludzi. To jest najgorsze. Czy pan myśli, że Antygona mogła zamordować Kreona?

– Elektra zamordowała Klitajmnestrę.

– Nie, ona nie zamordowała sama. Ona posłała brata. Orestes zamordował matkę i odtąd nie miał spokoju i prześladowały go erynie.

Janusz nie rozumiał głębokiej boleści, jaka brzmiała w słowach młodego człowieka.

Spojrzał na niego, jak gdyby chciał wybadać, co właściwie ukrywa się pod słowami młodego Baska. Ale José odwrócił wzrok.

– Niech pan nie myśli o mnie nic złego – szepnął.

Januszowi serce się skurczyło.

– To raczej pan o mnie może źle myśleć – powiedział. – Ale ja już idę – dodał – nie chcę przeszkadzać panu w tej gorączkowej pracy.

Amundzarain popatrzył na Janusza.

– Pan wie – powiedział powoli – od kiedy pana spotkałem, to mi robota lepiej idzie. Chciałbym panu pokazać codzienną porcję roboty.

– I co, myśli pan, że pan skończy?

– Przed tym? chyba nie – westchnął José – mimo wszystko czasu jest za mało...

– Wobec tego uciekam – powiedział Janusz i poszedł do hotelu.

VIII

Janusz Myszyński do Edgara Szyllera:

Burgos w październiku 1936 r.

Drogi Edgarze!

Nie mogę sobie jakoś dać rady tutaj (ani w ogóle nigdzie) i zdaje mi się, że tylko obcowanie z Tobą pomogłoby mi na stan mojego ducha. Ale oczywiście jest to złudzenie, bo kiedy byłem w Komorowie czy Warszawie, mogłem z całą łatwością pójść do Ciebie i pogadać – i zaznać tego, co dzisiaj nazywam obcowaniem z Tobą – a zaniedbałem tego wszystkiego, nie chciałem nawet patrzeć w Twoją stronę. Twój mikroskopijny pokoik na Wareckiej był dla mnie zawsze wielką przykrością, tak jakbym oglądał wielkiego jakiegoś ptaka w za ciasnej dla niego klatce. Nie mogłem po prostu wyobrazić sobie, że w takiej małej przestrzeni rodzą się Twoje wielkie myśli muzyczne. Oczywiście to bardzo śmieszne, ale wiesz przecie, że od śmierci Zosi jestem jak we śnie i nie trzeba przywiązywać zbyt wielkiej wagi do wszystkiego, co mówię lub piszę. Niedawno, kiedy siedziałem tutaj na wzgórzu nad katedrą, w miejscu gdzie rosną olbrzymie bodiaki, jakie rosły w Mańkówce koło wiatraków, przyszło mi na myśl, że mógłbym porozmawiać z tobą – i wiedziałem, że stąd jest tak strasznie daleko do Ciebie, i że inaczej nie mogę Ciebie osiągnąć, jak tylko przez słowa – a co moje słowa znaczą? – i że na pewno nic z tego mojego listu nie zrozumiesz, kiedy do Ciebie dojdzie. I ja już wtedy, kiedy Ty list ten będziesz czytał, czy wtedy, kiedy będę mógł z Tobą o nim pomówić, również nie będę mógł nic Ci wytłumaczyć, bo sam już nic nie będę rozumiał z mojego dzisiejszego nastroju. Ale wyobraź sobie małe dziecko łażące u stóp jakiegoś podniebnego muru, w którym nie ma ani okna, ani żadnej furtki, a będziesz miał obraz tego, co ja w tej chwili od-czuwam. Kompletna niemożność wyjaśnienia sobie czegokolwiek z najprymitywniejszych pytań, jakie mnie tutaj osaczają w sposób daleko gwałtowniejszy, niż kiedykolwiek bądź indziej osaczały mnie one... a przecież wiesz, że zawsze byłem osaczony, zawsze otoczony nieprzyjaciółmi, to znaczy cieniami wieczno-ści i znikomości, z którymi nie wiedziałem, co mam począć. Ach, mój Edgarze – zdaje się – najniewymow-niejszą męką (Ty tego oczywiście nie rozumiesz) jest niemożność wypowiedzenia się, wygadania się, zrzu-cenia wszystkiego, co się kłębi na sercu, w głowie, w ręku, przez jakieś ukształtowane wyrazy, przez części mowy, rzeczowniki, przymiotniki, czasowniki... Ty to wszystko uważasz za głupstwa, bo Ty masz na swoje rozporządzenie te czarne nutki („zwariowany kawior", jak napisał gdzieś Tuwim), które są niczym innym jak szeregiem rozkazów do Twoich wykonaw-ców skierowanych. Ty potrafisz im rozkazywać – a może to jest tajemnicą szczęścia ludzkiego? Ja nigdy nie miałem pociągu do rozkazywania. Bałem się służby, nie miałem nigdy uczniów w dzieciństwie i młodości. Zawsze mi Jadwiga zarzuca nieumiejętność w wydawaniu rozkazów. Jak Ty sądzisz?

Otóż widzisz, jestem jak owo dziecko łażące pod olbrzymią ścianą. Wczoraj wyśnił mi się ten obraz i nie mogę się z nim rozstać od dzisiejszego ranka – przeka-zuję go więc Tobie, może zrozumiesz moją beznadziej-ność i mój strach przed... przed czym? Przed od-powiedzialnością. Jaką odpowiedzialnością? Odpo-wiedzialnością za siebie.

Czytam tutaj jakąś niezmiernie głupią książkę fran-cuską, która nazywa się *De la tristesse humaine*. Rzuci-łem się na nią, bo wyobrażałem sobie, że będzie traktowała o tych materiach, które mnie w tej chwili obchodzą i które, być może, zawsze mnie najbardziej obchodziły, to znaczy o nieodwracalnym smutku każdej rzeczy, każdego życia. Smutku pochodzącym po prostu z tego, że wszystko przemija, nawet najradośniejsze sprawy. A właśnie ten francuski autor (jakiś Henri Auclair) przy pomocy najbanalniejszych w świecie przykładów, jak Rafael czy Leonardo da Vinci, dowodzi, że esencja życia ludzkiego, a zwłaszcza życia artysty, to szczęście. Uważa smutek za rzecz wtórną i mogącą być przezwyciężoną... Jak widzisz, zupełny idiotyzm. Nigdy jeszcze bardziej niż tutaj nie odczuwałem znaczenia smutku jako esencji po prostu życia, jego składnika najistotniejszego. Dawniej myślałem, że pomocna w zwalczaniu tego stanu ducha jest sztuka, miałem całą taką swoją teoryjkę. Zresztą, jak widzisz jasno, nie ja jeden. Wielu jest takich ludzi na świecie, którzy widzą to „zbawienie w sztuce". Może i Ty nawet do nich należysz. Pamiętam, jak czytałeś *Fausta* w Odessie i wykładałeś mi jego najważniejsze teorie. Ale nie o *Fausta* mi tutaj teraz chodzi. Widzisz, tutaj jest ta katedra. Wyobraź sobie taki właśnie gmach, potężny, olbrzymi, który przez czterysta lat budowano zawsze w gotyckim stylu. Możesz łatwo pojąć, czym stał się ten gotyk, gdy świątynię kończono gdzieś w szesnastym już wieku, już po epoce Izabeli i Ferdynanda. Ten stos żółtych kościotrupów wyciągających niezliczone ręce do niebieskiego nieba na tle brunatnego pola Starej Kastylii (domów nie widać, bo są za małe w proporcji do tego olbrzyma, jakim jest katedra) to jest coś tak niezmiernego i niemoralnego zarazem. To nie może być ani zbawieniem, ani pociechą. Ciągle się myśli o strasznej męczarni tych ludzi, którzy to w ciągu czterystu lat wznosili ku górze takim strasliwym i upartym trudem. Po co? To chyba jest najsmutniejszy widok na świecie. Tutaj, gdzie czytałem tę „pocieszającą" książkę, spoglądać na wynurzające się z brązowej ziemi rzeźby jak gdyby w słoniowej kości zrobione! W cieniu tej katedry nie ma radości.

Nie masz pojęcia, jak się tutaj głupio czuję, jakbym wpadł w wielki dół napełniony żmijami. Przecież doskonale rozumiesz, że cała moja sympatia jest po stronie walczących o wolność, o wolną myśl, o to, co ludzie nazywają szczęściem. Przecież oni nie wiedzą, że we wszystkim czyha na nich straszliwy, nieogarniony i nieprzezwyciężony smutek bezcelowości. Nawet nie chcę im o tym mówić, ale przecież to jest straszne widzieć, jak oni walczą i giną o nic. Tylko że nic może być pozytywne i nic negatywne. Otóż głęboko wierzę, że Franco walczy o nic negatywne. Oni walczą o nic pozytywne. Czy rozumiesz tę różnicę?

Więc powiadam Ci, chciałbym wyjaśnić to wszystko Tobie, siedząc na mikroskopijnej kanapce w Twoim pokoju przy pianinie, na którym grasz ten fletowy motyw z *Szecherezady*. Może by mi to przyszło łatwiej niż w tym liście, po którym właściwie należałoby pójść na górkę nad katedrą i wystrzelić sobie w usta. Mam ogromną łatwość skradzenia pistoletu: pełno ich jest w hotelu „De Londres", wiszą zupełnie zwyczajnie w hallu na wieszaku. Nie bój się jednak, tego nie popełnię. Nigdy nie miałem powołania w tym kierunku i zupełnie nie rozumiem dlaczego.

Jednym słowem, nigdy jeszcze nie tęskniłem tak bardzo do Warszawy czy też do Komorowa, do małego Ala, do panny Biesiadowskiej. Nie zdawałem sobie sprawy z tego, że jestem tak bardzo rodzinny i sentymentalny. Mam na pociechę tutaj wprawdzie moją siostrę, ale nie będę Ci o niej pisał, bo wiem, że niechętnie słuchasz złych rzeczy o niej. Ale gdybyś posłyszał naszą rozmowę w małym hoteliku w mieścinie, która się nazywa jak jakieś tango „Alsassua"!

Opowiadałem o tym wszystkim jednemu znajomemu tutaj. Bo wyobraź sobie, że już mam tutaj znajomych. Kiedy czytałem tę francuską książkę na wzgórku nad katedrą, zjawił się tam jakiś młodzieniec, który bardzo pracował nad zapisywaniem jakichś słów w zeszycie, zwyczajnym szkolnym zeszycie. Okazało się, że te słowa nie były byle jakie, gdyż tłumaczył *Antygonę* na język swoich ziomków, Basków. Jest to młody poeta baskijski, nazywa się José. A bardzo się ze mną rozgadał i okazało się po nitce do kłębka, że to jest ich jakiś wielki działacz i poeta zarazem, tak coś jak u nas Broniewski. Powiedział mi, że bawi tutaj u swojej siostry i nawet mnie któregoś dnia do tej siostry zaprowadził. Okazała się bardzo miłą kobietą, która nie bardzo chce powiedzieć, co robi w tej chwili jej mąż. Myślę, że albo gryzie ziemię, albo strzela do falangistów, niewątpliwie. Otóż owa miła kobieta nazywa się Elisia, co za imię. Może myślisz, że mam szczęście do niezwykłych imion! Zosia jednak jest najzwyklejszym imieniem kobiecym, prawda?

Mój nowy znajomy okazał się być największą tutejszą „konspiracją". Jakieś miał sobie tutaj powierzone zadanie. Bo oni, to znaczy Baskowie, w najzwyklejszy sposób przygotowują wyprawę na Burgos i mój José nawet mi powiedział, że najlepiej będzie, jeżeli w najbliższym czasie stąd zwiejemy. Ale Marysia na razie słyszeć o tym nie chce. Czy ty myślisz, że ona ma powierzony sobie bardzo poważny interes? Bo mnie raczej zdaje się, że to są babskie kalkulacje, a może Spychała po prostu ją wysłał do Hiszpanii, żeby się pozbyć jej z Warszawy. Jak mi się zdaje, tam między nimi kotek przeleciał.

Ach, Boże, jacyż oni są zachwycający, ci moi nowi znajomi. Już myślałem, że czegoś podobnego na świecie nie ma. Co prawda, nie myślałem, że mogą być jeszcze na świecie takie krwawe zdarzenia, rozstrzeliwania całymi gromadami, więzienia, obozy koncentracyjne (czy wiesz, co to jest, bo ja się dopiero tutaj o tym dowiedziałem), po prostu cała jakaś nieludzkość, która, zdawało mi się, skończyła się z „opierzeniem się" rewolucji rosyjskiej. Chwilami jest mi zupełnie straszno i ogarnia mnie niepokój o cały rodzaj ludzki: jeżeli człowiek ma w sobie, i do tego jeszcze tak bardzo żywe, podobne instynkty, to gorze nam!

Więc właśnie oni, José i Elisia! Tacy musieli być nasi przodkowie w roku 63. Są zupełnie tacy, jakby ich Orzeszkowa opisała, jakby ich Grottger wymalował. Ona jeszcze na dobitek, jak wszystkie kobiety tutaj, zawsze ubrana na czarno. Wysmukła, w czerni, jakaś niesłychanie polska. Tak mi jakoś, i ta *Antygona*, i ta Elisia, przypominają wszystkie polskie sprawy i legendy, które na szczęście trzeba uważać za niepowrotną przeszłość historyczną. Żebyś widział zapał, z jakim on tę *Antygonę* tłumaczy. Za tydzień musi wracać na swój front baskijski i tutaj czai się tylko, siedzi po kątach. Wącha się zapewne tutaj z jakimiś swoimi pomocnikami czy współwyznawcami. Musi wracać do swoich Basków, którzy szykują się na wyprawę w naszą stronę, w stronę Burgos – a tymczasem każdą wolną chwilę poświęca przekładowi antycznej tragedii. To bardzo dziwacznie brzmi w twardym języku, języku starszym niż język oryginału.

Bardzo był zdziwiony, gdy mu zadeklamowałem *Antygonę* po polsku, bo nawet nie wiedział, że taki język istnieje, a kiedy się dowiedział, że jest taka mowa, myślał, że podobna jest do mowy Eskimosów i że niemożliwe w niej wyrazić takich uczuć, jakimi szczyci się wielka tragedia Sofoklesa...

Kiedy spoglądam na tego rodzaju istoty, kiedy widzę ich piekło zewnętrzne i wewnętrzne, kiedy widzę ich nieogarniony żar i niezgłębioną czystość – jedyne uczucie, jakie mnie ogarnia, to jest smutek. Może nie jedyne, bo czuję jednocześnie nieco zazdrości w sercu, co mówię nieco, bardzo wiele, strasznie zazdroszczę im tej czystości i tej jednolitości, której mi tak strasznie brak. Widzisz, mój drogi, jaki ja jestem – z jednej strony smutek pod ślepą ścianą, powiedzmy ślepy smutek, a z drugiej zazdrość wobec tych, co mają inne życie, co inne życie potrafią sobie zbudować i inne życie wywalczyć.

Właśnie o to ostatnie słowo najbardziej mi chodzi. Ja bym chciał walczyć. Pamiętam, jak niegdyś mówiłem z Zosią o tym. Ona była gotowa walczyć o inne życie; To, które miała, nie wystarczało jej zupełnie (czy myślisz, że ona mnie kochała?) – ale nie mogła nie tylko z mojego powodu. Zaplątała się we wszystko, w swoje uczucie do mnie, które ją podobno paraliżowało i onieśmielalo, w całą sprawę tego małżeństwa, w którym nie czuła się dobrze. Pamiętasz, jak ona panicznie bała się Marysi?

Walczyć – to właśnie słowo, którego się tutaj można nauczyć, którym się tutaj można przejąć. Ale ja wiem, że ledwie minę Pireneje, już mnie ogarnia moje zwyczajne *taedium vitae**. Innego stanu mojej duszy nie pamiętam i chyba nigdy nie powstanie coś innego, jakaś wiara we mnie czy możność tworzenia życia. W ogóle tworzenia.

Widziałem wielu ludzi bezsilnych, ale nie widziałem nigdy nikogo tak bardzo świadomego swojej bezsilności. A może właśnie w tym tkwi pomyłka. Ktoś, kto zdaje sobie sprawę ze swej bezsilności, może już nie jest bezsilnym? Może to jest właśnie konstatacja prowadząca do nowych odkryć. Bo tego mi brak przede wszystkim: nowych odkryć, nowych możliwości. Właśnie Zosia była gotowa walczyć o nowe życie, ale wiedziała, że ja za nią nie podążę.

Powiedz mi tak, ale tak zupełnie szczerze, o ile kiedyś zastanawiałeś się nad tym: czy Ty uważasz, że ja zmarnowałem życie Zosi? Bo mojego nie zmarnowałem, to wiem. Ono nie mogło być inne. Było zdeterminowane od zawsze, inaczej przebiegać nie mogło, gdybym czynił nie wiem jakie wysiłki. A ponieważ tych wysiłków nigdy nie czyniłem... a więc jestem tu, gdzie jestem.

To znaczy jestem w Burgos w kwaterze generalnej Franco, w towarzystwie mojej siostry i jej szwagierki, i szwagra, omawiamy codziennie komunikaty wojenne, spodziewamy się wzięcia Madrytu w początkach listopada i zachwycamy się obroną Alkazaru. Widuję tutaj włoskich faszystów i wysłanników Hitlera, cieszymy się wszyscy razem, gdy się tłucze tych strasznych czerwonych, ale dałbym nie wiem ile, żeby mojemu małemu z górki nad katedrą powiodło się nie tylko w wojowniczych zamiarach, powiodło nie tylko

---

* przesyt życiem

w tłumaczeniu *Antygony* na język Basków, ale także w ogóle w życiu. A wszystkim innym życzę złamania nogi, nawet i mojej rodzonej siostrze, którą Ty niegdyś kochałeś w Odessie!

Ściskam Cię serdecznie i po wiele razy

Janusz Myszyński

List ten nie dotarł nigdy do rąk adresata.

IX

Pewnego dnia, kiedy Janusz przyszedł na swoje wzgórze nad katedrą, nie spotkał tam Amundzaraina. Tym razem miał w ręku inną książkę, dla odmiany czytał *Education sentimentale**, której nie rozcięty egzemplarz znalazł w pokoju hrabiego Caserty. Przesiedział na wzgórzu ze dwie godziny, ale młody tłumacz *Antygony* nie zjawił się. Nazajutrz pagórek również był pusty. Janusz nie mógł spokojnie czytać i bez przerwy rzucał spojrzenie w stronę wielkiego krzaku zrudziałych ostów, pod którymi zwykle siadywał José.

Na trzeci dzień Janusz się zatrwożył: jego przyjaciela znowu nie było. Dzień był wspaniały, ciepły, pełny zupełnie wiosennych zapachów. Brązowe pola zdawały się oddychać pachnącym pszenicą powietrzem. Katedra wznosiła u stóp Janusza jak zrobiona ze złotej morskiej pianki, zadziwiająco lekka.

Było ciche bezwietrzne popołudnie. Janusz siedział już od jakiegoś czasu, kiedy słuch jego złowił dźwięk zbliżających się kroków.

---

* *Szkoła uczuć*

„Oho, idzie" – przeszło przez głowę Myszyń-
skiemu i aby młody Bask nie pomyślał, że czekał na
niego z niepokojem, otworzył gruby tom Flauberta
byle gdzie.

Tymczasem kroki zatrzymały się w pewnym od-
daleniu. Janusz dość długo udawał, że czyta, a potem spojrzał w tamtą stronę. Ujrzał, że to nie José
zatrzymał się na zboczu, nie dochodząc do niego.
To była jego siostra. Cała czarno ubrana, z mantylą
narzuconą na głowę, wydała mu się posągiem.
Znowu w tej chwili pomyślał o Grottgerze. I ujrzał
ten sam gest. Elisia podniosła palec i położyła go na
ustach, dając wymowny znak milczenia. Janusz
wzdrygnął się. Potem odwrócił wzrok i udawał, że
czyta.

Zaniepokoiła go cisza w stronie, gdzie stała kobieta. Spojrzał, Elisia wciąż tkwiła nieruchomo z palcem przykrywającym wargi. Mantyla spadała jej
na oczy. Odwróciła się i wolno poczęła schodzić.
Janusz poczuł, że musi iść za nią. Odczekał z trudnością pewną chwilę, potem zatrzasnął książkę
i ruszył także. Elisia dość szybkim krokiem mijała
mury cytadeli. Te gładkie ściany śniły się Januszowi
co noc.

Minąwszy cytadelę, kobieta w czarnej sukni skierowała się do drzwi katedry. Janusz po chwili
wszedł za nią. Ogarnął go mrok gmachu, nie tak
wszakże ciemny jak w innych gotyckich świąty-
niach. Las uciekających kolumn był przerażająco
smukły, wysoki i gęsty. Przeradzał się w nieprawdopodobne pogmatwanie we wszystkich kopułach
pełnych zwisających gron i stalaktytów. Janusz
ujrzał, że czarno ubrana kobieta przemierza cały

olbrzymi gmach. Wydała mu się malutka. Szedł wciąż za nią. Weszła do bocznej kaplicy i siadła w ławce. Była to kaplica Świętej Eulalii. Barokowa, pozłacana postać świętej czerniała na tle gotyckiego okna. Kiedy Janusz wszedł do kapliczki, Elisia przesunęła się w głąb ławki.

Janusz usiadł obok niej. Tu ich nikt znajdujący się w kościele nie mógł dostrzec.

– Co się dzieje z José – spytał Janusz.

– Nie ma go.

– Gdzie jest?

– Nie ma go. Zabrali go.

– Kto go zabrał? Żandarmi?

– Nasi go zabrali.

– Dlaczego?

– Nie wiem. Zapewne było jakieś podejrzenie.

– Jakie mogło być podejrzenie?

– Nie wiem.

– Ma pani od niego jakieś wiadomości?

– Zabito go.

Janusz zamilkł. Elisia ujęła twarz w dłonie.

Il est tué.＊ Te słowa brzmiały w całej katedrze, chociaż Elisia wypowiedziała je przytłumionym szeptem.

Przez chwilę milczeli.

– Gdzie? – spytał Janusz.

– Koło klasztoru Miraflor, w wąwozie.

– Gdzie jest ciało?

– Braciszkowie je pochowali na cmentarzu klasztornym, a potem dali mi znać.

– Czy to na pewno był on?

＊ Jest zabity.

– Tak. Przyniesiono mi jego rzeczy.

– Jakie rzeczy? – spytał Janusz tknięty prze-
czuciem.

Elisia odpowiedziała cichutko. Skurcz chwytał ją
za gardło.

– *Antygonę.*

– *Antygonę*? Przekład?

– Przekład *Antygony*... i oryginał.

– Nie mogła pani pochować brata – powiedział.

– Chociaż bracia go zamordowali.

– Ależ dlaczego?

– Nie wiem. Czy pan – chciałam pana o to spytać
i dlatego przyszłam tutaj – czy pan nikomu nic nie
mówił o Josém?

– Nic, nikomu.

– I nie pisał pan nic?

– Cóż mogłem pisać? Do kogo? Nie.

– Bo nasi zabijają tylko zdrajców, a José zdrajcą
nie był.

– Mały José – szepnął do siebie Janusz.

– Ja już muszę iść – powiedziała Elisia i wysunęła się z ławki – niech pan długo poczeka, zanim
pan wyjdzie z kościoła. Nikt nie powinien nas tu
razem widzieć.

Wymknęła się tak szybko z kaplicy, że przez
chwilę Januszowi wydawało się, iż roztopiła się
w mżącym mroku katedry. Słoneczny blask prze-
dostawał się do gotyckiego wnętrza w kształcie
rozproszonego złocistego pyłu. Janusz obszedł kościół dookoła niby znudzony zwiedzaniem turysta.
Ściskał pod pachą gruby tom *Education sentimentale*
jak czerwonego bedekera.

„Przewodnik po krainie uczuć" – pomyślał sobie.

Stanął przed „złotymi schodami". Była to przedziwna, podobna do zabawki klatka schodowa, piętrząca się i załamująca w wymyślnym deseniu. Prowadziła do zamurowanych drzwi – gdzieś w górze – do drzwi prowadzących donikąd. Zastanowił się przez chwilę przed tą dziwaczną, nikomu na nic niepotrzebną, tylko oku dla swego kształtu pięknością.

„Przewodnik po krainie uczuć prowadzi donikąd" – skonstatował.

Wziął do ręki tom Flauberta i zważył w dłoni jego ciężar. „Tyle słów – pomyślał – a przecież to nie ma żadnego znaczenia. Mały José został zabity, zanim skończył tłumaczenie *Antygony*, jak został zabity ksiądz Aristimuno, jak nowelista Onandio, jak tłumacz Markiegi. Żadne edukacje uczuć tutaj nie pomogą, edukacje zawodzą kompletnie". Pamiętał przecież dobrze rewolucję rosyjską i ofiary, które ona pociągała. Ale pamiętał, jak Wołodia mówił, tam na piętrze wobec Niewolina i wobec Walerka, że to są ostatnie ofiary, że po nich już krwi nie będzie.

... I stoją anioły pobite na niebie,
I przez łzy uśmiechają się jeszcze do siebie,
Że już po nich nie będzie żadnych, żadnych łez.

I oto znowu potoki krwi. „Bracia go zabili" – powiedziała żałobna siostra, czarno ubrana Elisia: *Il est tué*. Jak czasem w tandetnie zainscenizowanej sztuce ze wszystkich stron sceny odzywają się dramatyczne szepty powtarzające te same wyrazy – ze wszystkich stron spiętrzonej pretensjonalnie katedry, z każdego załomu, z każdego stalaktytu, z każdego kamiennego kwiatu wysmukłej głowicy poczęły się w uszach Janusza powtarzać nieodwracalne słowa: *Il est tué.*

Brzmiały jak wyrok: nie tylko na Amundzaraina, ale i jak wyrok na Janusza. Wiedział, że skłamał mówiąc Elisii, że do nikogo nie pisał o spotkaniu z Josém. Przypomniał sobie zresztą jak przez sen treść listu do Edgara. Pisał go w późnych godzinach wieczoru, w pustym pokoju hotelowym. Naprzeciwko jego otwartego okna po przeciwnej stronie ulicy widział otwarte okno maszynistki, która pracowała dzień i noc. Patrzyła w jego okno i podejrzewał, że się kochała w każdym gościu, który mieszkał w tym pokoju. Był na pół przytomny ze smutku, z tęsknoty, ze strachu przed życiem. Zajmował się w swym liście głównie tymi uczuciami. Może tam i napisał coś o młodym Basku, pewnie dlatego, że tłumaczył on *Antygonę.* Ale przecież nie to było głównym zajęciem Joségo.

„Więc to się tak zdradza człowieka – pomyślał sobie Janusz, stojąc przed «złotymi schodami». – Tak się wydaje kogoś na śmierć: mimochodem, wśród pięknych uczuć, pośród zachwytu i rozczulenia nad samym sobą. Sprawa była prosta i zwyczajna. Staje się po jednej stronie, a tam jest strona druga. I któraś ze stron strzela. To wszystko".

Szybko otrząsnął się. Zmarzł w zimnych murach wielkiego kościoła i poczuł się tu samotny. Uczucie fizycznego chłodu zabiło w nim wszystkie inne rozważania.

„Stało się – powtarzał. – Nic już nie pomogę".

Wyszedł.

„Tak, ale Judasz miał jakiś cel. Miał jakiś powód. Dla trzydziestu srebrników – a tutaj nic, zupełnie bezpłatnie. Tak sobie".

„Pięknie, panie Januszu" – powiedział podchodząc do hotelu.

W pokoju Marysi pito herbatę. Czarny chłopak w białym kitlu (jak w tylu hotelach – pomyślał Janusz) przyniósł filiżanki i czajniki i rozlewał wszystkim po kolei. Najprzód tej głupiej gęsi, potem Marysi, potem Januszowi.

– Wyobraź sobie, Janusz – powiedziała hrabina Caserty – nasze wojska zabrały już pół Madrytu.

Marysia się uśmiechnęła.

– Ty zawsze przesadzasz, Róziu – powiedziała podnosząc filiżankę do ust – nikt nie mówił o połowie Madrytu, podchodzą pod samo miasto. Są na przedmieściach.

Janusz nic nie powiedział.

– Miałam *un télégramme* – powiedziała znowu Bilińska. Ponieważ nie dodała, od kogo był telegram, oznaczało to, że depeszował Spychała.

– I co? – spytał Janusz.

– Możemy już wracać do domu – uśmiechnęła się Marysia. Uśmiech ten był bardzo znaczący. Janusz udał, że go nie widzi. Pochylił się nad koszyczkiem z pieczywem.

– Kiedy wracamy? – spytał siostry.

– Choćby jutro – powiedziała Bilińska.

– Ach, nie, Marie – złożyła ręce jak do modlitwy hrabina Caserty – ja czuję się tak dobrze z wami.

Bilińska wzruszyła ramionami.

– Popatrz, jak Janusz wygląda – powiedziała – on tutaj jest jak ryba bez wody. On nie może żyć bez polskiego powietrza.

Janusz się obruszył:

– Nie śmiej się z tego. Rzeczywiście potrzebuję polskiego powietrza do życia. Tutaj się bardzo trudno oddycha.

Hrabina Caserty wzięła go za rękę:

– Poczekaj, poczekaj, jak zwyciężymy. To będzie dopiero życie.

Bilińska spojrzała na Janusza porozumiewawczo. Nawet ona rozumiała, ile jest fałszu w słowach szwagierki.

– Zresztą i w Polsce życie nie jest romansem – powiedziała.

Janusz uśmiechnął się smutno.

– Pewnie. Jeśli się tu czuję jak ryba wyjęta z wody, to tam... to tam...

– Jakże się czujesz u nas? – z zimną ironią spytała Marysia, jak gdyby zadawała to pytanie nie bratu, tylko jakiemuś bardzo dalekiemu człowiekowi.

– Jak złota rybka w akwarium – powiedział Janusz.

Hrabina Caserty zaśmiała się dźwięcznie.

– Och, co za porównanie. Ty – i złota rybka.

– Tak samo mi ciasno jak i tu – powiedział Janusz – tylko że tu zabijają ludzi o byle co.

– A ty myślisz, że u nas nie potrafią zabijać? – spytała Marysia, tym razem już bardzo poważnie.

Mały lokaj przyszedł powiedzieć, że hrabiego Myszyńskiego chce widzieć jakiś człowiek i czeka na niego w korytarzu.

Janusz wyszedł. W korytarzu światła się nie paliły jeszcze i było ciemnawo. Z małej kanapki, stojącej przy drzwiach jego pokoju, podniósł się młody człowiek. Januszowi serce zabiło mocniej, był pewien, że to José Amundzarain. Drżącymi palcami otworzył drzwi pokoju i zaprosił nieznajomego do środka.

Zapalona elektryczność oświetliła twarz przybyłego. Był to bardzo młody człowiek, podobny nieco do tamtego, ale zupełnie inny w wyrazie. Miał mocne, zaciśnięte usta.

Janusz patrzył na niego ze zdziwieniem i z rozczarowaniem.

– Czym mogę służyć? – spytał.

Młody człowiek zrobił krok ku Januszowi i powiedział powoli przez owe zaciśnięte usta:

– *Je viens de la part...* ⋆ – tu się zatrzymał przez chwilkę i uważnie popatrzył na Janusza – *de la part de...* Jerzy – dokończył z wyraźną trudnością.

⋆ Przychodzę tu od...

Rozdział ósmy
Dojrzałe winogrona

I

Wiosna 1937 roku była bardzo zimna i nawet w Rzymie ociągała się i oglądała na północ, jak gdyby rozumiała, co znaczy sojusz niemiecko-włoski. Edgar nie spodziewał się zastać w Wiecznym Mieście takiego tłoku i takiego chłodu. Z powodu dawnych jego znajomości, sięgających jeszcze czasów dzieciństwa, gdy w Rzymie zjawiał się w towarzystwie papy i mamy, razem z Elżbietką całą w różowych kokardach, posiadał pewne przywileje w „Grand Hôtel de Russie". I tym razem po długich molestowaniach, które były dla niego nad wszelki wyraz przykre, dano mu małą klitkę na drugim piętrze. Był to malutki służbowy pokoik, bez łazienki (służba, jak wiadomo, myć się nie potrzebuje), wychodzący jednak oknem na tarasy ogrodu, który był największą atrakcją „Hôtel de Russie". Tarasy te wspinały się wysoko aż ku Monte Pincio i okryte były winoroślą i glicyniami. Glicynie jeszcze nie kwitły (w maju, w Rzymie!) i ich pączki zwisały na bezlistnych pnączach jak podłużne, martwe myszki, które psotny chłopak porozwieszał na sznureczkach.

Ostatnie miesiące w Warszawie bardzo zmęczyły Edgara. Praca w konserwatorium, do której się bynajmniej nie nadawał, wyczerpywała zupełnie jego organizm i żeby po prostu dawać sobie rady, musiał podtrzymywać słabnące siły kroplami koniaku, który zawsze nosił przy sobie w płaskiej kryształowej flaszeczce. Dawno już nie był u lekarza, ale instynktownie ciągnęło go na południe. Nie komponował nic w ostatnich czasach po niepowodzeniach świeżych utworów; trochę składało się na to rozgoryczenie, ale więcej niemoc i osłabienie, które sam przed sobą ukrywał. Stąd miał tylko niewielką ilość pieniędzy, którą mu dawała marnie płatna profesura. Ojciec w swojej cukrowni zarabiał daleko więcej, ale mu nawet do głowy nie przychodziło, aby jego sławny syn potrzebował zasiłku. Elżunia orientowała się w tym lepiej, chociaż z daleka, i ona to umożliwiła Edgarowi podróż do Rzymu, przekazując mu na Banco d'Italia pewną sumę dolarów.

Wielkie było rozczarowanie Edgara, kiedy zamiast oczekiwanego ciepła spotkał w Rzymie chłód i gwałtowne przelotne deszcze, które mogły przemoczyć człowieka do nitki. Po chwilowym podnieceniu przyjazdem do wielkiego miasta opadł w humorze i rankiem po prostu nie miał sił na podniesienie się z łóżka. Za oknem, jedynym oknem jego pokoiku, ogródek wydawał się szary i bezkwietny. Sztywne, wiecznie zielone krzaki stały na żwirze jak niechętne zwierzęta, a niebo nad nimi było szare i ołowiane, zupełnie takie samo jak to, które zostawił w Warszawie. Podniósł się jednak, chociaż pocił się cały z wysiłku. Gardło go bolało. Zaczęło go boleć w wagonie. Przepłukał je jodyną. Poszedł na Monte Pincio. Trzeba się było drapać Hiszpańskimi Schodami, ale nie odczuwał zmęczenia, tak uderzyło go piękno architektoniczne tej całej kompozycji, schodów, obelisku, kościoła – które nie leżąc na jednej osi sprawiały mimo to wrażenie najdoskonalszej harmonii.

Na Monte Pincio nie było prawie nikogo, chłód wystraszył spacerujących ludzi, handlarze pamiątek i fotografowie również się przerzedzili – tylko dalej w parku, idąc już ku Villa Borghese, stał biały parawan zamknięty w kwadrat i tłumnie gromadziły się wkoło niego dzieci. W kwadracie tego parawanu siedział człowiek i pokazywał górą laleczki. Był tam wspaniały nosaty Pulcinella i jeszcze inne pozostałości *commedia dell'arte*.

Edgar uśmiechnął się z rozczuleniem. Przypomniały mu się takie same „lalki za parawanem" – jak to u nich w domu nazywano – na podwórkach odeskich domów. Zawsze tam widywał te same oblicza zaczerwienione i nosate i całe jego dzieciństwo przepełniał żal, że żandarm, tylokrotnie nabierany przez barwnego Pietruszkę, koniec końców zabijał go kijem. Pietruszka żałośnie krzyczał, a potem zwisał bezwładnie przez otwór parawanu. A mały Edgar płakał i nie można go było uspokoić. Lalki włoskie wyglądały inaczej i żandarm nie zabijał Pulcinelli. Edgar zatrzymał się przez chwilkę i przypatrywał się przedstawieniu. Samochody przejeżdżały szybko przez most ku Villa Borghese, mijały mały teatrzyk zaimprowizowany we wspaniałym parku, a Edgar nie zwracał na nie uwagi, patrzył na małego Kasperle czy Pulcinellę, czy Pietruszkę i przypominał sobie Odessę.

– Stanowczo za dużo wspominam – powiedział do siebie, odchodząc od teatrzyku i z wolna postępując w głąb parku.

Edgar znajdował się jednak w takim momencie życia, kiedy wspomnienia poczynają się narzucać z niespodziewaną siłą. Młodość nie zna wspominania, i to, co się jej wspominaniem wydaje, jest przywoływaniem faktów, które mogą się powtórzyć. W pewnym momencie życia widzimy, że już nic się nie powtórzy, że wszystko, co jeszcze nadejdzie, będzie inne i jak gdyby pozbawione koloru. Wtedy przywołując wspomnienia – na przykład różowe kokardy Elżuni – wiemy, że nic z nich nie może ukazać się z powrotem.

Na gazonach parku stały wprost w trawie czerwone i różowe lilie. Mimo chłodu i deszczu otwierały one swoje mięsiste a pomalowane jak pastelem kielichy, sycząc jak gdyby, otwierając smocze gęby pełne pręcików jak zębów. Zadziwiające te kwiaty, rzucone od niechcenia pomiędzy pinie i cyprysy, na ciemnym tle błyszczały jak jakieś nieprawdopodobne stworzenia, wymarzone w widzeniach chińskich malarzy. Edgar, nie zatrzymując się, nieufnie spoglądał na lilie. „I cóż dziwnego – pomyślał – że Włosi mają takie niesamowite malarstwo!". Z malarstwa tego postanowił wybierać sobie poszczególnych twórców i odwiedzać ich obrazy systematycznie. Z „Grand Hôtel de Russie" niedaleko było do Santa Maria del Popolo, gdzie w bocznej kapliczce wisiały dwa najwspanialsze obrazy Caravaggia. Ten mało jeszcze znany i minimalnie ceniony malarz dramatycznych scen, który potrafił wszystko ujmować niekonwencjonalnie, zyskał sobie sympatię Edgara. Czy ta sympatia polegała na jakimś pokrewieństwie duchowym? Chyba raczej na kontraście. Ciemne partie jego obrazów, z których wynurzały się nieoczekiwane kształty oświetlone silnym, ale nieuzasadnionym światłem, tak jakby Caravaggio znał nasze reflektory, przypominały raczej muzykę Beethovena niż jego własną. Ogromny, jasny kłąb koński, który zajmował całą przestrzeń obrazu o nawróceniu świętego Pawła i stanowił główną jego treść, „napełnienie" ram – był tak patetyczny, ogromny a zarazem nie dający się wyjaśnić, jak jakiś fragment Beethovenowskiego kwartetu. Caravaggio pociągał Edgara swoją niezrozumiałością, absolutnie nie pojmował, jakimi drogami przychodziły jemu te pomysły, skąd je brał, jak się rodziły w głowie malarza. Doskonale pojmował, jak się rodziły w głowie Goethego najdziwaczniejsze idee. Rozumiał, odczuwał wewnętrznie swoją twórczą wyobraźnią, jak przychodziło mu na myśl tworzenie takiej sceny jak na przykład rozmowa Fausta z centaurem. Słowa dziwaczne, ale jasne. Zupełnie jednak nie rozumiał, dlaczego Caravaggio zamiast świętego Pawła wymalował olbrzymiego konia, lubując się jak w ciele kobiecym okrągłością jego zadu.

W Rzymie bywał wielokrotnie, ale zawsze bardzo krótko. Nie znał też szczegółów wielkiego miasta. Dopiero bedeker go pouczył, że znajdzie inne malowidła Caravaggia w kościele Świętego Ludwika, „dei Francesi". Przewodnik wymieniał freski obrazujące życie świętego Mateusza nie stawiając przy nich gwiazdki, to znaczy, że nie uważano tych obrazów za coś nadzwyczajnego. Ale gdy Edgar stanął w małej kapliczce i gdy zakrystian zapalił światło w pełni uwypuklające obrazy, wprost zabrakło mu oddechu.

Tak jak u „świętego Pawła" malarza zajmowała nagość wielkiego konia, tak tutaj, w „męczeństwie świętego Mateusza" zajmowała go nieoczekiwana, kompletna nagość żołnierza, który ścinał głowę świętemu. Olbrzymi, wspaniały, całkiem goły mężczyzna w kwiecie wieku był ważniejszy od wszystkiego. Wychodził, znowu oświetlony jakimiś niewiadomymi reflektorami, z ram obrazu, z zamkniętej przestrzeni kaplicy i narzucał się, bezczelny i przerażający w swoim katowskim geście, wszystkim, którzy nań patrzyli.

Edgar zdumiony był brutalną siłą pokazaną przez malarza, a która mimo wszystko dyszała pięknem.

„Ja tak nie potrafię – powiedział do samego siebie – u mnie zawsze wszystko zanadto ściszone. Ja bym się powinien był urodzić organistą w Łowiczu..." Nigdy mu się Rzym nie wydawał taki wspaniały. Idąc via Condotti patrzył nie na schody otwierające się w głębi jak dłonie podtrzymujące obelisk i kościół, ale spoglądał na boki na sklepy. Biżuteria, krawaty, koszule, wytworny Gucci, „dostawca dworu księcia Piemontu", porcelany, kryształy – wszystko to pociągało jego spojrzenia. Szedł od okna do okna, olśniony, pobudzony pragnieniem życia i użycia, posiadania i rozkoszowania się. Nowe życie budziło się w nim – i nagle gdzieś z głębi posłyszał słowa zapomnianych wierszy, połączone z nową, tworzącą się dopiero w środku muzyką. Oderwane, nieskoordynowane akordy.

Zaśmiał się sam do siebie.

„Muzyka się rodzi nie z gołego żołnierza Caravaggia, ale z widoku szafirowych krawatów u Gucciego".

Zatrzymał się przy malutkim sklepiku. Zainteresowały go osiołki, malutkie i większe, z zielonej majoliki, biegnące przez witryny wystawy. Obok osiołków stały nieduże różowe i żółte popielniczki z wypisanymi na nich sentencjami. Bawiło go odczytywanie niektórych z nich. Nie wszystkie były banalne. Podawały jakieś francuskie maksymy czy przysłowia. Przeczytał na jednej z nich:

Quand on est mort, c'est pour longtemps,
Quand on est bête, c'est pour toujours. ★

Powtarzał sobie potem bardzo często w czasie całego tego pobytu w Rzymie owo *quand on est mort, c'est pour longtemps...*
Najwspanialsze jednak wydawały mu się odgrzebane i częściowo zrekonstruowane fora położone wzdłuż via dell'Impero. To kompletne usunięcie domów, które tutaj piętrzyły się niegdyś jak plastry miodu, klejąc się do siebie i waląc, wydało mu się wręcz imponujące. Przechodził z wolna trotuarami, obok których pędziły krzyczące stada najpiękniejszych samochodów, aż ku temu miejscu, gdzie się nieprawdopodobnymi łukami, oszałamiającymi swą potęgą, wznosiła bazylika Konstantyna.
Ze wszystkich jednak monumentów dawnej wspaniałości Rzymian, potęgi i pychy cezarów i papieży, najbardziej lubił zatrzymać się – nie na podwórku Colosseum, wśród zielonej trawy

---

★ Gdy się jest umarłym – to na długo,
Gdy się jest głupim – to na zawsze.

wyrosłej na pradawnej krwi, nie przed łukiem Tytusa, tak doskonałym w swej architektonicznej formie, nie przed fasadą świątyni dobrej Faustyny, żony cesarza filozofa – ale przed łukiem Konstantyna.

Zastanawiała go zawsze ta martwiejąca forma, niski łuk, który przecież stał obok wspaniałych i mądrych łuków i mógł się na nich wzorować, a wolał jak grzyb wyrastać z ziemi swoim niezgrabnym kształtem; zastanawiały go te rzeźby poprzenoszone skądś bez ładu i składu, nie odpowiadające sobie i nieproporcjonalne; zastanawiały go napisy dłubane w takim samym marmurze, jakiego było wszędy pod dostatkiem – ale już niewprawną dłonią, która nie potrafiła wzorować się na literach, jakie mogła spotkać na każdym kroku, gdziekolwiek padł wzrok nieumiejętnego snycerza.

„Jak upada kultura? – pytał sam siebie Edgar. – Dlaczego ten, który kuł napis na łuku Konstantyna, wykuwał go niekształtnie? Czy dlatego, że nie potrafił? A może myślał, że tak trzeba..."

I tutaj zastanawiała Edgara ta sprawa: „Może myślał, że tak trzeba. Może i ja myślę, że tak trzeba komponować? Rozkładać na pierwotne elementy, nie naśladować, broń Boże, Beethovena, nie być konsekwentnym, nie łączyć logicznie głosów... Może ja myślę, że tak trzeba, a to już jest upadek kultury... coś się kończy...

Może cała nasza sztuka jest jak łuk Konstantyna?"

I kiedy pod wieczór wracał do hotelu i kładł się na krótki wypoczynek, poczęły mu się mieszać razem wszystkie elementy tego, co tu widział. Posągi cezarów z szafirowymi krawatami, Hiszpań-

skie Schody z koślawymi napisami łuku Konstantyna, a nagi żołnierz, który mordował świętego
Mateusza, był – jak to we śnie – jednocześnie nagi
i wkładał czarną koszulę gwardii Mussoliniego.
Ta mieszanina, która po południu powstawała
w głowie Edgara, świadczyła o jego chorobie. Chociaż nie miał termometru, wiedział, że miewa go-
rączkę.

Ale co rano wstawał tak zaciekawiony jak za
czasów młodości. Dawno już żadnej podróży nie
przeżywał jak przygody. Ostatnie podróże jego
były zazwyczaj koncertowymi: parę lat temu był
tutaj z Elżunią, która śpiewała jeszcze w Augusteo
– dziś powróconym do godności grobowca wielkiego cesarza. Były to raczej zebrania towarzyskie.
Elżunia miała dar ciągnienia za sobą tłumów różno-
rodnych osób, jeździli za nią uparci wielbiciele,
niezłomne uczennice, otaczał ją zawsze tłum mod-
nych osób wszelkich stolic. Podczas ostatniej tu
wizyty zakochał się w niej naturalny syn Wiktora
Emanuela, kulawy i poetycki. To nie były przygody
Edgara, to były przygody Elżbietki.

Jedyne listy, jakie otrzymywał teraz z kraju, to
były listy Artura Malskiego z Łodzi. Odczytywał je
z uśmiechem, chwilami z uśmiechem przymusu,
czasami ze zniecierpliwieniem.

„Rzym, Rzym! – wołał Artur w swych epistołach,
tak jak gdyby chodził po pokoju, podrzucając ramieniem i piszcząc jak szczur zarzynany. – Któż to
widział jechać do Rzymu? Albo ruiny dawnej świet-
ności, albo okropność nowego, bezsensownego re-
żimu. Czego pan może szukać w Rzymie? Bo przecież tam nawet muzyki nie ma..."

Edgar odpisywał w myśli: a chociażby tego, że tutaj smyczki w orkiestrze naprawdę wszystkie razem grają... Tego oni nie rozumieją. Ale nie miał ochoty odpowiadać Arturowi, wiedział, że jego repliki nie będą wiele znaczyły.

„Niechby pan pomieszkał u nas w Łodzi – pisał dalej w swym liście mały Artur – zwłaszcza na taką zimną, dżdżystą wiosnę. Niechby pan zobaczył, jak to wygląda to miasteczko – z rynsztokami! Rozumie pan, z rynsztokami! Niech pan o tym pomyśli, kontemplując starorzymskie akwedukty i spacerując jak Goethe czy Krasiński z damami po rzymskiej Kampanii... Czy pan się zastanowił nad tym, panie Edgarze, że nas, Polaków, nie stać na odbywanie estetyzujących wojaży? Niech pan o tym pomyśli, patrząc na niebieskie niebo rozpięte nad Rzymem, kiedy u nas leje..."

– Tu pada też – powiedział Edgar.

„Inna rzecz, że zazdroszczę panu bardzo, ach, jak zazdroszczę. To musi być cudowne, podróż. Ja nigdy nie podróżowałem i nigdy już podróżować nie będę. Słucham, jak dzieci bębnią gamy i etiudy Czerny'ego. A Kaplica Sykstyńska? To musi być coś tak wielkiego, aż potwornego.... Zdławiłoby mnie. Ja nie jestem stworzony do Kaplicy Sykstyńskiej..."

Edgar zaśmiał się i powtórzył:

– Ja nie jestem stworzony do Kaplicy Sykstyńskiej.

Ale najbardziej lubił swoje poranne spacery na Awentyn.

Co prawda miał zawsze pewne trudności, aby się tam dostać. Jakoś mu się cała topografia Rzymu przekręcała w głowie, ilekroć się wybierał w te strony – i to wychodził na Świętą Praksedę, to znowuż błądził w jakichś zaułkach ponad kościołem Santa Maria in Cosmedin. I za każdym razem, gdy odnajdywał ową awentyńską drogę, mówił sobie: „Boże kochany, a przecież to takie proste".

To włóczenie się wzgórzem awentyńskim przypominało mu dawny Rzym, Rzym Goethego i Mickiewicza. Coś romantycznego taiło się tutaj i wydawało ów, zdawało się, dawno zwietrzały zapach romantyzmu. „Cóż to za zadziwiająca epoka – myślał sobie, siedząc na którejś ławce – że tak długo żyjemy jeszcze jej oddechem, oddechem *Dziadów* i *Fausta*... Ależ czy *Faust* to romantyzm? To chyba wieczne, ów człowiek, którego przerasta zaklęta przez niego natura. Ruina Rzymu nie jest ruiną – jest światem nowym, zawsze okazującym zawoalowane oblicze ludzkiego bytu. Nie bytu przez duże B, absolutnego istnienia. Ale ludzkiej codzienności, codziennego cierpienia.

To, że mnie boli gardło i że nie ma na to skutecznego lekarstwa, to jest okropne, a nie to, że zawaliły się jakieś państwa".

Dziwne ogrodzenie maltańskiego przeoratu, w swoim niespokojnym rytmie chroniące przedziwne drzewa i krzewy, nie wzruszyło go. Oczywiście spozierał przez dziurkę od klucza, przez którą widać wprost naprzeciwko u wylotu cyprysowej alei okrągłą i żółtą kopułę kościoła Świętego Piotra, podobną do egzotycznego owocu. Ale najbardziej lubił kościół Świętej Sabiny, cały we wnętrzu okryty zimnym marmurem jak lodem. W kościele było bardzo zimno, ale tak czysto i tak skończenie symetrycznie, że unosiła go ta matematyka w takie głębie jak muzyka Bacha. Klawiatura organów stała tu na dole i chciał dotknąć tych białych klawiszy. Wydawało mu się, że nie dźwięki dolecą do niego, ale że białe marmurowe płyty, tworzące okładziny kościoła, poczną się poruszać i układać w nowe lodowe konstrukcje architektoniczne, w nowe kościoły Świętej Sabiny, coraz smuklejsze i wyższe. Godzinami siadywał w tym kościele, który zazwyczaj bywał pusty.

Lubił także ogród przyległy do tego kościoła, wówczas jeszcze oddzielony murem od ulicy. Stały tam niskie kamienne ławy; niewysokie drzewa pomarańczowe dźwigały zielone i złote owoce, a z tarasu otwierał się widok na Tybr i Zatybrze, na kościół Świętego Piotra i na malownicze spiętrzenie Janikulu.

Siadywał często w tym ogródku, chociaż po takiej sjeście na zimnych granitach kaszlał więcej i znowu po południu plątały mu się w głowie barwy i nuty, tworząc jasną, wzruszającą do łez mgłę. Ale pewnego poranka było już bardzo ciepło i słonecznie, niebo było przejrzyste i zielonawe i wysokie pinie i cyprysy stały nieruchomo w przezroczystym powietrzu. Edgar usiadł na kamiennej ławce. Ten Rzym męczył go, a raczej męczyła go samotność i niemożność ułożenia swych myśli w konkretną konstrukcję. Takie zamieszanie odczuwał zazwyczaj w tych momentach, gdy z tego chaosu miał się wyłonić nowy twórczy pomysł.

Palił papierosa za papierosem i spoglądał ku niebieskiej przestrzeni za tarasem. Stąd nie widać było Zatybrza. W tak piękny, pogodny ranek kręciło się po ogrodzie parę osób, paru studentów z książkami, jakieś pary. Jedna z nich siedziała o parę ławek od niego. Coś w pochyleniu głowy kobiety dość dziwnie ubranej w czarną jedwabną chustkę uderzyło go. Mężczyzna, który siedział obok tej kobiety, odwrócony był plecami do Edgara. Wykładał coś bardzo szczegółowo i z wielkim przejęciem owej kobiecie, chociaż ruchy jego głowy i rąk były bardzo spokojne.

W pewnym momencie człowiek ten zadał dziewczynie jakieś pytanie, któremu ona przcczyła. Mężczyzna odwrócił się od niej ku Szyllerowi i wtedy Edgar poznał go. Był to Janusz.

Skinął do niego ręką zwyczajnym gestem, jak gdyby go widział przed paru godzinami. Janusz odpowiedział mu tak samo, nie przestając mówić do osoby, która obok niego siedziała. Kobieta w dalszym ciągu słuchała z pochyloną głową i czarna jedwabna chustka, dziwacznie (jak na Rzym) zawiązana, zakrywała jej rysy.

Po chwili Janusz wstał i skierował się do Szyllera. Edgar odrzucił papierosa i podniósłszy się z ławki czekał, aż Janusz zbliży się do niego. Janusz przywitał się z nim obojętnie, myśląc widocznie o czym innym.

Edgar nie widział go bardzo dawno. Wiedział, że Janusz zdziwaczał trochę pod wpływem nieszczęść, które go prześladowały, miał manię odwiedzania rozmaitych miejsc, z którymi związane były wspomnienia jego młodości, opowiadano dziwne rzeczy o jego pobycie w Hiszpanii.

Ostatnio rozmawiał z nim u Oli o jego podróży do Odessy. O Hiszpanię nie śmiał go pytać – siedział tam znacznie dłużej od siostry. Uderzyły Edgara zmiany, jakie zaszły w twarzy przyjaciela.

Przede wszystkim spostrzegł różnicę w oczach Janusza. Zapłynęły mu jakąś mgłą zmęczenia, niezrozumienia. Nie błyszczała w tych oczach dawna inteligencja. Ta łatwość i chęć zrozumienia, którą Edgar tak cenił w Januszu, wszystko jakby się przyczaiło do niewytłumaczalnego skoku.

– Cóż ty tu robisz? – pytał Szyllera zupełnie obojętnie. Można by było pomyśleć, że się spotkali w Saskim Ogrodzie.

– Mógłbym ci zadać to samo pytanie – odpowiedział Edgar, ściskając ramię Janusza powyżej łokcia. – W każdym bądź razie jest to dla mnie wielka radość...

– Zrozumiesz, kiedy ci powiem, kto jest ta kobieta, która tam siedzi na ławce.

– Któż to jest?

– To Ariadna.

– Boże drogi – syknął Edgar – skąd ona się tu wzięła?

– Ona jest stale w Rzymie... U bazylianek.

– Czy mogę się z nią przywitać?

– Ależ oczywiście. Tylko nie zadawaj jej żadnych pytań.

– Za kogo ty mnie masz? – spytał Edgar i raz jeszcze popatrzył w oczy Janusza. Właściwiej by było powiedzieć „popatrzył na oczy Janusza". Były to jak gdyby przedmioty z innego świata. Zawarty w nich był wyraz, jaki widzimy u skazanych na śmierć, skazanych wyrokiem sądu czy też wyrokiem medycyny.

Janusz uśmiechnął się na to powiedzenie i w tym nikłym, nieśmiałym uśmiechu twarz jego odmłodniała.

I nagle tu, na wzgórzu awentyńskim, przypomniała się Edgarowi Odessa, dawne czytania, dawne deklamacje.

– Czy ona pamięta jeszcze wiersze Błoka? – szepnął trochę bez sensu.

– Spytaj ją.

Edgar podszedł tak szybko do Ariadny, że przestraszył ją, stanąwszy niespodziewanie przed jej ławką. Podniosła ku niemu oczy spod czarnej jedwabnej chustki – i w tych oczach był dalszy ciąg przypomnień.

Ariadna bardzo się zmieniła, przytyła, zwłaszcza twarz jej zaokrągliła się i wszystkie dawne subtelne linie rysów zalały się, stały się jak z ciasta. Na nie umalowanej, żółtawej cerze widniały brązowe plamy. Zmarszczone czoło porysowane było pionowymi liniami, podłużne, żółte, wątrobiane pasma znaczyły jego białość. Tylko te oczy mokre, połyskliwe i bardzo wyraziste popatrzyły na Edgara jak za dawnych czasów.

– Ariadna – powiedział to jedno słowo i wyciągnął ku niej rękę.

W imieniu tym znajdowało się wiele uczucia i pieszczoty.

– No, widzisz, Edgar, no, widzisz! – powtarzała Ariadna, kiedy usiadł obok niej na płaskiej ławie. Janusz stał przed nimi, jakby czekając na coś.

W akcencie, z jakim wymawiała te i inne wyrazy, Edgar nagle odnalazł dawne dzieciństwo i młodość. Właściwie mówiąc, nie słyszał jej słów, nie rozumiał wyrazów, tylko słuchał tego niskiego, chropawego głosu i tego akcentu, który mieli wszyscy naokoło niego w okresie dawno minionego szczęścia. Janusz się zniecierpliwił.

– Edgar – powiedział – nie zamykaj oczu. Ariadna pyta ciebie o Elżbietkę.

Edgar otworzył powieki. Naokoło był awentyński ogród, stały pomarańczowe drzewa, nie zakurzone akacje. U Świętej Sabiny uderzyły dzwony, uroczyste, ale skromne i jak gdyby obce.

– Wiesz, Ariadno – powiedział skruszony – bardzo cię przepraszam. Słuchałem tylko twojego głosu. Spotkanie Janusza i ciebie bardzo mnie poruszyło. Byłem tutaj w zupełnej samotności...

– Jak się panu głos zmienił – powiedziała Ariadna, przechodząc na francuszczyznę – czy pan jest przeziębiony?

– Ach, nie – odpowiedział obojętnie Edgar – gardło mnie boli. Miałem bardzo męczącą drogę.

– A gdzie pan mieszka? – pytała dalej Ariadna poprawiając chustkę.

– W „Grand Hôtel de Russie".

– C'est chic* – uśmiechnęła się Tarłówna – ale to musi być bardzo drogo?

– Nie, nie bardzo. Dano mi „szoferski" pokój i wypada to nawet dosyć tanio, a punkt jest bardzo wygodny.

– Punkt wspaniały – z przekonaniem potwierdziła Ariadna.

– Zwariowaliście – zirytował się, wciąż stojący, Janusz – po dwudziestu latach niewidzenia rozmawiać o cenach hotelu!

---

* To wytwornie.

– Chcesz, abyśmy od razu rozmawiali o życiu pozagrobowym? – odgryzła mu się Ariadna i Edgar zauważył w jej tonie rozdrażnienie, po prostu złość. Widać było, że Janusz działał jej na nerwy.

Edgar położył rękę na dłoni kobiety.

– Ariadno – powiedział – nie gniewaj się na nas. To dla mnie tak oszałamiająca niespodzianka!

Ariadna znowu podniosła na niego wzrok. Tylko po tych oczach rozpoznawał dawną Ariadnę.

– Co ty mówisz? Ja mam się gniewać? Jestem także wzruszona. Edgar, tutaj... – powiedziała jakby sama do siebie i znowu zwiesiła głowę jak przedtem, i patrzyła na żwir pod nogami.

Edgar się trochę stropił. Spojrzał na Janusza, który stał przed nim w niepewnej postawie i splótłszy dłonie, uderzał palcem o palec.

– Chciałabym z tobą pomówić – Ariadna wróciła do rosyjskiego języka. Zabawne było, że po rosyjsku mówiła do Edgara po imieniu, po francusku mówiła mu vous. – I to zaraz, tutaj. Widzisz, mówiłam właśnie Januszowi, że Pan Bóg musi zesłać jakiś znak, że musi się coś stać. I właśnie wtedy zobaczyliśmy ciebie.

Edgar uśmiechnął się.

– Czy czasem nie spostrzegłaś mnie przedtem i właśnie dlatego zażądałaś jakiegoś znaku bożego?

– Jesteś podły – powiedziała Ariadna zaciskając pięści.

– No, bo jakiż ze mnie boży znak? – smutno uśmiechnął się Edgar.

– Wszystko jedno, czy znak, czy nie znak... Ale ty mi powiedz, czy można tak zmarnować życie, jak ja zmarnowałam. Przecie życie dano nam raz jeden. Tylko raz jeden... I jeżeli z niego nic nie wychodzi?

Edgar uśmiechnął się.

– Jakaż ty ruska – powiedział – aż przyjemnie. Zaraz takie pryncypialne sprawy. Zapewniam cię, że Januszowi nigdy do głowy nie przychodzi, czy zmarnował życie, czy nie. Ot, żyje się, i już. Prawda, Januszu?

Podniósł głowę i spojrzał na dawnego przyjaciela. Przestraszył się lekko. Cienkie rysy Janusza ściągnął jakiś skurcz i jakby lampa oświetlająca jego twarz nagle zgasła.

– Niedawno pisałem do ciebie o zmarnowanym życiu – powiedział – ale nie moim.

Przez chwilę panowało milczenie.

– Helena popełniła samobójstwo – powiedział Edgar po chwili, raczej do siebie niż do Janusza. A przecież wiedział, że Ariadna nic nie wie o Helenie. – Musiałem wyjechać.

– Kochałeś? – spytała nagle Ariadna.

– Nie. Nigdy. Ale to właśnie tym gorsze.

– Czy musisz zaraz iść? – spytał Janusz.

– Tak, już dzwonili na południe. Matka przełożona pozwoliła mi wyjść do pół do pierwszej.

– Czy jesteś w klasztorze? – spytał Edgar.

– Jestem tylko oblatką. Nie składałam żadnych ślubów. Ale mieszkam w klasztorze i muszę się stosować do reguły klasztornej. Kiedy wychodzę, muszę pytać matki przełożonej...

– To do widzenia – powiedział z roztargnieniem Janusz. Oboje popatrzyli na niego zdziwieni.

„Dziwnie zachowuje się" – pomyślał Edgar.

Ale Ariadna rzeczywiście pożegnała się z nimi i szybko odeszła. Jej klasztor mieścił się na Awentynie zaraz za maltańskim przeoratem. Dopiero kiedy wstała, zobaczył Edgar, jak bardzo utyła. Była ubrana w dziwną, fałdzistą długą spódnicę, taką, jakie noszą Cyganki, tylko czarną, w białą bluzkę i czarną jedwabną, bardzo prawosławną chustkę na głowie, z długimi plecionymi frędzlami.

Janusz i Edgar prawie bez słowa poczęli schodzić w dół, ku miastu.

– Tu zaraz będą taksówki – powiedział muzyk. – Chodź ze mną, zjesz śniadanie w hotelu.

– Mnie wszystko jedno.

Dopiero kiedy usiedli naprzeciwko siebie przy białym stole niezwykle eleganckiej restauracji, Edgar uśmiechnął się.

– No, nie gniewaj się za te szyki. Co robić, ja to lubię, już taki umrę. Teraz nie bardzo sobie mogę na to pozwolić, ale Elżbietka... To ona mi umożliwiła wyjazd do Rzymu.

Janusz wzruszył ramionami nie patrząc na Edgara. Patrzył na boki.

– Mnie wszystko jedno – powtórzył.

Tylko w tym geście, z jakim Edgar rozprostował położoną na kolanach białą i bardzo nakrochmaloną serwetę, która trzeszczała pod jego palcami, poczuć można było zniecierpliwienie.

Nagle zaryzykował:

– Nie popisuj się, Janusz. Widocznie nie wszystko ci jedno, skoro przyjechałeś tu do Rzymu, do Ariadny.

– Nie wiedziałem, że jest tutaj.

– Ale jej szukałeś.

– Szukałem? Tak. Jak wszystkiego teraz szukam, co gdzieś pogubiłem. Sam nie wiem gdzie... Kręcę się po świecie. Włóczę się za resztki pieniędzy Bilińskiej.

Zatrzymał się, wymieniwszy nazwisko siostry, i popatrzył na Edgara.

Muzyk z zupełną pewnością siebie wytrzymał ten wzrok.

– Siostry nas utrzymują... – uśmiechnął się. – Dziwnie się składa.

– No, więc szukam, czego nie zgubiłem – powiedział Janusz i nagle głos mu się załamał – bo tego, co zgubiłem, już nie znajdę – dodał bardzo cichutkim szeptem.

Edgar trochę się przeląkł i nie patrzył na przyjaciela. Szukał potraw w karcie.

– Zjesz ostrygi?

– Nie znoszę – powiedział Janusz.

– No, nareszcie raz jest ci nie „wszystko jedno"! – i zaśmiał się.

Poczuli się trochę swobodniejsi.

– A ten jej Niewolin? – spytał Edgar.

– Pije podobno, a żona go żywi, w rynsztokach go znajdują. At, wiesz...

– To było do przewidzenia.

– Widziałeś, jak Ariadna się zmieniła?

– Dlaczego ona nie mówi po polsku? – spytał Edgar, nie chcąc się zatrzymywać na pytaniu Janusza.

– Bóg raczy wiedzieć. Przecież jest w polskim klasztorze. U bazylianek...

– Tak. Ale ślubów nie złożyła. To charakterystyczne...

Janusz się pochylił nad talerzem w stronę Edgara i powiedział znowu patetycznie:

– Pomyśl, Edgar, ja ją ubóstwiałem.

Tu kelner przerwał im rozmowę.

– Wiesz, Janusz – powiedział Edgar – ja we Włoszech zamawiam potrawy ze względu na brzmienie ich nazw. Posłuchaj, jak to brzmi: *aragosta in bella vista* albo *faraona gelata con piselli*.

I zamawiał właśnie te potrawy. Janusz milczał.

– To przecie już dwadzieścia parę lat. Ja byłem jeszcze wtedy zupełnie, zupełnie młodym człowiekiem, a już przecie znano mnie jako kompozytora... Jak to się zmieniło.

Każdy mówił o sobie. Wreszcie zorientowali się.

– Co robi twoja siostra? – spytał Szyller.

– To samo co zawsze – uśmiechnął się Janusz. – Po powrocie z Hiszpanii myślałem, że się specjalnie zainteresuje polityką. Tak nawet było. Urządziła kilka „politycznych" śniadań – a potem to jej przeszło.

Westchnął.

– Jakoś tam gorzej między nimi – ciągnął.

– Jak to?

– No, Spychała i Marysia... niedobrze idzie, zdaje się.

– Co ty mówisz? – obojętnie spytał Edgar, dobierając majonezu. – Ciekawy jestem, dlaczego oni się nie pobrali?

– Bardzo proste. W razie małżeństwa Marysi opieka nad majątkiem Ala przechodziła na hrabinę Caserty.

– To prawda – uśmiechnął się kompozytor – a ja o tym nie pomyślałem.

– Ty w ogóle o niczym nie myślałeś – niejasno powiedział Janusz.

– Rzeczywiście. Byłem i chyba pozostałem strasznie niedoświadczony.

I przeczekawszy zmianę talerzy ciągnął:

– Bo ja ci nigdy nie mówiłem. Nigdy nie rozmawiałem z tobą o tych sprawach.

– I po co? – obruszył się Janusz.

– Masz rację. Po co? Tylko nie wiem, dlaczego chciałbym ci opowiedzieć pewien drobny epizod. Wiesz, tak czasem ma się ochotę przegrać jeden z mazurków Chopina czy *Warum* Schumanna. Tak się chce czasem coś opowiedzieć. Zwłaszcza z dawnych czasów.

– Z Odessy?

– Z Odessy. Jeszcze wtedy, kiedy mieszkaliście u nas. I ty, i Józio, i profesor, i kiedy tak kochałeś się w Ariadnie, że wszystkim serce się krajało.

– Widać to było?

– No, pewnie. I kiedyś przyszła Marysia ze Spychałą. Wiesz, to nie wtedy, kiedy była ta rozmowa z Olą, ale innym razem. I Ola, ujrzawszy ich wchodzących, gwałtownie wstała z krzesła i wyszła do kuchni. A twoja siostra, mrużąc oczy i prężąc się jak gdyby, powiedziała: „Czy to jest ta mała?". I to było jakieś takie okropne to pytanie, takie okrutne. I Marysia była taka piękna, kiedy zadawała to pytanie, taka zimna, wyniosła, niedostępna...

– No, piękna to ona nie była.

– Dla mnie więcej niż piękna. Zakochałem się w niej, jak ty w Ariadnie.

– Złudzenie.

– Oczywiście złudzenie. Przecie ja się nigdy w nikim nie kochałem.

– W muzyce.

– Niewdzięczna kochanka. Nie odwzajemniła mi się miłością.

– Cóż chcesz, one są wszystkie takie.

W tej chwili służący przywiózł im pod bok malutki stoliczek na kółkach. Stały na nim w kryształowych naczyniach rozmaite gatunki sałat: zielone, białe, czerwone, selery krajane w plasterki i purpurowe buraki. Kelner zapytał, czego sobie życzą:

– Czy to do tej faraony?

– Faraona z sałatą – zaśmiał się Edgar – Kleopatra z sałatą. To bardzo śmieszne.

I pokazując kelnerowi gestem, jakiej chce sałaty, śmiał się cichutko. Januszowi przypomniał się dawny, pogodny, łatwy Edgar.

– To było wtedy – powiedział wracając do wspomnień z Odessy – kiedy wszedłem do naszego pokoju, mojego i Józia, i zastałem ich całujących się.

– Kogo?

– Marysię i Kazimierza.

– Wiesz, to dla mnie zadziwiająca historia – z zajęciem mówił Edgar, krając ową perlicę (faraonę) – wydawałoby się najbardziej nie pasujący do siebie ludzie. Dlaczego, jak to się stało? Piorunem?

– Czy wyobrażasz sobie raczej Olę z Kazimierzem? – spytał Janusz.

– Już raczej Olę. Ale, *à propos*, dostałem dzisiaj rano list od Oli i nie przeczytałem go jeszcze.

– Ola pisuje do ciebie?

– Od czasu do czasu – powiedział Edgar, ale potem uśmiechnął się otwarcie: – Nie, pisze do mnie zawsze, gdy tylko jestem za granicą. Myślę, że ona chce, żebym ja kiedyś skomponował parę pieśni dla niej.

– Więc dlaczego tego nie zrobisz?

– Ach, to nie takie proste.

– Skomponuj dla niej coś łatwego. Jak to *Verborgenheit*.

Edgar znowu się zaśmiał, ale tym razem śmiech jego był ironiczny.

– Łatwego niby *Verborgenheit* – powtórzył – ale do tego trzeba być Brahmsem.

– A ty nie jesteś Brahmsem?

– Nie. Jestem Edgarem Szyllerem. Już nie mogę komponować prostych piosenek. Prostych pieśni. W ogóle zresztą nie mogę komponować...

– Więc powiedz mi, ale tak naprawdę powiedz – nagle podniecił się Janusz – czy nie ma powrotu do jakiejś prostoty, do dawnego stanu historii. Żeby wszystko nie było takie potwornie skomplikowane, niedobre, poplątane. Bo przecież sam widzisz, wszystko coraz bardziej się plącze, a ci, co chcą zagadnienia upraszczać – którzy traktują je prostacko, no, ci tutejsi i ci, co w Niemczech – gmatwają je coraz bardziej.

– Obawiam się, że pogmatwają wszystko definitywnie – uśmiechnął się Edgar znowu innym uśmiechem.

– I ty to mówisz tak spokojnie?

– Niestety w historii nie ma powrotów.

– Jak w życiu. Przecież ja nie mogę wrócić do Ariadny. To jest zupełnie niemożliwe.

– A dlaczego ty jej mówisz jakieś rzeczy? Dlaczego nie zostawisz jej w spokoju. Jest sobie w tym klasztorze...

– Ale ona nie ma tam spokoju. Żebyś wiedział, co się z nią dzieje.

– Ja myślę, że Ariadna nigdy i nigdzie nie zazna spokoju.

– Opiekuje się dziećmi. Opiekowała się w Paryżu!... Ale przecie nie o to chodzi. Ona się strasznie męczy.

– Daj jej spokój. Nic na tę mękę nie pomożesz. Nie pomogłeś ani odrobiny przez te dwadzieścia trzy lata, co znamy Ariadnę... Prawie ćwierć wieku. Przecież to już stara kobieta.

– O Boże, Edgar, co ty mówisz! Stara kobieta.

– Powiedz to sam sobie, Januszu: stara kobieta.

– To stara kobieta ma się męczyć w samotności?

– Przecież się z nią nie ożenisz? – Edgar badawczo popatrzył na Janusza.

– Gdyby zechciała... – Janusz się nagle zmieszał. – Bo przecież ja też się męczę.

– Nie potrzebujesz mi o tym mówić. Ale mi się zdaje, że niewiele się da na to poradzić.

– Męczyłem się i wtedy, kiedy żyła Zosia.

– Wiedziałem o tym.

– I nic mi nie powiedziałeś.

– Wiesz, wtedy w Filharmonii, kiedy Elżbietka śpiewała Szeherezadę, pamiętam, kiedy przyszliście do garderoby, a myśmy szli na raut do Kemeyów.

– Co wtedy?

– Jakoś wyglądaliście niedobrze. Pomyślałem sobie: biedna Zosia.

– O!

– Nie gniewaj się, tak sobie pomyślałem...

– Heleny przy tobie nie było.

– Helena słuchała tych pieśni... przez radio. A właściwie już wtedy nie słuchała. Nie chciała słuchać.

– Jakoś to wszystko źle się układa. Ale ja nie jestem samotny – powiedział Janusz – mógłbym się nawet ożenić. Ale ona nie chce.

– Ach, wiem. Mówiono mi w Warszawie. Ola czy Marysia. To siostrzenica Janka Wiewiórskiego?

– Siostrzenica jego żony.

– Wiem, wiem. To ta z Paryża. Kocha cię?

– Nie pytałem jej o to.

– A co jest z Jankiem Wiewiórskim?

– O, siedzi! Dostał osiem lat. Jest we Wronkach.

– Tak, już podczas twojego pobytu w Hiszpanii mówiono mi o tym. Ale ja się tym nie interesuję.

– Nie interesują cię sprawy twoich przyjaciół?

– A nie interesują. W tym sensie...

– Jeden Alo namawia mnie do tego małżeństwa.

– Alo-buntownik.

– On jest za słaby, aby się buntować. Nie, ale oni go tak okropnie wychowują. Zwłaszcza Marysia i ten cały stary plenipotent. Oni go wychowują tak, jakby był Zygmuntem Krasińskim...

– No, jest dziedzicem olbrzymiej fortuny.

– Sam wiesz, co teraz znaczą fortuny. *Notre siècle instable...* *

– Wracając zatem do Ariadny. Czego chcesz od niej...

– Jeżeli mam być szczery, to ona raczej chce ode mnie...

Nagle przerwał im rozmowę jakiś młody człowiek, mówiący złą francuszczyzną. Okazało się, że to był dziennikarz z „Corriere della Sera", który dowiedziawszy się o tym, że Edgar przybył do

---

* Nasze czasy niepewne...

Rzymu, chciał zrobić wywiad ze znanym kompozytorem. Dziennikarz zdradził się niefortunnie z tym, że wywiad ten poleciła mu uczynić polska ambasada, i okazał kompletną ignorancję dotyczącą prac „sławnego kompozytora" i naszych stosunków muzycznych, a nawet nie wiedział o istnieniu siostry Edgara, słynnej na obu półkulach „Elizabeth Schiller", chociaż śpiewała ona dawniej i w Rzymie, i w La Scali. Janusz z przykrym zdziwieniem zauważył, że natrętne wtrącanie się dziennikarza zrobiło Edgarowi przyjemność. Częstował gościa papierosami i deserem i był dla niego o wiele uprzejmiejszy niż tamten dla niego. Dziennikarz zadał parę zdawkowych pytań, zapisał w bloku odpowiedzi i kiedy Edgar zaczął opowiadać nieco obszerniej o warunkach polskiej pedagogiki muzycznej, przerwał mu szybko. Janusz podniósł brwi ze zdziwieniem. A natręt ulotnił się, jak się ukazał.

Edgar się trochę zasępił.

– Wiesz – powiedział do Janusza – lekarze każą mi leżeć po obiedzie.

– Nie czujesz się dobrze?

– Nie. I gorączkuję co dzień po południu. Lubię zresztą tę sjestę.

– No, to idź teraz do siebie – powiedział Janusz nagle bardzo ciepło, swoim głębokim głosem. – Przyjdę do ciebie wieczorem.

Pokoik Edgara był malutki, ale istniała w nim kanapka, postawiona w nogach łóżka. Szofer też człowiek, może się nie myć, ale może potrzebować kanapki, po co ma babrać łóżko. Edgar położył się na kanapce, mając nad głową tarasy ogrodu i zapach świeżej popołudniowej ziemi, i otworzył list Oli.

Drogi panie Edgarze! – pisała.

Pan ogląda wszystkie cudowności Rzymu, a nawet gdy pan nie ogląda, to oddycha pan atmosferą tego miasta. I cóż może pana obchodzić, co pana daleka znajoma (prawda, jakie to dobre określenie „daleka znajoma" jak „daleka krewna" – to Cherubin tak zawsze powiadał) porabia gdzieś na północy podczas zimnej i dżdżystej wiosny. Pan wie, jak o takiej porze wygląda Warszawa. I co pana może interesować moje życie? Siwa się staję pomaleńku, a Franio już dawno osiwiał. Tylko moje dzieci niesiwe, są takie szalenie młode i tak nadzwyczajnie wyglądają. Antek może najprzystojniejszy, ale zimny, Andrzej jest tak chwilami piękny jak jakiś rysunek czy obraz włoskich malarzy. Tak sobie przynajmniej wyobrażam. Pan teraz patrzy na te obrazy, to pan by mi powiedział, czy się nie mylę...

Edgar pomyślał o nagim żołdaku, który zabijał świętego Mateusza, ale dalsze słowa listu powstrzymały go od porównań.

Andrzej jest taki piękny jak Walerek i taki do niego podobny, z tą tylko różnicą, że ma na twarzy mnóstwo myśli, jakieś życie wewnętrzne odbija się w nim. Bardzo się męczy swoim przygotowaniem do matury, a potem ma iść jeszcze na tę architekturę, i znowu egzaminy. Ale oprócz tego w nim jest jakieś życie, którego nie widzę u Antosia. Studiuje swoją medycynę... I nawet mi tak dziwno

Czytał dalej, opuszczając parę linijek, rzeczywiście myślał teraz raczej o spotkaniu z Januszem i Ariadną, a nie o dzieciach Oli.

... że to przeze mnie, tak niepodobną do rodziny mamy, przeszło to podobieństwo chłopców do Walerka. Andrzej uśmiecha się zupełnie jak on i ma takie same zęby. Pan tak dawno ich nie widział. Ostatni raz przyszedł pan tak późno i taki pan był przygnębiony, rozmawialiśmy o owym nieszczęściu. Nie śmiałam wtedy wołać dzieci, choć chłopcy byli w przyległym pokoju. Cieszyłam się tylko, że w tak ciężkiej chwili przyszedł pan do nas i bardzo mi było smutno, że pan tak naprawdę nikogo nie ma na świecie. Przecież pan ma rodziców, siostrę, bardzo oddanych przyjaciół, uczniów. Dopiero potem pomyślałam sobie, że to nie zależy od tych spraw. Można mieć zacnego męża, bardzo urocze dzieci i być już starą kobietą, a czuć się chwilami bardzo samotną. Niech się pan nie gniewa, że ja to panu mówię, ale to tylko dlatego, że pan jest daleko i pewno smutny. Dziś patrzyłam w gazecie na temperatury we wszystkich stolicach świata. Rzym + 12 to przecie chłód prawdziwy. A więc ma pan smutek i niepogodę....

Chciałam jeszcze panu opowiedzieć o Helence. Ona jest zupełnie inna od chłopców, całkiem z innej materii zrobiona. Ale to już innym razem. Nie mam teraz wiele czasu na pisanie listu.

W Rzymie latają w powietrzu nuty jak jaskółki. Może pan parę ułowi i coś z nich ułoży? Tak bym się cieszyła.

Znowu spotkałam Marysię Bilińską. Czy pana to nie bawi?

Ola

Edgar wyciągnął dłoń z listem za siebie i wtedy ujrzał za oknem obraz ogrodu jak gdyby nieco przekrzywiony, niby w lustrze odbity. Padał ukośny deszcz i powietrze było w tym siwym deszczu zupełnie niebieskie. Wyżej stały granatowe cyprysy. Westchnął.

I w tej chwili zadzwonił telefon.

W słuchawce odezwał się nieznajomy głos mówiący po francusku.

– Czy to pan Edgar Szyller?

– Tak.

– Tu mówi sekretarka profesora Pampaniniego. Profesor czeka pana jutro w swoim gabinecie, jutro o dziesiątej rano...

– Jaki profesor?

– Profesor Pampanini, słynny laryngolog. Prosi pana jutro...

– Ale ja nie zamawiałem wizyty...

– Zamawiała pańska znajoma. Hrabina Tarło...

– Kto?

– *La comtesse* Tarło prosiła, aby profesor pana przyjął. Czy pan będzie?

– Będę.

Odłożył słuchawkę z pewnym zniecierpliwieniem, ale i z pewną ulgą. Wiedział, że musi być w tych dniach u lekarza, i nie mógł się zdobyć na akcję w tym kierunku.

– Będę, no, to będę – wzruszył ramionami.

Znowu zadzwonił telefon. Mówił Janusz.

– Wyobraź sobie, Ariadna porzuciła klasztor – powiedział. – Zamieszkała w małym hotelu aż koło Bramy Ostiańskiej.

– Ajajaj! A dlaczego ona tak daleko?

– Ma tam jakąś znajomą Rosjankę. Ale co my z nią będziemy robić?

– Jak to co? Ja się nie będę kłopotał.

– Ona przecież nie ma ani grosza.

– Ja też nie mam. Mówiłem ci, Elżbietka mi przysłała. Ale niedużo. Wystarczy mi ledwie, ledwie na pobyt.

– I na faraony.

– Nie bądź głupi, Janusz. Nie zgrywaj się na ascetę.

– No, dobrze, dobrze. Ale ja też nie mam ani grosza. Co gorsza w domu też.

– Może byś zadepeszował do Ala? On tu musi mieć jakąś forsę w Banca di Sicilia.

– Chyba nie. Ale spróbujemy.

– Zajdź wieczorem, koło siódmej. Pogadamy.

– Dobrze. Tymczasem idę do Ariadny.

– No, idź, idź. Tyś się urządził.

– Nie mów tak, Edgarze.

Edgar z westchnieniem odłożył słuchawkę. Wszędzie dopadały go kłopoty.

I od tej chwili zaczęły się tarapaty, ale i wędrówki po mieście, gdzie ludzie tak różnych nastrojów, jak on, Janusz i Ariadna, musieli odnajdywać wspólny ton. Przychodziło to im z trudnością i męczyło. Kiedy nie wybiegali w dziedzinę wspomnień, wszystko zawodziło. Zwiedzali systematycznie – mniej lub więcej – galerie, oglądali kościoły i obrazy. W stanie pustki wewnętrznej, w jakiej znajdowali się Ariadna i Janusz, było to wszystko zdawkowe i nazbyt już turystyczne.

Zaszedł Edgar również do tego lekarza, który dość długo oglądał jego gardło i wziął jakąś tam cząstkę do analizy. Był to czarny, wysoki, pewny siebie człowiek w ogromnych okularach, który raczej wesoło rozpytywał Edgara o dzieciństwo, o rodziców, o muzyczne studia. Zainteresował się jego kolanem i lekką w nim sztywnością, tak jak gdyby nie był laryngologiem, ale ortopedą. Pożegnał się z Szyllerem z wylewną włoską uprzejmością. Zapisał mu jakieś płukania, proszki i kazał zaraz po powrocie do Warszawy pójść do dobrego internisty.

– Niech pan nie zapomni – powiedział na pożegnanie – zaraz pan musi pójść do lekarza.

Edgar obiecał, ale teraz miał spotkać Janusza, z którym uradzali, skąd zdobyć pieniądze dla Ariadny. Niewiele im pomysłów przychodziło oprócz tego, co już sobie powiedzieli. Janusz depeszował do Ala. Odpowiedź nie przychodziła przez dwa dni. Wreszcie dostał telegram od siostry.

Bilińska depeszowała:

Alo nie ma możności ruszenia swych kapitałów jako niepełnoletni. Poślę ci moich dziesięć tysięcy złotych. Zezwolenie komisji dewizowej potrwa dziesięć dni.

Maria Bilińska

Janusz się zdenerwował. Mieszkał niedaleko „Grand Hôtel de Russie", po drugiej stronie Piazza del Popolo w hotelu „Locarno", skromniutkiej szwajcarskiej lokandzie. Stamtąd niedaleko było do Tybru. Chodzili z Szyllerem wzdłuż bulwarów nadrzecznych, spoglądając ku zakrywanej przez motylowate liście platanów kopule bazyliki Świętego Piotra.

– Za dziesięć dni! Co za potworność – narzekał Janusz: – Jakimi trudnościami nas obstawiają i jak to się wszystko skończy? Co będzie dalej?

– Musimy szukać z tej strony...

– Co znaczy z tej strony?

– No, gdzieś tu. Skąd można wysłać pieniądze.

– Masz kogo we Francji?

– Nie mam nikogo. Komu Francuz pożyczy.

– Marrès Chouart?

– On wprawdzie fotografuje atomy, ale jeszcze złota nie nauczył się robić.

– Zostaje tylko ona.

– Kto?

– Hania.

– O! – westchnął Janusz z ulgą – o tym nie pomyślałem. Naprawdę myślisz, że można?

– Kiedy tak bardzo trzeba...

– A ty masz jej adres?.

– Hani Daws? Chyba mam. A zresztą ona jest tak znana, powiedzą nam w tutejszej ambasadzie amerykańskiej.

– Zobaczymy.

Wrócili do hotelu Janusza, który – o ironio – miał daleko większy pokój, i całe popołudnie spędzili na układaniu depeszy do Hani Daws, do Chicago. Okazało się, że Janusz znalazł jej adres zapisany w starym kalendarzyku, który nosił z sobą.

Potrzebujemy gwałtownie nie dla siebie większej sumy pieniędzy. Czy możemy prosić o przysłanie nam do Rzymu, adres...

Edgar Szyller
Janusz Myszyński

Ostatecznie Edgar się nawet ożywił przy wysyłaniu tej depeszy.

– Zupełnie dwóch żygolaków – mówił – którzy na razie nie biorą pieniędzy, dopiero po pewnym czasie proszą o „pożyczkę".

Janusz spojrzał na Edgara z pewnym zdziwieniem.

– Dowiaduję się o tobie coraz to nowych rzeczy.

– Czyż to wszystko dla ciebie jest nowe?

Janusz nic nie odpowiedział, tylko westchnął.

– Biedna Hania.

Wieczorem spotkali się z Ariadną. Była ubrana bardzo skromnie, w ciemnym kostiumiku, ale już nie miała chustki na głowie i starannie podkładem i pudrem przykryła wątrobiane plamy na czole. Była też widać u fryzjera, który znowu inaczej ułożył jej czarne włosy; ufryzował je w pozawijane kudełki jak na biuście cesarzowej Faustyny w muzeum narodowym. W ten sposób urządzona wyglądała jeszcze bardzo ładnie; ubyło jej parę lat.

W wesołym nastroju pojechali na górę, gdzieś aż do posągu Garibaldiego, i poszukali jakiejś skromnej osterii na kolację. Wesoły nastrój: to znaczy, że każde z nich chciało być wesołe i nie dostrzegało wysiłków, które robili inni.

Tawerna miała spory ogródek, gdzie na dużych łukach łączących stoły wisiały różnokolorowe lampiony. Różowe i pomarańczowe blaski latarń jeszcze bardziej odmładzały twarz Ariadny. Wydobyła lusterko i poprawiła włosy z zadowoleniem.

– Jakbym trochę odmłodniała – powiedziała swoim niskim, chropawym głosem, ale jej obaj towarzysze widać myśleli o czym innym, bo nie podtrzymali tej wypowiedzi żadnym wymuszonym komplementem.

Popatrzyła na nich trochę speszona. I troszkę się zasmuciła.

Ale Edgar prędko wszystkich rozruszał. Zrobiło mu się po prostu żal Ariadny – zaczął zamawiać specjalne wina, opowiadał anegdotki z życia Elżbietki, potem opowiedział o liście Oli, wiadomości o jej dzieciach. Ariadnę to bardzo zainteresowało. „A więc Ola ma już takie duże dzieci?". I pytała o ich imiona. Powtarzała je: Antek, Andrzej i Helenka. I ciągle dopytywała się o ich wiek. I Edgar, i Janusz rzadko widywali dzieci Oli. Nie bardzo jej umieli odpowiedzieć.

Ale w końcu Edgar postawił na swoim. Ciepła, piękna noc rzymska rozkrochmaliła ich ostatecznie, zapomnieli o swoich kłopotach, a widać Edgar zapomniał i o braku pieniędzy, bo zamawiał znowu jakąś butelkę. W końcu zrobiło się im bez powodu bardzo wesoło i śmieli się bez żadnego pretekstu albo z pretekstów bardzo błahych. Tylko doświadczone ucho – a Edgar miał doświadczone – odróżnić by mogło w śmiechu Ariadny drobniutką nutkę histerii.

Edgar nie mógł znaleźć odpowiadających mu papierosów u boya, który je roznosił. Poszedł więc po nie do bufetu.

Gdy Szyller się oddalił, Ariadna natychmiast przestała się śmiać.

– Wiesz, telefonowałam do Pampaniniego – powiedziała.

– Do kogo? – spytał Janusz, który nigdy nie orientował się w nazwiskach.

– Do profesora Pampaniniego, tego lekarza, u którego był wczoraj Edgar.

– No, i co powiedział?

– Gruźlica.

– Co? – przestraszył się Myszyński.

– Gruźlica gardła, i to dość zaawansowana. Ja zaraz poznałam po głosie – powiedziała Ariadna bezlitośnie, jakby z uciechą konstatując ten fakt.

– To straszne – powiedział Janusz.

– Życie w ogóle jest straszne – obojętnie wyrzekła Ariadna.

– Ach, Boże, z tymi twoimi ogólnikami – zniecierpliwił się Janusz – jaka ty doprawdy jesteś...

– Jaka?

– Okrutna.

Ale tu powrócił Edgar, opowiedział o swojej zabawnej rozmowie łamaną włoszczyzną z piękną bufetową i znowu się zrobiło bardzo wesoło.

Po kolacji zdecydowali się wracać z Janikulu piechotą. Wzięli się pod ręce i szli dość prędko, uciekając przed śmigającymi samochodami. W dalszym ciągu śmieli się bez przerwy i zachowywali się jak dzieci.

W pewnym momencie zatrzymali się na jakimś załomie i patrzyli na miasto, tonące w złotym świetle pod szafirowym przezroczystym niebem. Przerwali swój bezmyślny śmiech i nagle zrobiło im się smutno. Stali przez chwilę cicho.

– Chciałbym mówić wiersze – powiedział Janusz – ale mi nic do głowy nie przychodzi.

A Ariadna wstrząsnęła głową „jak dawniej", loki jej się rozsypały na czoło i powiedziała cichutko, ale śpiewnie:

Dla mojej umilonnoj duszy
Wsie twoi słowa choroszy –
Ty stichow dla mienia nie piszy,
Dla mojej umilonnoj duszy... *

Janusz się wzdrygnął. „Tak nie można przeżyć tych spraw – pomyślał. – Spokoju, spokoju, tylko się nie przejąć".

---

* Dla mojego rozrzewnionego serca
Wszystkie twoje słowa są piękne –
Więc nie pisz wierszy dla mnie,
Dla mojego rozrzewnionego serca...
(cyt. z A. Achmatowej)

Gdy zeszli na Piazza del Popolo, jeszcze napili się kawy w kawiarence na rogu. Janusz miał stąd odwieźć Ariadnę taksówką na drugi koniec miasta. W kawiarni, a właściwie na ścianie obok ich drzwi, bo siedzieli na zewnątrz, wprost na placu, zauważyli afisz zapowiadający na jutro koncert symfoniczny w teatrze „Argentina". Miał grać Artur Rubinstein, a dyrygować Paweł Klecki. Ariadna pamiętała Rubinsteina z czasów paryskich i teraz klasnęła w dłonie.

– Musimy iść na ten koncert – powiedziała kategorycznie.

– Ależ, kochana – zauważył Janusz – koncert jest już dawno zapowiedziany, bilety od dawna rozebrane.

– To nic nie szkodzi, my musimy iść – mówi Ariadna.

– Ostatecznie to łatwo – zauważył Edgar – ja po prostu zatelefonuję do Rubinsteina jutro rano albo do Kleckiego. Przecież muszą mnie znać, do cholery.

W ten sposób znaleźli się przed teatrem „Argentina" nazajutrz przed samym koncertem. Było już późnawo, więc się spieszyli do loży. W przejściu Edgar zdołał szepnąć Januszowi:

– Musimy pogadać w przerwie. Mam ważne wiadomości.

Program koncertu zapowiadał wyłącznie muzykę rosyjską. Na pierwszy ogień szły *Wariacje* Arenskiego na temat Czajkowskiego, potem drugi koncert Rachmaninowa. W drugiej części miała być *Ekstaza* Skriabina.

– Program koncertu jest stworzony dla nas – powiedział Janusz.

Ariadna popatrzyła z lękiem na Szyllera:

– Pan chyba nie lubi *Ekstazy* Skriabina?

– Dawno nie słyszałem – uśmiechnął się Edgar – może zmienię do niej stosunek.

– A te *Wariacje* Arenskiego? – spytał Janusz.

– To moja ukochana melodia – powiedziała Ariadna i zaczęła nucić:

> *Był u Christa młodienca sad*
> *I mnogo roz wzrostił on w niom –* [*]

Ale wtedy wyszedł Klecki, sala huknęła zdawkowym oklaskiem i koncert się rozpoczął. Orkiestra była znakomita. Edgar słuchał uważnie, przechylając na bok głowę.

Ariadna wzięła Janusza za rękę. Gdy orkiestra umilkła, mówiła coś. Janusz nie mógł dosłyszeć z powodu hałasu oklasków. Nachylił ucho ku jej ustom. Ariadna powtarzała ostatni wiersz pieśni Czajkowskiego, poematu K.R.

> *Wy pozabyli, czto szypy*
> *Ostalis' mnie – skazał Christos*
> *I kapli krowi wmiesto roz*
> *Ukrasili jego czeło...* [**]

– Zapomnieliście, że dla mnie zostały się kolce... – powtórzyła po francusku. – Dla Chrystusa zostały kolce... rozumiesz? A my zrywamy róże...

---

[*] Miało Dziecię Jezus ogród
    I wiele róż wyhodowało w nim.
[**] Już zapomnieliście, że kolce
    Zostały dla mnie – rzecze Chrystus
    I krople krwi miast płatków róż
    Przyozdobiły Jego czoło...

– Ładne róże – powiedział Janusz, ale Ariadna go nie posłyszała.

Janusz przymknął oczy i na chwilę, na drobną chwilę, przed wzrokiem jego mignęła twarz Zosi. Tak jak ją widział – wówczas, po śmierci. To było straszne. Powstrzymał się, aby nie krzyknąć. Szybko otworzył oczy. Sala grzmiała oklaskami. Wchodził Rubinstein.

Brzydki, bardzo brzydki, ale jakiś fantastycznie uroczy. Jakiś taki swój, a jednocześnie jakby Jowisz na obłoku. Bardzo osobliwy.

Edgar nachylił się do Janusza.

– On jednak jest podobny do Chopina.

– Z czego? – zapytał Janusz.

– Nie wiem, chyba z aury.

Odezwały się od razu mocne i zdecydowane nuty koncertu. Biegłe palce Rubinsteina wydobywały z fortepianu ten krągły, mocny, podobny do stukotu miedzianych kulek ton tylko jemu właściwy. Wielki umiar obu artystów potrafił przeprowadzić pierwszą część koncertu Rachmaninowa na samej granicy szmiry, cygańskiego romansu. Umiar i muzykalność ocalały starego kabotyna.

A potem zaczęła się część druga, mądrze wyprowadzona z rozłożonych akordów Bacha, Beethovena czy Chopina. I ta boska, słodka, zbyt słodka melodia z powtórzonym zamyśleniem na końcu. Rubinstein grał jak bóg, a Ariadna otwarcie płakała.

– Co za artyzm – powiedział Janusz, gdy się wszystko skończyło.

Ariadna została w loży, wyszli na papierosa. W palarni wiedzieli, że mają mówić o bardzo ważnych sprawach, i szybko, bo przerwa była krótka. Ale przez długą chwilę nie mogli wydać głosu.

– Z takiego kiczu zrobić takie arcydzieło – westchnął Edgar, myśląc na pewno o sobie.

– No, ale co miałeś do mnie? – spytał Janusz.

Edgar z kieszeni kamizelki wydobył pomarańczowy papier.

– Depesza od Hani.

– Pokaż – zainteresował się Janusz.

„1000 przekazane telegraficznie Banco Italia Roma pozdrowienia Hania"

– Podpisała: Hania – uśmiechnął się Janusz.

– Słodkie imię Hani, jak mówi Nałkowska – powiedział Edgar – ale co będzie dalej?

– Tysiąc dolarów to bardzo duża suma. Hania ma hojność polską i amerykańską. To ładnie.

– Ale nawet największa suma wyczerpie się w końcu. Tysiąc dolarów nie wystarczy Ariadnie na długo. I co będzie dalej?

– Co z nią w ogóle zrobisz? Nie weźmiesz jej do Warszawy?

– Zwariowałeś! Cóż ona by tam robiła?

– Skąd się ona właściwie tu wzięła?

– Siedzi już od dziesięciu lat u tych bazylianek...

– Dlaczego nie w Paryżu?

– Widocznie tamtejsza przełożona nie miała wiele zaufania, że ją w Paryżu utrzyma.

– Czy jej na tym zależało?

– Wiesz, mnie się zdaje, że im naprawdę chodzi o zbawienie dusz tych wszystkich...

– A dlaczego ona nie została zakonnicą?

– Nie wiem.

– Tyle lat jako oblatka...

– Oblatana oblatka – uśmiechnął się Janusz.

– Jesteś cyniczny.

– Ja wiem. To głupi kawał. Ale ja naprawdę jestem w rozpaczy. Ona przeze mnie porzuciła ten klasztor...

– Coś ty jej powiedział?

– Nic. Naprawdę nic.

– Powiedziałeś jej, że ją kochasz.

– Co ty sobie wyobrażasz! Po prostu moje zjawienie się obudziło w niej wolę życia. No, porzuciła wszystko.

– I co, poślesz ją teraz do Paryża?

– Jej tam nikt nie potrzebuje.

– Jakoś sobie da radę.

– Wyobrażasz sobie Paryż dla takiej, co wraca... Nie ma okrutniejszego miasta.

– Więc co?

– Żeby nie ten przeklęty hitleryzm! Berlin by się dla niej nadał parę lat temu jak ulał. Teraz nie ma mowy.

– No więc co?

– Damy jej te tysiąc dolarów od Hani i niech robi, co chce.

– A co jej powiemy? Że skąd są te dolary?

– Coś jej tam wymyślimy. Tylko niech już jedzie.

Edgar gasił papierosa w wysokiej popielniczce. Robił takie wrażenie, że nie chce popatrzeć w tej chwili na Janusza, i sztucznie odwracał wzrok. Ale nie wytrzymał. Popatrzył na przyjaciela i powiedział:

– Janusz, pomyśl...

Ale nie dokończył. Był dzwonek i wrócili do sali.

Weszli teraz w ten dziwny, stalaktytowy świat *Ekstazy* Skriabina, pełny ciepłej mgły. Oplatały ich liany motywów, przewijających się przez zimne

kolumny i światła. Tłoczyły się zielone liście or-
kiestrowych barw i zwierzęce zadyszanie i krztu-
szenie się trąb przykrytych tłumikami. Cała ta przej-
rzysta i zielona jak morska woda fala wznosiła
się ku górze raz i drugi, aby rozprysnąć się pianą
kapryśnych dźwięków, aby wreszcie wznieść się
do szczytu jakiegoś nieokreślonego tłumnego krzyku, w którym zatarły się barwy wszystkich instrumentów.

Gdy się poemat zakończył, Edgar odwrócił się do
będących z nim w loży przyjaciół.

– To jednak jest świetnie zrobione – powiedział.

Ale słowa zamarły mu na ustach. Ariadna siedziała wyprężona i oczy jej wyrażały przerażenie,
a jednocześnie jakiś powrót na ziemię.

„Tak musiałby wyglądać pilot lądujący po wznie-
sieniu się na dwadzieścia tysięcy metrów" – pomyślał Edgar.

– Sztuka jednak musi mieć swoje granice – powiedziała, nie ruszając się z miejsca, Ariadna – nie
może przestać być sztuką.

Naokoło ludzie klaskali, wdziewali płaszcze, wy-
chodzili: Ariadna i Janusz stali jak słupy. Kiedy
wreszcie skierowali się ku wyjściu, Edgar spytał
Janusza po cichu:

– Kiedy my jej powiemy o tej forsie?

– Poczekaj. Ja jej powiem jutro.

Przed teatrem na largo Argentina zatrzymali się
przy trzech świątyńkach odkopanych w środku
placu i stojących w głębokim dole. Obok świątyń
rosły drzewa i panoszyły się dzikie koty. Zwierzęta
przemykały się dołem, tłoczyły i mruczały groźnie
na siebie. Ariadna długo się im przypatrywała.

– Zwierzęta są szczęśliwe – powiedziała – one nie wiedzą, co to *Ekstaza.*

Janusz się uśmiechnął ironicznie.

– Ty zawsze, Ariadno, po stronie patosu – powiedział – ja już się oduczyłem.

Nazajutrz umówili się w Villa Borghese w muzeum. Bez smaku oglądali te wszystkie cuda. Nie przemawiały do nich nagie kobiety, czy to Danae, czy Paolina Borghese. Znudzeni i zgaszeni wyszli z pałacu i kręcili się po parku. Nastrój ten oczywiście nadawała Ariadna. Szli na pozór spokojnie drogą prowadzącą od Villa Borghese do Monte Pincio. Ale Edgar nie mógł wytrzymać już tego napięcia, jakie między nimi istniało. Janusz spoglądał na niego z niepokojem, jak gdyby nie on znał wyrok na Edgara, ale od Edgara zależało życie Janusza.

Edgar spojrzał przed siebie, mrużąc nieco oczy przed blaskiem, jaki zapalało słońce w szybach niezwykle szybko mknących ku nim samochodów. W zmrużeniu tym znać było całe zmęczenie – i trochę zniecierpliwienia.

– Wiecie – powiedział – za jakieś dwa, trzy dni wracam do Warszawy. Pisano do mnie z konserwatorium... – tę nieprawdziwą wiadomość dodał jako usprawiedliwienie.

– I cóż ty tam będziesz robił?

– To, co i zawsze. Lekcje dawał.

– Musisz zaraz w Warszawie pójść do lekarza – powiedziała Ariadna podnosząc na niego niespokojne spojrzenie. – Zaraz, zaraz...

Edgar wziął ją za rękę.

– Nie niepokój się o mnie – powiedział cichutko – ja i tak wiem, co mi jest.

Ariadna gwałtownie wyrwała mu rękę i zawróciła na trawnik.

– Ariadno, gdzie lecisz – zawołał Janusz – nie wolno deptać trawników!

– Nie wolno deptać trawników – przekrzywiła się Ariadna i zatupała na miejscu. – Jesteście grzecznymi uczniami. Jeszcze przed maturą! Ja mam dość waszej układności. Hrabiowie! Sukinsyny, Polaczki!

Janusz się zniecierpliwił.

– Milcz! – zawołał i chciał ją schwycić za dłonie.

– Chodź!

– Ja ciebie słuchać nie będę! – krzyknęła Ariadna.

I pędem zbiegła łączką w dół, tam gdzie widniały jakieś krzaczki w dolince, najoczywiściej zasadzone tutaj w celach nocnych. Edgar i Janusz poszli szybko za nią trawnikiem. Ale zastali ją już siedzącą za krzakami na mokrej trawie i płaczącą jak dziecko. Obaj pochylili się nad nią. Krzaki i dołek zakrywały ich przed publicznością krążącą parkową ulicą i przed srogimi pilnowaczami porządku. Zresztą wszyscy troje już byli w takim afekcie, że na nic nie zwracali uwagi.

Ariadna szlochała bardzo głośno i zakrywała twarz chusteczką. Świeżo pomalowane brwi i rzęsy rozmazywały się po twarzy. Była nieładna. Ale Januszowi zrobiło się jej żal i usiadł przy niej. Głaskał ją po ramieniu.

– Dajże spokój, Ariadna, nie płacz...

– Tak, nie płacz. Dobrze ci powiedzieć, nie płacz. A jak ja spojrzę na moje życie, to jak ja mam nie płakać? – mówiła już teraz cały czas po rosyjsku. – Jak ja mam nie płakać, kiedy mi się to wszystko tak pokrzywiło. I nic, nic nie można poprawić. I co ja teraz jestem? *Biegłaja monaszka**. Tak, tak, jak Griszka Otriepiew... *Biegłaja monaszka.* I nic przede mną ani za mną. I ty też, Janusz, jak Samozwaniec. Jeżeli ja wyjdę za ciebie za mąż, to co z tego będzie? Nie pojadę ja z tobą do tej twojej Polski, nie namówisz mnie... choć ty i nie namawiasz, kochałeś mnie, kiedy byłam młoda i ładna... I co ja z tego mam, ze słucham z wami *Ekstazy* Skriabina? To inny świat. Ja byłam razem z wami na innym świecie... *Ekstaza* to dowód istnienia Boga. Każda prosta *monaszka* w tym moim klasztorze wierzyła w Boga. A ja? Co ja?

– Boże drogi – mówił Janusz – masz fach w ręku.

– Jaki fach?

– Zjawisz się tylko w Paryżu...

– Zwariowałeś. Dwanaście lat! Dwanaście lat dla Paryża. Tam już żaden handlarz obrazami, żaden dyrektor od tych świństw nie pamięta, kto to jest Ariadna Tarło... *Kuszenie świętego Antoniego* to była heca... Któż o tym może pamiętać? To jeszcze pamięta tylko moja matka przełożona i co parę miesięcy pyta: czy to ty, moje dziecko, malowałaś te bezeceństwa?

– Pamiętała?

– Pamiętała. Ona jedna na całym świecie. Bo ona pamięta grzech. Bo ona pamięta zło. A ja? *Ekstaza,* Skriabin, Rubinstein, Rachmaninow... to nie jest życie...

Zapłakała znowu w najlepsze i nagle urwała. Spojrzała przeciągle na Edgara. Edgar przestraszył się, w tym spojrzeniu było coś bardzo niebezpiecznego. Znowu nachylił się.

---

* Zbiegła zakonnica.

– Ariadno, nie płacz – powiedział.

Ale Ariadna wyprostowała się, syknęła.

– Ja nie płaczę. Ale to nie jest życie.

Janusz zakłopotał się.

– Kochana (przypomniał sobie Jasia Wiewiórskiego i uśmiechnął się mimo woli), kochana – powiedział – cóż jest życie?

– Wszystko, tylko nie to, co my robimy.

Edgar cierpiał niewyobrażalne męki. Nie znosił takich scen. „Jak w rosyjskich powieściach" – jak to nazywał. Powtarzał, pochylając się nad Ariadną:

– Uspokój się, uspokój się, ludzie patrzą, nie rób przedstawienia.

Ale nikt oczywiście nie patrzył. Ogród śmiał się rosą i czerwonymi liliami, niebo niebieskie jak len nad głowami i tylko furkotały, przelatując gdzieś trochę w górze, samochody.

– I ta pustka – rozumiesz, pustka? – Co ja mam z życia? Nic. Wołodia ma. Ma ideę, ma dzieci... Wala też nic nie ma, pije, ma tę straszną żonę... Wołodia ma. A ja? Co ja mam robić? Janusz, miły? Co ja mam robić?

„Rzeczywiście, co ona ma robić?" – pomyślał Edgar, prostując się i patrząc na pinie i korkowe dęby naokoło.

– Przecież zrozum, to koniec, to wszystko jest koniec. To pewnie dlatego, że ja Lenina zdradziłam...

– Żeby wszyscy, którzy Lenina zdradzili, urządzali takie histeryczne sceny – powiedział Janusz – to by był sądny dzień na całym świecie.

– Ach, Boże, co wy mi tu gadacie. Nawet pocieszyć nikt nie potrafi – mówiła Ariadna wycierając chustką oczy.

Edgar przeniósł wzrok z piękności ogrodu na płacząca kobietę. Siedziała pod tym krzakiem włoskiego ogrodu jak nieszczęśliwa baba pod murami cerkwi. Twarz jej się stała czerwona, oczy od płaczu zapuchły i straciły swój niezwykły blask, Ariadna zrobiła się starą, staroświecką, ruską kobietą, pełną żalu do ludzi, narzekającą na swoją dolę. Wydała mu się taka obca, z innego świata. I czuł, że nic na te swoje złe uczucia nie może poradzić.

Janusz przeciwnie, zdawał się być bardzo poruszony. Mówił do ucha Ariadnie łagodne słowa. Rzucał co prawda przy tym niespokojne spojrzenia na Edgara. Jakby wstydził się go czy nie był z nim całkiem szczery.

Wreszcie Ariadna wytarła oczy chusteczką i wyjęła z torebki lusterko.

„No, chwała Bogu – pomyślał Edgar – burza minęła".

I zawróciwszy, lekko utykając poszedł w górę trawnikiem. Nikt nie zauważył tej sceny. Stanął na trotuarze. Janusz i Ariadna wchodzili z dołu ku niemu.

– Chodźcie na śniadanie, spóźnimy się.

– Jestem taka głodna – powiedziała Ariadna, stając obok Edgara – nie jadłam dzisiaj pierwszego śniadania.

– To doskonale. Na pewno dostaniemy coś dobrego.

I zrobili parę kroków ku tarasowi.

– O, patrzcie – zawołała Ariadna – „Pietruszka"!

Rzeczywiście, w tym samym miejscu co zawsze, po drugiej stronie ulicy stał kwadratowy parawan i nosaty Pulcinella wygrażał maczugą, śmiesząc tym zgromadzone niezbyt licznie dzieci.

Zatrzymali się wszyscy troje.

– Zupełnie jak w Odessie – powiedziała jakimś innym, wesołym i jak gdyby młodzieńczym głosem Ariadna.

– Rzeczywiście – powiedział Janusz, a Edgar dodał:

– Zupełnie jak w Odessie, tam także przychodzili Włosi z lalkami.

Zatrzymali się na samym brzegu trotuaru, zapatrzeni w wykrzykującą coś lalkę, w machającego szablą żandarma, który się zjawił obok Pulcinelli. Na usta ich wszystkich trojga wybiegł uśmiech, uśmiech dziecinny i daleki. Nie było już naokoło szumnego miasta i pięknego ogrodu.

Nagle – czy to zapatrzona w wizję utraconego dzieciństwa, czy powodowana inną jaką chęcią – nigdy się nie mieli o tym już dowiedzieć – Ariadna zrobiła jeden krok naprzód – wprost pod nadlatujący wielkim pędem duży biały samochód.

II

Tak się jakoś złożyło, że Andrzej wyjechał z Warszawy późniejszym pociągiem i do Pustych Łąk dobrnął wieczorem, koło północy. Bryka cicho zatoczyła się pod ganek, tylko Franciszek, senny i poziewający, wyszedł do Andrzeja i zabrawszy kuferek powiedział:

– Ciocia Michasia coś zasłabła, a pani się położyła.

W domu panowała zupełna cisza. Andrzej pospiesznie zjadł przygotowaną kolację i wyszedł na

ganek. Ganek w Pustych Łąkach był raczej altaną.
Nie wybiegał naprzód, lecz cofał się w głąb, stanowił jak gdyby połączenie pomiędzy dwoma skrzydłami domu. Po bokach był zarośnięty dzikim winem, a w środku miał wolną przestrzeń z widokiem na wysokie drzewa. Ale w tej chwili noc
czarna była i na ganku, i na zewnątrz. Zbierało się
najwidoczniej na deszcz i gwiazdy na niebie nie
świeciły. Ale nie odczuwało się duszności. Noc
tchnęła świeża i pachnąca. Ostatnie siano (za parkiem, a może już zwiezione do stodół), pokosy na
polanach, olbrzymie drzewa lipowe pełne kwiatu,
a wreszcie i ziemia sama, sucha i spragniona, wszystko dyszało letnią wonią.

Andrzej usiadł na stopniach ganku i starał się
przejrzeć ciemności otaczające stary dom, ale nic
nie widział. Słyszał tylko od czasu do czasu, jak
wiatr, pragnąc przygotować świat do mającego na-
dejść deszczu, jednym zamachem poruszał wierzchołki drzew, a potem nad ich szczytami zapadała
cisza. Andrzej mocno odetchnął, wciągając owe
zapachy i zimny, wilgotny już powiew w głąb
piersi. Poczuł to balsamiczne powietrze aż w brzu-
chu. Był bardzo szczęśliwy.

Zrobił, co chciał. Antek jechał jak co roku w góry
na te swoje wspinaczki, rondelki z ryżem i flirty
z rozwydrzonymi dziewuchami w spodniach; Helenka z matką miały być nad morzem, ciągnęło go
i tam, i tam, ale on sobie postanowił spędzić pierwsze „wolne" lato w Pustych Łąkach. Tu mu było
zawsze najlepiej; był przywiązany do tego domu,
do babki, do ciotki Royskiej. A poza tym wiedział,
że tu będzie miał samotne spacery, pokój prosty

w „wieżyczce", przecież musiał czasami pomyśleć o tym, co go czekało. Uśmiechał się drwiąco do tej myśli – a jednak.

Czekało go życie, całe życie, które oto nadchodziło. Szło z owej ciemnej nocy, która go w tej chwili otaczała, a on i tak nic z tego nie rozumiał. Wielkie, czarne, bezkształtne i szumne, jak ten wiatr co parę chwil uderzający w wierzchołki klonów i lip. Jakież ono jest, jakie ono będzie, to życie? Ile lat będzie trwało? Jak to jest, kiedy czas mija i kiedy człowiek się starzeje?

Nikt nigdy nie wyobraża sobie, jak to jest, kiedy się dojrzewa, przechodzi się przez najwyższy próg, jak to jest, kiedy człowiek się starzeje. I Andrzej również nie wyobrażał sobie, jak to będzie. Ale ogromnie go to zaciekawiało i chciał wiedzieć.

– Dowiem się. Potem – powiedział do siebie szeptem.

Nie chciał iść spać, bo wiedział, że od jutra zwyczajny tryb wiejskiego domu porwie go. Zdawał sobie sprawę, że jutro już nie będzie chciał myśleć o tym. Ale że teraz ma przed sobą tę czarną, ciepłą noc i że ta noc mu jest dana, aby pomyślał o tym wielkim, czarnym oceanie, na który wypływał tak samo nie uzbrojony i nie zaopatrzony, jak każdy inny młodzieniec.

Miał przed sobą tylko tych parę godzin samotnej nocy, przeznaczonych do myśli „faustycznych", jak to nazywał wujek Edgar. Andrzej słyszał czasami rozmowy matki z wujkiem Edgarem i wszystko, co mówił Szyller, robiło na nim duże wrażenie. Bardzo rzadko jednak pozwalał sobie na owe „faustyczne" myśli. Wbrew pozorom Andrzej był bardzo

systematycznym młodym człowiekiem, nauka różnych bezpłodnych mądrości, które musiał obkuwać
przed maturą, zajmowała mu dużo czasu, trochę
także godzin zabierała mu lekkaatletyka. Takiego
luzu myślowego, jaki odczuwał w tej chwili, dawno
już nie miał i tak mu było dobrze właśnie razem
z pachnącym powietrzem wciągać poważne, doros-
łe myśli. Rozkoszował się nimi jak wódką czy
pierwszym pocałunkiem z kobietą, przy którym
oprócz samej czynności, taką szaloną przyjemność
sprawia, że to on już może tak czynić, już może tak
myśleć, jest dostatecznie dojrzały.

Stary pies Łatek wysunął się z cienia i nie ruszając się wcale położył mu głowę na kolanach. Dobrze mu było z psem i pomyślał, jak to on będzie co
roku wracał do Pustych Łąk, co roku mądrzejszy
i bardziej doświadczony, ale zawsze z tym samym
uczuciem miłości w sercu; co roku bardziej pełny
i bardziej szlachetny.

– Nigdy nigdzie nie pojadę, tylko do Pustych
Łąk – powiedział do Łatka, gładząc jego ciepłą,
jakby słońcem przez dzień nagrzaną głowę.

I w ciemnej nocy czuł, że jego ciało, wygimnas-
tykowane i lekkie, nalewa się prądem cienia i wiatru, wszystkim, co go otaczało. Jak staje się jednością
z chwilowym szelestem i z tą niezmienną ciszą,
która ciągnęła się daleko, daleko przez lasy i w pola, i daleko w górę, gdzie mknęły potrącające się
obłoki. Czuł się jednym milczeniem, ciepłem i zapachem.

Jednocześnie zaś czuł, że ciało to potrzebuje
jakiegoś dopełnienia, jak owe „faustyczne" pytania
domagają się odpowiedzi. Mimo iż siedział tak

spokojnie na stopniu ganku („na stopniu nocy" – pomyślał) i głaskał głowę starego, niemego psa, rzucał w ciemność szumiącego parku jakieś natarczywe i wielkie pytanie. Wołał o coś, na co mu noc i wiatr, i park, i zapach nie odpowiadały. Ale wiedział, że one mogły odpowiedzieć, tylko nie chciały. Że w tym mimowolnym szumie jest wiele takich rzeczy, które go mogły przyprawić o zawrót głowy.

„Jutro będzie zwyczajny dzień – myślał sobie – ale dzisiaj ta noc aż do rana jest moja i nikt mi jej nie zabierze. Muszę czuwać i słuchać, jak dmie wicher, jak szarpią się gałęzie. Muszę czuwać i słuchać, jak we mnie coś rośnie i przelewa się. Krew? Miłość? I kto mnie słucha? Natura? Bóg?".

Franciszek przyszedł i trącił go w ramię.

– Paniczu, idźmy już spać – powiedział.

Ale Andrzej odprawił Franciszka, powiedział, że sam zamknie drzwi, ryglowało się je na wielkie, starożytne zasuwy. I przesiedział tak samotnie aż do momentu, kiedy kontury drzew parkowych zarysowały się wyraźniej na jaśniejszym niebie i dopóki nie padły pierwsze ciężkie krople ciepłego deszczu.

– Tej nocy nikt mi nie odbierze. To jest początek życia – powiedział wstając.

Zaryglował drzwi i poszedł przez salonik do swojej wieżyczki, gdzie stało jego proste drewniane łóżko. Zjadł jeszcze porcję truskawek ze śmietaną, którą widać babcia Michasia kazała mu postawić „do poduszki", rozebrał się do naga i przykrył cienkim kocem.

„Co za noc" – pomyślał jeszcze, zasypiając twardym snem.

Nazajutrz obudził się dosyć późno, ale wszystko było normalne. Na dworze padało. W stołowym pokoju stało tylko jego nakrycie i na końcu długiego stołu siedziała mała Ziunia, córka Walerka, może pięcioletnia dziewczynka, wraz ze swą wychowawczynią, niedużą, ale surowo wyglądającą panną Wandą. Panna Wanda bardzo zimno odpowiedziała na ukłon Andrzeja, a mała patrzyła na niego uparcie chmurnym, czarnym swoim wzrokiem. Andrzej spytał, czy panie starsze już wstały, na co panna Wanda objaśniła, że pani Royska dawno już jest przy gospodarstwie, a pani Michasia ostatnio nie wstaje z łóżka.

Jakby na zaprzeczenie tych słów zjawiła się ciocia Michasia w szlafroku i bardzo mizerna. Andrzej zauważył, że od wyjazdu z Warszawy bardzo się zmieniła. Zwłaszcza żółta cera, jakiegoś nienaturalnego, glinianego koloru zwróciła jego uwagę.

Ucałował babkę w rękę.

– Ciocia choruje? – zapytał zdawkowo; jak wiadomo, pani Sęczykowska nie pozwalała mówić do siebie „babciu" i dla wszystkich wnuków była ciocią.

Ciocia Michasia machnęła ręką.

Jak tam w domu? Wszyscy zdrowi? – spytała, siadając obok Andrzeja.

Andrzej opowiedział, jak się wszyscy wybierają w rozmaite strony. Potem zamilkł.

– A ojciec? – spytała pani Michalina.

Ojciec zajęty. Może przyjedzie tutaj na parę dni.

– Dobrze by było. Chciałabym go zobaczyć – tak jakoś znacząco powiedziała ciocia.

– Dziękuję cioci za truskawki. To pewno ciocia mi postawiła.

– Kazałam postawić. To były ostatnie. Takie późne murzynki. Słodkie jak cukier. Ale już więcej nie ma.

– Jaka szkoda.

– Maliny się zaraz zaczną. Prawda, panno Wando? Mówiła mi Ewelina.

Panna Wanda mruknęła coś niewyraźnie. Andrzej się zastanowił przez chwilę, dlaczego wychowawczyni Ziuni traktuje go tak nieżyczliwie. Ale zaraz pomyślał o czym innym.

– Ciocia nie wychodzi? – spytał.

– Nie. Leżę teraz cały dzień. Ale mi już lepiej.

Weszła pani Royska. W płóciennym kapeluszu, jasnej sukni w czarne kwiaty, w czarnych mitenkach i dzwoniąca kluczykami, wydała się Andrzejowi uosobieniem pogodnego lata.

– Zmokłam trochę – powiedziała, kiedy Andrzej całował ją w ręce. – Mój kochany – powiedziała do chłopca – w spichrzu przeważają owies. Jest tam co prawda pan Kozłowski, ale wolałabym, abyś ty tam posiedział do południa. Zanotuj tylko całą wagę. Więcej nic. Bo Żydzi z Siedlec jutro przyjadą po odbiór.

Ciocia Michasia pokiwała głową.

– Że się oni nie boją – szepnęła.

Pani Royska zirytowała się.

– Moja Michasiu, po co ty zeszłaś na dół? Tak okropnie się wczoraj czułaś, a dzisiaj raptem schodzisz... Wyglądasz jak ściana...

– Chciałam zobaczyć Andrzejka.

– Andrzej jest dobry wnuk, na pewno by zaszedł do ciebie. Chociażby aby podziękować ci za te truskawki, którymi nam wczoraj cały dzień zawracałaś głowę.

Ciocia Michasia podniosła się.

– Moja Ewelino – powiedziała spokojnie – nie poznaję cię, „zawracałaś głowę", *quelle expression* ★!

Andrzejek pobiegł szybko na podwórze. Deszcz padał raczej drobny, mżył tylko i osiadł mu na włosach przejrzystymi kroplami. W spichrzu było ciemnawo i wilgotno. Pan Kozłowski, krótki, brzuchaty brunet, z wyłupiastymi oczami, prostujący się wciąż i wytrzeszczający oczy, powitał chłopca szerokimi okrzykami.

– A, witamy, witamy! – wołał podając mu rękę.

Andrzej był bardzo zażenowany. Nie miał tej łatwości „pilnowania", która go tak zawsze zdumiewała u cioci Eweliny. Za każdym razem, kiedy musiał coś ważyć, rachować, zapisywać, co równało się jawnemu wyrażeniu nieufności do pracowników, zwyczajnemu podejrzeniu ich o kradzież, odczuwał szalone skrępowanie. Ale tu Kozłowski ułatwił mu zadanie.

– Pani hrabina – tak zawsze nazywał panią Royską – zapisała od samego rana pięćdziesiąt sześć worków, które zdążyliśmy zważyć. Proszę, tu jest papier i ołówek. W każdym worku jest po pięćdziesiąt kilo. To i rachunek łatwy. Najlepiej jest robić tylko kreskę, a potem kreski po dziesięć łączyć linijką, tak będziemy mieli po pięćset kilo.

– A dużo tego owsa jest? – spytał Andrzej, starając się nadać swojemu pytaniu jak najbardziej rzeczowy ton.

– A widzi pan – tyle. Będzie tego ze dwanaście ton. Ale na jutro potrzeba tylko pięćdziesiąt metry.

★ co to za wyrażenie!

Andrzej rozejrzał się po obszernym spichrzu. Sąsieki z owsem znajdowały się w głębi. Leżały tam ogromne piramidy złotego, czystego ziarna, które tak przyjemnie – inaczej niż żyto – szeleściło, gdy się w nim zanurzało drewnianą szuflę. Przy owsie pracowało pięć dziewczyn. Jedna nasypywała szuflą do nadstawionego worka, a tamte chwytały napełniony mieszek i odnosiły go pod ścianę, gdzie już stały inne. Po drodze stawiały worek na dziesiętnej wadze i zręcznie zakręcając luźno zwisający koniec wpychały go do środka. Ziarno zsypywało się z owych piramid i zalewało stopy dziewcząt szeleszczącą masą.

Pan Kozłowski stał przy wadze, sztywnymi palcami przyciskał wskazówki i małą szufelką albo odsypywał owies do stojącej przy nim stągwi, albo jeżeli była „niedowaga", dosypywał trochę. Ustawił zgrabnie nogi w wysokich butach, nadymał się i to liczył głośno, to zagadywał dziewczęta i Andrzeja. Był wielkim gadułą.

Andrzej stanął przy zważonych workach i za każdym razem, co przybywał nowy, stawiał kreskę w notesie.

Tymczasem deszcz wzmógł się i szumiał na dworze gwałtownie.

– Sześćdziesiąt, sześćdziesiąt jeden – rachował Kozłowski.

– Uwijajcie się, dziewczęta – wołał przerywając rachowanie – bo panicz nie ma co zapisywać. Nudzi się tutaj w waszym towarzystwie.

– Niech pan tak nie mówi, panie Florianie – powiedział dość cicho, choć z wysiłkiem Andrzej, czując, jak się czerwieni aż po korzonki włosów.

– Nudzi się w waszym towarzystwie pan Andrzej. Tutaj w spichrzu się nudzi. Ale w parku pod kasztanami toby się pewno nie nudził. Wiadomo! Pan Kozłowski zaśmiał się szeroko i zbereźnie.

– Jak wam się zdaje, co? No, uwijajcie się, uwijajcie. Deszcz dzisiaj pada, o kasztanach mowy nie ma, ale trudno. Innym razem poprosicie panicza, to przyjdzie.

– O, to panicz powinien prosić, a nie my panicza – wesoło wyrwała się jedna z dziewcząt, ta przy dużej szufli.

– Niech pan da pokój, panie Florianie – błagał cichutko Andrzejek.

– Tu już nas uprzedzano, oho – śmiał się mimo to Kozłowski – sześćdziesiąt pięć, sześćdziesiąt sześć... no, gdzież tam jest sześćdziesiąty siódmy? Uwijajcie się, do południa sto worków musimy zważyć. Pan wie, panie Andrzeju, tu już panna Wanda uprzedzała dziewczęta, że przyjedzie taki przystojny panicz z Warszawy, z takimi świecącymi ślepiami. Uprzedzała, żeby się nasze dziewczęta nie śmiały z nim zadawać!... Oho! panna Wanda tak się o nasze dziewczęta boi, bo chciałaby, żeby wszystkie były starymi pannami jak ona sama. No, panie Andrzeju, pisz pan, sześćdziesiąt osiem, sześćdziesiąt dziewięć...

– Panna ona albo i nie panna, kto ją tam wi – zawołała znowu ta przy szufli, najgadatliwsza. Tylko po tym że podnosiła niepotrzebnie głos, widać było, że przezwycięża swoją nieśmiałość.

– Nie piszcz, Jasia – mówił pan Kozłowski. Syp owiec tym synogarlicom. No, i żwawo, żwawo!

Ale nierozmowna Jasia zwróciła uwagę Andrzeja. Jedna z młodszych dziewcząt, które nosiły worki, była specjalnie ładna. Nieduża, dość zgrabna, ciemna, miała prześliczne rumieńce i taki przyjemny, inteligentny, czuły uśmiech, zwłaszcza w oczach; za każdym razem, przynosząc worek i stawiając go przy innych, rzucała spojrzenie na Andrzejka. Andrzej odwracał wzrok od niej.

„Och, wstydź się – mówił sam do siebie – robotnica na wsi – to ohydne. Jak w jakichś książkach Weyssenhoffa. Panicz i dziewczyna – ohyda!".

Inne dziewczęta nazywały ją Kasią. Towarzyszka jej przy worku ofuknęła ją:

– No, stawiaj i chodź. Coś się zagapiła? Panicza nie widziałaś? Przecież co roku tu przyjeżdża.

– Ona nowa – zawołała z głębi Jasia – ona jeszcze nigdy nie widziała panicza z Warszawy.

– Też coś – fuknęła Kasia jak kotka i biegła po nowy worek.

– Z Warszawy czy nie z Warszawy – mówił pan Kozłowski, zbliżając dziobki wagi i rozstawionymi palcami tworząc jak gdyby motylka – a z paniczem ostrożnie. Żenić się nie będzie.

– Czemu ni? – zawołała Jasia. – Teraz taka moda. Z Warszawy kuminiarz, a z kumina młoda!

Wszystkie pięć ryknęły śmiechem choć przysłowie nie miało żadnego sensu. Coś tam jednak musiało znaczyć dla tych dziewcząt.

Nagle zatrzepotało przed spichrzem i wpadł przemoczony chłopak w lnianej koszuli.

– Tato, przyjechali z Siedlec – wołał od proga – a potem uszczypnął pierwszą z brzegu dziewczynę, niby spełniając rytuał.

– Bój się Boga, Romek, bezwstydniku! – zawołał pan Kozłowski, ale widać było, że mu się podobają czyny syna.

Romek przywitał się z Andrzejem.

– Ja będę ważył, tato – powiedział – wy idźcie. Ale oni tylko przyjechali spytać o ceny i zaraz pojadą.

Pan Kozłowski poszedł i cała robota natychmiast stanęła. Jasia zdjęła chustkę z głowy i przewiązywała ją na inny manier, Kasia otwarcie patrzyła na Andrzeja jak w tęczę. Inne stały przy sąsieku.

– Wiecie co, dziewczęta – pan Walerek to zbira taką partię w Siedlcach, że aż ha. Takich chłopaków bierze do kupy i pilnują go. Po mieście to tylko chodzi z takimi dwoma, prawie że w mundurach. Buty wysokie, spodnie jasne, kurtki szare albo granatowe. Jasio Biniewski to już tam do nich przystał... Chłopaki jak mur.

– Czy to policyja taka, czy co? – spytała Jasia.

– Gorsze jak policyja – powiedział Romek.

– Uch, jakie to mocne chłopy!

– Takie hitlery – powiedziała Kasia.

– A jak to będzie, panie Romku – spytała Jasia zafrasowana – czy my będziemy z hitlerami czy przeciw hitlerom?

– Będzie wojna? – spytała Kasia z lękiem i mimo woli popatrzyła na Andrzeja.

Po chwili wrócił pan Kozłowski.

– Widzę, żeście niedużo naważyli – powiedział z przekąsem. – Ile tam jest, panie Andrzeju?

– Siedemdziesiąt trzy! – odpowiedział wreszcie mocnym głosem Andrzej, czując, że i on się na coś przydał.

– No, to dalej, uwijać się, dziewuchy, uwijać – rozpoczął swoje.

Romek podszedł do Andrzeja.

– Jak tam twoje skrzypce?

– A gram, gram. Raz na tydzień jeżdżę do Siedlec do nauczyciela.

– I ćwiczysz?

– Ćwiczę. Tylko nie ma mi kto akompaniować.

– Przyjdź dziś wieczorem do dworu. Pogramy.

– Dobra. Przyjdę.

Andrzej nie opatrzył się, kiedy zadzwoniono na południe. Poszedł wolno do domu; deszcz wciąż padał i ścieżki parku rozmokły. Róże przed domem nabrały świeżej barwy. Pachniało bardzo mocno mokrymi liśćmi.

Andrzej dopiero teraz rozpakował swój kuferek, ustawił tych parę książek, co przywiózł ze sobą, i ułożył pedantycznie bieliznę w szafie.

– Przynajmniej tu mi Antek nie będzie przewracał – powiedział.

I zaraz już był obiad. Ciocia Michasia na obiad nie zeszła. Pani Royska była niezadowolona, bo trzeba było ważyć sześćdziesiąt metrów owsa, nie pięćdziesiąt, i brakowało worków. Andrzej w tym wszystkim się nie orientował. Patrzył uważnie na surową pannę Wandę (była to przyjaciółka panny Romany, która ich wychowywała, a teraz zajmowała się Helenką) – i zastanawiał się, dlaczego panna Wanda mówiła dziewczynom na podwórku o nim i co to znaczyło.

Pani Royska prosiła go, aby po obiedzie zaniósł czarną kawę babci na górę.

– Czy cioci Michasi można kawy? – spytał uważnie.

– Oczywiście. Nawet trzeba. Serce jej czasem słabnie.

Andrzej zastał babcię rozciągniętą na kanapce w szlafroku.

– Och, mój Andrzejku – powiedziała – jaki ty jesteś dobry. A ja sobie tak zaszkodziłam tym, że zeszłam do ciebie.

– No, widzi ciocia – powiedział Andrzej, stawiając filiżankę kawy przy niej i nasypując jej cukru – a ciocia Ewelina mówiła, nie trzeba było wstawać.

Pani Michasia dość żwawo zabrała się do kawy.

– Ach, mój Andrzejku – taka jestem cierpiąca.

Chłopca trochę zniecierpliwiły te wszystkie „och, Andrzejku, ach, Andrzejku!".

– Co cioci jest właściwie? – powiedział siadając przy babce. Sformułował to pytanie dość brutalnie, ale zdrowiem cioci Michasi na ogół nikt się nie interesował. Była mu więc wdzięczna i za to. Powitała jego pytanie pewnego rodzaju rozczuleniem.

– Sama nie wiem, Andrzejku. Taka słaba jestem i mam zadyszkę. Ciśnie mnie coś w piersiach, ile razy się poruszę.

– Doktor co mówi?

– Wiesz, że jeszcze w Warszawie byłam u doktora. W tajemnicy przed mamą, po co ma się mną zajmować. Ona, biedactwo, ma tyle kłopotów.

– No i co?

– Pokiwał głową, zapisał krople. Na serce. Ale to nie samo serce mi dolega. Wszystko razem, a po prostu starość – w głosie pani Michaliny zabrzmiały łzy.

– Aj, ciociu, zawsze to samo – niezdarnie próbował ją pocieszyć Andrzej.

- Twój ojciec dla mnie taki dobry. Naprawdę, taki dobry, rodzony syn nie mógłby być lepszy...
- A tutaj doktor przyjeżdżał?
- Wiesz, Ewelinka to musi się o mnie niepokoić. Bo co drugi dzień posyła konie do Petryborów po doktora. Zawsze mnie osłucha i mówi to samo: spokoju, pani Sęczykowska, spokoju. Ja mam tutaj zupełny spokój. I o Olę jestem spokojna. Twój ojciec to bardzo dobry człowiek...

Andrzej się uśmiechnął i odrzucił czarne kudły spadające mu na oczy.

- Ja sam wiem, po co mi to ciocia ciągle powtarza?

Pani Michasia ściągnęła trochę usta.

- Tak. Ty wiesz - powiedziała. - Ale przecie jesteś dorosły chłopak - dodała zaraz - nie wszyscy wartości twego ojca doceniają.

Andrzej wzruszył ramionami.

- Mam się też czym martwić - westchnął.

Ciocia Michasia jednak nie dawała za wygraną. Widać chciała dziś powiedzieć coś ważnego Andrzejowi.

- Nawet najbliżsi nie znają całej wartości twego ojca - powtórzyła innymi słowami.

Andrzej poruszył się na foteliku, na którym siedział przy babce.

- Co ciocia chce przez to powiedzieć?

Ciocia Michasia skrzywiła się boleśnie.

- Bo twoja matka nie docenia ojca.

- Co ciocia mówi. Przecież mama to tatka żona. Dwadzieścia lat, jak się pobrali.

- Tak, ale twoja matka nigdy nie kochała ojca.

- Tak się cioci wydaje - zaśmiał się Andrzej. - Skąd ciocia może wiedzieć?

– Ach, moje dziecko. Mama była zaręczona ze Spychałą.

– Ze Spychałą? Tym z MZS-etu? Co ciocia powiada? To bardzo zabawne.

– Nie takie zabawne.

– Bardzo zabawne, mógłbym mieć innego tatusia.

Na tym rozmowa się skończyła. Andrzej pocałował babcię w czoło i poszedł do siebie. Uporządkował podręczniki i zaczął przepatrywać to i owo. Deszcz na dworze nie ustawał, chociaż Andrzej od czasu do czasu patrzył w górę na niskie chmury przelatujące nad samymi wierzchołkami klonów i białodrzewi. Nic się nie zmieniało. Potem znowu wracał do matematyki, lubił nauki matematyczne. A musiał przecież przygotować się do egzaminu na politechnikę. Konkurs na architekturę był trudny. Rozpiął sobie karton na desce rysunkowej. Bał się egzaminu z rysunku odręcznego, pod tym względem był zupełnym samoukiem i nie wiedział, jak zabrać się do pracy.

Na podwieczorek przyjechał ksiądz Romała. Postarzał się bardzo, ale jak zawsze opowiadał o ostatnich weselach, zapowiedziach, chrzcinach. Niedawno przynieśli mu na zapowiedzi jacyś dwoje, organista przyjął i zapisał, ale ksiądz ich znał, wie, że to są cioteczni. Ze ślubem tak łatwo nie pójdzie. Bo on wszystkich we wsi zna jak swoje dzieci. Wszystkich pamięta z imienia i nazwiska.

– No, a co ty? – zwrócił się do Andrzeja. – Do mszy nie przyjdziesz służyć?

– Za duży już jestem – zaśmiał się Andrzej swobodnie. Lubił księdza Romałę.

– Dlaczego za duży? Więksi nawet służą. A ministranturę jeszcze pamiętasz?

– Pamiętać – pamiętam. Ale dzwonić to się nigdy nie nauczyłem.

– Jak to? Przecież dzwoniłeś doskonale.

– To nie ja, to Antek. Ja nigdy nie umiałem – śmiał się Andrzej.

– No, to się nauczysz...

– Proszę księdza, proszę księdza, a co się stało ze Stefanem? – zapytał nagle Andrzej.

– Jest teraz w Siedlcach, u pana Walerego – odpowiedział ksiądz natychmiast i potem zastanowił się. Rzucił przelotne spojrzenie na panią Royską, która coś pilnie majstrowała koło swego kółka do serwety.

– Rozgięło mi się to kółko – powiedziała – muszę je dać do kuźni. Szczypcami to się zegnie z powrotem.

– A co się stało z Aluniem? – spytał znowu Andrzej.

Ksiądz udał, że nie słyszy tego pytania.

– Alunio mieszka z siostrą, tu na wsi – powiedziała pani Royska – możesz go odwiedzić.

Ksiądz spojrzał zdziwiony na panią Royską.

Potem popatrzył na koniec stołu, gdzie siedziała mała Ziunia z panną Wandą, i zapytał:

– To jest właśnie córeczka pana Walerka? Jaka do ojca podobna...

Ziunia nie była podobna do ojca. Andrzej dowiedział się, że ksiądz Romała za każdym razem pytał, czy to jest córka Walerka. W ten sposób chciał podkreślić, że nie chrzcił tego dziecka. Walerek ochrzcił córkę w Siedlcach u prawosławnego popa. Ślub z Klimą miał tylko prawosławny.

Podwieczorek skończył się szybko. Gdy Andrzej wyszedł na ganek, ku wielkiemu swojemu zdziwieniu ujrzał u wylotu drogi parkowej zielone pasmo nieba. Deszcz ustał i osłona chmur ściągała się z nieba bardzo szybko. Koniec zachmurzenia widniał jak wielka prosta linia. Wkrótce było pół nieba szare, pół zielone. W parku słychać było tylko szelest kropel spadających z liścia na liść.

Andrzej chciał iść na podwórko, ale w tej chwili uczuł w dłoni drobną rączkę Ziuni.

– Chodź – powiedziała – zobaczysz moje dzieci.

W hallu w kącie tkwiła deseczka tworząca malutką zagrodę. Za tą zagrodą stała gałązka świerkowa wetknięta w małą doniczkę i naokoło doniczki lalki. Siedziały wszystkie w krąg z rączkami podniesionymi w górę.

– Bo one mają teraz choinkę – objaśniła Ziunia Andrzejowi.

Andrzej pokazał pierwszą z brzegu kukiełkę.

– Jak się ta lalka nazywa? – zapytał.

Ziunia się zażenowała i nie wiedziała, co powiedzieć.

– No, jak to, nie wiesz, jak się twoja lalka nazywa?

Ziunia coś szeptała. Nachylił ucha do jej ust.

– To nie lalka, to człowiek – powiedziała Ziunia – to moja córeczka.

– No, więc jak się ta twoja córeczka nazywa?

– Heńcia – wyszeptała Ziunia.

Lalki nazywały się Heńcia, Stasia, Imogena i Bob. Bob był czarnym chłopczykiem.

Andrzej przysiadł przy lalkach, uporządkował ich rączki. Teraz lalki trzymały się za ręce, tworząc koło przy choince.

– Śpiewają kolędy – powiedział Andrzej.

Ziunia była zachwycona.

– Śpiewają kolędy – powtórzyła i zaczęła wyciągać swoim cienkim jak pajęczynka głosikiem jakąś świąteczną piosenkę.

Andrzej chciał odejść.

– Nie idź, nie idź – prosiła Ziunia.

– Muszę już iść, idę na podwórko.

Andrzej wyszedł. W drodze z domu na podwórze zastanawiał się nad tym, dlaczego mówił z małą Ziunią takim grubym głosem.

„Widocznie chciałem uchodzić za zupełnie dorosłego. Przecież jeszcze niedawno bawiłem się lalkami Helenki i ciocia Koszekowa przywoziła mi takich Chińczyków i Murzynów. Bałem się, że mnie zobaczą, jak się bawię lalkami Ziuni".

Uśmiechnął się.

– Chcesz być zupełnie dorosły, kochany Andrzeju – powiedział do siebie, ale do końca nie uświadomił sobie tych słów.

Idąc przez podwórze zobaczył dziewczyny wychodzące z obory. Chyba tam nie było Kasi, nie był pewien, ale się nie chciał za nimi oglądać. Powstrzymał się od tego tak, że ze sztywnym karkiem wszedł do sionki mieszkania Kozłowskich. Słyszał już z daleka ćwiczenia Romka.

Sam nie wiedział, dlaczego tu zabrnął. Przecież umówił się z Romkiem, że ten przyjdzie do niego wieczorem na muzykowanie. Ale jakoś tak mimo woli skierował się na podwórze. Zatrzymał się na ganeczku domu Kozłowskich i obejrzał się za siebie. Park stał omyty, zielony i jak gdyby świecący własnym blaskiem. Nad drzewami rozpinało się mokre, seledynowe niebo jak mocno naciągnięty jedwab. A bliżej była odsuwająca się chmura, bladoliliowa, zimna. Wszystko było mokre, zimne i błyszczące. Zapowiadała się trwała pogoda. Wszedł do mieszkania Kozłowskich. Nikogo tu nie było oprócz Romka. Stał pośrodku dużej, niskiej i zawalonej meblami izby i machał smyczkiem.

Romek się nie zdziwił. Skończył skrzypiący pasaż i powiedział:

– O, Andrzej! To dobrze, żeś przyszedł. A ja właśnie ćwiczę, żeby grać z tobą.

– No, to graj – powiedział Andrzej.

– Nie, nie. To takie okropne.

– To prawda – przyznał Andrzej.

Rozglądał się po mieszkaniu, które ogromnie lubił. Pełno tu było starych, prostych, dębowych mebli, mnóstwo poduszek na łóżkach, masa trofeów myśliwskich na ścianach. Było tu ciepło i pachniało świeżą bielizną, lawendą, majerankiem.

– Wiesz, dam ci coś – powiedział Romek. Podszedł do dębowego bufetu i wyjął pękatą karafkę z wódką. Wódka była zielonawa i miała w sobie długie trawy.

– Napijemy się – zdecydował gospodarz.

– Zmiłuj się, Romek. Ja nigdy wódki nie piję...

– bronił się Andrzej.

Wstydził się powiedzieć: „Ja nigdy wódki nie piłem". Ale Romek nalał dwa graniaste kielichy, tyle tylko że niepełne. Ukrajał po kawałku czarnego chleba.

– Żeby było czym zakąsić.

Andrzej z niedowierzaniem wziął kieliszek do ręki. Romek powiedział: „Siup!", i trzeba było wychylić do dna.

Wódka pachniała mocno trawą żubrówką.

Piekący smak napełnił Andrzejowi usta i gardło, poszedł w nos. Zakrztusił się nieco.

– Powąchaj chleb – powiedział Romek.

Andrzej powąchał chleb i poczuł wspaniały zapach zboża. Zaczął jeść chleb od spodniej skórki, całej osypanej mąką i pachnącej. Palenie w gardle przeszło prędko.

– Chodź, wyjdziemy na spacer – powiedział Romek, chowając karafkę do szafy – więcej nie będziemy pić, bo mama zauważy.

– Ja już bym więcej nie pił – powiedział Andrzej – to obrzydliwe.

– Idziesz?

– Chodźmy na wieś do Alunia – zaproponował Andrzej.

– Do Alunia? A po co? – zdziwił się Romek.

– Tak. Chcę go odwiedzić. Dawno go nie widziałem.

– Do Alunia się nie chodzi – z zabawną przesadą powiedział Romek – ale jak chcesz, to idziemy.

Wyszli przez podwórze, potem kawałkiem parku na wieś. Wzdłuż drogi stały tu dość porządne, częściowo murowane domki. Przed domkami kwitły czerwone fasole i zaczynały się już rozwijać słoneczniki.

Alunio z siostrą mieszkali na samym końcu wsi, po prawej stronie idąc od parku.

W otwartym oknie siedział Alunio. Był to rosły młodzieniec z dużym i gęstym czubem czarnych jak smoła włosów, zaczesanych do tyłu. Czytał jakąś książkę, gdy chłopcy stanęli przed oknem, odłożył ją szybko. Andrzejowi zdawało się, że była to książka rosyjska.

– Aluniu, jak ty się zmieniłeś – powiedział Andrzej – przecież ty byłeś mniejszy ode mnie.

– I nie nazywam się już Alunio, tylko Aleksy – uśmiechnął się dawny kolega. Miał białe zęby i bardzo niski głos. Podał rękę chłopcom.

– Dlaczego nigdy nie zaszedłeś do mnie? – spytał Aleksy Andrzeja. – Często przyjeżdżasz do Pustych Łąk.

Andrzej nie wiedział, co ma odpowiedzieć.

– Kto to przyszedł do ciebie? – odezwała się wchodząc do izby z drugiej części domu siostra Alunia. Miała w ręku rozpiętą na wieszaku lekką, czerwoną w białe grochy sukienkę.

– To Andrzej i Romek.

– Jaki Andrzej? – spytała siostra.

– Andrzej Gołąbek.

Szwaczka popatrzyła na Andrzeja. Była znacznie starsza od brata, ze dwadzieścia lat. Była już dojrzałą, wymizerowaną kobietą, ale wyglądała jeszcze ładnie. Miała takie same krucze włosy jak Aleksy, ale przy tym duże niebieskie oczy. Chorowała na serce.

– Niech panowie wejdą – powiedziała.

Chłopcy weszli do izby. Andrzej żałował, że tu przyszedł. Obawiał się, że nie będzie miał o czym rozmawiać. Ale Romek był gadatliwy.

– Cóż to za piękna suknia – pytał. – Dla kogo to?

– Dla Kasi – odpowiedziała z uśmiechem panna Genia

– Dla Kasi? – pyta Romek dalej. – Dla której Kasi? – Dla twojej Kasi, Aluniu.

Alunio zarumienił się i powiedział niechętnie:
– Ja nie mam żadnej Kasi.
Andrzejowi było nieprzyjemnie. W izbie stała duża szafa z książkami.
– Ależ ty masz książek, Aluniu – powiedział Andrzej – jesteś na uniwersytecie?
Alunio się znowu rozjaśnił.
– Nie. Uczę się sam – powiedział. – Siadaj, Andrzeju.
Panna Genia chciała ich częstować herbatą.
– Strasznie dziękuję – powiedział Andrzej – właśnie jestem po podwieczorku. Ksiądz Romała był na podwieczorku – zwrócił się z tym do Aleksego.
Ten nic nie odpowiedział.
– Pytałem księdza Romały o ciebie, ale udał, że nie słyszy – dodał jeszcze Andrzej.
– Spodziewam się – mruknął Aleksy.
– Ach, Aluniu, Aluniu – powiedziała panna Genia.
– Więc jednak nazywają cię Aluniem? – zawołał Romek.
– Bo on miał iść do seminarium, na księdza. Jak go ksiądz Romała namawiał! Tak namawiał! – przeciągała panna Genia. – I już, już prawie szedł.
– Tylko że nie poszedł – specjalnie grubym basem powiedział Aleksy.
– Nie poszedł, pewno, że nie poszedł – z rozczarowaniem mówiła panna Genia, układając czerwoną sukienkę na łóżku. – Szkoda, wielka szkoda.
– Ja tam nie żałuję – powiedział Aleksy.
– Pewnie – wołał Romek – co z niego byłby za ksiądz? Za dziewczętami lata, aż tylko furkocze – śmiał się.

Porozmawiali jeszcze trochę, potem wstali i poszli.

– Ty wiesz? – powiedział Romek, kiedy już odeszli duży kawał od chaty, gdzie mieszkali brat i siostra. – Ty wiesz? On jest komunistą. Dlatego ksiądz Romała taki zły na niego. Nie chce go znać. Bo to jak gdyby jego wychowanek.

Zaraz po kolacji przyszedł Romek i grali trochę z Andrzejem, Ola starała się swoje dzieci kształcić muzycznie. Antek nie zrobił żadnych postępów i bardzo prędko zrezygnował z nauki. Nie dawał się namówić ani matce, ani bratu. Natomiast Andrzej grał na fortepianie. Oczywiście, nie ćwiczył systematycznie i nie miał wiele cierpliwości, ale przyjemnie wygrywał łatwe kawałki, grał ze swoim nauczycielem, sympatycznym panem Miklaszewskim, na cztery ręce, czytał nieźle nuty i mógł akompaniować Romkowi co łatwiejsze sztuczki. Szczególniej ulubioną rzeczą pani Royskiej i cioci Michasi był sentymentalny utwór Francis Thomé, noszący tytuł *Simple Aveu*. Miła ta, łatwo wpadająca w ucho i nikła melodia w rodzaju pieśni bez słów Mendelssohna, stała się jak gdyby symbolem lata i wakacji dla Andrzeja. Co roku musiała się ona rozlegać w saloniku drewnianego dworku. *Simple Aveu*, nucony potem przez cały dzień, napełniał niejako swoją melodią i zielony park, i podwórze pełne ruchu i pracy, i drewniany dom z dwiema wieżyczkami.

Gdy skończyli swoje muzykowanie, przyszła do Andrzeja pani Royska i powiedziała, że ciocia Michasia czuje się znacznie gorzej. Miała dziś po południu atak serca i teraz zasnęła. Konie poszły do Petryborów po doktora.

– Co właściwie jest cioci Michasi? – spytał Andrzej, gdy Romek przepłoszony złymi wiadomościami schował skrzypce do futerału, przełożył je fiołkowym jedwabiem i poszedł do domu. – Czy to coś poważnego?

– Doktor podejrzewa raka – powiedziała pani Royska nie patrząc na Andrzeja.

– O Boże – westchnął Andrzej – trzeba dać mamusi znać.

– Mama wie – powiedziała pani Royska – ale to może się jeszcze długo ciągnąć.

– Nie trzeba mamy sprowadzić?

– Niech sobie siedzi nad morzem. To kwestia wielu tygodni, może miesięcy. Tylko że serce zaczęło nagle słabnąć.

– Och, ciociu droga – powiedział Andrzej. I nagle poczuł się przerażony.

– Nic, nic, kochanie – powiedziała pani Royska – wszyscy musimy przez to przejść.

– Ciocia Michasia przecie młodsza od cioci...

– Tak, ale zawsze była chorowita. Śmieliśmy się z jej chorób, a teraz okazuje się, że miała rację.

Andrzej poszedł do swojego pokoju. Rozebrał się i umył. Nie było późno, nad parkiem stało zielone, przejrzyste, mokre niebo. Ale sen go ogarniał mimo wszystko. Nago usiadł na oknie i wdychał w siebie woń wilgotnego wieczoru, szczebiot ostatnich ptaków. Zamilkły powoli, tylko jakaś niespokojna kukułka kukała daleko. Jej mokry głos rozlegał się jeszcze długo, gdzieś w lesie, nawet wtedy, kiedy się już zupełnie ściemniło.

– Kogo ona tak woła? – powiedział do siebie Andrzej.

A potem zwalił się w łóżko i spał kamiennym snem do samego rana.

Tak minął Andrzejowi pierwszy dzień lata w Pustych Łąkach. Wszystkie inne były do siebie podobne i mijały niezwykle prędko. Romek i Andrzej jeździli teraz do stawku za lasem, o jakieś pięć kilometrów od domu, do kąpieli. To były całe wyprawy.

Stawek był płytki i mały, jechało się do niego piaszczystą niewygodną drogą, samo zaprzęganie starego konia woziwody ile zabierało czasu. Wszystko razem zajmowało pół dnia, tylko po to, aby się trochę pomoczyć w błotnistej, żółtawej wodzie. Nawet nie było gdzie popływać. Ale mimo to Andrzej urządzał z Romkiem wyścigi, a potem grzali się na słońcu. Romek był jasnym blondynem i trudno się opalał, Andrzej po paru dniach opalił się jak smok. Przykładał swoją rękę do ramienia Romka i dziwił się, jaka jest między nimi różnica. Romek miał skórę cienką jak dziewczyna i Andrzejowi sprawiało przyjemność dotykanie jego ciała. Ale nie dał tego poznać po sobie.

Wieczorem zasypiał zawsze bardzo twardo. I nie powracała już ta pierwsza noc tegoroczna w Pustych Łąkach, kiedy siedział tak długo na ganku i myślał o życiu. Teraz te myśli, poważne myśli, wcale do niego nie przychodziły. Najwyżej oblatywał go strach przed egzaminem do politechniki. Zresztą i to nie bardzo go przerażało. Ostatecznie, gdy nie zda egzaminu, przygotuje się lepiej na przyszły rok, ma dopiero siedemnaście lat. Rachował na palcach. „No więc dobrze, jeżeli w tym roku zdam, pięć lat politechniki, to skończę w 1942 roku". A jeżeli dopiero w przyszłym roku, to skończy w 1943. Będzie miał dwadzieścia trzy lata.

„Ojej, jaki ja będę stary" – pomyślał.

Wszystko by było dobrze i normalnie tych wakacji, gdyby nie choroba cioci Michasi. Miewała się coraz gorzej i nie wstawała wcale z łóżka. Bardzo cierpiała, ale raczej kłopot sprawiało jej zbyt szybko bijące serce, aniżeli straszna organiczna choroba. Taki już się wytworzył obyczaj, że Andrzej co dzień po obiedzie nosił babce kawę na górę. Ciocia Michasia cieszyła się zawsze z tych jego odwiedzin, ale coraz mniej mówiła. Mówiła z trudnością.

Andrzejowi nie sprawiało najmniejszej przykrości odwiedzanie chorej babki. Odczuwał w niej jakiś spokój i coś jak tryumf, kiedy tak bardzo blada, o rysach, które jej się ściągnęły i jak gdyby wyrzeźbiły, siedziała w łóżku wsparta o wysokie i bardzo białe poduszki. Nie odgrywała nigdy w tym domu wielkiej roli, a teraz wszystko kręciło się naokoło niej i jej choroby.

Andrzej nie umiał się oprzeć wrażeniu, że ta sytuacja sprawia cioci Michasi dużą przyjemność. Dlatego też nie brał na serio powagi stanu, o którym co wieczora mówiła mu pani Royska.

Czasami babka usiłowała powiedzieć parę słów Andrzejowi, ale były to zawsze narzekania na cierpienia – zresztą zupełnie nie te zasadnicze: albo poduszka była niewygodna, albo odczuwała nieznośny ból w stopie. Andrzej całował babkę w czoło, które bywało zimne lub gorące, ale wilgotne.

Andrzej miał lekkie uczucie może nie tyle wstrętu, ile obcości tego umierającego ciała. Uważał jednak za obowiązek swój nieokazanie tego babce i miał sobie za cnotę, że dotrzymuje tego postanowienia. Pod koniec lipca nastały silne upały. Mały pokoik cioci Michasi położony w prawej wieżyczce rozżarzał się jak piec. Wszystkie okna dokoła były otwarte, a firanki zapuszczone. Łóżko chorej wysunięto na środek pokoju. Ale gorąco było bardzo.

Nadeszła epoka największych letnich „szałów" Andrzejka. Wstawał o świcie, szedł boso do parku i lasu, aby jeszcze czuć na skórze krople niezwykle obfitej o tym czasie rosy, która momentalnie znikała, jak tylko się słońce nieco podnosiło. Park i las grzmiały po prostu odgłosami ptaków. Kukułka już nie kukała, ale za to gwizdały wilgi, to tu, to ówdzie. Lot ich wywijał się jak ich śpiew, jak nagłe podrzuty fletu. Czasami wychodził Andrzej aż na brzeg lasu, żniwa były w pełni. Ale nie chodził do pracy w polu, jak to robił zazwyczaj co roku. Lękał się, że będą go podejrzewać, iż idzie do wiązania czy do podawania snopów nie z chęci pomożenia ludziom w ciężkiej pracy. Wstydził się swojego lenistwa i swojego lęku, ale mimo to nie szedł.

Udało mu się rozruszać Romka i nawet Alunia. Aleksy przygotowywał się do jakichś bliżej nie określonych kursów i wiecznie siedział nad książką. Panna Genia cieszyła się, kiedy Andrzej przychodził do niego z rana, o świcie prawie, i zabierał do lasu.

Czasami Andrzej – samotnie w tych razach – przemykał się znajomą ścieżką, ścieżką dzieciństwa, które mu się wydawało tak odległe, w stronę kościoła w Petryborach, wchodził do kościoła, zaszywał się tam w wilgotny kąt zakryty olbrzymimi chorągwiami w futerałach i niewidzialny dla nikogo wysłuchiwał mszy. Chował się, aby ksiądz Romała go nie dojrzał. Nie wierzył już teraz w Boga ani w święte obrzędy, ale – rzecz dziwna – zachował zdolność modlitwy. Modlił się za biedną, cierpiącą babcię, ale modlił się i za ojca, o którym ciocia Michasia mu powiedziała takie smutne rzeczy. Myślał teraz dużo o matce. Ojciec znajdował się w jego życiu jak gdyby naturalnie; istniał po prostu, i bez ojca nie wyobrażałby sobie życia, jak nie wyobrażał sobie swojego dzieciństwa. Zasypiał obok niego w uczuciach ufności i kochania. Ale matka była inna, przychodziła jak gdyby z zewnątrz. Wysoka, smukła, jakby z innego świata. Nie lubił, kiedy się „fiokowała" dla innych. Nie lubił, kiedy miała gości. Musiała być dla niego i dla Antosia – tylko. Kiedy szedł z nią między ludzi, na przykład na koncert do Filharmonii, to był z niej dumny, cieszył się z niej. Ale w domu trudno mu było nawiązać z nią kontakt, bał się jej trochę. Z drugiej strony, rozmawiał o niej godzinami z Antkiem. Ale mu nigdy do głowy nie przychodziło zastanawiać się nad tym, jaki jest w gruncie rzeczy stosunek rodziców między sobą. Ot, są rodzice, i koniec. Ciocia Michasia poruszyła w nim zupełnie obce dotychczas myśli, powiedziawszy, że matka nigdy nie kochała ojca. „Jak to jest możliwe? – myślał tak w kościele w tym ciemnym kącie. – Nie kochać, a być żoną. Jak to może być?".

„To znaczy, mama jest nieszczęśliwa?" – pytał sam siebie i modlił się także za matkę. Potem wychodził z kościoła – i wydawało mu się, że świat przez te pół godziny zmienił się. Upał już siadał nad gałęziami dębów, rosa wyschła i uderzał się boleśnie o suche sęczki i żołędzie sterczące pod jego bosymi piętami. I tak się rozwijał ten letni dzień jak wstęga. Do samego wieczora porywał go blaskiem, zielenią, upałem. Kąpiel z Romkiem (czasami jeździł i Aleksy) dawała jeszcze bardziej odczuwać gorąco. Romek chodził tylko w spodenkach, Andrzej nigdy nie zrzucał koszuli, ale opalony był jak Hindus.

Tylko popołudnia były smutne. Gdy nosił teraz kawę cioci Michasi, nie brała filiżanki do ręki, jak dotąd; kazała ją stawiać przy sobie. Czasami ją wypijała, a czasami, gdy przychodził wieczorem (chodził teraz do pokoju babki i na dobranoc), nie wypita kawa stała na nocnym stoliku. Upał był w pokoju nie do zniesienia; pachniało Iekarstwami i kwiatami, które tu co dzień przynosiła pani Royska. Z tymi zapachami poczynał się łączyć jakiś lekki nieprzyjemny zapach, który Andrzeja szczególnie uderzał, gdy pochylał się nad czołem babki.

Pani Royska mówiła, że ciocia Michasia ma okropne odleżyny. Andrzej nie wiedział, co to znaczy, ale po tym zapachu zrozumiał, że babka zaczyna się rozkładać za życia. Przerażało go to. Nie zajmował się specjalnie swoim ciałem – ale lubił jego sportową sprawność, jego sprężystość. Wreszcie Iubił odczuwać je jako coś świeżego, coś własnego i innego niż na przykład biały Romek. To, że ciało rozkładało się za życia, jak ciało babki, uważał za rzecz przerażającą. Odpędzał te myśli od siebie i kiedy całował babcię w czoło, starał się nie oddychać.

Upały nie zmniejszały się. Z upałami przyszła plaga much. Na dole były w oknach siatki, które mimo wszystko niedostatecznie przed muchami zabezpieczały. W pokoiku Andrzeja muchy mało miały żeru, nie tak też gromadnie się zbierały. Za to w pokoju ciotki Michasi było ich pełno. Czarne, ohydne owady właziły chorej do oczu, do uszu, nie miała siły odganiać ich i jęczała tylko, gdy muchy łaskotały ją w nozdrza.

I oto pewnego upalnego popołudnia, kiedy słońce tworzyło naokoło zasłon na oknach żółte płonące obrzeża, Andrzej wszedłszy z kawą do pokoju babki spostrzegł, że przy łóżku chorej siedzi młoda dziewczyna i dużą gałęzią leszczyny z liśćmi opędza muchy. Powiedział szybko: „Dzień dobry", i szybko postawił kawę przy łóżku.

Babka otworzyła oczy, popatrzyła na Andrzeja i uśmiechnęła się.

– Patrz, jaką mam pielęgniarkę – powiedziała dość mocnym głosem – przynajmniej muchy mnie żywcem nie zjedzą.

Andrzej mimo woli popatrzył na dziewczynę. Najprzód zobaczył czerwoną sukienkę w białe grochy, a potem twarz, która mu się wydała zupełnie inna niż tam przy ważeniu owsa. Była to Kasia.

– Dzień dobry – powtórzył jeszcze raz i wyciągnął do Kasi rękę. Ona przełożyła gałązkę z prawej do lewej, uśmiechnęła się dość bezradnie i podała mu wreszcie dłoń.

– Nie spodziewałem się ciebie tu spotkać – powiedział jeszcze Andrzej, sam dziwiąc się swojej śmiałości, bo właściwie mówiąc, w gardle go dławiło i głos wydobył się nieco zmieniony i jak zawsze w chwilach, kiedy przeżywał jakieś wzruszenia, przesadnie niski.

Kasia nic nie odpowiedziała, a ciocia Michasia znowu zamknęła oczy i dyszała ciężko.

Tego wieczora nie dopuszczono go do babki, był tam ksiądz Romała. Nazajutrz panna Wanda przy rannym śniadaniu miała oczy czerwone od płaczu i nie pozwalała małej Ziuni odzywać się głośniej. Z ciocią Michasią było podobno coraz gorzej. Andrzej zastanawiał się nad tym, dlaczego panna Wanda, która od paru miesięcy jest w Pustych Łąkach, a przedtem była w Siedlcach u Walerka, tak była przejęta zdrowiem cioci Michasi. Ale widocznie tak wypadało.

Pani Royska przyszła z gospodarstwa bardzo zafrasowana. Tego dnia upał był najmocniejszy. Pani Royska powiedziała, że depeszowała do Oli i do Franka. Rodzice przyjadą pewnie jutro rano, a ojciec może nawet nadjechać samochodem dziś wieczorem. Rzeczywiście było potwornie gorąco. Po śniadaniu Andrzej położył się pod drzewem w parku z książką w ręku, ale się nie uczył. Pszczoły brzęczały w ostatnich lipach i muchy huczały mu nad głową gwałtownie jak nadlatujące chmury, bąki cięły go od czasu do czasu w nogi.

„Pewnie będzie burza" – myślał Andrzej.

Widział, jak z domu wyszła Kasia, zapewne pani Royska ją posłała na podwórko. Trzymała jeszcze w ręku leszczynową gałązkę. Szła ostrożnie i jak gdyby się nie spieszyła. Nogi stawiała tak, jakby szła po błocie, a przecież było suchusieńko i gorąco. Była w tej samej czerwonej sukni, którą jej szyła panna Genia.

„Podobno kombinuje z Aleksym" – pomyślał leniwie i nie przejmując się Andrzej. Żuł w zębach pachnącą trawkę.

Patrzył cały czas na Kasię, jak powoli zmierzała do furtki na podwórze. Patrzył zupełnie bezmyślnie, tylko mu się wydawało, że pszczoły i muchy nad jego głową szumiały jeszcze mocniej.

„Pewnie będzie burza" – powtórzył jeszcze raz.

Tego dnia po obiedzie, gdy chciał wziąć filiżankę kawy, aby ją zanieść na górę, pani Ewelina powiedziała ze smutkiem:

– Dzisiaj możesz kawy nie nosić.

Andrzej popatrzył na ciotkę i powiedział:

– Spróbuję.

Gdy wszedł do pokoju na górze, ciocia Michasia leżąca na wysokich poduszkach była nieprzytomna. Wydała mu się podobna do mumii któregoś z faraonów. Zdawało się, że już jest czymś martwym, ale dyszała jeszcze mocno. Postawił niepotrzebną filiżankę na oknie – a sam podszedł do Kasi, która, od chwili gdy wszedł, bezmyślnie machała gałązką. Odebrał jej witkę i powiedział:

– Poczekaj, teraz ja.

Usiadł na miejscu Kasi i machał gałązką nad twarzą babki. Rysy starej kobiety zmarszczyły się i cała głowa jak gdyby zmalała jak głowy malajskie czy egipskie. Patrzał bez przerwy na ściągnięte usta, które, wyprężając się okrągło jak usta ryby na piasku, głośno i głęboko wciągały i wypuszczały powietrze.

Kasia postała chwilę obok niego, z wiejskim „litościwym" wyrazem twarzy spoglądając na umierającą. Potem westchnęła i wyszła. Andrzej został sam koło babki. Muchy były coraz dokuczliwsze, oblepiały poduszkę naokoło wysoko umieszczonej, żółtej twarzy cioci Michasi. Machał bez przerwy i dość gwałtownie gałązką. Przesiedział tak parę godzin. Kasia wróciła i stała w nogach łóżka, potem znowu wyszła. Pani Royska wchodziła parę razy, poprawiała poduszki. Zaglądała panna Wanda.

– Jak trudno jest człowiekowi umierać – powiedziała w pewnej chwili pani Ewelina i pochylając się nad Andrzejem, pocałowała go we włosy.

Andrzej sam nie wiedział, o czym myśli. Siedział tak odrętwiały i zupełnie unieruchomiony przez upał, który wzrastał z każdą godziną. Niejasno przypominały się chwile jego dziecinnych chorób, kiedy „ciocia Michasia" siedziała przy jego łóżku, tak jak on teraz przy niej.

„To tak człowiek umiera – myślał w momentach, kiedy uświadamiał sobie, co się właściwie z nim dzieje – jakież to okropne".

Zapach żywego, ale już rozkładającego się ciała wzbierał wraz z upałem. W pewnej chwili zauważył, że w pokoju zrobiło się ciemno. Nie usłyszał, jak weszła panna Wanda, ujrzał ją już zapalającą gromnicę na stoliku przy łóżku. Za oknem zagrzmiało. Grzmot był jeszcze bardzo daleki, ale zaraz odpowiedział mu rozgrzmot nieco bliżej. Błysnęło.

Panna Wanda uklękła między drzwiami a łóżkiem. Kasia przyszła znowu i przyniosła ogromny bukiet lilii. Słodki, bardzo mocny i okrutny zapach wielkich białych kielichów napełnił w jednej chwili cały pokój. Ale nie zagłuszył owego zapachu zgnilizny, który przerażeniem napełniał Andrzejka.

Kasia również uklękła obok panny Wandy, a w progu klęczała już pani Ewelina. Za otwartymi drzwiami widać było jeszcze parę osób.

Ciężki oddech cioci Michasi stawał się lżejszy. Nagle poruszyła lewą ręką, tak jakby skinęła ku Andrzejowi, i cały jej korpus przemieścił się na poduszkach, obsuwając się ku lewej stronie.

Burza rozgrzmiała na dobre. Andrzej wstał, podszedł ku oknom i zaczął je zamykać. Pani Royska podeszła do niego i powiedziała szeptem:

– Tych, które są za wiatrem, nie zamykaj.

Andrzej mruknął na znak, że zrozumiał. Zamknął dwa okna, w które siekł deszcz. Odwrócił się od okna i uderzyła go dziwna cisza. I on, i pani Royska szybko podeszli do łóżka. Ciocia Michasia nie oddychała.

Pani Royska dała znak wszystkim i rozległy się dość głośne modlitwy o wieczne odpoczywanie. Panna Wanda podniosła się i demonstracyjnie zgasiła gromnicę, biorąc ją w rękę.

Andrzej stał i patrzał na umarłą. Ściągnięte rysy twarzy natychmiast poczęły się wygładzać. Czoło odzyskiwało młodość. A jednocześnie uderzyła go ta przerażająca obcość trupa: to coś już nie oddychało. I to milczenie idące od umarłej czuł każdym fibrem swojej istoty.

Pani Royska skinęła na wszystkich, wyprawiła ich za drzwi i została sama jedna z panną Wandą. Andrzej nie ruszał się z miejsca. Patrzył, jak pani Ewelina poprawiła głowę, aby równo leżała na poduszce, i domknęła powieki umarłej. Zwróciła się do panny Wandy:

– Niech pani da ręcznik z komody. Trzeba podwiązać szczękę.

Panna Wanda podała cienki ręcznik. Pani Royska ujęła głowę umarłej i podłożyła ręcznik pod brodę.

– Pomóż mi, Andrzeju – powiedziała.

Andrzej podtrzymał głowę. Czuł twardość czaszki i miękkie pukle włosów pod palcami, włosów zupełnie takich samych, jak ciocia miała za życia. Włosy nie umarły. Pani Ewelina mocno naciągnęła ręcznik i zawiązała go na szczycie głowy w ciasny węzeł. Puszczona głowa opadła jak głowa dużej lalki.

Pani Ewelina przez chwilę stała w nogach łóżka i patrzyła suchym okiem na siostrę. Tylko pannie Wandzie łzy toczyły się po policzkach, gdy spytała pani Royskiej:

– W jaką suknię każe pani ubrać?

Pani Royska odwróciła się i spostrzegła Andrzeja stojącego obok niej przy łóżku i patrzącego na twarz umarłej z przerażeniem.

– Andrzejku, idź stąd. Przyjdziesz potem. Jak najprędzej trzeba zrobić z umarłego ołtarz, aby był ponad wszystkimi.

W tej chwili piorun uderzył bardzo blisko i szyby się zatrzęsły w oknach. Pani Royska uśmiechnęła się.

– Taka skromna była całe życie, a umiera jak Beethoven. W burzę.

Andrzej dotknął ramienia ciotki Eweliny.

– Ciociu – zapytał – dlaczego to trzeba podwiązać ręcznikiem?

– Jak to dlaczego? Bo szczęka umarłym opada. Zastygają z otwartymi ustami. Zawsze trzeba podwiązać...

– Szczęka umarłym opada? – powtórzył Andrzej. – Dlaczego?

– Tak już jest. Nie wiedziałeś? – a potem poła-
pawszy się, dodała szybko: – Idź już, idź na dół,
Andrzejku.

Andrzej wyszedł za drzwi jak nieprzytomny. Na
schodach jeszcze była duchota jak przed burzą. Ale
w saloniku na dole odetchnął już mokrym powietrzem. Deszcz szeleścił i rynny stukały ziejąc wodą,
a w samym pokoju mokro i zupełnie inaczej niż na
górze pachniały ogromne bukiety białych lilii, które
tu już przygotowano dla cioci Michasi do katafalku.
Andrzej usiadł koło okna przy stoliku i ukrywając
twarz w łokciu, zapłakał. Płakał nie dlatego, że
ciocia Michasia umarła, ale dlatego, że człowiek
umiera tak okropnie.

– I to każdy, każdy – powtarzał sobie przez łzy.

Poczuł jakąś rękę na włosach. Podniósł głowę
i ujrzał, że za nim stoi smutna, ale jak gdyby
wewnętrznie uśmiechnięta Kasia. Odwrócił się na
krześle, objął ją wpół i ukrywając twarz na jej piersi
rozpłakał się na całego. Ona, nic nie mówiąc, gładziła jego czarne kudły.

I właśnie w tej chwili rozległy się kroki w saloniku. Kroki szybkie, choć drobne.

Andrzej zerwał się i ujrzał, jak do pokoju wpada
ojciec, mokre włosy zmierzwiły mu się nad czołem.

– Co się stało? Co się stało? Na Boga! – zawołał,
nie bez tego, aby nie rzucić nieufnego spojrzenia na
speszoną Kasię.

– Ciocia Michasia umarła – powiedział Andrzej,
któremu łzy nagłe wyschły.

– Gdzie? – spytał stary Gołąbek.

Andrzej bez słowa pokazał na górę. Ojciec prędko poszedł po schodach, rzucając po drodze na

poręcz zmoczone okrycie. Andrzej biegł za ojcem. Kasia znikła w stronie wyjścia do ogrodu.

Nazajutrz koło południa przyjechała Ola. Ale babcia była już wtedy „jak ołtarz". Leżała na wysokim katafalku, otoczona srebrnymi lichtarzami i bukietami lilii, jak coś nierzeczywistego, obcego i stanowiącego przedmiot kultu. Wyglądała tak, jak gdyby nigdy nie żyła na świecie, nie rodziła dzieci, nie zazdrościła Ewelinie jej pozycji i nie wtrącała do rozmowy francuskich słówek, których nie rozumiały jej nowe przyjaciółki. Ola patrzyła na to wniebowzięcie matki rozszerzonymi oczami i nie rozumiała, dlaczego Andrzej powiedział jej, witając się z nią, dwa słowa: „To okropne".

Wieczorem tego dnia pani Ewelina, zmęczona przygotowaniami do pogrzebu, poszła do siebie, za salon, do swojego wielkiego i trochę pustego pokoju, w którym sypiała i mieszkała.

Ola szła za nią.

– Ciociu – powiedziała Ola – Franio mi mówił, że zastał Andrzejka płaczącego na piersiach jakiejś dziewczyny. Co to za dziewczyna?

Pani Ewelina spojrzała na Olę, jak gdyby spadła z księżyca.

– Jaka dziewczyna? Moja Olu, to naprawdę nieważne sprawy. Andrzejek bardzo odczuł śmierć babki.

– Czy Andrzejek tu romansuje? – spytała jeszcze Ola, siadając obok toaletki, przy której pani Ewelina zaczynała rozczesywać swoje włosy.

– Nie zauważyłam tego, Olu. Chyba jeszcze nie. Ale przecie rozumiesz sama, że to musi przyjść.

– To dla mnie okropne – powiedziała Ola – sama myśl mnie mierzi.

– Ach, Olu. Powinnaś dzień i noc Bogu dziękować, że masz takich synów – westchnęła pani Royska.

– Właśnie dlatego, ciociu. Nie chciałabym ich tracić.

– Lepiej ich stracić w ten sposób niż w inny – powiedziała pani Royska.

Ola zażenowała się.

– Przepraszam – powiedziała.

– Moje dziecko, każda matka jednakowa. Ale Andrzej jest naprawdę niezwykły. To bardzo dobry chłopak. Żebyś widziała, jak on się bawi z Ziunią.

– Ziunia jest taka milutka.

– Tak, milutka. Ale to też jest bardzo ciężkie dla mnie. Widzieć ją tutaj ciągle. To niedobrze, że ona jest tutaj.

– Ma ciocia jakie kłopoty z Klimą?

– Z Klimą nie, ale z Walerkiem. Jej władza nad Walerkiem była bardzo nietrwała. Teraz on robi, co chce...

– Sama nie wiem, jak teraz będę sobie radzić bez mamy – westchnęła Ola, zmieniając temat rozmowy.

– Z początku będzie trudno, a potem się przyzwyczaisz – zająknęła się nieco pani Royska – jak zawsze w życiu.

– Tak, mnie się tylko tak wydaje. Ale zupełnie nie zdaje mi się, że to tam w trumnie to mama. Taka czasem śmieszna była z tymi fluksjami.

– Widzisz, ona jednak zawsze była chorowita.

– I chwilami, gdy myślę o Andrzeju, albo co, to chwytam się na myśli: to trzeba będzie mamie powiedzieć.

– Tak. I czasami zostaje to przez całe życie. O wszystkim zawsze myślę, jakbym to ja Józiowi powiedziała...

– Więc mam się nie niepokoić Andrzejkiem? – spytała jeszcze Ola wychodząc.

– Ja mam na niego oko. To bardzo dobry chłopiec.

– Dziękuję. Teraz to mi tylko ciocia została – powiedziała, całując w rękę panią Ewelinę.

– Jak zawsze, kochanie – pani Royska pocałowała ją w głowę – a twoich synów ja ci czasem zazdroszczę...

– Ach, ciociu, to niedobrze. Tak nie trzeba. – przepłoszona Ola zatrzymała się na progu. I odwróciła się jeszcze.

– Niech ciocia śpi. Ja przy trumnie posiedzę.

I poszła na górę.

Przed wysoko ustawioną trumną, nad którą pryskały woskowe świece, siedział już na krześle zadumany i zafrasowany Franio. Ola omalże się nie uśmiechnęła, gdy spojrzał bez słowa na nią, gruby, pobladły, z ustami zda się złożonymi do uprzejmego pozdrowienia: szanowanie pani! – smutny, z okiem zaczerwienionym i załzawionym, żałosny i bardzo śmieszny w swoim smutku grubas.

„Poczciwy Franio – pomyślała – on kochał mamę".

I wziąwszy krzesło spod ściany przysunęła je i ustawiła obok męża. Usiadła równolegle do niego i poczęła tak samo jak on wpatrywać się w czerniawy kształt trumny, w fałdy czarnej jedwabnej sukni i w krzyż metalowy spoczywający wysoko na piersiach pani Michasi pod splecionymi woskowymi palcami. Tak przesiedziała parę godzin.

– Franiu – nachyliła się do męża – idź, połóż się. Jutro jest pogrzeb, będziesz zmęczony.

– Za chwilę pójdę – szepnął Gołąbek i westchnął bardzo żałośnie.

Ola i tym razem ledwie się powstrzymała od uśmiechu.

„Boże, jaki ten Franek poczciwy – myślała – i jaka nie jestem warta nawet rzemyka rozwiązać u jego butów. On jest daleko bardziej zmartwiony śmiercią mamy ode mnie. I dzieci więcej kocha. I dzieci jego więcej kochają. Andrzejek... dzieci mają nieświadomy żal do mnie, że ja go nie kocham tak, jak na to zasługuje. Ale czy ja go rzeczywiście nie kocham? Jego, ojca moich dzieci, tego tak dobrego człowieka, tylko nieinteligentnego... O Boże, o czym ja myślę przed trumną mojej matki".

Ale mimo starań myślała wciąż o Franiu, o pierwszych latach małżeństwa, o chwili, kiedy rozczulona dobrocią ustąpiła jego prośbom, kiedy stała się mu prawdziwą żoną. Kiedy urodził się Antek, taki cudny, malutki Antek. A potem Andrzejek. Franio był daleko bardziej poruszony przy urodzeniu Andrzejka niż przy narodzeniu Antosia. Myśli Oli nie zatrzymały się przy rodzinie. Myślała o Edgarze, którego nie widziała od jego powrotu z Rzymu. Podobno jest chory. Janusz wcale nie wrócił z zagranicy, Cherubin zaraz pojechał do Zakopanego, nie zajrzawszy nawet do Oli... I tak okólną drogą, przechodząc od znajomego do znajomego, myśl jej zatrzymała się na Kazimierzu. I znowu jak zawsze, czy w chwili samotności na plaży, czy w chwili nocnego przebudzenia, przychodziło to pytanie, na które nie miała odpowiedzi. Chciała i jemu je zadać kiedy, ale wiedziała, że i on nie odpowiedziałby na nie, bo w tych sprawach nie ma rozstrzygnięć. Chociaż ich sfery towarzyskie były tak różne, przecie spotykała się z nim od czasu do czasu. Nawet rozmawiała, to znaczy zamieniała parę słów bez znaczenia. Ale wiedziała, że nie może zadać tego najważniejszego pytania: dlaczego? Nie że to było nieprzyzwoite, niedyskretne, ale że na to pytanie nie było odpowiedzi.

W tej chwili Franio wstał ze swojego krzesła i nachylił się nad nią.

– Ja już idę. A ty będziesz siedziała całą noc?

– Nie – odpowiedziała Ola, jakby się już ze snu budziła. – Przyjechałam nocnym pociągiem, sił nie mam.

– Połóż się. Jutro pogrzeb, to będzie męczące.

– Tak, idź do naszego pokoju, ja zaraz przyjdę – Ola chciała jeszcze mieć chwilę spokojnej myśli.

– A gdzie Andrzej? Już śpi?

– Śpi. On także bardzo zmęczony. Siedział wczoraj w nocy przy mamie.

– To dobrze. Dobranoc, kochanie.

– Dobranoc.

Franio poczłapał do wyjścia.

Ola jeszcze słyszała, jak schodził powolnymi krokami ze schodów. Nagle wstała i zbliżyła się do trumny. Podeszła do samego szczytu, widziała z bliska twarz umarłej i przypatrywała się jej z wysileniem, jak gdyby chciała wyczytać coś w tych martwych rysach. Twarz matki dopiero naznaczona rylcem śmierci nabrała wyrazu siły. Piękny nos, dumnie i jak gdyby uśmiechem wyższości ściągnięte usta. Ola przyglądając się tym twardym rysom zacisnęła pięści. Usta jej wykrzywił grymas wielkiej niechęci, raczej goryczy.

– To ty mnie namówiłaś – szepnęła z przejęciem – to ty mnie namówiłaś na to małżeństwo. Nigdy ci tego nie mówiłam – i nie powiedziałam. Ale to ty byłaś winna mojego nieszczęścia. Coś ty z mego życia zrobiła? Niedobra matka... Coś ty z mojego życia zrobiła?

Uklękła gwałtownie przy trumnie, aż lichtarz się zachwiał i świece zaczęły kapać stearyną.

– Och, ja wariatka – zawołała półgłośno – co ja mówię? O, ja głupia, o, ja podła! – i zaczęła szlochać, po raz pierwszy od przyjazdu, szlochać głośno.

Kasia weszła do pokoju i podniosła Olę z klęczek.

– Niech wielmożna pani idzie spocząć, ja już posiedzę do rana przy nieboszczce – powiedziała.

Na pogrzeb cioci Michasi zjechało sporo osób, wszystko odbyło się podług starych rytuałów. Było trochę za mało powozów i dla pana Gołąbka z Andrzejem nie znalazło się miejsca.

– A to my przejdziemy się z Andrzejkiem – powiedział pan Gołąbek i nie czekając, aż konie ruszą, wziął syna i poszli przez las.

Pogoda się przełamała po tej burzy i nadeszły wietrzne, chłodnawe dnie, ułatwiające pracę żniwną. Nie było tak ciężko.

Andrzej zauważył, że ojciec idzie wolniej niż zwykle, że jakoś pociąga nogami i zasapuje się.

– Zmęczony jesteś? – spytał go.

– Tak. Dawno nie miałem żadnego wypoczynku, w Warszawie bardzo mi jest ciężko. A potem, jak przychodzę do domu, to jestem sam.

– Skończą się wakacje, będziemy wszyscy w domu.

– Pełno was czasami, a ja mam uczucie, że jestem sam. Wy już nic nie pomagacie, moje dzieci.

Andrzej ze zdumieniem spojrzał na ojca.

– Co to znaczy, nie pomagamy? – spytał.

– No, wiesz, tak. Jak ja już nie pomagam mojej matce. Już jestem gdzie indziej – tak samo wy.

– Że nas nie interesuje twoja praca?

– Właśnie.

– No, tak to bywa. To trudno.

Andrzej sam się zdziwił swojemu powiedzeniu, a zwłaszcza tonowi głosu. Nie było tu już dawnej czułości. Jak gdyby ojciec go niecierpliwił. Zastanowił się nad tym, gdyż nigdy tego nie odczuwał.

– Pochowaliśmy naszą „ciocię" Michasię – powiedział po chwili Gołąbek.

Stanęli na polanie. Gwałtowny wiatr zginał wierzchołki drzew i jakoś, mimo że był sam środek lata, robiło się jesiennie.

– To okropne – powiedział Andrzej – to jest szczyt barbarzyństwa. Ułożyć zmarłego do pudełka i zakopać w ziemi. Niech tam gnije.

– Tak już jest zawsze.

– Ale to świadczy, jakimi jeszcze jesteśmy barbarzyńcami. Ludzie będą umierać inaczej, ludzie muszą umierać inaczej.

– Ale jak?

– Czy ja wiem? Rozlecieć się z tym wiatrem, polecieć gdzieś... a tak to okropne.

– Tak, świat nie jest najlepiej urządzony – filozoficznie mruknął pan Franciszek. Nie bardzo zdaje się rozumiał, o co Andrzejowi chodzi.

Zrobili jeszcze parę kroków.

– Tak już jesiennie po tej burzy – powiedział Andrzej. – A to dopiero początek sierpnia.

– Za miesiąc będziesz już musiał być w Warszawie.

– Strasznie się boję tego egzaminu. Na architekturę zawsze taka duża konkurencja.

– Ty byś nie zdał? – pan Franciszek z czułością popatrzył na „mądrego" syna.

– Ma tatuś zaufanie do mnie?

– A mam.

– Tak. Gdyby to była sama matematyka. Ale rysunek. A z rysunkiem mi się nie zawsze udaje. Maluję jak Biliński. Ale to trzeba inaczej, dla architekta.

– Wiatr jaki. Rzeczywiście jak gdyby jesień.

– Tata zostaje jeszcze?

– Dzisiaj po południu wracam do Warszawy.

– I mamę ojciec bierze?

– I mamę. Tam Helenka sama została... u jednej pani. Mama musi wracać do Orłowa.

– Pojedziecie razem?

– Oczywiście.

– Bo mama... Andrzej zawahał się. – Czy ty kochasz mamę? – spytał nagle. – Czy ty bardzo kochasz?...

Pan Franciszek znowu zatrzymał się, zdumiony.

– No, wiesz, Andrzejku. Cóż to za pytanie? Oczywiście, że kocham. Dlaczego o to pytasz?

– Bo mama wydaje mi się czasem jakaś taka smutna.

– Smutna?

– Bo ja wiem? Taka jakaś...

Andrzej prętem trzymanym w ręce ścinał liście krzaków po drodze.

– Daj spokój tym liściom. Po co ścinasz? – spytał pan Gołąbek.

– Ach, tatusiu. Ja czasem nic nie rozumiem.

Pan Franciszek uśmiechnął się.

– Pociesz się, że ja także.

Zatrzymał się i pocałował syna w głowę.

– A ta Kasia to co? – spytał.

Andrzej poczerwieniał jak burak.

– Ach, to nic. Zupełnie nic, tatusiu.

– Tyle się tu tych dziewcząt kręci – zafrasował się pan Gołąbek.

– Zupełnie jak u ciebie w ciastkarni – odzyskał swój kontenans Andrzej i nawet poczuł się tak, jak gdyby górował nad ojcem.

– Ach, to zupełnie inna sprawa – powiedział pan Franciszek nieco zmartwiony.

– Tam była taka jedna, bardzo ładna. Ta, co po francusku gadała.

– Uważasz? – powiedział pan Franciszek. – Może. Ale jej już nie ma.

– Tak, podobno.

– Skąd wiesz?

– Antek mi mówił. To była Antka flama.

– Ach, mój Boże. Ciągle z wami kłopoty.

Dochodzili już do domu.

– Nie myśl, Andrzej – nagle poważnie powiedział pan Gołąbek – nie myśl, Andrzej, że mama to smutna przeze mnie. Ja temu nie jestem winien. Zupełnie.

– Kochany – nagle rozczulił się Andrzejek – ja wiem.

I pocałował ojca w rękę.

Obiad po pogrzebie był wystawny i nie taki jak co dzień. Było parę osób z sąsiedztwa, ksiądz Romała przyjechał. Pani Royska widocznie chcąc wyróżnić Kasię za to, że tak pilnowała chorej, kazała jej pomagać przy stole. Usługiwał Franciszek, a Kasia roznosiła za nim kartofle, sałatę, ciastka do kompotu. Andrzej nie mógł przemóc siebie, żeby za każdym razem, gdy dziewczyna pochylała się koło niego z półmiskiem, nie rumienić się potwornie. Miał nieprzyjemne uczucie, wydawało mu się, że czarna sukienka Kasi, pożyczona od pokojówki, nieprzyjemnie pachnie potem i jakimiś kuchennymi sosami. Zresztą Kasia była bardzo zawstydzona i zarumieniona od samego początku. Ola parę razy spojrzała w stronę Andrzeja.

Przy stole rozmawiano o zmarłej. Ksiądz Romała wychwalał jej cnoty, jej religijność. Andrzeja uderzył ton, w jakim wszyscy mówili o cioci Michasi. Jeszcze niedawno wszyscy odzywali się o niej z lekką ironią, z uśmieszkiem, mówili o jej fluksjach i leczeniu się ziółkami. Teraz rozprawiali jak o rzymskiej matronie. Tylko pan Franciszek siedział nieruchomo, nic nie mówiąc, z oczami wlepionymi w jasne okna i ocierając od czasu do czasu swoje drobne wargi zatłuszczone jedzeniem.

Zaraz po obiedzie rodzice odjechali. Ola jakoś specjalnie serdecznie objęła Andrzeja i całowała go w czoło. Andrzejowi zrobiło się bardzo przykro. Był niesprawiedliwy dla matki.

– Już niedługo wrócę do Warszawy – powiedział.

I rzeczywiście teraz zaczął się finał wakacji. Dnie stawały się krótsze, ale długie ciepłe wieczory szczególnie były przyjemne. Romek przychodził takimi właśnie wieczorami i grywali z Andrzejem *Simple Aveu* i inne sentymentalne kawałki. Kilka słynnych ogrodniczek pani Royskiej (w tym roku było ich niedużo, a od czasu małżeństwa Walerka z Klimą nie brały one żadnego udziału w towarzyskim życiu dworu) przechadzało się przed domem, gdzie pachniały maciejki i nasturcje, trzymając się pod ręce i zwierzając się szeptem z rozmaitych panieńskich wrażeń i tajemnic. Kasia pracowała na podwórku i Andrzej zupełnie przestał ją widywać.

Kiedyś, któregoś wieczora, Romek go wyciągnął – ale to już późno – zupełnie po kolacji, na „dechy" do Petryborów. Petrybory były daleko większą wioską od Pustych Łąk i tam przed gminą urządzano dechy. Krąg zbito wcale duży, tylko orkiestra była marna, typowo wiejska, składająca się z harmonii, skrzypiec i bębna, który swoim monotonnym rytmem nadawał prymitywny charakter wykonywanej muzyce.

– Zupełnie Afryka Środkowa – powiedział Romek tonem doświadczonego podróżnika.

– Powiedziałeś to tak, jakbyś nie wyłaził z Afryki Środkowej – zaśmiał się Andrzej.

Oświetlone dużym reflektorem taneczne towarzystwo kręciło się po deskach bez większego zapału. Na ogół zabawa przechodziła spokojnie.

„Grzecznie się bawili", jak mówią w takich razach starsi ludzie.

Andrzej i Romek stanęli z boku i przypatrywali się.

– Patrz – powiedział Romek – Kasia tańczy z Aluniem.

Rzeczywiście dostrzegł w tłoku wysokiego Alunia. Kasia była o wiele niższa od niego i prawie ginęła wśród tańczących par. Widział tylko od czasu do czasu jej czarną, gładko uczesaną głowę.

– Nie mamy z kim tańczyć – powiedział Romek.
– Same dziewczyny, co mają swych stałych tancerzy.

Andrzej nie orientował się ani w dziewczętach, ani w ich tancerzach. Oczywiście Romek jako stały mieszkaniec wiedział o nich daleko więcej.

Muzyka na chwilę ustała. Pary zeszły z drewnianej tarczy i usunęły się w cień, poza blask lampy.

– Nie wiedziałem, że Petrybory mają elektryczność – powiedział Andrzej.

– Od dwóch lat. Nie zauważyłeś w kościele?

– Prawda, jaki ja gapa.

Nagle z cienia wynurzyła się Kasia. Przeszła blaskiem, ale Andrzej spostrzegł ją dopiero, kiedy była blisko.

Znowu była zupełnie inna. Po raz pierwszy widział ją przy pracy, jakąś taką pokorną i z zatartymi konturami małej postaci, potem przy umierającej babce w patetycznej roli pielęgniarki, otoczoną tym samym uroczystym nimbem śmierci, jakim była otoczona ciocia Michasia. A teraz podeszła do niego swobodnie, krokiem – pomyślał Andrzej – zupełnie salonowym. Odczuwał, że górowała nad nim, że była bardziej od niego opanowana. I wtedy dopiero spostrzegł, że był o tyle od niej wyższy: musiała podnieść głowę ku niemu i w tym podniesieniu ukazała się jej biała, pełna szyja. Miała na sobie kremową bluzeczkę i jakąś spódnicę, która tonęła w cieniu.

– Dzień dobry – powiedziała i głos także tutaj miała inny, pełniejszy i głębszy, a przy tym była jeszcze zdyszana po tańcu, mówiła swobodniej, lżej, niskim tonem.

Andrzej nigdy jeszcze nie odczuł tak bardzo czaru ludzkiego głosu.

„Jak ona ładnie to powiedziała" – pomyślał.

– Dzień dobry – dodał głośno.

– Teraz panicz ze mną zatańczy – powiedziała Kasia.

Tu wmieszał się Romek.

– A Aleksy? – spytał.

– To nieładnie wciąż z jednym kawalerem tań-czyć – powiedziała Kasia i uśmiechnęła się – teraz ja potańczę z panem Andrzejem.

– A ze mną? – spytał Romek.

– Z tobą potem – zaśmiała się – z tobą się już natańczyłam.

Andrzej zauważył, że miała tę miłą podlaską wymowę, która nie wpada w kresową przesadę, a jest tak różna od warszawskiego mówienia, zwłaszcza w ustach kobiecych.

Bęben uderzył, muzyka się pospieszyła i zaczął się jakiś szybki taniec, Andrzej czuł, że raczej Kasia go prowadzi w tym tańcu, i nie bardzo mu się to podobało. Kiedy orkiestra grać przestała, zawołał:

– Mało, mało! kujawiaka!

I rzeczywiście muzykanci z godnością, powoli i rozważnie zaczęli kujawiaka. Na ten taniec nie wszyscy byli łakomi. Na deskach się przerzedziło, tańczyło tylko kilka par. Andrzej pasjami lubił kujawiaka, zwłaszcza tę pełną powagi powolną część, żałował, że nie ma wąsów (w tym wypadku jedynie), żeby mógł je podkręcać. Kasia nie bardzo umiała tańczyć kujawiaka, nie orientowała się, o co tu chodzi, spieszyła się nieco na początku i wypadała z taktu. Andrzej cieszył się, że mógł ją prowadzić.

– Uwaga, Kasiu – nawoływał – nie spiesz się. No, a teraz hola.

I kręcił się z nią do zawrotu głowy, aby znowu zatrzymać się i wahać powoli. Kasia zorientowała się wkrótce i szło im bardzo dobrze. Gdy orkiestra przerwała kujawiaka, zeszli z desek. Alunio znalazł się obok nich.

– Świetnie tańczysz – powiedział do Andrzeja.

– Kujawiak to najlepszy taniec – odparł zasapany Andrzej.

Kasia nic nie mówiła, ale nie puszczała ręki Andrzeja. Orkiestra przerzuciła się na modne tango.

– Tańczysz? – spytał Alunio.

Kasia kiwnęła głową przecząco.

– Zmęczyłam się. Zaczekaj chwileczkę.

Aleksy spochmurniał. Andrzej zauważył to i puścił rękę Kasi.

– A gdzie jest Romek? – spytał.

Kasia się uśmiechnęła.

– Tańczy pewnie ze swoją Anusią – powiedziała wachlując się chusteczką. Noc była gorąca.

Andrzej przetańczył parę tańców z Kasią, potem z innymi dziewczynami i wreszcie nie czekając na Romka skierował się do domu. Znał tę ścieżkę tak dobrze, chadzał nią od dzieciństwa, ale uprzytomnił sobie, że po raz pierwszy w życiu odbywa tę drogę w nocy. Nie poznawał jej, drzewa wydawały się wyższe, krzaki gęstsze. Po chwili posłyszał za sobą kroki. Obejrzał się, w ciemności zobaczył wysoką sylwetkę Alunia.

– Trafisz sam? – spytał życzliwie Aleksy. – Żebyś nie zabłądził w nocy – dodał.

– Wiesz, pierwszy raz idę tędy po ciemku – przyznał się Andrzej.

– Odprowadzę cię kawałek.

W głosie Alunia nie było groźby, ale Andrzejowi zrobiło się nieprzyjemnie.

Szli przez jakiś czas w milczeniu.

Nagle Alunio zatrzymał się i przytrzymał Andrzeja za rękę.

– Podoba ci się Kasia? – spytał.

Andrzejek nagle zrobił się bardzo dobrze wychowany. Przywołał całą przytomność umysłu.

Miła dziewczyna – powiedział uprzejmym tonem.

Alunio stał jeszcze chwilę bez słowa.

– Ja nie chcę być grubianinem – powiedział – nie zrozum mnie źle. Ale to jest moja dziewczyna. My mamy się pobrać... Daj jej spokój.

Andrzej wzruszył ramionami, czego w ciemności nie było widać, tyle tylko, że ruchem tym zsunął z ramienia rękę Aleksego.

– Wiesz, gdybym cię nie znał – powiedział – myślałbym, że się czepiasz. Wierz mi, ja naprawdę nic nie kombinuję z Kasią albo koło Kasi. Widziałem ją parę razy... jest mi zupełnie wszystko jedno... A poza tym, Aluniu, nie rób sobie mitów – powiedział tak uczenie – nie wyobrażaj sobie zawsze panicza i dziewczyny. Te czasy minęły...

– Niezupełnie – rozległ się w ciemności poważny, niski głos Aleksego.

– Przynajmniej dla mnie. Uważałbym to sobie za... jak to powiedzieć? Jak mówią u Sienkiewicza? – uważałbym to sobie za ubligę.

Aleksy zaśmiał się krótko.

– Można udawać takiego zimnego – powiedział Aleksy, jak gdyby trochę obrażony na Andrzeja, że wykazywał taką zawziętą obojętność na uroki Kasi – do czasu...

– Czasu nie mam wiele, za tydzień wyjeżdżam – mówił Andrzej, coraz poważniej nadając słowom tej rozmowy ton wyjaśnienia „pomiędzy dorosłymi mężczyznami" – i myślę już teraz tylko o egzaminach... nie masz pojęcia, jakiego mam pietra...

Alunio zwolnił kroku.

– No, to dobrze – powiedział – nie chowaj do mnie żalu, że poruszyłem tę kwestię. Mogłem to zrobić inaczej, ale bardzo cię lubię... od tych dawnych czasów...

– Od księdza Romały?

– Aha. No, to serwus. Do widzenia. Ja jeszcze wracam na zabawę.

Alunio się zatrzymał.

– Baw się dobrze – nagle wielkopańskim tonem powiedział Andrzej i podał tamtemu chłopcu rękę jak gdyby z góry. Dziwiło go to, gdy rozmyślał o tym później.

Szedł dalej parkiem, w ciemności. Olbrzymie drzewa szemrały nad nim, chociaż wiatru tu na dole nie było. Przypomniał sobie wieczór przyjazdu i to rozmyślanie swoje na ganku domu. Od tego czasu każdy dzień był jednakowy, jednakowo zachwycający i zabierający go pod swą władzę korowodem najzwyklejszych zdarzeń. Ale czuł, że tamten pierwszy wieczór położył jak gdyby znak swój na wszystkich następnych dniach i dlatego te wakacje były inne od poprzednich.

Tak się zamyślił o tych swoich sprawach, że nie zauważył, jak podszedł do domu. Zatrzymał się słysząc głośną rozmowę w ciemności.

To pani Royska i Walerek siedzieli po nocy na ganku i rozmawiali podniesionym głosem. Nie posłyszeli jego kroków na żwirze parkowych ścieżek. Nie widzieli go. W domu było jasno. Ganek tonął w ciemności, był ze swym winem jak gdyby cząstką parku.

Andrzej stanął jak wryty. Nie wiedział, co robić. Serce mu łomotało w piersiach. Od czasu owej sceny dziecinnej i głupiej przed wielu laty nie mógł spokojnie spoglądać na Walerego, nie mógł spokojnie słuchać jego głosu. Uczucie żywiołowej nienawiści wzbierało w nim za każdym razem, gdy go widział. Nie pamiętał, czy zamienił z nim dwa zdania przez te kilka lat. Ale zawsze zaciskał pięści, nie tylko kiedy go zobaczył, nawet kiedy o nim pomyślał. W głowie mu się nie mieściło, że ta urocza dziecina, która co rano siadywała przy jego pierwszym śniadaniu, była córką Walerka. Na szczęście Walerek prawie nigdy nie pokazywał się w Pustych Łąkach, czasami, właśnie jak teraz, zjawiał się późnym wieczorem. Przyjeżdżał z Siedlec konno na wspaniałych wierzchowcach, które obecnie hodował.

Andrzej stał przez chwilę i słuchał rozmowy.

– Co ty sobie myślisz? – mówiła ostro pani Royska. – Ja dla ciebie nie mam pieniędzy. Wszystko co mam, przekażę twojej córce. A ciebie znać nie chcę...

– Jak gdyby mama zapomniała, że jestem mamy jedynakiem.

– Niestety.

– Mama tych szczeniaków cioci Michasi, tych synów Oli, to więcej kocha niż mnie.

– Mylisz się, Walery.

– W każdym razie więcej mama dla nich robi niż dla mnie. Nie opędzić się tu od nich. Ale dlaczego mama nie chce dać mi tych pieniędzy?

– Bo wiem, że nie zrobisz z nich dobrego użytku.

– Przecież ich nie przepiję.

– Może lepiej by było, żebyś je przepijał.

Walery zaśmiał się w ciemności. Nawet kiedy się go nie widziało, jego śmiech miał w sobie nieprzeparty urok. Był w nim cały dawny młodzieńczy wdzięk Walerka, który ulotnił się z rozpłyniętych rysów jego twarzy. Po tym śmiechu głos pani Eweliny jak gdyby złagodniał.

– Przecież dla Klimy i dla Ziuni masz dosyć.

– Klima na szczęście wiele nie potrzebuje. Zaniedbała się teraz ostatecznie, aż mi czasem wstyd. Mogłaby mama na nią wpłynąć, aby młoda pani Royska nie chodziła po Siedlcach taka obszargana.

– Czy ty ją kochasz? – nagle naiwnym tonem spytała pani Royska.

Walerek znowu się zaśmiał, ale tym razem nie tak już przyjemnie. Andrzej poczuł, że krople potu występują mu na czoło. Chrząknął – i nie czekając na odpowiedź Walerka, wszedł na ganek. Pani Royska się trochę przelękła.

– Kto tu? – spytała.

– To ja, Andrzej.

– Ach, Boże, myślałam, że ty dawno śpisz – zaniepokoiła się nieco pani Ewelina.

– Gdzież to kawaler tak późno chadzał? – spytał Walery, niedbale podawszy Andrzejowi rękę. Andrzej przemilczał to pytanie.

– Czy ty jadłeś kolację? – zaniepokoiła się pani Royska.

– Ależ tak, ciociu, wyszedłem trochę się przejść po kolacji – nie była to całkowita prawda i można to było poznać po pewnym wahaniu w głosie chłopca. Walerek się ucieszył.

– Chodziłeś na spacer? Ale czy sam? – zapytał z chichotem już zupełnie nieprzyjemnym: było w nim coś maniakalnego.

– A gdyby i nie sam? – powiedziała pani Royska. – Andrzej jest już dorosłym chłopcem, zdał maturę...

– Ależ wiem, wiem – pospiesznie i ironicznie powiedział Walerek.

– Byłem z Romkiem i Aluniem w Petryborach – odważnie powiedział Andrzej. – Oni jeszcze tam zostali.

– Patrzcie, patrzcie! – zawołał Walery. – Pan dziedzic mieszał się z ludem... pospolitował się z chłopstwem...

– Nie jestem dziedzicem – odciął Andrzej.

– Kto wie, może moja matka właśnie tobie przekaże Puste Łąki wraz ze wszystkimi kapitałami...
Same długi, mój Andrzejku, same długi, nie trzeba
się łakomić.

– Jak możesz mówić chłopcu takie rzeczy – zawołała dotknięta do żywego pani Royska.

Andrzej opanowywał sytuację.

– Moja ciociu – powiedział – przecież ja jestem
przyzwyczajony do żartów wuja Walerego.

Po czym skierował się do drzwi wejściowych.

– Dobranoc, ciociu – powiedział zupełnie innym,
niespodziewanie ciepłym, niskim głosem.

Tym razem nie mógł zasnąć długo. Późno w nocy słyszał tupot konia i galop: Walery odjechał. Ale
nie myślał o Walerym, myślał o Kasi, o Aluniu,
o Romku. Jednym słowem, o tym, że za tydzień już
musiał wracać do Warszawy, a w Warszawie nikogo oprócz ojca i panny Romany nie będzie. Będzie
bardzo pusto bez babci Michasi. I pomyślał, że
babcia Michasia leży niedaleko stąd, opodal tego
miejsca, gdzie tańczył z Kasią na dechach, i że
zamknięta w drewnianym pudełku strasznie się
zmienia. A jemu będzie bez niej w Warszawie
bardzo niedobrze. Dopiero teraz uprzytomnił sobie
cały rozmiar tej śmierci. Podszedł do okna i spojrzał
w ciemność. Wydawało mu się, że jeszcze słyszy
odgłos galopującego konia. Zastanowił się nad tym,
że tak rzadko spoglądał przez to okno i nawet nie
wie, jaki jest widok z niego. Teraz słychać było
tylko od czasu do czasu poryw wiatru, jak w tamtą
pierwszą noc. Czy znowu wróżył deszcz? Poryw
ten odbijał się o jego nagie ciało i przejmował go
dreszczem. W niejasnym cieniu widział wysokie

pnie. Wychylił się przez okno i nasłuchiwał, czy nie dolatują aż tu dźwięki „afrykańskiego" bębenka z miejsca, gdzie tańczono. Ale było cicho.

Ten wiatr nie przyniósł deszczu. Na koniec pobytu Andrzeja zrobiła się niezwykle brzydka pogoda. Było bardzo wietrzno i zimno, a jednocześnie sucho.

– Tak brzydko jest, abyś nie żałował swojego wyjazdu – powiedziała raz pani Ewelina przy śniadaniu.

– Żeby było najbrzydziej, zawsze będę żałował – odparł Andrzej. Ale jednocześnie, odkąd dowiedział się, że z jego przyjazdami do Pustych Łąk wiązały się jakieś sprawy materialne i pieniężne, że ktoś mógł myśleć, iż czyha on na owe Puste Łąki i widzi w nich nie miejsce wakacji i „rozmyślań", ale jakiś cel do osiągnięcia – poczuł, że nie ma już ani tej swobody w stosunku do cioci Eweliny, ani tej radości z pobytu w tym uroczym miejscu.

„Ten podły Walerek i to mi musiał popsuć" – mówił sobie.

Dnie przechodziły za dniami w pogodzie czy deszczu. Hubert, który pojechał do Rotoczni i miał stamtąd „zajrzeć" na parę dni do Pustych Łąk, nadesłał pełną wykrzykników kartkę, z której wynikało, że jechał z ojcem, który jakoś chorował, do Francji. W tym szumnym frazesie kryło się trzy tygodnie piekielnych nudów w Vichy, okraszonych dość względnie trzema dniami pobytu w Paryżu. Ale Andrzejek o tym nie wiedział i trochę zazdrościł Hubertowi. Ale tylko trochę. Bardzo go w tym roku cieszyły Puste Łąki.

Ostatni tydzień minął mu na zwyczajnych zajęciach. Pilnował młocki wśród wiatru, który ślepił kurzem i unosił całe wiechcie słomy. Kasia do pracy ostatnio nie przychodziła. Wieczorami pił zimne mleko i wąchał zapach czarnego chleba smarowanego masłem. Ten zapach czarnego chleba od najwcześniejszego dzieciństwa związany był z obrazem domu w Pustych Łąkach. Tylko że w tym roku i dom, i park, i wszystko wydawało mu się zupełnie inne, zafarbowane jak gdyby lekko zgoła innym zapachem, zapachem ciała.

Pomimo zimnego wichru jeździli z Romkiem do owego stawku za lasem. Te jazdy miały swój urok, chociażby dlatego, że wydostawali się spośród drzew parku i lasu na szerokie i płaskie pole. Na bardzo niebieskim, sierpniowym niebie szybko leciały białe, poszarpane obłoki, nabierające coraz innych kształtów. Stawiali linijkę przy stawie, leniwy woziwoda nie ruszał się wcale, tylko rytmicznie machał łbem, oganiając się od much i bąków, których wiatr bynajmniej nie odstraszał.

Kąpali się bez spodenek. Romek wypływał na sam środek stawu i jego jasna głowa plątała się wśród liści grążeli jak duża złota lilia. Andrzej także dobrze pływał, raz postanowił opłynąć staw dookoła. Staw był płytki i trudno było w nim nabrać rozpędu. Ale woda wydawała się ciepła przy zimnym powietrzu.

– Jak nagrzana! – wołał Romek.

Andrzejowi nie wydawała się jak nagrzana, czuł się jednak w wodzie lepiej niż na brzegu, gdzie zimny wiatr smagał jego czarną skórę i sprawiał, że zjawiała się na niej sina gęsia skórka.

Romek był świetnym pływakiem. Kilkoma szybkimi ruchami, wyskakując jak szczupak gibkim ciałem z wody, dogonił Andrzeja. Próbował schwycić go za nogi, Andrzej ze śmiechem wyrywał mu się. Nagle Romek objął go całego, Andrzej broniąc się też go obejmował, i tak przewalali się, pryskając kroplami, starając się utrzymać na wodzie. Andrzej dał nurka i uwolnił się od Romka. Odnaleźli się obaj na brzegu.

Andrzej poczuł się nagle skrępowany i nie patrzył na Romka. Szybko naciągał harcerskie spodenki. Romek stał rozkraczywszy nogi na brzegu i wystawiał całe swoje wspaniałe ciało na gwałtowne podmuchy wiatru.

– Ubieraj się, zmarzniesz – przestrzegał go Andrzej.

Romek nagle odwrócił się do Andrzeja i podszedłszy blisko, spytał:

– No, Andrzej, a jak u ciebie z kobietami?

Andrzej wzruszył ramionami.

– Nic nie wiem – powiedział.

– Przecież tam u was w Warszawie to tylko palcem kiwnij. A ty masz czym im dogodzić.

Andrzej oblał się purpurą i starannie rozplątywał zawiązane rękawy koszuli. Próbował być na wysokości tematu poruszonego przez Romka.

– Tak ci się wydaje. To nie taka łatwa sprawa.

– A tutaj, myślisz, łatwa? – Romek się nie ubierał, drżał na całym ciele i obu rękoma starannie przykrywał części wstydliwe. – Dziwek tu do pioruna, ale każda ma swojego chłopa.

Andrzej wiedział, o kim myśli Romek, ale nic nie mówił.

– A poza tym to każdy tu wie, gdzie, kto i jak. Niepodobna się ukryć... Tak od czasu do czasu kogoś się przyłapie...

Andrzej nałożył wreszcie koszulę.

– Albo ktoś ciebie przyłapie. Ty nie bądź taki gieroj, Romek – powiedział już zupełnie spokojnie.

– Tak, to nie są łatwe sprawy na wsi. Zaraz podniosą krzyk. A bo tato to zawsze przestrzega, żeby się nie trzeba było żenić. I tato to zawsze nahajką grozi... Co za życie.

Andrzej nagle się zastanowił. To pytanie przyszło mu po raz pierwszy do głowy:

– A co ty właściwie robisz?

– Ja? Praktykuję przy ojcu... – powiedział bez zająknienia Romek.

– Bąki zbijasz...

Romek się zaperzył.

– Nie bądź taki uczony. W zimie ojciec stary leni się. Ty nie masz pojęcia, jak we mnie orze. Latem to trochę mam luzu, no i gram. W zimie to raz na tydzień jeżdżę do Siedlec do profesora. A na przyszły rok pojadę do konserwatorium do Warszawy. Mam ciotkę w Warszawie. Nie ciotkę moją, ale ciotkę ojca, mam gdzie mieszkać.

– Przyjdź dziś na granie – powiedział Andrzej, odwracając się do Romka plecami.

Romek też zaczął się ubierać. Wyciągnęli z krzaków woziwodę, który jednak się tam zapchał. Andrzej powoził, Romek siedział za nim na linijce i obejmował go, aby nie spaść. Wystały woziwoda dość dziarsko ruszył w stronę stajni.

– Ty byś to tę Kasię mógł mieć – powiedział w pewnej chwili Romek, jeszcze mocniej przyciskając Andrzeja.

– Daj mi spokój z kobietami – powiedział Andrzej, schylając głowę przed mocnym uderzeniem wiatru, który dął mu prosto w twarz.

– Nie bądź taki święty – zaśmiał się Romek.

– Wcale nie jestem święty – powiedział Andrzej – ale nie mogę robić świństwa Aluniowi.

– A bo to on będzie wiedział? – Kobiety to umieją się tak urządzić...

– Nie ściskaj mnie tak mocno, bo dech wyzionę – powiedział Andrzej, wolnym łokciem odsuwając Romka.

Poczuł na szyi, na karku, drobne dotknięcie, muśnięcie raczej, którego by nawet nie zauważył, gdyby Romek nie zaśmiał się tak jakoś dziwnie.

– Daj mi spokój – powiedział.

– Ależ oczywiście – zawołał Romek i przełożył nogę przez linijkę. – Tu mi bliżej do domu – dodał, zeskoczył w biegu i zatrzymał się na brzegu parku.

– Dzisiaj przyjdę na granie – krzyknął i zniknął w gąszczu.

Andrzej zajechał na podwórze, oddał konia i linijkę w stajni i pospieszył do domu. Była już pora obiadowa. Ale zaszedł jeszcze do swojego pokoju i wyczesując mokre włosy polał je kolońską wodą. Potem wytarł mocno tą samą wodą kolońską szyję i kark.

Wieczorem byli goście, ksiądz Romała i jeszcze parę osób. Chłopcy grali dla gości *Simple Aveu*, *Wiosnę* Griega i jeszcze parę takich kawałków.

Nazajutrz nareszcie wiatr dmący od kilku dni nawiał deszcz. Siąpało gęsto, przenikliwie, nieustannie. Śpiącego Andrzejka obudził szum rynny na dachu nad oknem i powolny rytm kropli spadających z jednego liścia lipowego na drugi. Z przykrością przypomniał sobie, że to jest ostatni dzień jego pobytu na wsi.

Zerwał się szybko i szybko się ubrał, ale dopiero ubrawszy się pojął, że nie ma co robić z tym dniem rozchlapanym. Nie miał żadnych określonych zajęć na dzisiaj, a w taki deszcz trudno było iść na spacer do parku albo na podwórze. Postanowił powtórzyć sobie geometrię wykreślną i przejrzeć te strony podręcznika, których nie był całkiem, zupełnie pewien. Zadania przerobił już prawie wszystkie.

Zszedł na śniadanie. Jak zwykle na końcu długiego stołu stało jego nakrycie, a na drugim końcu siedziała panna Wanda, bezskutecznie namawiając małą Ziunię do spożycia kawałka bułki z masłem.

Zdawało mu się, kiedy siadał przy stole, że panna Wanda spojrzała na niego nieżyczliwie. Zrobiło mu się trochę przykro.

„Czego ona chce ode mnie?" – pomyślał. W momencie kiedy Franciszek nalewał mu kawy, ułowił jeszcze jedno chmurne spojrzenie panny Wandy.

„Widocznie gniewa ją to, że jestem świadkiem jej utarczki z Ziunią, z której, zdaje się, nie wyjdzie zwycięsko".

Lubił bardzo małą i ona miała do niego wielkie zaufanie. Bawili się nieraz całymi godzinami. Postanowił użyć swego autorytetu.

– Nie kapryś, Ziuniu – powiedział – zjedz zaraz tę bułeczkę.

Ale źle trafił. Ziunia ani myślała słuchać. Pokazała Andrzejowi język. Andrzej się zżymnął.

– A fe, jakże tak można. Niegrzeczna jesteś, widzę, od samego rana.

Ziunia zakręciła się na krześle.

– Bzidki wujaszek – powiedziała – bzidki!

Z panną Wandą coś się stało w tej chwili. Poczerwieniała na twarzy i gwałtownie krzyknęła na małą:

– Nie mów tak!

I uderzyła ją po ręce.

Ziunia zaczęła płakać, Andrzej zaś zmieszał się bardzo. Nie wiedział, co powiedzieć. Żal mu było małej i zdziwiony był zachowaniem panny Wandy.

– Ależ, proszę pani – powiedział – dlaczego się pani na nią tak gniewa?

– Bo dlaczego ona tak mówi na pana. To nieprawda.

– Prawda, prawda, panno Wando – zaśmiał się Andrzejek – ja jestem bardzo brzydki.

Ziunia zerkała jednym okiem na Andrzeja, udając, że płacze na łonie panny Wandy.

A panna Wanda zrobiła się jeszcze bardziej purpurowa, kosmyki włosów opadły jej na oczy, odgarniała je ręką.

– Co pan mówi – powiedziała szybko, cicho i z przekonaniem – pan jest bardzo piękny, panie Andrzeju.

W tej chwili weszła pani Royska, znowu z podwórza, w rękawiczkach, w płaszczu, przemoknięta i zrozpaczona. Deszcz przeszkodził zwózce z pola, Kozłowski się wściekł, podobno pobił Romka nahajką. Za co? Nawet nie wie za co, dobrze coś pewnie zmalował. Cała robota wyznaczona na dzisiaj wzięła w łeb (tak pani Royska powiedziała, widocznie imitując Kozłowskiego „wzięła w łeb") – i w ogóle nie wiadomo, co robić.

– Zagramy, ciociu, w pikietę – powiedział Andrzej, zadowolony ogromnie, że wejście pani Eweliny przerwało tę żenującą rozmowę.

Pani Ewelina spojrzała na niego, jak gdyby spadł z nieba.

– W karty? W powszedni dzień?

I tak mu przeszedł ten ostatni dzionek na włóczeniu się z kąta w kąt, na nastawianiu nowego radia, na oglądaniu starych roczników „Świata", gdzie znalazł fotografię cioci Eweliny konno, w amazonce, biorącej udział w amatorskim konkursie hipicznym. W znacznie późniejszym roczniku natrafił na fotografię ojca, młodego, nie bardzo jeszcze grubego na tle jego ciastkarni. Było to całostronicowe ogłoszenie firmy „François".

– Dziwne to moje pochodzenie – powiedział sobie po raz pierwszy w życiu, patrząc przez okno na równe, dokładne strugi deszczu, które bez najmniejszej przerwy padały na dworze i tworzyły na szybie deseń żwawo poruszających się strumyków i kropelek. Przypomniał sobie rychło w czas, że w tym roku zupełnie zaniedbał grobowiec wujka Józia. Nie poszedł tam ani razu. Chciał to teraz powetować i ubrawszy się w nieprzemakalny płaszcz, wziął sekator i naciął wspaniałych wrześniowych róż, które już zaczynały kwitnąć przed domem. Kwiaty były zupełnie mokre i miały wilgotny zapach oranżerii. Zmoczone płatki w dotknięciu przypominały skórę. Włożył nos w środek wiązki i wciągał przygłuszony zapachem deszczu aromat.

Przez chwilę przyszła mu do głowy myśl, że szkoda tych pysznych kwiatów dla umarłych. Że takie piękno powinni podziwiać żywi. Ale przywołał siebie do porządku i poszedł do małej świątyńki. Położył kwiaty na czerwonej płycie, po raz tysiączny przeczytał prosty napis, przykląkł na chwilę. Spostrzegł ze zdziwieniem, że grobowiec był jak gdyby zaniedbany. Nie było żadnych kwiatów i w środku altany tynk trochę poodpadał.

Nie znalazł w sobie dawnego nabożeństwa do tego miejsca. Deszcz i tu monotonnie stukał w dach.

„Śpi sobie Józio" – pomyślał Andrzej, bez dodatku „wujek", jak o kimś równym.

A potem szybko wyszedł na słotę, raz tylko obejrzawszy się na czerwone róże leżące na kamieniu.

I kiedy już leżał w łóżku i znowu słyszał ten sam monotonny stuk kropli i ten sam rytm łez spadających z jednego lipowego listka na drugi, przypomniał sobie – Józia.

Zasypiał w tym szepcie, kiedy posłyszał ciche otwarcie drzwi.

Przestraszył się, choć od razu wiedział, kto to jest.

Kasia usiadła przy nim na łóżku i położyła mu dłoń na piersi. Wziął ją za rękę.

– Dlaczego przyszłaś? – spytał.

– Do ciebie przyszłam. Ty już jutro wyjeżdżasz.

– Jak przyszłaś?

– Przyszłam. Ja tu znam wszystkie chody.

– Nikt cię nie widział?

– Chciałam się z tobą pożegnać.

– Naprawdę nikt cię nie widział?

– Bo ja nie wiem, jak będzie, kiedy ty pojedziesz – powiedziała nagle prawie głośno.

Andrzej objął ją i wciągnął do łóżka, usuwając się ku ścianie. Nie całował jej, tylko się dobrał do jej ciała, co zresztą nie było trudne. Miała tak mało na sobie.

I wówczas kiedy objął ją w pasie, uprzytomnił sobie, że wszystko, czego dotykał tego lata – płatki mokrych kwiatów, liście lipy, z których strzelał dłonią, opalone ramię Romka, chrapy starego woziwody, skórzane lejce, którymi powoził – były jak gdyby prefiguracją, zapowiedzią tego dotyku, który wydał mu się najdoskonalszy na świecie.

Przycisnął mocno do siebie obnażone ciało Kasi. Nie myślał w tej chwili o niczym, ale kiedy opadł z sił obok niej i tylko lekko ją głaskał wolną prawą ręką, zdumiała go doskonałość tego ciała, celowość i najdoskonalsze piękno każdej jego cząstki. Ogarniało go szczęście czy radość, nie rozczarowanie – które tak często się zjawia w momencie pierwszego zetknięcia z ciałem – ale olbrzymie zdumienie. Akt wydał mu się czymś tak wielkim, ważnym, doskonałym w swoim czysto ludzkim poniżeniu i czysto ludzkiej rozkoszy.

– Ach, Kasiu – powiedział – jacy my nierozsądni.

I dopiero teraz pocałował ją w usta.

Nie pamiętał, kiedy znikła. Zdawało mu się, że nie spał całą noc, że leżał obok niej zdumiony i przerażony, że leżał obok niej szczęśliwy. W pokoju było już zupełnie szaro, a Kasi nie było obok niego. I nawet miejsce wygniecione przez jej ciało było zimne. Obok łóżka leżała tylko zgubiona wąska biała wstążeczka. Jedyny to był dowód, że wszystko nie było snem.

Okno było już zupełnie szaroniebieskie, szła od niego wilgoć, ale i ogromna cisza: deszcz przestał padać i nawet obłoki ustąpiły. Patrzył na to okno z uczuciem, że widzi po raz pierwszy wysokie, zielone, letnie drzewa.

Franciszek zapukał do pokoju:

– Trzeba wstawać. Za pół godziny konie zajadą przed ganek.

Andrzej trzęsąc się z wilgoci i zimna zaczął wdziewać bieliznę.

– Te wakacje były zupełnie inne niż wszystkie poprzednie – powiedział, wciągając nowe, „miejskie" skarpetki.

III

Tak się dotychczas składało, że Janusz bywał w Paryżu na wiosnę lub latem, czasem zimą. Nigdy jednak nie był na jesieni. I gdy przyjechał tutaj w październiku, zaskoczył go ten ciepły a zgniły wiew, jaki szedł od Sekwany, i niebieski kolor wszystkich mgieł, jakie się teraz wznosiły nad mostami. Kiedy z mostu St. Michel, który nie wiadomo dlaczego nazywał „naszym mostem", patrzył z biegiem rzeki, widział już teraz w oddali nie wysokie wieże Trocadera, ale nieduży, jak gdyby nieproporcjonalnie niski gmach pałacu Chaillot, którego jasne ściany bielały za przepaską mgły jak jakieś kości na pobojowisku.

Nie chciał wierzyć, że jego pobojowisko nie jest jednocześnie pobojowiskiem miasta, kraju, Europy. Szukał śladów rozkładu w towarzystwie, w handlu, w literaturze. Chodził – i widział Paryż jak Paryż.

Te same sine perspektywy, te same place, te same siwe i poczerniałe, jak gdyby zasmolone kolumny. Z tarasu pałacu Chaillot widywał te same nieznośne wieże. Nagle wydało mu się, że wieże St.-Sulpice wyrównano, że są one teraz harmonijnie jednakowe – i nie mają tej nieznośnej nierówności, która go tak zawsze irytowała. Po chwili zorientował się, że niższa wieża otoczona jest wieńcem rusztowań, że to po prostu remont, a już tak zachwycił się odwagą i decyzją miasta Paryża. Obok sterczała kopuła Soufflota, zawsze taka doskonała, i idiotyczne wieże pseudogotyckiej Świętej Klotyldy. I wszystko to było w swoim rozmachu i nieoszczędzaniu przestrzeni tak samo zachwycające jak zawsze.

Tak samo, kiedy stał przy gmachu parlamentu, widział skończenie symetryczny niebieskawy plac Zgody z dwoma gmachami tak identycznymi po dwóch stronach, że trzeba było jeden z nich odznaczyć narodową flagą, aby je odróżniać. I w głębi za nimi także skończenie symetryczna i zastygła w barwie fasada kościoła Madelaine. I z daleka nad tymi wszystkimi tak uroczo niesymetryczne, dyskretnie cofnięte kopuły Sacré-Coeur. Te znowuż nigdy zastygnięte, nigdy jednakowe, zawsze okryte to różem, to bielą – teraz błękitem października.

Champs Elysées były niedostępne przez salon samochodowy. Na wspaniałej ulicy urządzono małomiasteczkową iluminację, rozpięto łuki, na które natkano żarówek, wyglądałoby to żałośnie, gdyby sama ulica nie była tak pyszna. Kasztany na Rond Point były brązowe i pokurczone, część gałęzi sterczała goła i nie pomagały ich żałości tryskające wspaniałe fontanny. Za to liście platanów pożółkły tak pięknie i sypały się, spokojnie krążąc przed upadkiem, jak w zupełnie normalnym lesie. Ale stąd Janusz uciekał, nie podobały mu się tu wrzaskliwe reklamy nowych marek samochodowych, olbrzymie płócienne afisze filmowe nad wejściami do wspaniałych kin i ten prowincjonalny zjazd, przykry i tandetny, jaki zawsze towarzyszy Wystawie Samochodów. Z ironią spoglądał na niebieskie i kremowe wozy, przypominając sobie dychawiczną minerwę dowożącą go z Komorowa do Warszawy. Nawet pan Szuszkiewicz powiadał: „Mógłby sobie pan hrabia lepszą landarę zafundować" – i gorszył się, że Janusz tak mało dba o honor domu.

Uciekał stąd nad Sekwanę.

Gwałtowna chęć, aby wciąż tam być, gdzie już raz był, pchała go bez sensu po całej Europie. Niedawno odwiedził Heidelberg i przerażony wyniósł się stamtąd czym prędzej. Urocze miasto ogarnięte było szałem, piękni bursze witali się hitlerowskim pozdrowieniem, nie chciano go przyjąć do „Schloss Hotel" i musiał mieszkać w „Zum Roten Hahn", a po spokojnym Philosophenweg spacerowali ordynarni ludzie w brązowych koszulach. Nie mógł się dopytać ani o Horsta, ani o Scheltinga. W końcu zrozumiał, że nie chcieli czy nie mogli się z nim widzieć. Jeden ze znajomych profesorów przyjął go wprawdzie, ale zdawał się być bardzo zakłopotany jego wizytą.

W Paryżu było to dobre, co zawsze jest najmilsze w tym mieście. Nikt na niego nie zwracał uwagi i nikt się o niego nie kłopotał.

Koniecznie chciał odnaleźć miejsce, gdzie stała „penisza" Gdańskiego. Wtedy teren wystawy obejmował ulice przyległe do mostu Aleksandra i całe części nadrzecznych esplanad. Teraz nie można było sobie wyobrazić, jak to wyglądało i gdzie znajdowały się pawilony, promenady, wesołe miasteczko. Ta kawiarnia, gdzie śpiewał Niewolin.

Zamiast powiedzieć sobie: „Nie myśleć, nie myśleć!", przeciwnie, mówił sobie: „Gdzie ona była? gdzie myślałem o niej? kiedy mi na myśl przyszła Zosia?"; kręcił się wciąż w kółko nad brzegiem.

Pewnego wieczora było cieplej niż zwykle. Nad Sekwaną urządzono jakąś restaurację czy dansing, dochodziły stamtąd dźwięki głośnika i płyt gramofonowych. A może to tylko na czas salonu samochodowego otwarto tutaj jakiś lokal? Było bardzo ciepło. Olbrzymie platany pochylały swoje obłe pnie nad wodą, zrzucając zbędne liście. Gdzieś daleko za trzecim z kolei mostem odbywała ćwiczenia wodna straż ogniowa i czerwona barka wysyłała w górę olbrzymie strumienie wody, spadające kaskadami. Gramofon grał arie operowe – więc znaczy, nie dansing. A woda w Sekwanie była ciemnoniebieska z fiołkowymi połyskami, jak gdyby gęsta i z czegoś zrobiona. Na fioletowych falach łamały się odbicia żółtych latarni, wschodził księżyc.

I oto Januszowi zdawało się, że odnalazł kawałek Sekwany, gdzie stała owa penisza. A przecież nie można było znaleźć tego miejsca, jak nie można odnaleźć swojej młodości. Łudził się.

Zszedł schodkami na sam cembrowany brzeg. Wybierano tu piasek, składano rury, a jednocześnie był tu ten lokalik, zapewne dla wędkarzy, i stały ławki pod samym murem tworzącym brzeg. Janusz usiadł na jednej z takich ławek i spokojnie patrzył na ciemniejącą wodę. Dwóch chłopców z wędkami tarmosiło się na samym brzegu, chyba nie o marny połów. Z lokalu, skąd dolatywały melodie Verdiego, wyszła jakaś młoda para. Stary, gruby pan z wędką minął jego ławkę.

Janusz nie zauważył nawet, jak na tej samej ławce na drugim końcu usiadł poważny jegomość. Ujrzał go już, kiedy tam siedział. Jegomość miał na oczach duże czarne okulary – ale Janusz, chociaż nie widział go wiele lat, poznał go od razu.

Był to Marrès Chouart.

Czytał niedawno w gazecie, że uczony francuski stracił żonę, która zmarła na skutek choroby spowodowanej doświadczeniami nad radioaktywnością pierwiastków. Marrès Chouart wydawał mu się bardzo zmieniony; rysów twarzy nie mógł rozpoznać w cieniu, ale figura cała zgarbiła się czy skurczyła. Jednak nie ulegało wątpliwości, że to był on. Jego charakterystyczna sylwetka wyłoniła się z nicości i znalazła się obok Janusza, jak gdyby przed chwilą rozstali się w Heidelbergu.

Der Heidelberger Taufel [*] – uśmiechnął się Janusz.

Uśmiechnął się, ale uśmiech ten zamarł natychmiast, roztopił się w zamyśleniu. Oto przed nim rozciągała się zielonofioletowa wąska rzeka. A oni – dwaj wdowcy – tak obcy sobie, przelotnie się znający, siedzieli na dwóch końcach jednej ławki i prawdopodobnie myśleli o tym samym.

Na wody przed nimi jak zza kulisy wysunął się mały czarny „remorqueur", ciągnący szeroką barkę

---

[*] heidelberski diabeł.

naładowaną po brzegi towarem i przykrytą brezentami. Ostatnia poświata październikowego wieczora słabym refleksem odbijała się na smołowanych bokach barki, na złotawych brezentach i na karminowym pasie namalowanym na przodzie statku. Pilotująca łódeczka gwizdnęła wysoko, wypuszczając biały pióropusz, i zaraz jej komin położył się, jak gdyby się kłaniał nadciągającemu mostowi. Janusz się wzdrygnął. Jak zawsze ten wysoki gwizd wywoływał w nim odległe skojarzenia i dreszcze. Kiedy tak drgnął, profesor odwrócił się i spojrzał na niego uważnie.

– Dobry wieczór – powiedział Janusz, bynajmniej nie zbliżając się do uczonego ani nie wyciągając ręki – dobry wieczór panu profesorowi, ale pan profesor mnie nie poznaje. Jestem Myszyński, przyjaciel Hani Daws, widzieliśmy się ostatni raz z panem profesorem w Heidelbergu.

Marrès Chouart także nie ruszył się z miejsca. Patrzył, zdawało się, uważnie na czarną barkę, która znikała pod mostem, i nie odwrócił drugi raz wzroku na Janusza. Spotkanie to było mu zupełnie obojętne.

– Dobry wieczór panu, pani Daws mówiła mi niedawno o panu – powiedział cicho. – Ona jest teraz w Paryżu, mieszka w hotelu Ritz. Niech pan ją odwiedzi, ona jest zawsze bardzo nieszczęśliwa.

– Jak zwykle – uśmiechnął się Janusz.

– *Elle joue toujours une grande amoureuse...** – powiedział już z uśmiechem w głosie Marrès Chouart i zaraz się odwrócił do Janusza.

---

* Ona zawsze odgrywa rolę wielkiej miłośnicy.

– Czy to prawda, że pan owdowiał?

– Tak, to prawda, przed dwoma laty.

– A moja żona umarła przed dwoma miesiącami.

– Podobno jako ofiara swoich badań naukowych.

– To nie zostało stwierdzone na pewno, ale wszystko zdaje się wskazywać na to, że tak jest rzeczywiście.

– To bardzo smutne, że badania naukowe tak ważne dla ludzkości mogą powodować podobne skutki – dość sentencjonalnie powiedział Janusz.

– Och, nie wiadomo, zupełnie nie wiadomo – zawołał nagle gwałtownie i zupełnie po dawnemu Marrès Chouart i wstawszy ze swojego miejsca, przysiadł się bliżej Janusza – i niech pan nigdy nie oskarża nauki. Przecież my zupełnie nic nie wiemy, my jesteśmy u podnóża wielkiej góry. I nagle pan oskarża naukę o śmierć, prawie jakby o zabójstwo, to nie ma żadnego sensu.

– A przecież, panie profesorze, broni się pan tak żarliwie. Nazbyt żarliwie. Ja uważam i pierwszy raz to mówię, nawet nie śmiałem się przyznać przed samym sobą, uważam, że to sytuacja niemożliwa. Wy tam badacie, uczycie się, rozkładacie, syntetyzujecie, pierwiastki radioaktywne odkrywacie, co więcej, wywołujecie sztuczne promieniowanie – i co z tego? Nie umiecie znaleźć lekarstwa na śmierć. I człowiek, normalny człowiek, taki jak pan i ja, tyle tylko że młodszy, umiera. Po prostu umiera. Dla mnie zawsze najgorsza rzecz to niemożność zaradzenia temu natychmiast po śmierci. Wychodzi lekarz z pokoju i mówi: pana żona umarła. Jakże to? Umarła – no, to coś trzeba zrobić, jakoś zaradzić, coś zastrzyknąć, coś przeciąć. A to po prostu: umarła, i już. I dziecko tak samo. Nie może żyć, bo wadliwe krążenie krwi, wada serca, nie będzie żyło. Jak to nie będzie żyło? A od czego jest wiedza? Czy nie może poprawić krążenia krwi? Takie głupstwo. A w tablicy pierwiastków wykryto brakujące tylko na podstawie... na podstawie czego to, panie profesorze?

– Nauka nawet kataru nie wyleczy. A pan zaraz chce... śmierć.

– Bo jakiż z tego pożytek? I co to znaczy: nauka. Człowiek musi żyć. I żona musi żyć, bo ją mąż... kocha. Dziecko musi żyć, bo człowiek potrzebuje mieć dzieci. Pan ma dzieci, panie profesorze?

– Nie.

Druga barka gładkoszara podpłynęła prowadzona przez małą czarną osę. Osa tym razem gwizdnęła nisko, syrenim głosem i Janusz nie odczuł dreszczu. Nie przypomniały mu się dawne podróże dziecinne, jeszcze z Mańkówki. Ale milczał cały czas, gdy barka płynęła przed nim, i siedział prostując się, jakby przyjmował jakąś paradę. Z tej nabrzeżnej restauracyjki dolatywały dźwięki marsza z *Aidy*.

– Ten Verdi ma powodzenie – powoli powiedział Marrès Chouart.

– Ja rozumiem – ciągnął Janusz, nagle zapalając się coraz bardziej – ja rozumiem, pan, panie profesorze, uchyla się od odpowiedzi.

Sceneria tej rozmowy była tak niezwykła, że Janusz nie miał poczucia rzeczywistości. Ani te fiołkowe blaski na Sekwanie, ani przejeżdżające statki, podobne do dekoracji, nie miały konkretnych wymiarów. Ta nierealność rzeczywistości ułatwiała Januszowi mówienie. Wyzwalał się jak we śnie ze wszystkich krępujących spoideł i nagle po prostu ogarniała go zwyczajna ludzka rozpacz nad swoim żywotem.

A jednak okręcik-pilot gwizdnął przenikliwie.

– O, ja pamiętam nasze rozmowy w Heidelbergu – powiedział nagle szybko i jakby ustępując Januszowi w sporze Marrès Chouart – niech pan nie oskarża nauki niezasłużenie. Niech pan mnie zostawi wiedzę tego, gdzie i jaki jej punkt może podlegać oskarżeniu. Pan filozofuje jak Hegel i ci wszyscy niemieccy, jak oni się tam nazywają... Alfred Weber? Nie? Tu trzeba myśleć nieco ściślej.

– Ale sam pan teraz myśli inaczej, panie profesorze. I podejrzewam pana, że pan nagle zatęsknił... nawet nie do Hegla, ale do Platona i do jego nieśmiertelnego woźnicy, który powozi w trzy konie.

– Co to, to nie – zaprotestował uczony.

– Ale pan sam mówił – zauważył Janusz – że nie znamy całego rozmiaru tego, co badamy. Nie znamy całego rozmiaru nauki i wszystkich jej możliwości, które się mnożą z każdym dniem z szybkością rozmnażania się bakterii. Więc po prostu jesteśmy – no niech się pan przyzna – jak uczniowie czarnoksiężnika, którzy nie mogą zapędzić do beczki wywołanych duchów.

– To jest bardzo prymitywne i banalne porównanie – znacznie spokojniej powiedział Marrès Chouart. Ta ich rozmowa na dwóch końcach ławki, bo byli przecież na dwóch końcach ławki, chociaż siedzieli już przy sobie, stanowiła jak

gdyby podwójny monolog. Każdy z nich monologował, tak jakby się poczuł wyzwolony z długiego i ciężkiego przymusu.

– Tak, przyznaję. Ale ja tak widzę – westchnął
Janusz.

– Musi się pan zdobyć na więcej obiektywizmu.

– Nie mogę.

– Pan jest jeszcze młody.

– Na naszą młodość czyhają bardzo stare awan-
tury.

– Co pan chce przez to powiedzieć?

– Że nasze życia nie są skończone. I że wreszcie
na pewne pytanie będziemy musieli odpowiedzieć.

– Dopiero w obliczu rzeczy ostatecznych.

– Albo właśnie naszym końcem. Uważam, że
śmierć mężczyzny jest zawsze odpowiedzią na jakieś wielkie pytanie, wielkie pytanie z dziedziny
Fausta. Ale śmierć kobiety nie jest żadną odpowiedzią. A już śmierć dziecka jest czymś zupełnie
bezsensownym.

– Niech pan odwiedzi panią Daws. Może pan ją
zatrzyma na granicy. Ona bardzo jest bliska końca...

– Dlaczego?

– Dlaczego? Dlatego właśnie, co pan powiedział
przed chwilą. Dlatego że śmierć kobiety nie jest
żadną odpowiedzią na żadne pytanie.

– Tak, ale niech mi pan tak naprawdę powie,
panie profesorze, czy pan sobie w życiu odpowiedział choć na jedno pytanie?

– Oczywiście, że nie – dopiero po chwili ciągnął
Marrès Chouart – oczywiście, że nie odpowiedziałem na żadne pytanie. Ale pan nawet nie może
mieć pojęcia o tym, jakie ja sobie stawiam pytania.

Czy pan orientuje się w stanie dzisiejszej nauki?
– przerzucił się na inny ton.

– Skądże, nie jestem naukowcem.

– No, więc nie może się pan zorientować, do jakiego punktu doszła w tej chwili nauka. I jakie były moje pytania. No, ale ja muszę już iść.

– Profesorze, niech pan tak nie odchodzi.

Marrès Chouart chciał iść, ale nie ruszał się z miejsca, opanowało go widać jakieś odrętwienie. Od małej restauracyjki dolatywały znowuż odgłosy innej muzyki. Właściciel stanowczo był zwolennikiem oper Verdiego. Widocznie drzwi do knajpy nie zamknięto, bo śpiew dolatywał teraz całkiem wyraźnie. Był to duet z drugiego aktu *Traviaty*. Nienaganny sopran wyprawiał giętkie koloratury na słowie *sacrifizio*, a piękny, czysty baryton przemawiał do nieszczęśliwej Violetty uspokajająco, z perswazją, ale i z pewnym zadowoleniem. *Piangi, piangi* – wołał baryton, czasami szeptem czy melodramatycznym *mezza voce* * – *piangi, piangi*. Płaczże, płaczże, kobieto – powiadał – płacz nad swoim losem, im więcej płakać będziesz, tym ja się będę więcej cieszyć.

Marrès Chouart poruszył się.

– Słyszy pan – powiedział. – To jest *Traviata*, czyli po naszemu *Dama Kameliowa*. Kwintesencja dziewiętnastego wieku. Ten baryton mówi tej kokocie, żeby porzuciła jego syna Alfreda. I ona rzuca Alfreda. Dlaczego? Dlatego że siostra Alfreda nie może wyjść bogato za mąż za wicehrabiego. Bo wicehrabia nie ożeni się z tą siostrą, dlatego że jej brat żyje z kokotą, tą Violettą. To bardzo

---

* półgłosem

skomplikowane, ale nie tak skomplikowane, jak się panu wydaje. Dwoje młodych kochających się ludzi rozstaje się, bo tamta pannica chce wyjść za mąż za markiza, dla pieniędzy oczywiście. To są problemy dziewiętnastego wieku.

– Nasze są trochę inne.

– Ależ pan nawet nie ma pojęcia, jak są inne.

– Pan mi dziś zarzuca kompletną nieznajomość świata.

– Bo nikt nie ma pojęcia. Rozumie pan? Nikt. My jedni jeszcze coś niecoś wiemy, ale i to...

– Co? – spytał gapiowato Janusz.

– Widzi pan, taka *Traviata*. Każda rzecz na świecie coś znaczy. I wtedy ta *Traviata* znaczyła. Jesteśmy spokojnym społeczeństwem, mamy wyznaczony kierunek rozwoju. Idziemy drogą postępu. Postępu społecznego, ekonomicznego, bogacimy się, dojrzewamy. Siostra Alfreda musi wyjść za swojego markiza... i droga przed nimi prosta i jasna. Bez żadnych komplikacji. Będą tam jakieś wojny, ale takie jak wojny Napoleona III we Włoszech. I wielkie idee będą tryumfowały. Tak, czy może być większa idea jak idea zjednoczenia Włoch? Jakież to piękne, wspaniałe, jednolite. I co za spokój, jak na wystawie paryskiej. Co prawda, ta wojna z Prusakami była trochę inna, jakaś niepokojąca... I ta Komuna... hm, hm... ale potem już nie było żadnej wojny.

– Jak to żadnej wojny? – zdziwił się Janusz.

– Ja mówię wtedy, kiedy śpiewano *Traviatę*. *Piangi, piangi!* – pokrzywił się z wściekłością śpiewającemu barytonowi. W tej chwili widać zatrzasnęli drzwi, bo śpiew się ściszył.

– Ale wreszcie wojna wybuchła! – zawołał Janusz.

– To nie ma żadnego znaczenia czy, powiedzmy, ma względne znaczenie. Ale że przyjechała z Warszawy ta wasza...

– Kto? – spytał Janusz.

Marrès Chouart stał nad siedzącym Januszem z wyciągniętą ręką, a drugą zdjął okulary. Janusz spostrzegł w cieniu, że oczy uczonego są jak gdyby uszkodzone. Nie śmiał zapytać, co to było.

– Chce pan jeszcze rozmawiać ze mną? – spytał profesor. – Bo teraz naprawdę nie mam czasu.

– Bardzo – szczerze powiedział Myszyński.

– No, to możemy się spotkać pojutrze o czwartej.

I podał mu adres małej kawiarenki nieopodal bulwaru Saint-Michel.

Janusz dowiedział się, że Hania mieszkała u Ritza. Wybrał się tam po południu. We wspaniałym hallu pełnym jasnych dywanów i złoceń wszystko wyglądało jak w kiepskim filmie. Złocenia i kryształy błyszczały. Za równie błyszczącym kontuarem siedział słynny portier.

– *Bonjour, monsieur le comte* – powitał Janusza, chociaż ten był pierwszy raz w tej świątyni.

– *Est-ce que madame Daws n'a pas changé de nom?* – spytał Janusz uprzejmie.

– *Pas pour le moment* – odpowiedział mu uprzejmie monsieur Jacques. – *L'appartement non plus. Elle habite au premier...* *

---

* – Dzień dobry, panie hrabio –
– Czy pani Daws nie zmieniła nazwiska?
– Jak dotąd, nie. Apartamentu także nie. Mieszka na pierwszym piętrze.

Janusz poprosił o zawiadomienie, że pan Myszyński jest na dole. Monsieur Jacques połączył się natychmiast.

– *Madame, monsieur le comte Myszyński est en bas... Non, madame, le comte... ne me corrigez pas, madame, ce n'est pas le prince Myszecki, c'est le comte Myszyński...*

Janusz podpowiedział swoje imię, monsieur Jacques powtórzył je bezbłędnie:

– *Oui, madame, monsieur Janusz...*

– *Madame dit qu'elle sera heureuse de vous recevoir* ★ – zwrócił się do Janusza.

Janusz powlókł się na to pierwsze piętro piechotą. Grubość dywanu, który wyścielał schody, drażniła go – i ten kremowy, różowy kolor wszędzie. Na załamach schodów stały różowe fotele i lampy z ogromnymi abażurami, z których zwisały paciorki jak łzy.

Zapukał do olbrzymich, białych, błyszczących, lakierowanych drzwi, na których widniał mały złoty numer.

– *Come in* ★★ – rozległo się sprzed samych drzwi.

Otworzył i wpadł po prostu na Hanię.

Rzuciła mu się na szyję, zaczęła coś gadać bez związku, wszystkimi językami naraz, zaczepiła jego ubranie brylantową broszką, nie mogła jej kolca wyplątać z jego klapy, zarzucała na niego olbrzy-

---

★ – Proszę pani, pan hrabia Myszyński jest na dole... Nie, proszę pani, hrabia... proszę mnie nie poprawiać, to nie jest książę Myszecki, to jest hrabia Myszyński...
– Tak, proszę pani, pan Janusz...
– Pani mówi, że się cieszy, i oczekuje pana u siebie.
★★ – Proszę wejść.

mie różowe zwisające rękawy swej atłasowej „sukni pokojowej". Nie mógł jej obejrzeć.

– Ten okropny apartament – mówiła, odstąpiwszy dwa kroki – wszystko tu jest różowe – dlatego i ja muszę się ubierać na różowo! A w różowym mi nie do twarzy, po prostu nie cierpię tego koloru.

Rzeczywiście „apartament" Ritza był okropny. Ogromne, wysokie pokoiska i białe lakierowane meble obite różowym materiałem tkanym w białe ptaki. Janusz oglądał fotele i frędzlowate abażury, i gęste, „piękne" firanki. Bał się spojrzeć na Hanię.

– Dlaczego nie mieszkasz u siebie, na rue de Lubeck? – powiedział. To było jego pierwsze pytanie.

– Na rue de Lubeck? W tym pałacyku... Co ja bym tam sama robiła?

– A panna Silberstein?

– Przypomniał sobie! Panna Silberstein to zamierzchłe czasy, od tego czasu miałam przynajmniej piętnaście sekretarek i z dziesięć akompaniatorek...

– A teraz?

– Teraz nie mam żadnej. Zubożałam.

– Naprawdę?

– Mówię ci. Nie masz pojęcia, ile ostatnio straciłam. Nie mówiąc już o kryzysie. Ale po kryzysie się poprawiło. Akcje fatalnie znowu pospadały.

– Co ty mówisz? Myślałem, że poszły w górę...

– Tylko zbrojeniowe.

– A ty nie masz zbrojeniowych? Nie trzymasz?

– Miałam kilka Creusot Schneider, ale jak dowiedziałam się, że on w czasie wojny sprzedawał armaty na obie strony... wyzbyłam się ich.

– Masz dziwny sposób wyrażania się – Janusz usiadł w różowym fotelu, ale wciąż jeszcze oglądał różowe aksamitne portiery – o towarzystwie akcyjnym mówisz „on"...

– No, bo ja zawsze wyobrażam sobie takiego starego Creusota, wiesz, zupełnie jakby przebrany kot, w okularach, w butach siedmiomilowych siedzi w takiej olbrzymiej ogniotrwałej kasie i ma wszystkie akcje w ręku... I wydaje je osobiście. Tak lepiej myśleć o tych wszystkich strasznych rzeczach. I myśleć, że te armaty tam są w bankach i że oni je widzą... Bo że tak handlują nimi na niewidzianego, to okropne.

Janusz podniósł oczy na Hanię. Zupełna ruina. Dwie zmarszczki biegły takie przykre od nosa do kącików warg, a przede wszystkim zmięta, stara szyja.

„Ile ona może mieć lat? – pomyślał. – To przecie niestara kobieta. – I szybko odejmował cyfry w myśli... – W Odessie musiała mieć lat ze dwadzieścia, teraz więc około czterdziestki". Sorel wyglądała młodziej mając osiemdziesiąt lat.

„Te Polki zawsze się tak prędko starzeją" – pomyślał.

Nie tak dawno przecie widział Hanię na tym ostatnim koncercie w Filharmonii, kiedy Elżbietka śpiewała. To było parę lat temu i pani Daws wyglądała wtedy bardzo pięknie.

– Śpiewasz? – niebacznie spytał Janusz.

Hania stanęła pośrodku ogromnego salonu w pewnej odległości od Janusza.

„Ach, nie – pomyślał sobie – jeszcze jest bardzo piękna."

Hania przestała być drobną, filigranową, ale była dużą, wspaniałą kobietą, różowy atłas stroił ją bardzo, nieprawda była oczywista, że nie do twarzy jej było w różowym kolorze. Mógł sobie Ritz obijać swe meble, jakim chciał kolorem (chociaż ten różowy obliczony był na piękny wygląd starszych kobiet przy wieczornym oświetleniu), Hania by nie stroiła się w brzoskwiniowe atłasy, gdyby jej nie było w tym dobrze. Gdy się tak przyjrzał Hani, Janusz zrozumiał, że ruina czaiła się nie w zmarszczkach twarzy, w fałdach szyi. Ruina czaiła się w oczach. Z wielkich i wyrazistych stały się one nieduże, a może tylko wyblakłe i bardzo niespokojne. Ruina była nie zewnętrzna, cielesna, ruina była wewnętrzna, ruina całego życia.

– Śpiewasz?

– Śpiewanie mi nie w myśli – machnęła Hania ręką. – Napijesz się czego? – i już dzwoniła po lokaja. Po tym geście Janusz poznał, że naprawdę nie myślała teraz o śpiewie.

– Ta obrzydliwa Elżbietka Szyllerówna – mówiła teraz Hania, posuwając mały stolik ku Januszowi, i te małe gesty krzątaniny, posuwania mebli, kręcenia się po pokoju zdradzały od razu to, że Hania nigdy nie była wielką damą, zachowywała się trochę jak w stróżówce, a raczej jeszcze jak w chacie chłopskiej, niskiej i okopconej, i aż dziw było, że nie obciera przesuwanego stolika fartuchem. Nawet nie miała fartucha.

– Ta obrzydliwa Elżbietka – powtórzyła – zwodziła mnie przez tyle lat, woziła mnie po całej Europie i całej Ameryce, w tę i we w tę, abym ja asystowała przy jej tryumfach i abym płaciła wciąż lekcje, po pięćdziesiąt dolarów za godzinę... za godzinę?... I kwadransa ze mną nieraz nie śpiewała.

Ona doskonale wiedziała, że z tego nic nie będzie, ale jej było wygodnie pokazywać się ze mną w swoim orszaku: taaakie suknie kazała mi wkładać na rauty, żeby wejście było efektowniejsze... To było bardzo brzydko z jej strony.

– Co ona teraz robi? Dawno nie miałem wiadomości.

– Siedzi w Londynie z tym swoim ohydnym Rubinsteinem. Też przyjemność. Ostatecznie wszystko się na świecie kończy – i jej głos się kończy. Rozumiesz, kończy, kończy... – w tryumfie mówiła Hania, wciąż kręcąc się po pokoju – chociaż powiadają, że dostała engagement na przyszły rok do Metropolitan Opera House. Co prawda, tam już teraz tylko kończące się głosy śpiewają.

Bezczelny, przepiękny wyrostek w białej kurtce zjawił się w pokoju i bez przerwy znacząco patrzył na „madame".

– Czego się napijesz? – pytała Hania.

– Herbaty chętnie – powiedział Janusz.

– Nic mocniejszego? Whisky? Porto?

– Nie, nie, herbaty.

– To dobrze. A dla mnie whisky – zwróciła się do chłopca.

Piękny szczeniak ukłonił się sztywno i poszedł.

– No, i co powiesz? – powiedziała Hania. – Jak ten na mnie patrzy? Widziałeś? Podobałam mu się.

Janusz uśmiechnął się smutnie.

– A może właśnie ma płacić w tych dniach ratę za meble, bo się żeni. Co?

– Ach, obrzydliwy jesteś – powiedziała Hania – wszystko zawsze musisz zepsuć tym swoim cynizmem.

– To nie cynizm, Haniu, to znajomość życia.

– I najgorsze, że masz rację. On mi już nawet mówił, że się żeni.

Janusz się zaśmiał mocniej.

– Ach, Haniu, Haniu – powiedział.

Na ogromnej srebrnej tacy przyjechała herbata w niezwykle skromnej ilości, podana z dwoma miniaturowymi tostami zawiniętymi w serwetkę. Piękny chłopiec nalał z butelki do kieliszka whisky i wylał potem do wielkiej szklanki na pół zapełnionej lodem.

– A skąpią tutaj wszystkiego – westchnęła Hania – w Ameryce jak już płacę, to mam. A tu... – machnęła ręką.

Piękniś odszedł nonszalancko.

– A dlaczego ty tutaj siedzisz właściwie? – spytał Janusz.

– No, a gdzie mam siedzieć. New York oczorciał mi zupełnie...

– I twój mąż?

– Rozwiodłam się.

– A to świetnie – ucieszył się Janusz.

– No, siedzę tutaj, no, siedzę – nagle zirytowała się Hania – muszę tu siedzieć, bo procesuję się z moim wspólnikiem. Wszystko o te pieniądze. Bo on mnie okropnie nabierał.

– Kto on?

– No, Dumarc. Ten mój wspólnik. Myśmy, jak wiesz, założyli tutaj małą fabryczkę perfum. On fabrykował, posyłał do Nowego Jorku – częściowo szmuglem, bo podatki by mnie zarżnęły – a ja sprzedawałam.

– Zmiłuj się, Haniu – powiedział Janusz, patrząc

na jej piękne ręce. Tkwiły na nich wspaniałe szare perły.

– Szmaragdów już nie nosisz? – spytał biorąc ją za rękę.

– Sprzedałam! Wyobraź sobie, sprzedałam!

– Po co?

– Ach, wiesz. Obrzydły mi. No, i potrzebowałam na proces. Bo wyobraź sobie, ten Dufour...

– Jaki Dufour?

– No, Dumarc, plączą mi się te francuskie familie.

Janusz zauważył, że Hania nie tylko nie pozbyła się swojego kresowego akcentu, który nabyła w Odessie i po którym trudno było poznać, że pochodziła z Warszawy, ale zaczęła mówić znacznie gorzej, zupełnie z rosyjska.

– Zmiłujże się – spytał – dlaczego ty teraz mówisz takim rosyjskim akcentem?

– Ach, Boże drogi – powiedziała – wciąż przerywasz niemądrymi pytaniami. Ja tobie takie ważne rzeczy opowiadam, a ty o akcent pytasz. To pewnie dlatego, że te wszystkie księżne, grafinie do mnie lezą, opędzić się nie mogę.

– I wyciągają od ciebie pieniądze.

– Opędzam się, jak mogę, ale nie zawsze mogę. A one takie nieszczęśliwe, mój Boże, jakie nieszczęśliwe...

Janusz wzruszył ramionami.

– Więc wyobraź sobie, ten Dufour czy Dumarc, czy jak mu tam, fabrykował te perfumy za moje pieniądze i część posyłał do mnie, a część sobie na boczku tu sprzedawał albo do Wiednia wysyłał, albo do Frankfurtu. I to właśnie moja przyjaciółka księżna Szachowskaja go na tym przyłapała...

Janusz nie poznawał dawnej Hani, wypiła parę łyków whisky, dostała wypieków na twarzy i z takim przejęciem opowiadała o wyczynach owego Francuza, jak gdyby od tego zależały losy świata.

Janusz powstrzymał jej wymowę.

– Moja droga, czyż ty naprawdę potrzebujesz tej fabryczki? – spytał.

Hania przerwała w pół słowa i nagle wstała z otwartymi ustami. Pochyliła głowę na bok i zastanowiła się.

– No, a cóż bym ja robiła, żebym nie miała tej fabryczki? – spytała. – Te perfumy to całe moje życie teraz. I widzisz, ten podły Duroc, wyobraź sobie, chce zrobić na mnie pieniądze, odbywa jakieś małe pokątne handelki i wyrywa mi, no, stąd mi wyrywa – Hania pokazała – spod serca mi wyrywa wcale pokaźne sumy.

Janusz znowu położył dłoń na ręce Hani.

– Zastanów się – powiedział – przecież ty nie możesz rywalizować z wielkimi firmami perfumeryjnymi, to zawsze będzie jakiś mały handelek czy mały szwindelek. I cóż ten Duroc czy Dufour, czy Ducul zrobi? To są przecie drobne sumy, a na rynkach światowych oczywiście zostaną te wielkie firmy od tych całostronicowych ogłoszeń w „Vogue"...

– Och, i my mieliśmy wspaniałe reklamy. I wiesz, co mi przychodzi do głowy? Trzeba sfotografować tego małego, co tu herbatę przynosi, w koszuli i w kapeluszu. Jak ty myślisz, jak mu będzie lepiej: w canotier czy w panamie?

– Któż teraz nosi panamy, Haniu?

- Ach, prawda. A Kalikst w Odessie w gorące dnie, kiedy ubierał się po cywilnemu, nosił panamy, takie bardzo cieniutko plecione... cieniutko...

I nagle Hania zatrzymała się w swojej gadaninie, zamilkła i spojrzała gdzieś w bok. Może tam ujrzała panamę, w której chodził Kalikst w Odessie.

- I wiesz, modne były takie buty z wypukłymi wykrzywionymi nosami. Wyglądały jak psy. Nazywały się „hanany"...

Janusz się uśmiechnął.

- To daleko wcześniej, kiedy byłem jeszcze zupełnym chłopcem.

- Byłeś ładnym dzieckiem?

- O, nie. Na fotografiach wygląda jakieś brzydactwo. I tak mnie okropnie ubierali.

Hania się zastanowiła jeszcze trochę.

- No, i właśnie zrobimy ogłoszenie naszych perfum z jego fotografią. On drogo za to nie weźmie, a reklama świetna.. On taki piękny...

Spostrzegła, że Janusz jej nie słucha, i jeszcze raz się zastanowiła.

- Chcesz herbaty? - powiedziała serdeczniejszym, cieplejszym głosem.

- Proszę.

Nalewając przysiadła się bliżej niego. Kiedy już miał pełną filiżankę, nagle odstawiła imbryk i wzięła go za rękę.

- Przepraszam cię, Janusz - powiedziała łagodnie - tobie żona umarła, a ja ci opowiadam o moich perfumach.

Janusz zmartwiał.

„Tylko nie to, tylko nie to" – myślał, żeby nie zaczęła mówić o tych okropnych rzeczach. Aby się tylko nie rozczuliła, bo on nie wytrzyma.

– Droga – powiedział, patrząc na nią z przechyloną głową – nie mówmy o tym. Ja wolę na pewno rozmawiać o perfumerii.

Hania zaśmiała się z zażenowaniem.

– Przepraszam – powiedziała bardzo po ludzku.

I po chwili zaczęła innym tonem, bez zapału. Szczegółowo, choć już teraz bezbarwnie, opowiedziała Januszowi o wszystkich szwindlach, jakich się dopuszczał ów Dumarc, i jakie świnie są w sądach francuskich, i ile to ją nerwów, zdrowia i pieniędzy kosztowało uporać się nie tylko z nieuczciwym wspólnikiem, ale także z adwokatami.

Janusz słuchał z najwyższą uprzejmością, ale nie umiał widać ukryć wyrazu znużenia, bo Hania popatrzyła nań ze smutkiem, zmieszaniem i wreszcie przestała mówić. Cofnęła się o krok i ściągnęła brwi. Wzrok jej przypomniał Januszowi badawcze spojrzenie, jakim Hania obrzuciła go przed laty po prześpiewaniu mu arii z *Toski*. Brakowało mu w tej chwili ironicznego wzroku panny Silberstein.

Hania zatroszczyła się.

– Chcesz, wyskoczymy gdzie wieczorem? Na jakąś kolację, na szampan? No, nie? Wprawdzie mam obiad u Peggy Guggenheim, ale mogę dostać migreny... pojedziemy na Montmartre...

Janusz uśmiechnął się blado.

– Nie, dziękuję. Mnie to teraz nie bawi.

Hania zmartwiła się.

– Nie bawi ciebie, mój Boże! – powiedziała z przejęciem i nagle z całą dobrocią, która gdzieś tam chowała się na dnie. – No, tak... – dodała – teraz...

I popatrzyła na Janusza bokiem, z pewnym lękiem, jakby się przestraszyła, że go uraziła.

Janusz wytrzymał i to.

– To po cóż ty do Paryża przyjechałeś? – nagle niskim głosem i z szalonym akcentem kresowym spytała mocno pani Daws.

Janusz bezradnie rozłożył ręce.

– Nie wiem – powiedział. – Chociaż teraz już to wiem. Żeby ciebie zobaczyć. Bardzo cię chciałem zobaczyć.

Hania szeroko otworzyła oczy.

– Widzisz. To dobrze, że przyjechałeś. Chociaż powinieneś był mnie uprzedzić. Ale to nic nie szkodzi. Bo to człowiek tak chodzi, tak chodzi po tym świecie i sam taki jak patyk, i dosłownie nikogo nie ma. I potem nagle ni z tego, ni z owego... umiera.

Janusz przytulił głowę do kanapy i zamknął oczy.

– Właśnie – powtórzył – ni z tego, ni z owego umiera.

– I nigdy nie wie, kiedy umrze. Tak między obiadem a kolacją.

– Między obiadem a kolacją – powtórzył Janusz.

A potem otworzył oczy, podniósł głowę z oparcia i powiedział wyraźnie, chociaż z pewnym wysiłkiem:

– I Ariadna zginęła. W Rzymie.

Hania kiwnęła głową:

– Wiem, czytałam. To straszne.

– I bardzo ci dziękuję za pieniądze, przysłałaś od razu...

– A, pieniądze...

– Tak. Ty masz gest. Ale już przyszły za późno.

– To znaczy?

– Przydały się na pogrzeb...

– W Rzymie?

– Na protestanckim cmentarzu. Znasz to miejsce?

– Najpiękniejsze w Rzymie. Chciałabym tam leżeć.

Niestety, nie będziesz. Jesteś katoliczką.

– Właśnie.

– A o Edgarze wiesz?

– Nie.

– Ciężko chory. Gruźlica gardła. Pewien profesor w Rzymie skonstatował...

– Czy to na pewno? W takich rzeczach można się mylić.

– Nie wiem. Tak powiedział Ariadnie.

– Co Edgar robi, właściwie mówiąc? – zapytała Hania, jak gdyby dopiero teraz przypomniała sobie o istnieniu tego człowieka.

– Edgar? Jest profesorem w konserwatorium. Udziela wiedzy harmonicznej różnym zakutym głowom. Mickiewicz w Kownie także uczył różne „żmudzkie łby".

– On musi się czuć okropnie w tej roli. Taki wytworny człowiek.

Janusz uśmiechnął się.

– I czuje się okropnie. Tylko ja bym raczej powiedział: taki wielki muzyk...

– Może bym ja mogła mu pomóc? Skąd on był w Rzymie...

– Uciułał sobie trochę pieniędzy. Przyjechał...

– Jego strasznie mało grają.

– Bo on bardzo mało komponuje. Mogłabyś go nieco wylansować. Zadaj sobie ten trud.

– Czy to warto?

– Niby w tym znaczeniu, że prawdziwa sztuka zawsze sobie znajdzie drogę. Czy ja wiem... Ariadna mówiła...

Tu przerwał i nie dokończył zdania.

– Ach, to okropne, z tą Ariadną. Dlaczego ona była w Rzymie?

– Jakieś tam klasztorne historie.

– Czy od razu?...

– Nie męczyła się. Śmierć nastąpiła momentalnie.

– A Zosia? Męczyła się?

– Bardzo. Nie było doktora.

– A dziecko?

– Umarło w parę miesięcy potem. Serce było nienormalne.

Hania zerwała się z siedzenia i zaczęła chodzić po pokoju.

– Widzisz – stanęła nagle przed Januszem – nie trzeba było wyjeżdżać z Heidelbergu. Mówiłam ci, zostań.

– I ja mówiłem: chciałaś zostać polską hrabiną z amerykańskimi dolarami.

Hania machnęła ręką.

– Ach, te dolary. Dno już widać. I co ze mną będzie?

– Nie możesz już wyjść za mąż?

– Mogę, ale już nie za miliony.

– Ha, jeżeli inaczej nie można.

– Dlaczego nie zostałeś? Chciałam cię ocalić.

– Od losu ocalić nie można. To banalne. Ale rozumiesz, to siedzi w człowieku. Ja sam to wszystko wywołuję. Niepotrzebnie żeniłem się z Zosią.

– Nie kochałeś jej?

– Kochałem. Ale jakoś inaczej.

– O, widzisz. Jak tylko inaczej, to znaczy, że nie.

– Muszę już iść. Ty się pewno przebierasz do tych Guggenheimów.

– A czort z nimi, z tymi Guggenheimami.

Stała przed nim czerwona na twarzy, zmieszana, stara – a mimo wszystko piękna. „Ach, jakaż ona była piękna" – pomyślał Janusz.

I nagle Hania upadła na kolana przed fotelem, ukryła twarz w dłoniach i oparłszy się o poduszki zaczęła gwałtownie, choć cicho, płakać. Janusz siedział przez chwilę nieruchomo i przekrzywiając głowę patrzył na płaczącą kobietę jak na coś bardzo ciekawego. Poczekał, aż pierwszy atak minie, a potem ją wziął za rękę.

– Poczekaj – powiedział – nie ma czego. *Samo prijdiot*, wiesz, jak mówią Rosjanie. Będziesz miała u Guggenheimów czerwone oczy.

Hania machnęła ręką.

– No, a ten mały kelner? Nie będzie ciebie tak „pożerał oczami".

Hania wyciągnęła z rękawa chusteczkę i wycierała twarz.

– On nie mnie pożera oczami, tylko moje perły.

– No, właśnie. Nie warto płakać, Hanno Wolska.

– Pewnie, że nie warto. I po co? Stara baba, córka stróża, kurwa warszawska ma płakać? Pan hrabia się będzie śmiał...

– Głupia jesteś – powiedział Janusz – nie zgrywaj się. Sama wiesz. Jesteś wielka polska dama.

Podniósł ją siłą z dywanu i pocałował w oba mokre policzki. Potem się pożegnał.

– Serwus, Hanna. Jutro jadę do Warszawy.

Hania jeszcze raz chlipnęła.

– Ty zawsze tak, raz, dwa i wyjeżdżasz, a potem żałujesz.

– Ja nigdy niczego nie żałuję – zimno powiedział Janusz. – *Adieu*.

I wyszedł nie oglądając się.

Oczywiście nie wyjeżdżał nazajutrz. Przecież umówił się z Chouartem w tej herbaciarni przy boulevard St.-Michel, a poza tym w swojej manii odwiedzania miejsc, w których „był", chciał odwiedzić i hotelik, w którym mieszkał dawniej, i mieszkanie Ariadny (okropne!) w Auteuil, i okolice „Sępolu", gdzie mieszkał Janek Wiewiórski.

Mieszkał teraz w małym hoteliku na rue Monsieur le Prince, nietrudno mu więc było odnaleźć ową małą herbaciarnię, o której mu mówił Marrès Chouart. Leżała ona przy zbiegu dwóch ulic dochodzących do bulwaru St.-Michel i cała była oszklona jak latarnia. Pełno w niej widziałeś studentek i studentów, pełno gwaru i ruchu. Jedzono ciastka na stojąco przy kontuarze i pito po kątach bardzo dobrą herbatę. Na herbatę przychodzili tu Anglicy i Chińczycy. Czasami wpadał jakiś student po bułkę na zaimprowizowane przyjęcie, urządzane na którymś poddaszu w okolicy. Wylatywał czym prędzej z herbaciarni, machając ogromnym batonem w jednym ręku, a w drugim przejrzystą torebką pełną pomarańcz i bananów.

Janusz trochę się zdziwił, że Marrès Chouart wybrał na ich spotkanie takie ożywione miejsce, ale nie miał czasu zastanawiać się nad tym, gdyż wchodząc do herbaciarni ujrzał na czerwonej kanapce w głębi skurczoną figurkę „profesora w czarnych okularach". Jeszcze było jasno i w świetle padającym od ulicy Janusz mógł skonstatować, jak bardzo blado wyglądał wielki uczony. Nic zresztą nie świadczyło tutaj o jego wielkości, mały, zbiedzony człeczyna witał się z Januszem dosyć serdecznie, chociaż z roztargnieniem. Na stole obok niego widniały jakieś książki i papiery.

– Przyznam się panu – powiedział do Janusza, kiedy zamówili herbatę – że bardzo się cieszę z tego naszego spotkania. Tak rzadko można w Paryżu z kimś pogadać.

Janusz roześmiał się.

– Wydaje mi się to zabawnym paradoksem.

– Ależ tak, na pewno tak – zaperzył się profesor – niech pan sobie pomyśli, jacy tu wszyscy są zajęci. A starego profesora nikt nie będzie słuchał w kawiarni. Owszem, w auli słuchają i trzeba przyznać, bardzo uważnie. W audytorium. Ale muszę powiedzieć, że mam ochotę o czym innym mówić w kawiarni niż na wykładach uniwersyteckich.

– Cóż to za podwójna buchalteria? – spytał Janusz.

Był również jakiś podniecony i raczej w dobrym humorze. W każdym razie czuł się inaczej w tej kawiarni niż wczoraj w różowej konsze Ritza. Marrès Chouart patrzył przez chwilę na niego, jak gdyby przypominał sobie jego rysy, a potem pokiwał głową: „Poczekaj, poczekaj, będziesz ty mi jeszcze tutaj gadał".

- *Vous avez très bonne mine** - powiedział jakby
z zawodem czy z żalem, że facet, którego spotkał
wczoraj nad Sekwaną, nie wygląda jak topielec.

Janusz zdziwił się tej uwadze. Wydała mu się
raczej niestosowna. Oczywiście pod względem
zdrowia czuł się doskonale.

- Niech pan nie bierze dosłownie tego, na czym
wczoraj przerwaliśmy naszą rozmowę - powiedział
Chouart - nie trzeba brać dosłownie... No, nie ona,
to sam Pierre by to zrobił czy ona tam u was
w Warszawie. Zresztą to samo by się zrobiło, nauka
była przed samymi drzwiami - wystarczył jeden
lekki dotyk i drzwi się otworzyły.

Janusz pochylił głowę i mieszał łyżeczką cukier
w herbacie. Nie bardzo się orientował, o czym
mówi uczony. A poza tym, przyznał się sam sobie,
tak jeszcze był pełen wczorajszego spotkania z Hanią, tak burzliwe kłębiły się w nim myśli, których
nie uspokoił poranek spędzony w Luwrze, że właściwie nie miał żadnego stosunku do tego, co mówił
Marrès Chouart. Zresztą to samo było w Heidelbergu; kiedy profesor poruszał najbardziej ogólne
sprawy, jemu się chciało myśleć o kobietach. Co
go ta cała nauka obchodzi. Uśmiechał się z przymusem.

- Bo jak pan chce, abym ja tym młodym zdradzał to, co ja naprawdę myślę? - monologował
dalej Marrès. - No, niech pan patrzy, oni tacy sami
tam na sali jak tu w tej herbaciarni. Ja dlatego tu
lubię tak przychodzić. Rozumie pan? Tacy sami.
Układni, grzeczni, piją herbatę. Oczywiście są in-

---

* Pan świetnie wygląda.

ni... ale ci nie przychodzą ani na moje wykłady, ani do tej kawiarni. Chodzą na zebrania Croix de Feu... a tam już nie jest tak ładnie.

– Dlaczegóż pan profesor nie może być z nimi szczery? – naiwnie spytał znowu Janusz.

Marrès wzruszył ramionami.

– Mówiliśmy wczoraj o nauce. Przecie pan rozumie, że taki pan jak ja – musi za dużo wiedzieć.

– Za dużo? Z nauki?

– O granicach nauki trudno jest zadecydować. Nauka zamknięta, gabinetowa, nauka dla nauki dzisiaj nie istnieje.

– No, chyba... nauka musi być dla człowieka... – powiedział Janusz.

Marrès Chouart zachichotał i chwycił Janusza za rękę.

– Dla człowieka – powiedział – dla człowieka. Ty wiesz, czego oni ode mnie chcieli tam w Heidelbergu. Dziesięć lat temu? W tym cudownym Heidelbergu, wśród kasztanowych puszcz? Ty wiesz...

Janusz wcale nie był tym zaskoczony, że Marrès Chouart mówił mu po imieniu. Profesor uważał go za swojego ucznia. Janusz zresztą sam uważał się za coś w rodzaju discipulusa wielkiego uczonego.

– Domyślałem się już wtedy – powiedział Janusz – śmieliśmy się z Horstem, że wyciągną z pana wszystkie sekrety.

– Z Horstem? Przecież oni do tego używali Horsta właśnie. Tylko że ja nie miałem im nic do powiedzenia. Ja i dziś nie znam żadnych sekretów, nie umiałbym Hitlerowi zdradzić żadnych przepisów, nie sprzedałbym żadnych planów – bo ich nie znam, bo ich nie mam. Ja mógłbym zdradzić tylko jeden sekret. Ale oni by tego nie zrozumieli. Jak ten jezuita, co przegrał w karty największy sekret kościoła: że czyśćca nie ma. Tak samo ja mógłbym zdradzić największy sekret nauki – o którym nie mogę wykładać w Sorbonie – o którym mogę mówić w takiej wesołej herbaciarni. Bo tutaj mi i tak nikt nie uwierzy. I pan mi nie uwierzy!

– Jakiż to sekret? – spytał Janusz. Chciał to pytanie postawić z ironią i ku swojemu zdziwieniu spostrzegł, że zadał je drżącym głosem.

Jaki sekret? – powtórzył, bo Marrès milczał przez chwilę, patrząc na swoją filiżankę jak wróżka na kawowe fusy.

– Bardzo prosty – wyrzekł wreszcie profesor – najprostszy, jaki może być. Ale nieodwołalny. Ten, że ludzkość poszła w złym kierunku.

– Nie rozumiem – powiedział Janusz, choć słowa Marrèsa zdumiały go i przeraziły. – Poszła w złym kierunku? Kiedy?

– Ba! – krzyknął nagle Marrès Chouart piskliwie, aż sąsiedzi zwrócili się ku niemu – ba, gdybym wiedział! Kiedy? Czy to renesans z tym swoim Leonardem zawinił? Czy później – osiemnasty wiek może, racjonalizm. A może dopiero teraz? Ale z chwilą kiedy Rutheford rozbił atom, to już na pewno. Gdybym był wierzącym chrześcijaninem, tobym powiedział, że człowiek się wdarł w tajemnice stworzenia. A takich rzeczy bezkarnie się nie robi.

– Jak pan to rozumie? – odważył się spytać Janusz. Mówił te słowa, byle mówić, bo wszystko, co teraz słyszał od Marrèsa, przyprawiało go o dreszcz. Czuł jednocześnie żal do siebie, że myśl jego wciąż krąży naokoło czego innego.

– To nazywają u mnie pesymizmem naukowym. Bardzo niemądra nazwa. Nie jest to bynajmniej pesymizmem. Nie jest to jakiś element mojej myśli, który podcina życie, który sprzeciwia się badaniom naukowym – nie. Jest to po prostu przekonanie, głębokie przekonanie, że kierunkowa wysiłków, które czyni umysł ludzki – w tym także mój wysiłek – że kierunkowa tych wszystkich wysiłków jest zwrócona w złą stronę.

– Co znaczy zła strona?

– No, po prostu w stronę dla człowieka szkodliwą.

– Czy pod względem moralnym?

– Ależ nie. Materialnym, jak najbardziej materialnym. W stronę szkodliwą dla życia człowieka na ziemi.

– Dla życia?

– Cały wysiłek umysłu ludzkiego zmierza do samobójstwa.

– Och, profesorze!

– Zaraz to panu wyjaśnię – powiedział Marrès Chouart spokojnie, dopijając resztkę herbaty z filiżanki.

Janusz westchnął

– Rozumie pan, to jest w tej chwili moje wrażenie osobiste, ale na pewno nie można o nim powiedzieć, że nie odpowiada ono rzeczywistości obiektywnej. Odczuwam to i mam świadomość bardzo silną, że wchodzimy w tej chwili w okres rezultatów tej kierunkowej, obranej przed wiekami. Chyba w okresie renesansu i humanistów, chyba w okresie Leonarda... Leonardo to największy przełom w dziejach ludzkości – powiedział jak gdyby w nawiasie. – Na tę kierunkową składa się cała piękna – i niepiękna też – historia europejskiego wysiłku. Tego olbrzymiego crescendo... rezultaty renesansu, osiemnastego wieku, prowadzące do wynalazków dziewiętnastego wieku i do dalszych ich konsekwencji w wieku dwudziestym.

– Pan mówi tutaj o historii nauki – powiedział w tym miejscu Janusz – jak gdyby to była jakaś oderwana linia. A przecież te rzeczy łączą się jak najściślej ze sprawami rozwoju gospodarczego, kolonializmu, kapitalizmu, ze sprawami politycznymi... rewolucjami...

Marrès Chouart skoczył dosłownie na swym siedzeniu i jak ptak przed bójką spojrzał na swojego rozmówcę.

– Cóż mi pan takiego mówi? To każde dziecko wie – ale najważniejsze są doświadczenia, doświadczenia... życie praktyczne, jak idzie z dnia na dzień. A przyznasz, że ostatnio przeżyte doświadczenia przez nas – dwudziesto-, trzydziesto- czy czterdziestoletnie są już czymś... Ale stoimy u progu nowych wydarzeń, a to już będzie jawna demaskacja bardzo paskudnych rzeczy... Przecież oni tam w Heidelbergu nie dla moich pięknych oczu chcieli się czegoś dowiedzieć. Wiesz, czego oni chcą?

– Domyślam się, ale nie na pewno.

– I to nie tylko Niemcy. Nasi też. Oni by chcieli się dowiedzieć, jak za jednym zamachem... raz, dwa... niszczyć miasta, narody, cywilizacje...

– Jeżeli wszystko zniszczą, to jakże będą żyli?

– Oto właśnie pytanie. A nauka już coś wie... już coś wie na ten temat...

– Gazy?

– Gazy? Tak, i gazy oczywiście. Myślę, że Hitler zastosuje gazy w najbliższej wojnie.

– Pan wierzy w wojnę?

– Człowieku, a gdzież ty żyjesz? Czy w Polsce wszyscy są tak naiwni jak ty?

Janusz się obruszył.

– Pan to nazywa naiwnością.

– A jak mam nazwać? Wojna jest nieunikniona.

– Dlaczego?

– Popatrz, jak myśmy go uzbroili...

– Kogo?

– No, Hitlera... przecież to myśmy go uzbroili, wszyscy jesteśmy temu winni, ja, pan, Laval, Daladier czy jak tam nazywają się te nasze poliszynele... Chamberlain... Roosevelt... wszyscyśmy go zbroili swoją obojętnością.

– Czy on ma siłę? – spytał Janusz.

– On ma wiarę i nie ma skrupułów. To bardzo wiele. Prawdopodobnie zastosuje gazy. Ale to idylla – gazy – w porównaniu z innymi sprawami. Powiedziałem ci, że wszystko przez tę waszą, co tu przyjechała z Warszawy. Otóż słyszałeś o tej blendzie uranu... pamiętasz, tam w tej szopie oni przerabiali te wagony, wagony uranu... Po co to im było? Sami nie wiedzieli, co robią. Zresztą to nie ma żadnego bezpośredniego związku. Ale uran...

Marrès Chouart zastanowił się i znowu patrzył na filiżankę, pustą już teraz, jakby tam oglądał jakiś skomplikowany, precyzyjny aparat.

– Widzisz, ta cała tajemnica może spoczywać w uranie.

– Dlaczego?

– My już wiemy, że ona spoczywa w uranie – westchnął – tylko jeszcze nie wiemy, jak to zrobić. I tego się oni chcieli dowiedzieć. Nie, oni jeszcze nie wiedzieli, że to uran. To było dziesięć lat temu... Ale teraz oni wiedzą. I teraz będzie wyścig...

– Jaki wyścig? – Janusza trochę niecierpliwiło to, że w tej rozmowie ograniczał się do punktowania monologu uczonego Francuza dość gapiowatymi pytaniami. Właściwie mówiąc, nie wierzył w realność tych spraw, które poruszał Chouart. Odnosił się do tych spraw obojętnie. Skonstatował to bardzo po prostu. Za bardzo go boli palec, by miał się przejmować gradem, który pada na polach. Ludzkość zresztą wydawała mu się – oczywiście – godną litości – ale jednocześnie i przeznaczoną na cierpienie. A więc na zniszczenie? – zadał sobie nagle to pytanie w momencie, kiedy obojętnie wymawiał słowa: jaki wyścig? W tej chwili poczuł znowu pewien dreszcz. Kiedy tak myślał, jeszcze głębiej nurtowało w nim powiedzenie Marrèsa: wszyscyśmy uzbroili Hitlera naszą obojętnością. I nie czekając na odpowiedź rozmówcy, dodał jakby dla uspokojenia samego siebie:

– Przecież wojny nie będzie. Tamta była straszna. Widziałem ją...

– Mówię ci, to była idylla – znowu porwał się z siedzenia siwy i drobny człowieczek, w gwałtownym ruchu zrzucił okulary i Janusz ujrzał przed sobą źrenice w oprawie czerwonych powiek, które wyglądały tak, jakby je coś zjadło, jakby małe robaczki wygryzły rzęsy i porobiły w powiekach tysiące drobnych, białych dziurek.

– Pamiętasz, co wam mówiłem w Heidelbergu? Tobie i Hani, a może i Horstowi... *à propos*, czy byłeś u Hani?

– Byłem.

– I co?

– Powiedziała, że szuka męża.

– Jesteś złośliwy. Niepotrzebnie. To bardzo biedna osoba. Powinieneś raz jeszcze do niej pójść.

Janusz w myśli przyznał rację Francuzowi.

– Nie mogę – powiedział.

Marrès nałożył okulary i poprawiwszy się na siedzeniu, spojrzał na Janusza, jak gdyby go ujrzał po raz pierwszy.

– No, co? – powiedział. – Jesteśmy aż takim egoistą?

Janusz wzruszył ramionami.

– Tak. Jestem okropnym egoistą. Ale pan wie, panie profesorze, przecie człowiek nie może przestać być tym, czym jest.

– No, nie. Dlaczego? Pierwiastki się zmieniają, a człowiek nie może? Naturalnie, że może.

– A mnie się zdaje, że nie. Ja w każdym razie nie zamierzam zmieniać mej istoty.

– Istotą twoją jest więc egoizm?

– Zdaje się.

– Zrobiłeś z tego kult. Barrès? *Le culte du moi?* ★

– Nie, kultu nie zrobiłem. Ale nie pójdę do pani Daws.

– No dobrze, dobrze – więc pamiętasz, co wam mówiłem w Heidelbergu?

– Mówił pan tyle rzeczy!

★ Kult własnego „ja".

– Właśnie. Ale mówiłem wam jedną rzecz ważną. Powtarzałem wam słowa Piotra Curie. Oczywiście nieściśle. Ale o tym, jak mówił on, że niektóre fakty naukowe, gdy się dostaną w złe ręce... mogą być użyte na szkodę ludzkości...

– To właśnie jest ta droga?

– Ale ja powiem więcej. Uczony powinien być ostrożny w formułowaniu swych sądów. I Curie był ostrożny. Powiedział „na szkodę" ludzkości. Ja także jestem ostrożny. Ja formułuję moje określenia z największą ostrożnością. Nie tylko w audytorium Sorbony. Ale i tutaj. W rozmowie z tobą, mój młody przyjacielu...

– Młody – ironicznie powtórzył Janusz.

– Ale ja muszę powiedzieć: mogą być użyte na zgubę ludzkości...

– Musi ludzkość przecież jakoś się skończyć.

– Tak! Ale teraz już wiemy jak! Dawniej mówiono o wystyganiu słońca, o wysychaniu mórz, czy ja wiem jakie bzdury, jakie hipotezy, chciałem powiedzieć – mitygował sam siebie Marrès Chouart – a teraz wiemy jak: jak w Piśmie Świętym, jak w Apokalipsie. W ogniu powszechnym, w rozkładzie wszystkiego na atomy i w rozproszeniu się atomów. Rozumiesz: a t o m ó w.

– Mniej więcej rozumiem.

– Czy rozumiesz, jaką zbrodnią było rozbicie atomu? Nauka musiała to popełnić. Ku temu szła. Musiała to popełnić jak ten student w *Zbrodni i karze* musiał zabić ową staruszkę. Ku temu szła od tego naiwnego filozofa, który dał temu nazwę: *a-tomos* – nie mogący być podzielonym, niepodzielny. A myśmy to podzielili... I od tej chwili wiadomo, jak świat zginie.

– To może i lepiej – powiedział Janusz.

– Jak to lepiej? Przecież nie wiadomo, kiedy świat zginie. Nie wiadomo, w jakim momencie przyjdzie do głowy jakiemuś szaleńcowi rzucić to...

– Co? – z nagłym strachem spytał Janusz.

– Bombę. Bombę atomową. Do tego ludzkość dąży, nad tym pracują laboratoria w Ameryce, w Niemczech, w Norwegii. Tego ode mnie chcieli: bomby, bomby atomowej. I jakiś szaleniec ją rzuci...

– I co? co?

– Czyż po to świat istniał miliony lat, to znaczy ziemia istniała? Musisz mi wybaczyć, że w takiej rozmowie zapalam się i przestaję myśleć ściśle. Przestaję ważyć słowa. No więc, czy po to ludzkość istniała na ziemi tyle milionów lat, żeby jedynym celem, do jakiego doszła, było zniszczenie samej siebie? Najgłupsze samobójstwo?

– Samobójstwo czasem jest jedynym ratunkiem.

– Ach, pleciesz sentymentalne bzdury. Nad całą ludzkością wisi miecz Damoklesa.

– Strasznie mnie to dziwi, panie profesorze, co pan mówi – powiedział Janusz, uspokoiwszy się zupełnie – przecież ludzkość musi zginąć. I pan musi umrzeć, i ja, i ci wrzeszczący studenci, którzy koło nas tak hałasują, będą trupami. Czyż to nie wszystko jedno, że staną się popiołem, dymem...

– Ale wszyscy razem!

– Chociażby. Śmierć jest nieunikniona.

– Pan się nie zastanawia – warknął Marrès Chouart – tym „pan" jak gdyby odsuwając Janusza od siebie i od swoich zwierzeń – że znikną nie tylko ludzie, zniknie cały dorobek ludzkości. Katedry, obrazy, książki...

– No, i sama nauka, która to wszystko sprawi – uśmiechnął się Janusz.

– Wie pan, jak powiedział jeden z naszych uczonych: Nowe środki, dostarczane przez naukę, powiększają zarówno możliwości tego, czego społeczeństwa spodziewają się po nich, jak i ryzyko tego, czego od nich nie oczekują! Widzi pan. Ryzyko. Chociaż społeczeństwa tego nie oczekują, są jednak siły, które oczekują... oczekują... mówię ci, oczekują... wielkiej niespodzianki!

– Czyli że nauka z siły pożytecznej, służebnej przemienia się w siłę kierującą, nadrzędną. Skądże tu może być katastrofa? Platon marzył o tym, aby państwem rządzili uczeni.

– Jacy uczeni?

– Szlachetni uczeni.

– Och, mój Boże – znowu piskliwie biadał Marrès Chouart – przecież nauka jest etycznie neutralna. I pójdzie w każdą stronę. Mówi się, że uczeni są nieprzekupni, że chodzi im jedynie o dobro nauki. Nieprawda, pójdą w każdą stronę, i w końcu zostawią *tabula rasa*... *

– Działanie ludzkie, praca ludzka, twórczość ludzka – przecież to wszystko musi zostawić swój ślad.

– Nic, *rien* – powiedział Marrès Chouart i niwelującym gestem strącił pustą filiżankę, na szczęście upadła na kanapkę.

Janusz postawił filiżankę na stole.

– Widzi pan, nie stłukła się – powiedział z uśmiechem.

---

* zniszczenie, po którym nic nie pozostanie...

Ale Marrès nie podjął tej aluzji.

– Działanie ludzkie! – fuknął ironicznie. – Działanie ludzkie! Tu żadne działanie nie pomoże.

– Ależ taka świadomość to okropne – zaprotestował Janusz – jeżeli taka świadomość zejdzie głębiej w masy ludzkie...

– To co? To przestaną się wyrzynać? Przygotowywać tę swoją broń? Myśleć o władzy, o władzy, o władzy...

– Jeżeli taka świadomość przeniknie do kół młodzieży, to chyba żadne wysiłki nic nie wskórają. Oni porzucą broń...

– I myślisz, że nie znajdzie się jeden szaleniec, który bombę rzuci? Chociażby po to, aby zobaczyć jej skutki. Teraz już nie można liczyć na rozsądne działanie ludzkie. Świat oszalał, bo ma możność szału...

– Przeraża mnie pan – dość obojętnym tonem powiedział Janusz. Rozmowa zaczynała go nudzić, a przy tym drażniło go to, że stary mówił tak głośno; wszyscy przy sąsiednich stolikach przysłuchiwali się jego słowom, a cała kawiarnia przypatrywała mu się z daleka. Zresztą był tu chyba dobrze znany.

– Działanie ludzkie – jeszcze fukał Marrès – uważam, że nie wiara w działanie ludzkie, ale raczej działanie maskujące może być na jakiś czas jeszcze paliatywem na tę zasadniczą chorobę ludzkości...

– Czy uważa pan Hitlera za to działanie maskujące?

– Nie, nie. On jeden działa na serio. On jeszcze myśli, że istnieje.

– A my już nie istniejemy? – z nagłą ciekawością zapytał Janusz.

– A jakże ty chcesz? Przecie wszystko, co my teraz robimy, to już jest tylko „na niby", „zamiast". Bez względu, czy to jest wojna, pokój, wiersz, symfonia. To już tylko jak gdyby *simulacre*★ działania. Cień wojny, pokoju, wiersza, symfonii – cień powtarzany na ekranie świata. Taniec przed zwierciadłem, bo nic to już nie znaczy.

– Po co o tym myśleć?

– To oczywiście najlepszy sposób. Ty mówisz jednakże, że działanie ludzkie, twórczość, która pozostawia żywą bruzdę w materii świata. Tak przez wieki człowiek robił szukając zapomnienia czy też szukając rozwiązania sprawy swojego indywidualnego nieistnienia. I to indywidualne nieistnienie zawsze miało smak pozostawienia śladu, chociażby mogiły na cmentarzu przywalonej trwałym, jak najtrwalszym – żeby był ślad – kamieniem. Śmierć! Zawsze tam coś zostawało po tej śmierci. *Non omnis moriar*★★. A teraz rozumiesz mnie, co za różnica: *omnis, omnis moriar*. I gdyby nawet w tej chwili, w wojnie, którą przygotowuje Hitler, nic się takiego nie stało... to sama myśl, że taka możliwość istnieje, może wszystko popsuć, popsuć własne chęci tworzenia zbawień dla ludzkości, z której i tak nic nie zostanie...

I nagle stary Marrès Chouart uśmiechnął się rozkosznie i jak gdyby figlarnie spojrzał na Janusza. A potem ściszając głos do jakiegoś dziecinnego

---

★ pozór
★★ Nie wszystek umrę.

szeptu, niby niańka usypiająca swoje maleństwo, począł powtarzać parę razy z rzędu tę zwrotkę. Janusz milczał.

> *Le vieux monde pleure encore*
> *Il était si doux, si joli (...)*
> *Que de choses bonnes pour les antiquaires*
> > *Depuis*
> > > > *depuis la guerre.*
> *Maintenant tout est énorme*
> *Et il me semble que la paix*
> *Sera aussi monstrueuse que la guerre –*
> > *O temps de la tyrannie*
> > *Democratique*
> *Beau temps où il faudra s'aimer les uns les autres*
> > *Et n'être aimé de personne...* ★

– To Apollinaire – powiedział z porozumiewawczym uśmiechem, gdy skończył tę monotonną inkantację, której Myszyński słuchał ze ściśniętym sercem.

★ Stary świat płacze jeszcze
Był tak łagodny, tak uroczy (...)
Ileż przedmiotów nadających się
dla antykwariuszy
Od
od czasu wojny.
Teraz wszystko jest ponad
zwykłą miarę
I wydaje mi się, że pokój
Będzie tak monstrualny jak wojna –
O czasy tyranii
Demokratycznej
Piękne czasy, kiedy jedni będą
musieli kochać drugich
i nikt nie będzie musiał
kochać nikogo...
(przekł. J. Rogozińskiego)

– To jedno chciałbym, aby zostało... między gwiazdami. Ale to niemożliwe – uśmiechnął się smutnie i jak gdyby usprawiedliwiając się.

A potem położył dłoń na ręce Janusza.

– A pan co chciałby ocalić?

Janusz siedział z opuszczoną głową, jakoś po dziecinnemu nachmurzony, wpatrzony w jeden punkt, bawiąc się machinalnie jakimś papierkiem.

– Muzykę – powiedział.

– A! to może ocaleje. Muzyka to jest igraszka cyfr. Pewnych proporcji liczbowych, takie proporcje mogą ocaleć...

– A liczba czyż istnieje obiektywnie? Czyż nie jest to formuła naszego niedoskonałego umysłu?

– Cóż ty pleciesz – wzruszył ramionami Marrès Chouart. – Liczba? Liczba na pewno istnieje poza nami, poza naszym światem... mogę ci na to dać słowo honoru.

I nagle wstał i począł się żegnać.

Janusz pożegnał go bez słowa. Nie umawiali się na żadne nowe spotkanie. Janusz nie określił, kiedy i dokąd wyjeżdża.

Mówili sobie niepewnie:

– *Au revoir*.

Janusz wyszedłszy z przezroczystej herbaciarni stał jakiś czas na trotuarze. Padał deszcz i pachniały przypieczone kasztany z piecyka stojącego na rogu. Neony zapalały się w mglistych perspektywach bulwaru. Życie kipiało wokoło. Naprzeciwko herbaciarni widział szyld hotelu „Suez".

„Wtedy nie było neonu" – pomyślał Janusz.

Zszedł na dół bulwarem i wsiadł w metro. Pojechał bardzo daleko do Auteuil, wysiadł za Muette.

Bez trudu odnalazł wielki, już teraz nie „współczes-
ny", nieco zatrącający secesją blok, gdzie mieszkała
ongi Ariadna.

Stał przed tym domem na deszczu jakie pół
godziny, a potem wrócił na rue Monsieur le Prince
i nic nie jedząc położył się bardzo wcześnie spać.

Śniło mu się Burgos i hiszpańskie armaty.

Rozdział dziewiąty
Kwartet d-moll

I

Hotel-pension w Mentonie, do którego zajechał Edgar Szyller w lutym roku 1938, nie był duży i o tej porze stał jeszcze zupełnymi pustkami. Przed wejściem do willi leżał mały ogródek, gdzie z oschłego żwiru wynurzały się zielone krzewy lauru i wprost w piasku stały dwie nieduże mandarynki, których niedojrzałe owoce miały szmaragdowy kolor. Za willą ciągnął się ogród, wznoszący się w górę, sztywny i jeszcze nie bardzo kwitnący. Dopiero gdy Edgar wszedł do swego pokoju, spostrzegł, że przed jego oknem rośnie duży krzak mimozy, cały okryty żółtym puchem; zapach kwiatów wchodził do środka przez otwarte okno. Pokój, położony na drugim piętrze, miał mały balkon i z okien widać było w oddali morze, w ten dzień niezwykle szafirowe.

Było to około południa, pokój – nawet duży jak na francuskie stosunki – był jasny i ściany jego żółciły się tapetą w białe muszki, powtarzające się na przemian z jagódkami lauru w sposób dość męczący. Edgar odrzucił pled, który mu ciążył na ręce, i z pewnym niepokojem, raczej z nieufnością spojrzał na łóżko. Duże, „francuskie" stało na środku pokoju, rozwalając się jakoś bezwstydnie i prowokacyjnie. Edgar nie zdawał sobie sprawy, dlaczego zainteresował go ten mebel, na pół miłosna łożnica, na pół wyglądający jak katafalk. Przez pomyłkę położył na nim kapelusz, ale zdjąwszy palto i z trudnością powiesiwszy je na wieszaku, połapał się szybko i zabrał kapelusz z łóżka: był to jeden z włoskich przesądów, któremu wierzył bardziej niż innym, że kapelusz położony na łóżku sprowadza nieszczęście. Gwałtowny ruch przy schwyceniu kapelusza wywołał nagły strumień potu na plecach. Edgar poczuł się bardzo zmęczony. Noc spędzona w wagonie pomiędzy Paryżem a Mentoną wyczerpała, zdawało się, resztę jego sił. Usiadł na małej kozetce stojącej niedaleko okna, a potem wyciągnął się trochę. W uszach miał szum wagonu, ale także i jakiś inny szum, szum poruszający się pulsującym tempem krwi. Przymknął oczy i ujrzał przesuwające się jeszcze wzdłuż Rodanu obrazy Prowansji. Bardzo mu było z tym dobrze. Nie czuł żadnych dolegliwości, tylko ten szum lekki, jak gdyby wiodący go gdzieś, wiozący go w łodzi, trochę brzmiący jak fale morza, trochę jak tremola skrzypiec w koncercie Chopina. Nie chciał otwierać oczu, aby nie widzieć deseniku białych muszek i jagódek powtarzających się w nieskończoność. Przez chwilę wsłuchiwał się w tę podróż szmerliwą i był szczęśliwy, że mógł nie myśleć o t y m.

Ale zaraz otworzył oczy i spojrzał; przez otwarte okno zobaczył niebieski pas morza i dotkliwie zdał sobie sprawę ze swej samotności. Gardło go nie bolało, ale gdy kaszlnął i chciał przełknąć ślinę, odczuł tę straszną twardość krtani. Czuł zresztą cały czas tę krtań: coś w niej tkwiło – coś, czego nigdy nie było – dawniej.

Odprowadziło go w Paryżu na dworzec parę osób, ale w Mentonie nikogo. Wyjął bilet z zapisanym adresem doktora: „od 4 do 6" przeczytał. Miał jeszcze bardzo dużo czasu. Zadzwonił. Przyszedł mały, może siedemnastoletni chłopiec, grubiutki, z czarnymi oczami. Poprosił go, aby przyniósł mu śniadanie na górę. Zegar na sztucznym kominku w rogu pokoju wskazywał pół do pierwszej. Słońce świeciło bardzo jasno, chociaż nie grzało, i mimoza pachniała: nie oswajał się z tym zapachem. Powietrze miało ów przykry, przejrzysty „wewnętrzny" chłód wiosny w południowej Europie. Było tak sztywne jak te drzewka wyrastające wprost ze żwiru.

„Będzie trudno" – pomyślał Edgar, grzebiąc w neseserze. Otworzył flakon ze srebrną główką i nalał wody kolońskiej na dłoń. Potarł wodą nos, potem uszy. Mocny zapach przygłuszył mimozę. Ale potem woda kolońska ulotniła się, a mimoza została. Gorzka i żałobna wonność.

Podano szkandanie, skąpe i lichartwne, trochę wina w małej karafce, jakaś biała ryba, szary kawałek mięsa z niesmacznym groszkiem. Próbował jeść, ale rozgrzebywał potrawy na talerzu, niosąc od czasu do czasu w zamyśleniu jakiś kąsek do ust. Patrzył wciąż przez okno na skrawek morza: przypominała mu się Odessa. Jadł z wielką trudnością. Twardość krtani, sztywność, jaką odczuwał w gardle, stawała mu na przeszkodzie. Z rybą poszło jako tako, ale mięsa nie mógł połknąć, przeżuł kawałek i musiał go wyrzucić. Ziarnkiem groszku zakrztusił się tak, iż myślał, że zadławi się na śmierć. Odłożył widelec i położył się na kanapce. Pot gęstymi kroplami wystąpił mu na całym ciele. Zdecydował, że wezwie doktora do siebie. Zadzwonił, zjawił się ten sam chłopiec, poprosił go o zatelefonowanie do doktora, tłumacząc się tym, że trudno mu jest mówić. Zresztą garson sam się domyślił tego, gdyż nie rozumiał, co mu Edgar tłumaczył, i co chwila powtarzał:

– Pardon, monsieur! Comment, monsieur?*

Edgara to trochę niecierpliwiło. Chłopiec zatelefonował do doktora, rozmówił się z nim – i wreszcie poszedł. Chociaż jego obecność nudziła Edgara, kiedy chłopiec poszedł, poczuł się strasznie samotny, jeszcze bardziej niż przedtem.

W młodości czytał Edgar *Śmierć Iwana Iljicza* Tołstoja – i od dawna już wiedział, że człowiek umiera zawsze sam, w tej najbardziej samotnej samotności: wobec śmierci. Ale co innego jest wiedzieć, a co innego czuć. Zresztą i teraz jeszcze, jak każdy człowiek, Edgar nie mógł – mimo wszystko, co czuł i co wiedział – zrealizować ostatecznie myśli o śmierci. Nie mógł pomyśleć, bez żadnych kulis, naprawdę, tego, że przyjechał tutaj umierać. Wiedział, że lekarze paryscy wysyłali go do Mentony – bo lekarze zawsze starają się usunąć nieuleczalnych pacjentów jak najdalej od swego kręgu działania. Wiedział, że gruźlica gardła jest rzeczą ostateczną, widział wielu swoich „kolegów" jeszcze podczas dawnych pobytów w sanatoriach i znał wszystkie symptomy tej choroby u innych, ale to,

---

* Przepraszam! Jak, proszę pana?

co się widzi u drugich – w sobie nabiera cech specjalnych, niepojętych. Nie daje się ująć rozumem, w tej okropnej, tołstojowskiej samotności.

Zaraz po śniadaniu postanowił jednak wyjść na chwilę, aby kupić sobie na niedalekiej handlowej ulicy papier listowy, którego całe pudełko zostawił w paryskim hotelu. Jedną z cech jego obecnego samopoczucia było to, że trudno, niezmiernie trudno było mu się na coś zdecydować. Aż sam się dziwił, że tak mu łatwo przyszło wyjść po ten papier: pomyślał, że naprawdę chodzi mu o to, aby napisać list – aby nie stracić jeszcze tego jednego łącznika wiążącego go z ludźmi. Zresztą nie wiedział, do kogo chce napisać: Alo go trochę drażnił swoim doktrynerstwem, a Janusz był tak daleko od wszystkiego tego, co on przeżywał i myślał.

Tych parę kroków z pensjonatu do składu papieru zmęczyło go bardzo. Nie sam spacer, ale ruch ludzi na ulicach. I nie tyle odczuwał zmęczenie fizyczne, co moralne, patrząc na ruchliwych, południowych Francuzów, a zwłaszcza na dziewczyny, które przechodziły dość szybko, to mijając go, to wyprzedzając. Ich ruchy, kształt ich bioder drażniły go. Próbował sobie wyobrazić, jaki będzie ten świat bez niego. Dzieci bawiące się na trotuarze wyrosną, kobiety te postarzeją się i umrą. „Ciekawy jestem, czy będzie szczęśliwy ten chłopiec w granatowej płóciennej bluzie? Ale tego bym się nie dowiedział, nawet gdybym żył sto lat – pocieszył się. – I co to w ogóle za sentymentalne myślenie o szczęściu?".

Zaraz po jego powrocie do hotelu zjawił się doktor; Edgar miał znowu wielkie trudności z wytłumaczeniem, o co mu chodzi. Doktor znał jego i jego chorobę. Nie zdziwił się więc bardzo z powodu przyjazdu Edgara do hotelu, pokiwał tylko głową. Ale prawie nic nie słyszał z tego, co Edgar mówił szeptem, i nawet wyraził się, że Szyller mówił lepiej przed rokiem. Edgara znowu to zniecierpliwiło: „Przecież wiem, że miewam się znacznie gorzej niż w zeszłym roku, po co mi lekarz mówi takie rzeczy".

Doktor wyniósł się zapisawszy pastylki, proszki, wzmacniające zastrzyki, które miał wykonywać felczer ze szpitala – i wreszcie poradził Edgarowi, aby sobie wypożyczył na jakiś czas radio. Dał mu nawet adres sklepu, gdzie można było radio wynająć.

– Czy pan pracuje teraz nad czym? – zapytał.

Edgarowi przyszły na myśl arkusze papieru ze szkicami pieśni, które przywiózł z sobą, ale machnął ręką.

II

Nazajutrz chłopak, który przyniósł mu śniadanie, załatwił i sprawę radia. Edgar spał źle w nocy pomimo proszków i z rana nie wstał z łóżka, z trudnością ogolił się tylko. Chłopak nazywał się Joseph i zdradzał wielkie zainteresowanie losem kompozytora. Za jego więc sprawą przywędrowało wielkie palisandrowe pudło. Umieszczono je przy łóżku Edgara z prawej strony wezgłowia. Z lewej stała szafka nocna. Około południa – mniej więcej w 24 godziny po przybyciu Edgara do pensjonatu „Mimoza" – przyniesiono depeszę od Elżbietki.

Depesza była nadana z Nowego Jorku na wsiadanym do statku „Queen Mary", którym Elżbieta płynąć miała do Southampton. Czekały ją teraz występy w Londynie i koncerty w BBC. Nawet ta wiadomość była dla Edgara zupełnie obojętna i przyjął ją jak coś odległego, echo dawnych czasów.

Widok morza przypominał mu wciąż Odessę i mimo woli tkwił myślami w tamtym okresie. Zasypiał późno, twardym snem, i budził się też z trudnością, zdrętwiały jakiś i ociężały. Ale po chwili już wypływały obrazy dzieciństwa. Edgar nie był starym człowiekiem, ale wiek swój przyjmował jako ciężar starości. I to, co minęło, wydawało mu się jednocześnie wydarzeniem wczorajszym i zamierzchłą przeszłością. Z Odessy pochodziły też pierwsze wspomnienia muzyczne. Na próżno przeglądał programy radiowe, aby gdzieś odszukać wykonanie chociażby fragmentu *Normy*, pierwszej opery, na której byli razem z Elżbietką. Rodzice, już wagnerzyści i wielbiciele muzyki rosyjskiej, gniewali się na konwencjonalną włoszczyznę tej opery, ale ich wprawiła inna w zachwyt. Wróciwszy do domu odgrywali sceny z *Normy* i Elżunia po raz pierwszy objawiła swój talent naśladując włoską śpiewaczkę nucącą *mezza voce* arię *Casta diva*.

W tych swoich pierwszych wrażeniach muzycznych, kiedy je teraz przypominał, odnajdywał Edgar prawdziwego siebie. Wrażenia te poruszały go wtedy tak, jak później nic nie poruszało. Lata szkolnej nauki zniechęciły go do muzyki, sam pisał dużo, słuchać lubił coraz mniej, coraz mniej miał owej świeżości wrażeń, muzyka zostawała na zewnątrz, nuty – które doskonale rozumiał – odbijały się od jego naskórka, odskakiwały jak deszcze elektronów, nie naruszając jego obojętności. Twórczość własna uzbroiła go w tarczę przeciwko twórczości cudzej – i nawet dawna muzyka, najukochańsza i najpiękniejsza, pozostawiała go w stanie letniej obojętności.

Nie cierpiał radia. Nie znosił tych dźwięków, które przychodziły tak zniekształcone, obce, czasem w innej tonacji (Edgar miał słuch absolutny) i tak mało przejmujące. Dla wysłuchania uważnie koncertu Vivaldiego Edgar musiał widzieć całą martwą naturę, jak u Picassa: esowate wycięcia skrzypcowej deski, prawicę ściskającą smyczek i smukłe palce lewej ręki przebierające jak ręce bożka po czarodziejskiej lutni, schylenie głowy skrzypka na ramię, gdzie świeżo ogolony policzek oddzielała od mahoniowego instrumentu jedwabna haftowana chusteczka. Te same dźwięki wychodzące z pudła, przerywane pogwizdami i wszelkiego rodzaju „fryturami", były tylko drażniącym bezładem. Ale nie mając nic lepszego do roboty, Edgar powoli przyzwyczajał się do muzyki radiowej. Kładł się na kanapce i słuchał.

Nastąpiły teraz zimne i wietrzne dnie. Z jednej strony szumiało morze, z drugiej zalewały go dźwięki przychodzące skądsiś, z niewiadomej dali, z przestrzeni, która zawierała w sobie wszystkie cyfry Pitagorasa.

Wyobrażał sobie czasami muzykę jak wielki biały ekran, na którym odbywał się film cyfr, wielkie słupy liczb powstawały i zapadały się, a przez gąszcz czarnych znaków przeplatały się figury geometryczne, tworzące powracające harmonie. Zamykał oczy i widział wznoszące się i opadające kolumny. Gdyby ktoś mógł sfilmować taką igraszkę matematyczną – jako odpowiednik muzycznego dziania się, gdyby akcja utworu muzycznego mogła być przetransponowana w ten sposób na ekran, dałoby to pojęcie o pozaczasowości muzyki. Może w ten sposób starożytni pojmowali muzykę sfer?

Ale Edgar przyłapał się na tym, że podobne myśli były usiłowaniem wywikłania się z ziemskiego strachu śmierci i stworzenia sobie jakiegoś urojonego świata, w którym mógłby trwać, chociażby cząstkowo. Odrzucił więc szybko te rojenia – i począł w samotności żegnać się ze wszystkimi miejscami, rozsianymi szeroko na kuli ziemskiej, które, zdawało mu się, zawierały jakąś cząstkę nieśmiertelnego piękna. Wspominał domy i wnętrza, które go przywiązały do siebie w ten czy w inny sposób. Przede wszystkim wspominał dom w Odessie. Zdawało mu się, że ledwie pomyślał o tym domu, uprzytomnił sobie zapach, jaki w nim panował, posłyszał skrzyp podłogi w korytarzu prowadzącym do jego pokoju – a otworzywszy oczy widział, że dzień się zachmurzył, gasło słońce i morze z niebieskiego stawało się szarostalowe. Niepostrzeżenie mijały godziny. A potem przychodziło inne wspomnienie, inny obraz: pejzaż Toskany, cały sfalowany i popielaty. Siedział wtedy na wzgórku, koło kościoła w Cellole. Dwa cyprysy rosły niedaleko i za nimi jak w ramce rozścielał się ten nieskończony, romantyczny i bardzo smutny widok. Dwa białe woły o szeroko rozstawionych rogach, z czerwonymi pomponami na czołach, wznosiły się powoli drogą pomiędzy cyprysami. Zapamiętał tę chwilę na całe życie. Teraz, gdy sobie uprzytomnił, że pejzażu tego nigdy, już nigdy nie zobaczy, że utracił go na zawsze, że nie ma siły na ziemi, która by mu go znowu pokazała w wiosennej szarości – poczuł, że już umarł po trochu. I wiedział, że nieśmiertelność piękna jest tylko złudzeniem. – Więc po co ja i moja muzyka?... – szepnął do siebie.

Poczuł ból gardła, kiedy to powiedział. Ciało przywoływało go do porządku – począł więc nasłuchiwać, co się dzieje w tym ciele. Tkwiło – bardzo wychudłe – na kanapce i nie dolegało mu prawie wcale. Czuł jednak, że jakiś proces w tym ciele zachodzi: w płucach odczuwał pewną dolegliwość i jakby jakiś ferment. Nie kaszlał wcale, ale wiedział, że coś się tam dzieje, coś szemrze, jak w ulu, w którym pracowite pszczoły lepiły śmiertelny wosk. Przypomniał sobie – i ta chwila najjaskrawiej paliła się wśród wszystkich chwil jego życia – moment, kiedy poczuł to drobne ukłucie w gardle. Uczucie sztywności i lekki dotyk bólu jak zakłucie igłą, i ta natychmiastowa pewność, nie domysł, nie przeczucie, ale pewność, że to jest to – pierwszy znak ostatniego powołania.

Elżbieta wtedy śpiewała, a on wyjątkowo nie akompaniował jej, tylko słuchał z drugiego pokoju. *Les donneurs des serenades...* – śpiewała siostra i doskonały pianista brząkał na fortepianie naśladując mandoliny, a on już wiedział, że decyzja losu nastąpiła i że ma teraz przed sobą długie godziny, dnie, tygodnie nawet, kiedy będzie musiał udawać, że nic nie wie, że nie boi się śmierci, że nie żal mu

ani tych cyprysów, ani wołów, ani niebieskich gó-
rek Toskany. Będzie musiał jeść, mówić, chodzić,
komponować... Nie, komponować już nie. Po co?
Po co w ogóle komponować? Pisał to, co chciał,
jak chciał – nie ulegał ani modzie, ani nie ustępował społeczeństwu, które chciało od niego zupełnie
czego innego. Ale teraz dopiero, siedząc na żółtej
kanapce w Mentonie, wiedział, że to, co stworzył,
to są jakieś drobne fragmenty, korale rozsypane
z naszyjnika, który nie istniał i którego nawet nie
widział oczami wyobraźni. Wszystko, co stworzył,
wydawało mu się tak puste, drobnostkowe, nieważne. Czy można indywidualnie stworzyć coś
ważnego? Co Janusz o tym powiedziałby? To dziwne, jak w czasie tych rozmyślań obok pejzażów
i dźwięków nie zjawiały się twarze ludzkie
– a przecież tyle ich przepłynęło obok niego w ciągu tego stosunkowo krótkiego żywota.

Teraz tylko pomyślał o Januszu, który wierzył
w to, że człowiek może coś stworzyć – i uśmiechnął
się. Janusz! Kochany! Tak, jego jednego chciałby
zobaczyć. Jego i Elżbietę!

Tak, i jeszcze twarz Elżbietki. Nie tej obecnej,
odchudzającej się, starzejącej się śpiewaczki. Nie
żony londyńskiego bankiera, ale tej Elżbietki, która
przyjechała wtedy późnym wieczorem do Odessy
i jeszcze śpiewała *Verborgenheit*.

Radio nie tylko nadawało muzykę, słyszał także
i przemówienia. Z dalekiego, obcego, nieznajomego świata, od którego oddzielił go już proces rozkładu, dolatywały niezrozumiałe dźwięki. To jedno
tylko z nich pojmował, że są przeciwko jego igrasz-
kom cyfr, że nie przyjmują do świadomości, że nie

biorą pod uwagę jego życia i całej jego treści. Zawsze był oderwany od świata, teraz nie rozumiał go już zupełnie, nie chciał rozumieć.

– Umieram razem z dziewiętnastym wiekiem – uśmiechnął się kiedyś do siebie.

III

Potem nastały piękne, słoneczne dnie. Co prawda w cieniu było chłodnawo, ale po słońcu można się było przechadzać. Koło południa Edgar zwlekał się z łóżka i pomiędzy inhalacjami, które mu robiła siostra przysłana przez doktora, a lunchem szedł na mały spacer. Pewnego razu dzień był tak piękny, rzeka cynerarii spływająca środkiem miasta z góry aż nad samo morze miała lekki fiolet i unosił się nad nią tak delikatny migdałowy zapach, który mu przypominał Wielkanoc w Odessie i stół ubrany babami, że Edgar wyszedł i po południu. Czuł się trochę silniejszy i dowlókł się aż nad sam brzeg, gdzie za żelazną balustradą leżało kilka rudych kamieni – i zaraz zaczynało się nieruchome, sztuczne jakby morze.

Kobiety młodsze i starsze mijały go, gdy tak stał zadumany. Nie patrząc na nie czuł ich obecność i słyszał chaotyczne kroki ich gołych nóg. Wtedy przyszła po raz pierwszy moda chodzenia bez pończoch. Nigdy bardziej nie czuł, że życie jest poza jego orbitą, jak wtedy, kiedy słyszał te kroki za sobą. Rosły, żyły, szły poza nim i nie dla niego. Świat ich miłości nie stanie się nigdy jego światem. Były już dla niego upiorami minionego życia. Szły, kryły się w alei palmowej nad brzegiem, siedziały koło klombu z cynerariami, patrzyły na niego obojętnie, jak gdyby go nie widziały. Myślał, że nie ma już dla nich żadnego uroku.

Jedna, zupełnie mała i drobna, szła trzymając za rękaw niskiego młodzieńca w nowym ubraniu i w szarym kapeluszu. Mówiła coś do niego, odwracając twarz od Edgara, ale widział, że szyję i linię policzka ma ładną, była czarna i chuda chudością młodości. Młodzieniec mijając go ukłonił się i Edgar, dopiero teraz poznał, że był to Joseph, chłopak z hotelu.

Wieczorem, kiedy Joseph przyniósł obiad do pokoju, nieproszony zaczął opowiadać Edgarowi o tej dziewczynie. Okazało się, że historia jest skomplikowana, gdyż oprócz tej małej, którą Edgar widział na spacerze, była jeszcze inna *fiancée** Josepha, mieszkająca w Nîmes. Edgar z początku niechętnie słuchał opowiadania, potem dopiero spostrzegł, że Joseph wkłada w nie tyle siły i uczucia, że mimo woli począł się przejmować perypetiami chłopca, który umiał ͏͏͏͏͏͏͏͏͏͏͏ ͏͏͏ ͏͏͏͏͏͏ ͏͏͏͏͏͏ ͏ ͏͏͏ ͏ ͏͏͏͏͏͏ ͏͏͏ ͏͏͏ ͏͏͏͏ wem nauczył się Edgar odróżniać Geneviève od Lucette, a kiedy przybyła jeszcze i Germaine, zauważył, że perypetie erotyczne Josepha wciągają go coraz bardziej w życie, które dotąd przepływało obok niego bezbarwne i nie zauważone. Rzeczy, które pozornie przestały dla niego istnieć, odżywały w istocie obcej, ale młodej, odradzały się, jak nowa trawa odradza się po skoszonej

---

* narzeczona

przed kilkoma dniami. W błyszczących oczach młodego posługacza odżywały postaci młodych kobiet, żywych i żyjących, skazanych, być może, na doczekanie późnej starości. Przekonał się, że zamierające w nim życie rodziło się bujniejsze i obfitsze gdzie indziej. O ile pamięcią sięgał w swoją młodość, nie miał nigdy trzech naraz kochanek. A przecież Joseph miał dopiero siedemnaście lat, palił się po prostu, gdy mówił o tych swoich kobietach.

Lucette mieszkała w Nîmes. Nie znał tego miasta, ale kiedy kelner odchodził, zostawiając go na pastwę bezsenności i rozmyślań, wyobrażał sobie ciche, nieznajome uliczki. Kroki stukały po opuszczonych trotuarach, pachniało cynamonem i fiołkami, które podobno tam hodowano całymi polami. Lucette pracowała u kapeluszniczki – zupełnie jak w jakiejś prowincjonalnej powieści. Był tam jakiś *garçon boucher**, który chciał się żenić z Lucette, był znacznie starszy od Josepha i na stanowisku, ale Lucette go nie chciała. Istniało tam – w tym Nîmes tajemniczym, w którym już nigdy Edgar nie będzie, jakieś zdławione, kipiące życie, które nie spostrzeże jego zniknięcia, któremu nic nie przekaże. Rozmyślając o tym Nîmes Edgar wziął kiedyś w nocy do ręki papier nutowy i naszkicował jakąś pieśń, pół-serenadę, pół-kołysankę, sam pisząc do niej jakieś nie powiązane słowa. Zresztą nie dokończył tego szkicu, małe nutki zapisujące nikłą melodię wydały mu się zbyt wątłe – gdy myślał o fiołkach i uczuciu grubiutkiego Josepha.

---

* czeladnik rzeźnicki

„Nic już o tym nie będę wiedział – pomyślał – i w ogóle może nigdy nie wiedziałem".

Palił teraz papierosy bez przerwy. Wolno mu było tylko palić do dziesięciu dziennie, ale machnął na to ręką. Nie warto! Pod wieczór odczuwał silniejszy ból w krtani i już zupełnie nie mógł mówić. Joseph teraz wpadał, gdy tylko miał wolniejszą chwilę. Sprawy jego komplikowały się gwałtownie. Germaine dowiedziała się o istnieniu Geneviève i groziła, że kiedy ją spotka z Josephem, pobije na ulicy, przy wszystkich. Joseph przeląkł się tych gróźb, bo mógłby stracić posadę. Późnym wieczorem, kiedy Edgar już spał, słyszał z dołu, z kuchni, gwałtowny brzęk naczyń i zmieszane głosy służby, zresztą było jej w hotelu niewiele i potwornie harowali przez cały dzień. Joseph spieszył się, aby jeszcze koło jedenastej wieczorem polecieć do Geneviève czy Germaine, wracał do hotelu o szóstej rano i sprzątał hall i schody.

Edgar mimo woli – aby tylko o czymś myśleć – przypominał sobie wszystkie swoje zakochania i aż dziwno mu było, że tak mało wkładał w te rzeczy namiętności. Dlaczego? Przypominał sobie panią Gorcew w Odessie, wielką damę, wspaniałą, piękną i dobrą. Była bardzo ograniczona, ale godzinami mogła słuchać jego muzyki. Potem Marysia Bilińska.

Nikt się nie orientował, że z jego zdrowiem jest tak źle, toteż nikt do niego nie pisał, a on nie miał siły. Zabierał się, chciał się pożegnać z tym i z owym, ale właściwie mówiąc, nie wiedział, z kim ma się żegnać – raczej wszyscy byli mu obojętni. Zastanawiał się, czy ta obojętność spowodowana była chorobą, czy leżała w jego charakterze.

Te rozmyślania ciągnęły się przez noce i dnie, trochę jak gorączkowe widziadła. Wynurzały się przed nim obrazy dawne, rewolucja w Odessie, dom w Łowiczu, dom w Pustych Łąkach i mały pokoik na Wareckiej albo jakieś z niczym nie związane pejzaże: widok w Berchtesgaden, dwie Hiszpanki jadące na ośle na szosie pod Pampeluną, mały ogródek hotelowy w Paryżu, gdzie ostatni raz rozmawiał z Alem. A potem znowu konkretne myśli, zadziwiająco jasne i zadziwiająco ponure. Gdyby mógł teraz zacząć żyć na nowo, jakie by wszystko zaczęło się inne i młode. Pamięta ten dzień w Odessie, kiedy rozmawiał ze Spychałą o muzyce. Spychała twierdził, że on nie tworzy, tylko wymyśla! Wszystko – z głowy? Chyba nie. Przecież był kompozytorem tradycjonalistą, ile zawdzięczał kompozytorom rosyjskim, Arenskiemu, Czajkowskiemu, to sam tylko wiedział. A potem – ten okres narodowy. Nawiązanie do Moniuszki – może trochę sztuczne? Ale zawsze było. Nie, nie, to nie była muzyka wymyślona.

Wspominając słyszaną ongi muzykę, która już była przesyceniem, czymś zdobytym i przezwyciężonym, przypomniał sobie, jak kiedyś zaprowadził Ala, małego jeszcze chłopca, na *Pana Twardowskiego* Różyckiego. Ta świeża, prosta muzyka – trochę zewsząd pościągana – podobała mu się, a mały Alo był zachwycony. Pod koniec przedstawienia jest tam taki obraz orientalny, fantastyczna kraina miłości, pełna słońca i blasku, i śpiewu. Dekoracja Drabika poruszyła jakieś najgłębiej w nim drzemiące instynkty – i nagle, tu, w teatrze, intensywnie i prawdziwie zatęsknił do takiej orientalnej krainy, za wszelką cenę, jak Twardowski, chciałby się do niej dostać – choć wiedział, że nie istnieje. Jedna z baletnic tańczących w tej scenie wydała mu się prawdziwie piękna, okryta gazą, która spowijała jej wysmukłe ciało. I wtedy pomyślał, że mógłby pokochać, namiętnie, silnie, do śmierci. I przez jeden kwadrans wydawało mu się, że mógłby z tą tancerką przeżyć dzień w krainie Wschodu i że wspomnienie tego dnia wystarczyłoby mu do końca życia. Para śpiewaków w orkiestrze śpiewała słodką, banalną melodię, tancerka, którą mógłby pokochać, skakała wśród noży, a piękny tancerz o nagim torsie obejmował primabalerinę na szerokim łożu. Zmysłowość tej sceny zażenowała małego Ala, poczerwieniały mu uszy i zerkał zmieszanym wzrokiem na Edgara, któremu banalny obraz odkrył nagle najdalsze perspektywy miłości. Ale kurtyna zapadła, czar prysł, potoczyły się inne obrazy domorosłego baletu – i Edgar przestał wierzyć, że może pokochać tancerkę czy kogokolwiek innego.

Zapalał w nocy papierosy. Od kilku dni padały deszcze i było mokro, nieszczególne zapałki francuskie zwilgotniały, ledwie się tliły. „Jeżeli ta zapałka nie zgaśnie, ale zapali się jasnym płomieniem, to będę żył" – pomyślał. Lecz zapałka wydała z siebie mały niebieski płomień, który zamiast wybuchnąć kurczył się coraz bardziej i znikł. Została tylko po nim zwęglona główka. Edgar uśmiechnął się w ciemności.

IV

Alo do Edgara

Warszawa, 12 marca 1938
Mój drogi!
Dawno już wybierałem się napisać do Ciebie, ale mi zawsze coś stało na przeszkodzie, bardzo jestem teraz zajęty. Nareszcie przezwyciężyłem opór mamy i pozwoliła mi chodzić do Akademii. Na razie oczywiście jako wolny słuchacz, bo w środku roku. Z jednej strony jest to dla mnie szalona radość, a z drugiej, jak sam się domyślasz, wielkie rozczarowanie. Wiesz dobrze, jak zawsze marzyłem o szkole sztuk pięknych, ale mimo to zdawało mi się, że coś umiem, że moje rysunki, które łaskawie chwaliłeś, coś wyrażają, czymś są. A teraz zaczynać od rysowania modela, znosić uwagi kolegów i korekty profesora, który sam jest dobrym i śmiałym malarzem, ale ode mnie wymaga klasycznej ścisłości. Bardzo mnie to męczy i zaciskam zęby. Nie chcę po sobie nic pokazać i wracając do domu rysuję dla siebie, ale teraz dopiero widzę, że to wszystko dyletantyzm, i zupełnie nie wiem, co dalej będzie. Zastanawiam się nad tym głęboko, ale wiesz dobrze, że takie zastanawianie się do niczego nie prowadzi. Mama jest teraz w niedobrej fazie, rankami chodzi do kościoła i widuję ją tylko wieczorami przy obiedzie. Kazio Spychała miał propozycję jazdy do Kopenhagi na posła, ale odrzucił tę propozycję, czym mama, zdaje się, przejęła się i zmartwiła. Zawsze twierdzi, że złamała życie i karierę Kaziowi, ale z tego twierdzenia nie wyciąga żadnych wniosków. Na pociechę zapisałem się na lekcje boksu do Karbowskiego, nie uwierzysz, jak mi to dobrze robi, takie wytłuczenie się z piłką czy z Karbowskim samym. On jest jeszcze bardzo młody, zwłaszcza jak się rozbierze, i siwe włosy raczej są dla niego ozdobą. Przychodzę do domu z bardzo bolącymi muskułami, ale za to śpię jak zabity i zjadam na śniadanie cztery jajka na miękko

i furę wędliny. Pani Royska przysłała pannie Tekli z Pustych Łąk wspaniałe półgęski, a panna Tekla oczywiście nikomu nic nie daje, tylko wszystko chowa dla mnie. Siedzi zawsze przy mnie podczas pierwszego śniadania i załzawionym i czułym okiem patrzy, jak zmiatam wszystko, co jest na stole. Na początku kwietnia mam jechać na Polesie na głuszce, ale już teraz chcę się wybrać do Henryka na słonki. Nie tyle chodzi mi o polowanie, co o wyjazd na wieś. Ty wiesz, jak ja lubię te pierwsze dni wiosenne, zwłaszcza na Polesiu, te chmary ptactwa i pierwsze listki drzew. Narysowałem niedawno stado kaczek lecących w niebie – starałem się dać dużo powietrza, ale zdaje się, nie wyszło. Mama mówi, że kaczki wspaniałe i że po prostu ciągnie, aby się do nich zmierzyć z flinty. Naszkicowałem także – ze dwadzieścia szkiców – Karbowskiego w bokserskich pozach, trudno o lepszy model, bo u nas w Akademii pozują jacyś rachityczni pseudoatleci, którzy bardzo brzydko wyglądaliby na obrazie. Nic nie można pod to podłożyć – żadnego znaczenia. Przy Karbowskim w każdym rysunku jest coś, coś ważnego i nieuchwytnego, coś, co się widzi u Mantegni czy u Guysa. Ale oczywiście nie myśl, że porównuję siebie do Mantegni – po prostu mówię o tym, co chciałbym wydobyć, gdyby się dało oczywiście. Najbardziej przeraża mnie niemoc artysty i brak tego, co się najbardziej chciało wyrazić. Brak mi techniki, toteż chciałbym jak najbardziej rysować i rysować. Henryk zaręczył się z tą małą Potocką i ślub ma być w czerwcu u nich na wsi, myślę, że mnie zaproszą, ale nie wiem, czy pojadę, bo mama uważa, że nie potrzeba mi nowego fraka. A mój stary już wytarty na szwach jak sportowa kurtka. Podobno w Warszawie mają budować krytą halę do tenisa, nie wiem, skąd wezmą na to pieniądze, ciekawy jestem, czy będzie taka piękna jak ta w Sztokholmie, w której gra król Gustaw. A propos, kuzyn Henryka ożenił się z księżną Eugenią Grecką, bardzo miła i ładna podobno osoba, tylko kulawa i ma tak samo jak kuzyn krew żydowską w żyłach. Jest to wielka sensacja w kołach, gdzie bywa mama. Dla mnie też myślą o jakiejś nadzwyczajnej żonie – ale ja nie myślę, na razie chcę malować i rysować. Myślę, że z Polesia przywiozę mnóstwo rysunków, chciałbym Ci posłać coś ładnego. Niedawno grali Twoją symfonię w Filharmonii, ale nie mogłem być, bo musiałem iść z mamą na obiad do ambasady włoskiej. Zresztą było bardzo przyjemnie, spotkałem tam Olę Gołąbkową z mężem! Jak widzisz, Włosi w sposób bardzo rozmaity dobierają sobie towarzystwo. Spychała był także i po obiedzie gadał z Gołąbkową... *on revient toujours...* ★

Co słychać u Ciebie? Czy piszesz coś? Myślę, że łagodne powietrze Riwiery dobrze Tobie robi, mama dowiedziała się, że do Ciebie piszę, i kazała Cię pozdrowić serdecznie i spytać o Twoje zdrowie. Mama w kwietniu myśli wyjechać za granicę, tylko jeszcze nie wie gdzie, czy do Florencji, czy na Riwierę. Myślę, że się gdzieś spotkacie. Ja z powodu Akademii, a także z powodu polowań muszę siedzieć w Polsce. Może w jesieni pojadę do Tyrolu na jelenie.

Tymczasem ściskam Cię serdecznie i proszę o wiadomość.

Yours truly
Alo Biliński

PS W niedzielę byłem u wuja Janusza w Komorowie. Obawiam się, że zdziwaczał ostatecznie i że mu już nic nie pomoże. Nie wychodzi poza zagadnienia swego folwarku. Bardzo mu jest ciężko – zdaje się. Obiecał, że do Ciebie wkrótce napisze. Mówił bardzo górnie. Nie rozumiem.

Edgar z uśmiechem położył list na kominku. W radiu akurat grali jakąś sentymentalną melodię i kompozytor pomyślał, że Alo z przyjemnością zapewne zatańczyłby to tango z jedną ze swoich koleżanek z Akademii, nie troszcząc się o nic wię-

★ wracamy zawsze...

cej, tylko o to, aby mieć ubranie nie wytarte na
szwach. I jeszcze jedno: tak rzadko bywał dłużej
w Warszawie, ale z tego listu tchnęło tak bardzo
atmosferą pewnych kół warszawskich, że Edgar
odnalazł się od razu w atmosferze salonów i saloni-
ków Marysi Bilińskiej na Brackiej, w tym dawnym
podmiejskim pałacyku, który zachował w sobie
całą obyczajowość dworu – przysłonięty kamienicą,
z której dochód był główną podstawą istnienia
księżnej Bilińskiej i Ala. Uśmiechnął się do swoich
wspomnień: zawsze traktował Ala tak, jak gdyby
mógł on być jego synem. Chociaż poznał Bilińską,
kiedy Alo był już na świecie, nie mógł powstrzymać
swoich uczuć, które kierowały go w stronę tego
chłopca. Pamiętał, że kiedy chodził z nim na koncerty i do teatru, Alo inteligentnie reagował na
wszystko, lecz miał zawsze coś z pogardy dla oto-
czenia, dla występujących aktorów czy tancerzy,
uważał ich za hołotę – i trochę się wstydził, kiedy
Edgar witał się ze znajomymi artystami, i boczył się
na tancerki, które czasem całowały chłopca w policzek lub w głowę. Haneczka – to była ta tancerka,
która tańczyła wschodni Lander w Trumdomskim
i którą przez chwilę Edgar był zachwycony, a potem ciążyła mu długo, nudziła go – zawsze całowała Ala w policzek, „w mordeczkę", jak powiadała, biorąc jego twarz swoją białą, dużą ręką, i Edgar
był zazdrosny, nie o Haneczkę, lecz o Ala. Chciał go
kochać jak syna! Teraz uśmiechnął się, odkładając
list. Czy mój syn mógłby być taki? Dlaczego nie?
Zdolności poważnego traktowania życia wyradzają
się, mój ojciec był inżynierem, ja kompozytorem,
a mój syn mógłby być, jak Alo, kimś lekkomyślnym

i nieopanowanym. Zdolności malarskie on ma – to nie ulega wątpliwości, ale to wychowanie! Marysia Bilińska była i jest niepoprawna!

Uśmiechnął się – i znowu przeciągnął przed oczami szereg pejzaży i wnętrz, gdzie widywał Ala i Janusza. „Obawiam się, że zdziwaczał ostatecznie". Janusz był jedynym człowiekiem, którego by teraz Edgar chciał zobaczyć. Czy jedynym?

V

Edgar do Janusza:

Mentona, dn. 19 marca 1938

Drogi Januszu!

Piszę do Ciebie. Dostałem list od Ala, który mi mówi, że widział Ciebie w Komorowie i że mówiłeś mu o liście do mnie. Ja jednak nic od Ciebie nie mam i nie pisałeś do mnie od samego początku mojego pobytu w Mentonie, to znaczy blisko od miesiąca. Wreszcie, nie mogąc się doczekać wieści od Ciebie, postanowiłem sam napisać, i to w dosyć ważnej sprawie. Właściwie mówiąc, chciałem uprzedzić kogoś w kraju, kogoś z bliskich, że ze mną jest kiepsko, tracę siły z każdym dniem i wyraźnie to czuję. Teraz już nie wstaję z łóżka albo w piżamie zwlekam się na kanapkę i tak trwam na pół we śnie, na pół na jawie. Jedzenia restauracyjnego jeść prawie wcale nie mogę, gdyż przełyk mój powoli przestaje działać. Myślę, choć nic mi lekarz o tym nie mówił, że to jest kwestia dwóch tygodni do miesiąca. Oczywiście wszystko, co posiadam, przypadnie Elżbietce, prawa autorskie, rzeczy, książki itd. – niewiele tego jest. Ale bardzo chciałbym, i Ciebie o tym zawiadamiam, aby trochę drobiazgów pamiątkowych, spinki, szpilki do krawatów, pierścionek ze szmaragdem schowany w safesie w PKO w Warszawie, dostał Alo Biliński, Twój siostrzeniec. Nie chcę ukrywać przed Tobą, że zabieram z sobą na tamten świat wspomnienie dosyć gorzkie o tym globie ziemskim i gdyby nie takie istoty jak Twoja siostra, to w ogóle nie warto byłoby żyć. Alo mógłby być moim synem i lubię myśleć o nim jak o synu. Taki mógłby być, lekkomyślny, snobistyczny, kulturalny, ale mało wartościowy i takim go bym na pewno kochał, mało kochał, ubóstwiał, gdyby był moim synem.

21 marca

Przerwałem list przedwczoraj i nie mogłem już usiąść do niego wczoraj, taki jestem niedołężny, a przy tym mam okropne osłabienie woli. Na wszystko przychodzi mi się decydować z taką trudnością, przezwyciężać tysiące oporów. Aby wziąć pióro do ręki, używam wybiegów i sztuczek przed samym sobą. I wiesz, że nie choroba fizyczna, ale właśnie to mnie męczy. Oczywiście o tworzeniu już nie ma mowy, zabrałem z sobą pewne teksty, ale nie mogę się ani wczuć w jakiś obcy mi nastrój, ani przezwyciężyć się, aby napisać choć parę taktów. A w gruncie rzeczy chciałbym napisać jeszcze jedną pieśń, coś, co byłoby pożegnaniem i afirmacją tego pięknego mimo wszystko świata, parę taktów, ale mocnych. Cóż robić, pewno już tego nie napiszę, nie wyrażę tego niewyrażalnego, czym po brzegi pełna jest w tej chwili moja dusza, a co nie chce i nie może się przelać jak łza. Widzisz – Spychała kiedyś mi powiedział, że cała muzyka moja jest „wymyślona", i teraz z daleka, z drugiego jakby już brzegu zaczynam podejrzewać, że Spychała – mimo prymitywności jego myślenia – miał rację, czy może przypadkiem miał rację. Największą wadą mojej muzyki jest to, że jest ona „wymyślona", że nie urodziła się bezpośrednio z ziemi. Zresztą nawet nie wiem, z jakiej ziemi się mogła urodzić? Czy ze stepów pododeskich, czy z romantycznego pejzażu Odenbergu, czy z winnic Prowansji? Bo chyba nie z polskiej ziemi, której nie znałem? Czytam wciąż *Fausta* i wyobrażam sobie, jak papa biedaczek irytowałby się na moje wieczne przebywanie z Goethem, papa, który tak nie lubił w sobie czy we mnie odkrywać jakichś cech niemieckich. A ja właśnie teraz nagle uświadomiłem sobie, że mam mnóstwo tych cech w sobie – zwłaszcza odnajduję to w tym, że wierzę w metafizyczne wartości sztuki. Prawda, jakie to staromodne i zacofane – ale co robić, wierzę. A jakąś wiarę trzeba mieć. Prawda?

No, i w tej całej mojej sztuce nie bardzo się rozeznaję. Jakie to jest? Co to jest warte? Jeden tylko kwartet d-moll...

Pisał mi Alo, że grano moją symfonię w Filharmonii, ale oni (Marysia) nie mogli na to pójść, bo mieli obiad w ambasadzie włoskiej. Co to znaczy „moja symfonia"? To chyba tylko „muzyka koncertowa na smyczki". Nic innego nie może być, ale nic Fitelberg nie pisał, że mieli to wystawić.

Znowu siadam na nowo do listu, parę dni minęło, przerwałem i nie mogłem do niego wrócić – choć mi nic nie przeszkadzało. Nawet nie wychodziłem na spacer, choć wiosna robi się coraz piękniejsza. Śmieszny młodziutki służący tutejszy, Joseph, opowiada codziennie o swojej miłości. Chociaż ma tych miłostek dużo – zdaje mi się, że ma w sobie tylko jedną miłość, podobną do uczuć Cherubina z *Wesela Figara*. W mojej rozpaczliwej sytuacji (bo jest ona rozpaczliwa) opowiadania Josepha są znaczną pociechą. Przede wszystkim czuję, że gdzieś poza mną jest, istnieje miłość – uczucie mocniejsze i bardziej wstrząsające niż wszystkie uczucia, których kiedykolwiek doznałem. I to, że wszystko istnieje, mimo że ja umieram, napawa mnie otuchą wobec tego ostatniego kroku, który trzeba uczynić za chwilę, który trzeba uczynić z ludzką godnością, na jaką mnie stać.

Wszystko teraz staje się względne, mój Januszu. Czy uwierzysz, że niedawno słuchałem ze łzami w oczach tańców z *Walpurgisnacht* Gounoda, dlatego że mi przypominały ów czas, kiedy chadzałem z papą na opery w Odessie. A przecież całe życie nie znosiłem Gounoda. Tak samo i z miłością. Prawdopodobnie co innego nazywałem przez całe życie miłością niż Joseph... ale może mi się to tylko tak zdawało? Dlaczego naprawdę nie pokochałem twojej siostry. Bo gdyby to wszystko, co odczuwałem, było n a p r a w d ę, nie byłbym w tej chwili tak bardzo samotny. Czyż nie są wszystkie nasze uczucia uczuciami „na niby"? Jak sądzisz?...

Znowu parę godzin minęło i nowe myśli przepłynęły mi przez głowę. Chwilami mam to wrażenie, że wszystko płynie... płynie... i nic się nie chce zatrzymać ani na chwilę – i że, właściwie mówiąc, nie chciałbym żadnej z tych chwil zatrzymać, wszystkie są jednakowo puste, bo żadnej nie chce mi się zawołać: *Verweile doch, du bist so schön!** Chciałem coś jeszcze napisać o Marysi... ale już nie pamiętam co. Na pewno nic złego. O sobie może tylko coś złego. Nawet nie złego, ale dziwnego. Otóż zdaje mi się, że z biegiem lat ubarwiam sobie tę miłość, mówię sam sobie, że kochałem ją bardziej, niż to było naprawdę. Trzebaż przecież nadać jakiś sens temu istnieniu. Powiedzmy więc sobie, że miałem w życiu wielką miłość...

Więc jeszcze raz powtarzam to wszystko o Alu. Kiedy byłem ostatniego roku w Warszawie (Ciebie nie było, wtedy byłeś w Hiszpanii), zaprzyjaźniłem się z nim bardzo, bardziej niż dawniej, kiedy go malutkiego prowadziłem do opery. Teraz to chłop całą gębą, jest ładny, chociaż jak gdyby pospolity w tej swojej urodzie. Za tydzień albo za dwa oczekuję przyjazdu Elżbietki tutaj. Jej mąż pisał do mnie, bo ona po przyjeździe z New Yorku do Londynu absolutnie nie ma czasu na napisanie chociażby paru słów. Niestety mam wrażenie, że teraz musi już ona trochę walczyć o swoją sławę bywaniem, przyjmowaniem; młodsze, lepsze (choć czy może być lepsza śpiewaczka od dawnej Elżuni, pamiętasz?) wstępują na arenę, a ona nie chce ustąpić. Wciąż śpiewa, miała podobno znowu

* Pozostań jeszcze, jesteś tak piękna!

wielki sukces jako Gilda i Traviata w Covent Garden. Śpiewała także w Alberthallu, ale sala nie była pełna. No więc, Janusz, pospiesz się z odpowiedzią, bo może mnie już nie zastać. To zabawne pomyśleć: przestać istnieć! Jak to jest? I co? I że niby co?, jak mówił dawniej Józio Royski... Do widzenia, ściskam Twą dłoń.

Edgar

Janusz do Edgara:

Komorów, 25 marca 1938

Drogi Edgarze!

Strasznie się ucieszyłem Twoim listem i przyznam się, że z zazdrością pomyślałem, że siedzisz na Południu, że masz trochę słońca i jakiś inny klimat niż tu te nasze wichry, chłody i roztopy, które mi już do diabła oczorciały. Przepraszam Cię, że sadzę diabłami, ale wiesz, naprawdę czasem nie można wytrzymać z naszym klimatem i z naszymi ludźmi. Trudne, trudne to życie, mój drogi, zwłaszcza gdy się poniechało tego, co się lubiło, a wzięło się za jakiś fach po prostu nieludzki, ale co tam dużo gadać, trzeba tu siedzieć na tej ziemi, gdzie mieli przodkowie nasi tę nieostrożność, że się osiedlili, i trzeba jakoś żyć. Przeżyłem tamte okropne rzeczy na obczyźnie, a teraz siedzę w domu. Gospodaruję tutaj jako tako po powrocie z dalekiej podróży, ale mnie czasem diabli... ach, znowu chciałem wrócić do przekleństwa, przebacz, mój drogi. Myślę, że przesadzasz ze stanem swojego zdrowia, my, cośmy Ciebie widzieli zawsze w takim świetnym humorze, nie bardzo w to wierzymy, co piszesz, zdaje mi się, że wszystko polega na rozklapaniu się Twoich nerwów i stąd to przygnębienie i cały smutek, o którym piszesz. W Rzymie też kwękałeś, a potem czułeś się dobrze. Mimo wszystko po Twoim ostatnim liście napisałem do Elżbietki, aby postarała się przyspieszyć swój przyjazd do Mentony, choć doskonale wiem, że londyńskie zobowiązania wymagają jej stałego pobytu

w Anglii i że gdyby zerwała koncerty sezonu, musiała-
by się mocno opłacać, na co zapewne pan Rubinstein
krzywiłby się okrutnie. Wracając do Twojej muzyki, to
myślę, że nie bez powodu urwałeś zdanie na słowach
„kwartet d-moll". Wydaje mi się, że gdybyś nic innego
nie napisał, byłbyś już twórcą pierwszej wagi dla
Europy, a przede wszystkim dla Polski. Utarło się już
to zdanie i sam je powtarzam, iż w tradycji swojej
nawiązujesz do Moniuszki i że prostota Twoja ma się
tak do prostoty Moniuszki, jak prostota Poulenca do
prostoty Gounoda, do którego on stara się być podobny. Ale mnie się zdaje, że są to sprawy drugorzędne
i zupełnie nawet nieważne. Może Twoje nawiązywa-
nie do Moniuszki to jakiś zupełnie pomylony gest, czy
może w ogóle tego nawiązania nie ma, ale jest za to
kwartet d-moll, coś, co powstało głęboko z naszego
ducha i czego ani wpływem Arenskiego, ani Milhauda
nie wyjaśnisz. I owszem, jest takie trio d-moll Arenskiego, któreśmy słyszeli kiedyś z Hanią Evans w Paryżu, jest tam takie niezwykle malownicze *Pastorale*,
które tak kocham – ale to się nie da nawet w drobnym
stopniu porównać z Twoim utworem. Wiesz, możesz
sobie, co chcesz pisać i mówić o Twoim kosmopolityz-
mie i o europejskości Twojej muzyki, jednak niewątpliwie Twój kwartet d-moll tak silnie jest związany
z Polską, z naszą wsią, sam już przecie o tym mówiłeś,
że zupełnie Cię umiejscawia, że się tak wyrażę. Mówiłeś mi kiedyś, że druga część tego kwartetu, owo *lento
quasi una canzona*, powstało w pełni lata, w południe,
kiedy siedziałeś w Arkadii pod Nieborowem. Wiesz,
że znam Arkadię, byłem tam kiedyś zaraz po przyjeździe do Polski i pamiętam charakter tego parku, trochę
dziwaczny może, ale bardzo z nami związany, swoisty
i swojski. Przeżyłem tam chwil parę, o których Ci
może potem opowiem – ale jeżeli Tobie w tym parku
przyszło do głowy napisanie, co mówię napisanie,
stworzenie owego *lento quasi una canzona*, to już się
przez to zasadniczo złączyło z pejzażem polskim,
z otoczeniem, ze wszystkim, czym my tutaj żyjemy.
Żyjemy teraz niedobrą wiosną, ale ten chłód i wiatr są

jak gdyby zrośnięte z zieloną, ledwie przebijającą się runią zboża i nie zakwitającymi jeszcze kwiatami. Ty pewnie otoczony jesteś kwiatami... Coś o sobie? Cóż mogę powiedzieć. Małe gospodarstwo idzie jako tako, ekonoma musiałem wyrzucić, ale nie o to chodzi. Chciałbym Ci coś opowiedzieć, jak idzie moje gospodarstwo w środku, na ile pytań już sobie odpowiedziałem, ile spraw rozwiązałem, ile rzeczy wyjaśniłem. Otóż pod tym względem mam wrażenie, że zostałem zupełnie tym samym człowiekiem, który zadzwonił pewnego jesiennego rana w roku 1917 do drzwi waszego mieszkania w Odessie – i zadziwia mnie tylko jedno, że przez długie dwadzieścia lat człowiek nie tylko się nie zmienia, ale i nie zmienia pytań, które go dręczą, zawsze nie rozwiązane i nierozwiązalne. Wtedy dzięki Ariadnie i Wołodii uwierzyłem w rewolucję rosyjską i zacząłem z nimi współpracować. Ale Ariadna zdradziła, a między mną a Wołodią było coraz mniej zrozumienia, odchodziliśmy od siebie. Ja wiem, co by Wołodia teraz powiedział na wszystkie moje pytania i stany duchowe, przecież i wtedy zawsze byłem dla niego tylko *kajuszczijsia dworianin*, i to, że moje poszukiwania prawdy daleko mię od niego odprowadziło, zrobiło ze mnie w jego oczach jakiegoś faszystę. Nawet po mojej Hiszpanii. Ciebie te sprawy zapewne nie zajmują, są tak dalekie od tego, co teraz myślisz i przeżywasz. Ode mnie też może dalekie, od śmierci Ariadny zostałem dziwacznie wydziedziczony ze wszystkiego, co było pięknem na tym świecie. Możesz sobie wyobrazić, że folwark, hodowla świń i pomidorów nie bardzo sprzyjają czytaniu poezji Błoka, która zawsze dla mnie pozostanie czymś najważniejszym i najistotniejszym, tak jak ją deklamowała Ariadna, dwadzieścia cztery lata temu. Drogi mój, będziesz żył, mam nadzieję, a ja jestem już umarły i między umarłymi się obracam, bo czyż do żywych na tym świecie można zaliczyć moją siostrę skostniałą w swoim wielkoświatowym szablonie, zamęczającą tego biedaka Ala, który tu u mnie był niedawno. Alo jest bęcwał i snob, wiem o tym dobrze, ale go kocham, bo to już jest to jedyne, co mam na świecie – oprócz mojej przyszłej starości. Jestem skończony – jak cała moja warstwa! Przyjechaliśmy tu już naderwani przez wyzbycie się korzeni, no, ale może się jeszcze wkorzenimy w nowe czasy. O Alu zawsze będę pamiętał i zrobię wszystko, co chcesz, o ile tego będzie potrzeba, może i z niego jeszcze będą ludzie, bardzo szczerze zajęty jest tą swoją Akademią Sztuk Pięknych. Kazio Spychała bardzo mumijnie wygląda w tym swoim MSZ-cie. Jest podobno pierwszą osobą po Becku w Ministerstwie i ma kompletne zaufanie ministra. Razem spędzają bezsenne noce; co spędza sen z oczu Beckowi, łatwo się możesz domyślić. Przyznam Ci się, że i ja o wiele bardziej się niepokoję niż wszyscy u nas tutaj, ale Ty wiesz, że ja jestem hipochondryk. Spychała zawsze wierny mojej siostrze i nawet się nie dziwię już temu, oboje są jak mumie, zaschnięci w „przesądach", i trudno pod przykrywką szminki, pudru i włosia ubraniowego domacać się w nich żywych ludzi. Chciałbym nimi wstrząsnąć zupełnie, zakrzyczeć im do uszu coś strasznego, ale boję się, że mnie może ktoś w tym wyręczy. Trzeba poprzestać na zbożnych chęciach, bo właściwie mówiąc, nigdy nie wiadomo, kiedy wywołujemy wilka z lasu, a szatana z piekła. Widzisz więc, jak codziennie, jak żmudnie układa się moje życie – i wypędziłem z niego poezję. Wszystko, czym żyłem i chciałem żyć w młodości, przezwyciężone, niewarte było świecy, moja biedna Ariadna nauczyła mnie więcej niż wszystkie książki świata, nie wyłączając tej, która leży u wezgłowia mojego samotnego łóżka tutaj na folwarku. Zrezygnować z życia to znaczy zwyciężyć je – i może nawet posiąść na nowo. Myślę, że się jeszcze zobaczymy, skończyłem dopiero czterdzieści lat!

Drogi, drogi mój – w tych dniach zagrają w Warszawie Twój kwartet d-moll, piszesz, że masz radio, posłuchaj tego nadania, i to koniecznie z Warszawy, bo to musi być u nas i przez nas grane, aby nabrało sensu. Jest to głos Twojej ziemi.

Twój
Janusz Myszyński

VI

Ten list nie napełnił Edgara ironią i spokojem, jak
list Ala. Wiedział doskonale, że wszystko, co Janusz
napisał, miało jakiś swój cel; wszystko nabierało
charakteru z każdym dniem, który oddzielał napisanie listu od ponownego jego odczytania. A odczytywał go co dzień, jak pacierz. Nic innego nie
miał do roboty, ale ponieważ się męczył, więc
czytał po kawałku, rano, w południe i wieczór.
Starał się odgadnąć wszystko, co Janusz zamknął
między wierszami, a zwłaszcza to, co oznaczało
zdanie o skostnieniu Marysi i Kazimierza. Przypisy-
wał mimo woli jakieś inne znaczenie temu zdaniu...
Chwilami, kiedy był przytomniejszy, domyślał się,
że nie było tam żadnych rzeczy ukrytych, że właśnie Janusz chciał tylko to napisać, co napisał, i że
nic nie trzeba było odnajdywać pomiędzy wierszami tego pisma. Było to proste pomyślenie Janusza o Edgarze – pomyślenie już z tamtej strony
wielkiego przedziału, jaki mógł ich rozdzielić lada
chwila, jaki ich w tej chwili już dzielił. Janusz
jeszcze całkowicie był w kręgu świata, wśród zajęć
i myśli, które jemu zdawały się oderwane od życia
– a o których tylko Edgar wiedział, jak bardzo
z życiem są zrośnięte. Dla Janusza mimo wszystko
istniała codzienna pogoda i jej wpływ na gospodarstwo, i wspomnienia Hiszpanii, i obiad, i konkretne, realne wspomnienie Ariadny – podczas gdy dla
Edgara wszystko to zlewało się w bezsensowny
splot, dziejący się gdzieś za ścianą. Za ścianą, przejrzystą, ale dotkliwie zimną, rozpogodziło się na
Riwierze i kwiaty zaczynały kwitnąć obficie; za

ścianą Joseph opowiadał o swoich kobietach („o miłości nie mówił – *faire l'amour* ★ oznaczało co innego" – myślał Edgar); za ścianą codziennie przychodził lekarz z pytaniem: *Comment ça va?* ★★, i polecał zmieniać zastrzyki lub brać inne proszki, odchodził, choć Edgar miał zawsze odrobinę, cień cienia nadziei, że mu lekarz powie, iż znalazł w nim pewną poprawę, ale lekarz tego nie mówił, odchodził za szklaną ścianę ze swoją francuską twarzą, zdawkowo uśmiechniętą, a w gruncie rzeczy przerażająco obojętną; za ścianą odbywało się życie i tylko przez strumyczek radia wlewało się trochę rzeczywistości do koszmarnego pokoiku obitego żółtym papierem z jagódkami. Tamto dzianie się, tamto brzmienie traktował Edgar jako jedyne prawdziwe coś, co dochodziło do niego poprzez zaklętą szklaną ścianę milczenia i umierania.

I oto pewnego dnia, już w połowie kwietnia, posłyszał kwartet d-moll. Grali go nie z Warszawy, ale z Krakowa na wszystkie rozgłośnie polskie. Edgara uprzedził o tym pocztówką dawny znajomy, dyrektor muzyczny polskiego radia, i mimo że wszystko było dla niego obojętne, jednak odczuwał pewną tremę od samego rana, a termometr, który stale się trzymał około 38°, wykazał ze dwie kreski nadwyżki nad to, co uważał za normalne. Kwartetu Edgar nie słyszał przynajmniej lat jakich dziesięć, od czasu wieczoru u Hani Evans, był wtedy bardzo zmęczony i trudno mu było skupić uwagę. Muzycy francuscy coś tam starali się z tego

★ uprawiać miłość
★★ Jak się pan czuje?

kwartetu wydobyć, ale jak nie umieli akcentować trzeciej ćwiartki w trio scherza, które zbudowane było na podobieństwo mazurka, tak i w innych częściach nie umieli wydobyć rzeczy najważniejszych, stanowiących samą istotę dzieła. Edgar pisał ten kwartet w Warszawie, w Łowiczu, u organisty Jarzyny, w towarzystwie Heleny; temat andante przyszedł mu do głowy w pewne południe sierpniowe w Arkadii. Siedział na brzegu parku, na ławce, skąd było widać świeżo skoszone pola. Kopy jeszcze stały, ale dobrzy gospodarze kazali zaorać przestrzenie pomiędzy kopami, i ta mieszanina jesiennego, zaoranego gruntu ze stojącymi letnimi kopami stanowiła cały urok skromnego widoku. Jakaś dziewczyna szła przez te pola – nie było gorąco, choć bardzo jasno i niebo mocno szafirowego koloru, trochę poddane jakiemuś chłodnemu oddechowi – i ta dziewczyna idąc w wyblakłej łowickiej kiecce śpiewała. Śpiewała zupełnie co innego, niż mu się w głowie snuło, ale ta pieśń prosta i monotonna wywołała w jego uchu jakieś skojarzenia, niepodobne ani do tego, co słyszał w tej chwili, ani do tego, co miał zamiar w miejsce andante wstawić. Zadziwiła go wtedy obcość tego andante, nawet banalność, powiedziałby; zaraz po skomponowaniu wydawało mu się ono jakimś kiczem, bardzo wyraźnie odbijającym od reszty jego muzyki, a jednocześnie wiedział, że był to jeden z jego najpopularniejszych utworów.

Kiedy rozległy się pierwsze akordy kwartetu, serce Edgarowi zabiło żywiej i mocniej, poprawił się na kanapce i uczuł pewną miękkość w gardle, która sprawiała mu znaczną ulgę. Kwartet nadchodził z daleka i nie miał żadnej konkretności, dopiero przyzwyczajając się powoli zrozumiał Edgar, że to jest jego muzyka. Przede wszystkim muzykanci wzięli zbyt szybkie tempo – tak się przynajmniej zdawało Edgarowi – i zacierali ogólny kontur utworu. Ale w miarę jak grali, rozgrzewali się, smyczki nabierały ciepła i Edgar nawet nie poznając swego utworu myślał, że grają bardzo dobrze. I pochylając zmęczoną głowę dał upust myślom, nie śledził poszczególnych perypetii instrumentów, które znał tak dobrze, nie myślał o współbrzmieniach, imitacjach, kontrapunkcie linearnym. Tylko pozwolił przepływać pejzażom przez głowę. Nagle ujrzał zieloną łąkę, właśnie za Arkadią, i na tej gęstej trawie małe „oczko" wody, głęboki malutki stawik, na którego brzegu rosły gęste czerwone wierzbówki, malinowymi strumieniami bijące wysoko w górę. Strumienie śmigłych kwiatów biegły w górę jak pasaże skrzypiec i altówki, a wiolonczela brzmiała jak niska nuta czarnej, ale przezroczystej wody. A drugie skrzypce? Drugie skrzypce wznosiły się, cichutko dotykając struny to tu, to ówdzie, jak szalniowe ważki unosząc się nad tą czarną wodą.

Potem było to scherzo z mazurkiem w środku, pomawiali go o to, że w tym mazurku stara się specjalnie podkreślić nawiązanie do tradycji moniuszkowskich, ale on o tym nie myślał. Skądże tutaj Moniuszko? Trochę może w melodii to scherzo przypominało *Prząśniczkę* Moniuszki, ale cóż za różnica w harmonii! Harmonika Moniuszki była prymitywna, a to, co komponował Edgar, polegało głównie na złożonej, skomplikowanej harmonii, która tak łatwo odrywała się od stuletnich kanonów i szła jakąś własną, niebezpieczną drogą. Słyszał te akordy jak gdyby wszystkie razem, zgmatwane w jedną złotawą cieśń, i nie mógł po prostu oddzielić jednego od drugiego w tym symultanicznym słyszeniu. A tutaj scherzo dzieliło się na włókna, na poszczególne elementy, na małe fragmenty, które jak gdyby zamykały się same w sobie. Kawałek wydał mu się przeto mozaiką, rozpadał się jakoś, jak papierki w kalejdoskopie, nie tworząc żadnej całości. Ale mimo wszystko ten rytm zabierał go, porywał, unosił w świat sprzed wielu lat; przypominał mu izbę organisty w Łowiczu, olbrzymi niski pokój z długim brązowym fortepianem firmy Krall i Zajdler, w którym śmiesznie wyskakiwały białe z czerwonym młoteczki. Rysio, kochany Rysio, grywał rankami na owym fortepianie, siedząc cały w słońcu, sonatiny Dusseka. Stary nie chciał wierzyć, kiedy mu Edgar powiadał, że Dussek był Czechem i nazywał się po prostu „Duszek". Tarantellowe rytmy jednej z tych sonatin odzywały się niekiedy w utworach Edgara – ale zapach tego pokoju, zapach wilgoci, naftaliny i starych instrumentów wracał czasami we wspomnieniach tak natrętnie i wymownie, że Edgara ściskało coś w piersi.

No, i wreszcie przyszło to andante. Właściwie napis głosił na rękopisie: *Lento assai, quasi una canzona*, ale pobieżnie wszyscy to nazywali „andante". „Andante" z kwartetu Edgara! Marysia Bilińska wymawiała te wyrazy ze specjalnym akcentem, jak gdyby w utworze tym były rzeczy, które ją ponosiły – a jednocześnie coś z *mauvais genre'u* ★. I sam

★ złego gustu

Edgar już się przyzwyczaił do tej terminologii, nazywał samą tę część „moje andante". Grywano je teraz często w Polsce, samo, bez innych części kwartetu. Alo twierdził, że słyszał, jak to grała orkiestra Melodysta w jednej z kawiarń, i nic by nie było w tym dziwnego. W Genewie na „Quai Mont Blanc" w pewien dżdżysty dzień sam Edgar słyszał, jak wykonano to *lento quasi una canzona* pomiędzy *Wiosną* Griega a *Frühlingsrauschen* Sindinga. Grała jakaś orkiestra „salonowa"...

Toteż teraz Edgar obawiał się usłyszeć te dźwię-ki. Ale przyszły one do niego znowu w doskonałej, dyskretnej, kameralnej formie, smyczki odbierały sobie melodię – i nie było w tym nic jaskrawego, jak jaskrawo grały fagoty i klarnety w tamtej ge-newskiej transkrypcji. Bał się posłyszeć tę piosenkę, zwłaszcza po liście Janusza, który mu w niej za-powiadał „głos twojej ziemi", i po wizji tego na pół zaoranego pola pod Arkadią, która mu tak wyraźnie stanęła w pamięci, gdy się przygotowy-wał do słuchania. Myślał, że piosenka będzie obar-czona balastem patriotycznych uczuć, czy w ogóle uczuć, których śladu nawet nie zaznał w momencie komponowania. Melodia przyszła nieodwołalnie i zaintonowana z wielką prostotą przez Dubiską przeszła przez wszystkie instrumenty tak zwyczaj-nie, że Edgar się ani opatrzył, jak nastąpiła część środkowa „lenta". Takie to było proste i znajome Edgarowi, że nie posłyszał tego z zewnątrz, ale jak gdyby w sobie, w środku, tak jak słyszał tę część kwartetu wtedy, kiedy nie była jeszcze skom-ponowana, kiedy siedział napełniony nią po brzegi pod akacjowym strzyżonym szpalerem pomiędzy parkiem Arkadii a łowickim polem. Dopiero gdy odezwały się słodkie, choć wysokie trele i tremola drugiej części, coś drgnęło w Edgarze. Tu teraz wzniósł się temat drugi, rozkołysany, spadający po trzech górnych nutach w dół, nisko, i chwiejący się tak lekko jak wodne grążele na czarnym oku stawu, grążele kręcone smyczkiem zanurzonym w wodę: wędką.

Edgar, zanim zorientował się w tym wszystkim, poczuł, że rzeczywiście ta melodia, spadająca z góry, kołysząca się monotonnie, wracająca do punktu wyjścia, wiąże go jak gdyby. Z czym, z kim? nie wiedział. Wiązała jego serce i wchodziła gdzieś w głąb i znowu stamtąd wydobywała głos dawno nie słyszany. Teraz wróciła pierwsza melodia *quasi canzona*, ale w roju tremolów i trylów, coraz niżej zbiegających po strunach, które stawały się już skrzydłami trzepoczącej zmierzchnicy. I przyszły Edgarowi na myśl słowa listu Janusza: listu od wszystkich? Kto mu przesyła pozdrowienia jego własnym głosem? Więc naprawdę artysta tworzący nie jest samotny, tuż obok niego, wszędzie „w eterze" są głosy jego bliskich, którzy obcują z nim, kochają go, wierzą w niego? „Nie, to niemożliwe" – pomyślał i zamknął oczy. A jego melodia – ta melodia z Arkadii – przyniosła mu myśli innych, równie może jak on samotnych, rozsianych po całej ziemi.

– Jestem, jestem z wami – powtarzał, jak gdyby oddając się im wszystkim, i czuł, że go brali na swoją własność i coraz bardziej, bardziej pochłaniali – w objęciu bolesnej miłości – w miarę jak melodia powoli zamierała, coraz ciszej przechodząc, coraz wolniej z instrumentu do instrumentu.

I w momencie kiedy temat „piosenki" pojawił się po raz ostatni, już jako mały fragment, aby zaraz zniknąć na zawsze, Edgar posłyszał jedno: że nie jest to melodia oryginalna. Przyszła mu ona do głowy oczywiście tam w Arkadii, pod wpływem pieśni dziewczyny, co szła przez świeżo zaorane pole – ale że zrąb jej, zagięcie, poderwanie o kwartę w górę pochodzi z tej pieśni, którą kiedyś Elżunia śpiewała w dzień przyjazdu do Odessy; była to pierwsza fraza *Verborgenheit* Brahmsa, dawno zapomnianej melodii, szczęśliwej, choć ukrytej miłości.

VII

Czuje się bardzo niedobrze. Coraz trudniej mówić.

Ale w tym morzu prawie doskonałej obojętności dla świata i jego zdarzeń, która go ogarnia jak biała, letnia woda – zostaje mu jeszcze zdolność czytania. Radio sprawia mu ból. Żal o tę muzykę – która jak gdyby nic nie wyraża. Natomiast ostatnia scena *Fausta* – muzyczna w całej swej koncepcji – brzmi dla niego jak jakiś kwartet czy kwintet najbardziej muzyczny, czysty, jak można sobie wyobrazić. *Fausta* czyta zawsze z tej samej książeczki, która leżała przy nim na plaży w Odessie i którą Spychała otworzył ze zniecierpliwieniem. Tyle tylko, że teraz Edgar drugą jej połowę otwiera częściej niż pierwszą i że tam odnajduje rzeczy, które – czy to ich nie czytał, czy też nie zauważył – dopiero docierają do jego świadomości.

Kompozycja ostatniej sceny, malarskie ujęcie obrazu teatralnego („czy może już teraz filmowego?" – myśli Edgar), muzyka słowa i myśli, która staje się subtelną koronką, ostatnią zasłoną oddzielającą nas od wieczności, wydaje mu się czymś nieziemskim. „Takim, jakim to ma być – powiada sobie w myśli Edgar – takim, jak Goethe to sobie wymarzył, jakim chciał, aby ta scena była". Doskonałość realizacji przerażała go po prostu. Jak dalekie były jego utwory od tego typu urzeczywistnienia.

Vergönne mir ihn zu belehren
Noch blendet ihn der neue Tag (...)
Komm! hebe dich zu höhern Sphären!
Wenn er dich ahnet, folgt er nach. ★

Znajdował w tych słowach rozwiązanie pospolitego romansu Fausta z Małgorzatą – nie jakieś metafizyczne jego rozwiązanie, bo to go nie obchodziło – ale jakąś projekcję w nieskończoność. Może nie nieskończoność zewnętrzną, obiektywną – ale jakieś wewnętrzne perspektywy zdejmujące szarzyznę pospolitości z tego, co tyle razy nazywał w życiu miłością – a co miłością nie było. Czy myślał wtedy o Helenie? Nie. Nie o niej specjalnie, nawet kwartet i czytanie *Fausta* nie wywołało w nim konkretnego jej obrazu, ale czuł jej obecność przy sobie, nie uświadamiając sobie, że o niej myśli. Esencja octowa była sprawą zbyt wulgarną, aby mogła myśl o niej zabarwić niebiańską, z obłoków i fresków włoskich utkaną ostatnią scenę poematu Goethego. Znajdował w niej potwierdzenie swojego odwiecznego *streben*.

★ Zwól, niech pouczę go, on nie śmie;
  Nowy go blaskiem olśnił świat (...)
  Pójdź! Ty ku wyższym sferom wznieś się,
  Gdy cię przeczuje, pójdzie w ślad.

Gerettet ist das edle Glied
Der Geisterwelt vom Bösen:
„Wer immer strebend sich bemüht
Den können wir (Engel) erlösen". ★

Erlösen – stare i niezrozumiałe słowo. *Erlösen* – zbawić od czego? Od życia? Ale życie wydawało mu się w tej „ostatniej, pustej, złej chwili" czymś najcenniejszym, od czego wybawiać nie trzeba było – można go było tylko pozbawić. I wszystko, co miało minąć – było jak w ustach Mefistofelesa – nie istniejącym już.

Was soll uns denn das ewige Schaffen? ★★

Cóż nam po wiecznym tworzeniu, gdy wszystko przemija.

Die Uhr steht still (...) Sie schweigt wie Mitternacht. ★★★

Przecież już zamilkł – i wiedział to – na wieki zamilkł, a czuł się stworzony jak Linceusz, chciał śpiewać swą pieśń „z najwyższej wieży", strażnik życia, nie śmierci.

Zum Sehen geboren,
Zum Schauen bestellt,
Dem Turme geschworen.
Gefüllt mir die Welt.
Ich blick' in die Ferne,

★ Już świata duchów człon w swym śnie
  Złych sił wyrwany sforze:
  „Kto wiecznie dążąc trudzi się,
  Tego wybawić możem".
★★ Więc po cóż tworzyć w nieskończoność?
★★★ I zegar zamilkł (...) Nocna cisza tchnie.
  (cyt. z *Fausta*, przekł. F. Konopki)

Ich seh' in der Näh',
Dem Mond und die Sterne,
Den Wald und das Reh.
So seh ich in allen
Die ewige Zier,
Und wie mir's gefallen,
Gefall ich auch mir.

Ihr glücklichen Augen
Was je ihr gesehn.
Es sei, wie es wolle,
Es war doch so schön! ★

Umiał tę pieśń na pamięć i powtarzał ją bez-
dźwięcznymi wargami, przy czym doznawał spe-
cjalnej rozkoszy, powtarzając ostatni wiersz z głębokim wewnętrznym akcentem na słowo *war: es
w a r doch so schön!* To, co piękne – to było, prze-
minęło.

Ale jeszcze nawet w tych ostatnich chwilach nie
odrzucał pojęcia *schaffen*, pojęcia tworzenia. Wszyst-

★ Do strażym ulęgły
Rozglądam się rad,
Mej baszcie przysięgły
I lubię ten świat.
To w dal raz się patrzę,
To w bliskość znów raz,
To w gwiazdy najrzadsze,
To w sarny i las.
Tak świata ozdobie
Radując się trwam,
On mnie i ja sobie
Podobam się sam.
O szczęsna ócz siło,
Pij barwny ten gwar,
Jak było, tak było,
Lecz miało swój czar.
    (cyt. z *Fausta*, przekł. F. Konopki)

ko w poemacie Goethego zdawało mu się potwierdzać to, co chciał odczuwać, że wszystko, co stworzył – a chociażby jego kwartet d-moll, a chociażby jedna część tylko tego kwartetu – *in modo d'una canzona* – przezwycięży śmierć, pozostanie tu, gdy jego już nie będzie. I myśl o tym, że ktoś będzie słuchał kiedyś, w przyszłości, tej łowickiej piosenki, która w gruncie rzeczy była pieśnią Brahmsa, związaną ze szczęściem młodości – napełniła go radością i spokojem. Napisał, zdobył się na to z olbrzymim – ostatnim prawie – wysiłkiem, aby mu nagrali na płytę i przysłali tutaj owo *in modo d'una canzona*. Myślał, że słuchając tego grania będzie mógł powiedzieć: *Verweile doch, du bist so schön!**
I w tym momencie odnaleźć wieczność... jak Faust.

Ale odczytując tak starannie zakończenie „drugiego Fausta" i stale do tego czytania powracając, Edgar ku wielkiemu swojemu zdziwieniu spostrzegł, że właściwie dotychczas czekając na owo wezwanie Fausta do chwili: *verweile doch, du bist so schön* – prześlizgiwał się przez wszystko, co było przed tym, i że albo nie zauważył, albo – co pewniejsze – nie chciał się zastanawiać nad sceną z Lemurami. Teraz jednak zrozumiał ją do ostatka – i kiedy pojął – nie mógł już zasnąć do końca tej nocy. Ociemniały Faust wzywa Lemury do dzieła, którym miał uszczęśliwić ludzkość. Stąd jego d z i e ł o (wykonywane rękami Lemurów) nie zaginie na ziemi przez całe eony, epoki, milionolecia. I to jest ten jego najwyższy ton, najszczytniejsza

---

* Jak pięknaś! O nadal,
  O nadal trwaj! nie uchodź mi!

chwila jego życia. Ale Faust jest ślepy. Nie widzi, że Lemury nie są zajęte kopaniem kanału, który ma uszczęśliwić ludzkość, ale że kopią mały i niegłęboki grób dla Fausta, śpiewając piosenkę Szekspirowskiego grabarza.

Man spricht...
   Von keinem Graben, doch vom Grab – *

powiada Mefistofeles, tak żeby go Faust nie słyszał, I Faust go nie słyszy, wygłasza swój ostatni monolog o szczęściu ludzkości, zatrzymuje ostatnią chwilę – *verweile doch, du bist so schön* – i umiera. Ale Edgarowi przyszła do głowy myśl przeraźliwa. Mefisto mówi swoje słowa *halblaut* prawie głośno, i ślepy Faust może je słyszy, ale udaje, że nie słyszał. Może wiedział, że to jemu kopią grób, a mówi o wieczności swoich czynów i o blaskach historii. „O Boże – myślał Edgar tej nocy i bardzo mu ciążyła ta myśl – myślimy, że Lemury uwieczniają nasze czyny, a one tylko kopią grób".
Jakiegoż wtedy przeraźliwego uczucia nabierały słowa monologu:

Das ist der Weisheit letzter Schluss:
Nur der verdient sich Freiheit wie das Leben
Der täglich sie erobern muss... **

---

* Słyszę (...)
   O grób tu chodzi, nie o rów.
** I w niej mądrości widzę rdzeń:
   Życia w wolności wart tylko, kto sobie
   Wywalczyć musi je na każdy dzień.
      (cyt. z *Fausta*, przekł. F. Konopki)

Słowa te przy dźwięku gigantycznych prac dla ludzkości brzmiały jak mosiądz, ale przy dźwięku motyk kopiących grób – przeraźliwie.

Zasypiając słyszał stukanie bezcelowe kilofów, którymi uderzały Lemury. Budowały one jakiś gmach fałszywej, niedobrej muzyki. Żelazne sztaby, w które uderzały narzędzia strasznej rzeszy, dowodzonej przez Mefista, piętrzyły się w jakieś domy. *Freiheit täglich erobern muss* – powtarzały mrukliwe głosy Lemurów, które w skokach i podrygach budowały grób, szary rów, gdzie układać się miało mnóstwo „Faustów" – nawet „Faust" zwany Edgarem. Nad tymi grobami wersety Goethego wznosiły się jak rusztowania i drabiny, jak kolumny owej matematyzowanej muzyki, o której marzył Szyller, i z wszystkich słów drugiej części Fausta wyrastał kościotrup napisu: *Arbeit macht frei*★. – Co to znaczy? – zawołał Edgar i obudził się.

Jakiż jest stosunek jego dzieła do historii? Co Faust rozumiał w chwili śmierci? Faust słyszał słowa Mefista – i udawał sam przed sobą. Czy i Edgar udaje? Udaje, że odczuwa tych wszystkich, co są obok niego „w eterze" – że nie jest sam, na wieki sam i z dokonanym życiem, które urodziło nikomu niepotrzebne dzieło – ale wie, że to jest udawanie. Nic nie przetrwa na wieczność. Nic z jego dzieł nie odrodzi się po wiekach. Lemury nie wykopią szczęścia ludzkości. Wykopią tylko mały, ciasny, samotny, wiejski – grób.

★ Praca czyni wolnym.

VIII

Nazajutrz przyjechała Elżbietka z Londynu. Nie widział jej półtora roku. Nie potrafiła opanować wzruszenia, gdy go ujrzała tak zmienionego. Edgar uśmiechnął się jednak i pokazał na gardło: nie miał już głosu, napisał jej potem parę słów radości.

Elżbieta zresztą wkrótce przyszła do siebie i nie przestawała mówić. Widać było, że zabezpieczała się już finansowo, przygotowując sobie źródło dochodu jak Cléo de Mérode czy Cavalieri. Na razie założyła sklep z perfumerią francuską w Londynie, widocznie nie bardzo pewna była swojego bankiera Rubinsteina. Edgar, pokonawszy pierwszą tremę uśmiechem, patrzył teraz z przerażeniem na Elżunię i ze strachem słuchał jej opowiadań. Wtedy w Odessie gadała z żywością, pamięta, o operze wiedeńskiej i o Jeritzy, teraz znowu wszystkie ploteczki o Nowym Jorku i Londynie musiały przyjść na porządek dzienny. Ale w tym, co Elżbieta mówiła, nie było ani kropli dawnego wdzięku. Elżunia się zmieniła. Nie wyglądała staro, ale starzała się w ten sposób, że nie zmieniając się pozornie, przestawała być ładna. Gimnastyka i masaż utrzymywały jako tako jej figurę, ale twarz pokryta szminką odmieniła się nie do poznania i ten uśmiech, który dawniej wykwitał nieprzymuszenie na wargach, teraz był konwencjonalny i przypominał mimo woli wszystkie uśmiechy, jakimi musiała się przymilać tysiącom i tysiącom publiczności. Tylko oczy jej, wypukłe, przejrzyste, nie bardzo wyraziste, ale przedziwnej czystości, były te same.

Edgar widział ją raz ostatni w Warszawie względnie niedawno, ale w tej chwili tak był pełen obcowania z dawną Elżbietką, tą z Odessy, że zauważył zbyt okrutnie wszystkie zmiany zaszłe w niej od tego czasu. Pomimo dbania o swój wygląd i figurę, Elżbieta lubiła dobrze jeść – i wnet pokój Edgara, chociaż Elżunia miała swój w drugim końcu hotelu, napełnił się pomarańczami, bananami, amerykańskimi puszkami z *tomato juice* i Joseph przynosił na śniadania i obiady dobrze obładowane tace. Zaczął się też zaraz szmerek naokoło wielkiej śpiewaczki, wprawdzie nikt nie wchodził do pokoju Edgara, aby go nie męczyć, ale raz po raz wywoływano Elżbietę. Wracała potem i niby to zażenowana, ale z dumą w geście i w oczach opowiadała o wszystkich interesantach, z których każdy chciał czego innego. Dyrektor opery w Monte Carlo pragnął, aby śpiewała raz jeden w *Tosce* czy w *Thäis*, ale wzbraniał jej tego kontrakt w Covent Garden; ktoś prosił o udział w koncercie dobroczynnym na jakiś tam cel, ale odmówiła wymawiając się chorobą brata. Wreszcie dowiedziały się o niej różne „przyjaciółki", markizy i hrabiny rozsiane po całym wybrzeżu, w Nicei, Napoules, Monaco i Juan-les-Pins. Przyjeżdżały ze wspaniałymi szoferami, pieskami, służącymi, wszystko to przelewało się przez hotel i Joseph stracił bardzo wiele ze swego uroku; przestał się zwierzać *à monsieur Edgar*, był bardziej uniżony, a czasami bardziej hardy. Edgara to wszystko martwiło, ale już nie podnosił się z łóżka i nie miał sił nawet na tego rodzaju zmartwienie. Tylko było mu bardzo przykro, kiedy Elżbietka go zostawiała samego i odchodziła do tych swoich gości czy interesantów.

Tęsknił do niej i chciał, aby wróciła do pokoju, nie taka, jaka wyszła przed chwilą, ale taka, jaką pamiętał dawniej, kiedy Józio Royski się w niej kochał i kiedy Ola uczyła się u niej śpiewu. Co by było, gdyby Józio Royski żył? Akurat mijało dwadzieścia lat – w kwietniu – jak zginął. Gdyby żył teraz, byłby z niego zażywny starszy pan pod czterdziestkę, byłby zapewne jednym z mężów Elizabeth Schiller, dawno by się z nią rozstał i gospodarowałby na swoich Pustych Łąkach, gdzie teraz pani Ewelina stworzyła w parku jego mauzoleum. A tak pozostał na zawsze tym miłym, nieśmiałym chłopcem w ciemnym „frenchu", jak to się wtedy mówiło; na zawsze został zakochanym w Elżbiecie młodzieńcem. Edgar żałował, że sam nie umarł wtedy, gdzieś w Odessie, odszedłby jako młody uzdolniony kompozytor i więcej zawierałoby się w nadziejach, które z nim wiązano, niż w tym, co teraz pozostawało.

Raz jeszcze uprzytomnił sobie niedawno wysłuchany kwartet d-moll. Wszyscy zawsze widzą w takim dziele o wiele więcej niż twórca. Czy słusznie? Czy można imputować artyście to, czego nie miał zamiaru powiedzieć? Ale przecież twórca nigdy nie wie, co stworzył. Więc może to i prawda, że w kwartecie zawarł się – co za patetyczne wyrażenie Janusza – „głos ziemi". A może to pojęcie głosu ziemi ma jednak jakiś odpowiednik w rzeczywistości? Może jednak coś wyraża owo zdanie Janusza?

Dlaczegóż nie potwierdziła tego Elżbieta? Napisał do niej. „Czy dawno słyszałaś mój kwartet d-moll?", na co odpowiedziała jednym słowem: „Dawno!". I na tym skończyła się ich rozmowa o kwartecie.

Właściwie mówiąc, po pewnym czasie oswoił się z tym, że Elżbieta wychodziła często z pokoju, ale była gdzieś niedaleko i każdej chwili mogła wejść i zacząć na nowo swoje opowiadania. W tym momencie, kiedy jej nie było w żółtym pokoju, stawała się Edgarowi bliższa i milsza, bo wyobrażał ją sobie jako dawną Elżunię. Przestawała dla niego być starzejącą się bankierową z Londynu, zapominał o jej współczesnych ploteczkach, nawet o dzisiejszym brzmieniu jej głosu, który obniżył się trochę z latami – a pamiętał tylko ten urok jej niebieskich oczu, gdy spoglądała na niego przed zaczęciem każdej pieśni, i wysokie, czyste brzmienie, kiedy zaczynała *Die schöne Müllerin* lub sekstet z *Meistersingerów*. Zanim wchodziła do pokoju, kiedy słyszał tylko jej kroki na korytarzu, wyobrażał sobie, że wejdzie dawna Elżbietka w tym siwym wiedeńskim kostiumie z długą spódnicą i długą baskiną albo w olbrzymim czarnym kapeluszu z piórami. I kiedy wchodziła do pokoju, przymykał na chwilę oczy, aby wciąż pod powiekami mieć tamten obraz i nie widzieć tej nowej siostry, wspaniałej, otyłej, z wielkimi jak groch perłami spadającymi z wyniosłej piersi.

Po pewnym czasie oswoił się z widokiem nowej Elżuni i nawet ten właśnie nowy widok stał się dla niego miły. Obecność siostry napełniała go szczęściem i spokojem, chociaż nie potrafił już tego wyrazić. Mówić nie mógł, a pisać słowa radości i szczęścia w tej chwili wydawało mu się czymś nad wszelki wyraz niestosownym. Może tylko w jego wzroku, gdy patrzał na krzątającą się po pokoju Elżbietę, odbiło się trochę tego wielkiego, najwyższego szczęścia, bo Elżbieta zauważyła, że oczy jego promienieją; powiedziała mu to nawet. Uśmiechnął się i napisał w notatniku służącym do porozumiewania się:

„Bo patrzę na ciebie".

Rzeczywiście zrozumiał, że szczęście polega na patrzeniu na istotę, którą się kocha – i że trzeba mieć na kogo patrzeć, aby być szczęśliwym. W tak wielkim ostatecznym spokoju, który na niego spłynął w tych dniach, pojął rzecz najważniejszą: że życie jego nie minęło bez miłości. Pojął, że od najdawniejszych czasów, od kiedy mógł zapamiętać siebie, kochał Elżbietę i że dla niej zrobił wszystko, co zrobił. Kiedy to zrozumiał, chciał jej także wyjaśnić wszystko, co ich łączyło przez tyle lat. Napisał w notatniku:

„Kochałem tylko ciebie".

Ale Elżbieta, przeczytawszy to sobie, zaśmiała się niedbale i powiedziała:

– A bo to prawda.

Osoba, która zostaje przy życiu, nie rozumie, że osoba, która umiera, już nie żartuje ani nie rzuca słów na wiatr. Elżbieta nie pojęła, że w zdaniu: „Kochałem tylko ciebie" pod każdym słowem schowane są rzeczy wielkie i ważne. Wieczorem, kiedy porządkowała na stoliku przy Edgarze, układając go do snu, wyrwała tę kartkę z notatnika i rzuciła do kosza. Ułożyła notatnik z czystą kartką koło bukietu anemonów, który mu przywiozła tego dnia, i na notatniku umieściła żółty ołówek, jakby zachęcając brata do napisania jeszcze czegoś. I nie rozumiała, dlaczego Edgar spojrzał na notatnik z taką boleścią, a na nią samą z żalem. Myślała, że chce jej dać poznać tym wzrokiem, że cierpi, że boi się, że odchodzi. A on chciał tylko powiedzieć: żyłem tylko tobą, a ty o tym nie wiedziałaś i nie będziesz wiedzieć. I ja nie wiedziałem, ale teraz wiem: żyłem tylko tobą i nikogo innego nie kochałem.

Elżbieta z pewnym przymusem całowała Edgara w czoło mówiąc mu dobranoc. Czoło miał zimne i pokryte drobnymi kropelkami potu. Elżbieta nie mówiła o tym bratu, ale zawsze wieczorem, ułożywszy go do snu, wyjeżdżała jeszcze na miasto. Z Londynu przyszedł jej rolls-royce i przyjechał przystojny, wypasiony szofer. Jechała na balety do Monte Carlo albo do kasyna, albo na kolację z którąś z wspaniałych „przyjaciółek". Edgar domyślał się tego, bo nocami nie sypiał i słyszał czasem, jak z cichym zgrzytem żwiru zajeżdżał przed dom wielki samochód.

Ale tej nocy nie niepokoiło go to wcale. Wiedział, że przyjdzie do niego późno, po powrocie, zajrzy do jego pokoju w toalecie ze srebrnej lamy i w futrze z białych królików. I wiedział, że on uda sen.

Zanim jednak przyszła, czyhał na dźwięk cichego samochodu za oknem i widział w szparze ciężkiej zasłony blask biały i nieprzyjemny, była pełnia. Pomyślał, że on nigdy już się nie ubierze, że nigdy już nie nałoży zwyczajnego ludzkiego stroju, i myśl ta była dlań nie do zniesienia. Z przyjemnością wspominał dotknięcie zimnego materiału kosztownej koszuli i głaskanie czarnego smokingowego

sukna. Przypominał sobie wszystkie gesty wkłada-
nia bielizny i ubrania i nie mógł zrozumieć, że było
w nich tyle z ukochanego, odchodzącego życia.

– Z tym ubraniem to jest jak z Łomżą – powiedział sobie nie wiadomo dlaczego. Przed dwoma
laty był na koncercie w Łomży, z jakąś skrzypacz-
ką, z Arturem przyjmowano go tam, jak to w małym miasteczku przyjmują artystów, prowadzono
na spacery, pokazywano widoki. I oto uprzytomnił
sobie, że nigdy nie będzie w Łomży. Poruszyło go
to trochę.

Ale potem serce uderzało coraz boleśniej i coraz
wolniej. I od rzeczy wielkich przechodząc do codziennych, od codziennych do pospolitych, zaczynał się zastanawiać, jak puka jego serce: czy rytmicznie? Zaczynał śledzić krople potu spływające
po plecach: czy są obfitsze niż wczoraj o tej samej
porze? A wreszcie: czy głód, który odczuwał, nasy-
ci się jedną miętową pastylką? Czy będzie ją mógł
ssać w obrzmiałych, obolałych i zesztywniałych
ustach?

Krople potu spływały wzdłuż całego ciała
i w miarę jak go ogarniała drętwota wywołanego
zastrzykiem sztucznego snu, krople te przekształ-
cały się w nuty i układały się spływając w jakąś
dawną melodię, może melodię pieśni Brahmsa,
a może jeszcze dawniejszej piosenki, którą śpiewała Maszka „ukwiczana u bezowi" przed czerwonym gankiem obcego domu w dalekim dzieciństwie.

I melodia ta poczynała brzęczeć w uszach, a potem snuć się w jakieś namacalne, srebrnawe – niby
ze srebrnej sukni Elżbiety utkane – pasma, i melo-

dia, i barwa, i stan duchowy mieszały się razem w białą, błyszczącą mgłę, w której poczynało mu być dobrze. Ale to trwało krótko.

Zaraz się budził. I widział, że cała srebrzystość to światło księżyca rozlane w pokoju. Posłyszał cichy szmer gum samochodowych zajeżdżających przed hotel i domyślił się, że to Elżbietka wraca z kasyna. Po chwili dobiegł go dźwięk lekkich kroków i nawet szept za drzwiami, Elżbietka nie była sama. Otwarto cichutko drzwi. Zamknął oczy i starał się nie poruszyć, choć właśnie w tej chwili boleśnie odczuł skurcz zesztywniałej krtani.

– *Il dort*** – posłyszał szept Elżbiety.

Drzwi zamknęły się. Kroki odeszły. Edgar z wysiłkiem otworzył powieki, które były ciężkie jak kamienie.

Nie będzie już nic w jego życiu. Ani miłości, ani muzyki, ani nawet myśli o szczęściu – głupi! nie będzie żadnej myśli. Ale jeszcze jest człowiekiem, jeszcze czuje jak człowiek, jeszcze pragnie spoglądać na piękno. Z wielkim wysiłkiem wsparł się na łokciach i rozejrzał się po pokoju. Biała farba pełni malowała w dalszym ciągu szpary zasłony, oświetlając coraz to inne przedmioty na nocnym stoliku. Srebrna podstawa lampy, biały karnecik z ołowkiem, który się teraz zdawał zielony, wreszcie okrągła wazka, a w niej bukiecik anemonów wynurzały się kolejno z cienia i nabierały srebrzystej powłoki. Kiedy księżyc oświetlił anemony, Edgar szerzej otworzył oczy. Kwiat ten tak piękny w swojej formie, z wianuszkiem drobnych pylnych pręcików

---

* Śpi.

naokoło plamistego środka, wydał mu się w świetle księżyca czymś cudownym. Patrzał przez chwilę z zachwytem i nagle poczuł wdzięczność do Boga czy losu, że mu przed zgonem dał jeszcze przeżyć chwilę, gdzie widok prostego kwiatu – kwiatu śmierci – przeniknął mu duszę takim podziwem; odczuł jakby długie ostrze wbijające się głęboko, głęboko w samo dno skołatanego serca.

Rozdział dziesiąty
Piękne lato

I

Ciało Edgara przeleżało w podziemiach kaplicy w Mentonie przeszło rok, aż do następnego maja. Bano się urządzać pogrzeb i przenosić trumnę w owych czasach brzemiennych w niepogodę. Starano się wyminąć czasy Monachium i czasy Zaolzia. A wymiarkowano tak, że pogrzeb odbył się w Warszawie dnia 6 maja 1939 roku, akurat nazajutrz po mowie Becka w sejmie, która w ostatecznym rachunku oznaczała wojnę, choć nikt w to wierzyć nie chciał.

Tego dnia w kościele Świętego Krzyża spotkała się cała Warszawa. Bilińska powiedziała potem do Ala, że był to ostatni raut „starej" Warszawy. Ale to jej się tylko tak zdawało. Na raucie było mnóstwo młodzieży ze szkół i konserwatorium i wszelkie „rodzynki" warszawskie ginęły w nawie olbrzymiego kościoła napełnionego tłumem. Na chórze wykonywano zupełnie nieodpowiednią muzykę. Malski, który znalazł się niedaleko katafalku i zdawał się ginąć za ogromnym stosem kwiatów złożonym obok trumny, złościł się zupełnie wyraźnie i podrygiwał ramieniem.

– Jak to można – mówił do siebie prawie głośno – powinni, powinni zagrać *quasi una canzona*.

Za nim stała malutka osoba cała w czerni. Była to stara pani Gdańska. Wiktorek także umarł niedawno.

– Co to był za muzyk – powiedziała głośno, gdy Artur zwrócił się ku niej. Ale Malski tylko machnął ręką, nakazując jej ciszę.

W ciągu tego roku, kiedy Edgar leżał w mentońskiej kaplicy, stary pan Szyller zdążył umrzeć, tak że rodzinę reprezentowały na pogrzebie tylko matka i Elżbietka.

Była także kuzynka, pani Kazia, żałobnie potrząsająca głową.

Spowite w głęboką żałobę trzy kobiety siedziały na krzesłach wysuniętych przed katafalk. Krzeseł stało tam więcej, ale nikt nie śmiał zaliczyć się do rodziny. Tylko Ola, zmęczona w tych dniach sprawami domowymi (Antek szedł do wojska) i na nowo jak gdyby przeżywając śmierć Edgara, umieściła się na jednym ze skrajnych siedzeń. Siedziała przez cały czas mszy mocno wyprostowana i nie powstrzymywała łez, które spływały po policzkach. Synowie jej, wysocy i zgrabni, czarni jak Cyganie, siedzieli niedaleko i trącali się łokciami, pokazując sobie nieznacznie co znakomitsze osoby.

W pierwszej ławce po lewej stronie siedziała Marysia Bilińska z samego brzegu. Także na czarno ubrana, tyle tylko, że na kapeluszu miała bukiecik fiołków. Pierwsza ławka z prawej strony zarezerwowana była dla przedstawicieli rządu, siedział tam ktoś z Ministerstwa Wyznań Religijnych i Oświecenia Publicznego, a gdy się już msza zaczęła, wszedł do niej Kazimierz Spychała w czarnym płaszczu i z melonikiem w ręku. Bilińska, której miejsce wypadało akurat symetrycznie do miejsca Spychały, spojrzała na niego uważnie. Spychała skłonił się jej obojętnie, ona łaskawie pokwitowała ten ukłon pochyleniem głowy. Wszyscy to zauważyli.

Alo stał przy ławce matki nieco w tyle, tak że widział jej profil rzeźbiony, kapelusz z woalką i fiołki. W czasie mszy matka wyjęła z woreczka grubą książeczkę do nabożeństwa oprawną w kość słoniową i fiołkowy aksamit, dopasowany do bukiecika na kapeluszu, i poczęła się z niej modlić, przechylając głowę na lewą stronę. Ala to nieco niecierpliwiło, lecz obserwował matkę z czułością. Widział, że się ostatnio postarzała. Odczuł ten zimny ukłon skierowany w stronę Spychały, jak gdyby nowy rozdział otwierał się przed jego życiem. „Czyżby wszystko się skończyło?" – pomyślał.

Alo już niemal przed rokiem stał się pełnoletnim. I matka przekazała mu całkowitą administrację majątku, który na niego przechodził po babce. Alo nawet nie miał pojęcia, że majątek ten był tak duży. Matka przez tych parę lat po śmierci księżny Anny nic nie wzięła dla siebie, spłaciła długi i posag hrabiny Caserty i nawet jeszcze pomnożyła dochody syna bardzo ostrożną i umiejętną gospodarką. Alo był zaskoczony.

– Inaczej by to wyglądało, gdyby gospodarowała hrabina Caserty – powiedział Szuszkiewicz.

– Ale dlaczego by miała gospodarować moja ciotka?

– Bo księżna Anna zastrzegła, że w razie zamążpójścia księżnej Marii opiekunką pana zostaje

hrabina Caserty – powiedział pompatycznie Szuszkiewicz, wszystkie tytuły wymieniając „jak grom".
– Jak to, więc mama nie mogła wyjść za mąż?
– Mogła, ale nie chciała.
– Ale ja już od roku jestem pełnoletni – powiedział Alo.
Szuszkiewicz nic na to nie odpowiedział, tylko
nadął się i poruszył białymi wąsikami.
Rozmowa ta odbyła się parę dni temu. Teraz Alo
patrzył uważnie na twarz modlącej się matki. „Więc
od roku już mogła wyjść za mąż za Spychałę – i nie
wyszła – myślał. – To się skończyło, ale jak?".
Chciał o to zapytać pana Szuszkiewicza, ale nie
śmiał. Widział go teraz przed sobą stojącego niedaleko pani Szyllerowej i Elżbietki. Szuszkiewicz był
zajęty śledzeniem swego siostrzeńca, Adasia Przebija-Łęckiego, który tu grał rolę mistrza ceremonii,
i zanim jeszcze wszystko się ruszyło, ustawiał dele-
gacje z wieńcami, młodych uczniów konserwatorium z orderami i niecierpliwił się, że nie widzi
karawaniarzy. A ci, doświadczeni, znający rozkład
pogrzebów, trzymali się pochowani po zakątkach
kościoła, czekając, aż nastąpi ich żałobna godzina.
Alo zauważył tę grę siostrzeńca i wuja i obserwował ich przez chwilę z lubością.
„Ich muszę kiedyś narysować" – powiedział do
siebie.
O pół kroku przed Alem z prawej strony stał
Hubert Hube. Nie rozstawali się teraz z sobą. Hubert wyglądał szalenie elegancko w jakimś wiosen-
nym płaszczu, którego krój nie znany był w Warszawie, i z głową okrytą naturalnymi lokami, które
kręciły się à la lord Byron. Biliński dumny był

z tego swojego przyjaciela i cieszył się jego niezwykłym wyglądem, jego dzielnością, samodzielnością i wszystkimi zaletami męskimi, których Alowi brakowało. Przyjaźń ta datowała się także mniej więcej od roku. Jeszcze z czasów jego listu do Edgara. Polowanie, o którym pisał wówczas w swoim liście, było jednym z pamiętnych wydarzeń w kronikach myśliwskich owych czasów. Na polowanie to pojechał Alo w towarzystwie starego pana Hubego, który go zaprosił na administrowane przez siebie tereny Towarzystwa Poleskiego. Sam Hube wtajemniczał Ala w zadziwiające tajemnice strzelania do głuszców, we wszystkie arkana głuszcowego „grania". Kiedy klapie, kiedy korkuje, kiedy szlifuje. Kiedy słyszy, kiedy głuchnie. I oto kiedy naprowadził Ala na czaty, okazało się, że sam nie słyszy pieśni i spłoszył ptaka! Hube wyprzedził młodego myśliwego w powrocie do leśniczówki i zastrzelił się, zostawiając kartkę ze słowami: „Ponieważ już jestem do niczego..." Pomijając wszystko, co Alo przeżył po tym wypadku, musiał osobiście zawiadomić syna o śmierci ojca. Na Huberta ten cios spadł jako niezwykły ciężar. Spłoszenie głuszca było może ostatnią kroplą, a może pretekstem. Obecnie na fabryce „Spłonka" pozostawał już tylko samotny tryumfator, pan Złoty.

Alo poszukał go oczami w tłumie. Mimo że pan Złoty nie uznawał muzyki Szyllera, uważał, że nie może nie przyjść na pogrzeb, na którym była „cała Warszawa". Stał pośrodku nawy, ani na prawo, ani na lewo, tak aby go każdy mógł zauważyć. Obok niego tkwił niewysoki, kędzierzawy brunet, bardzo sympatyczny. Alo już go spotykał tu i ówdzie na jakichś imprezach artystycznych. Był to Bronek Złoty.

„Jak się to wszystko dziwnie plącze" – pomyślał sobie Alo i uważał, czy Hubert widzi pana Złotego i czy się sobie ukłonią. Wiedział, że pan Złoty chciał wyciągnąć od Huberta całą gotówkę pozostałą po starym, pod pretekstem nacisku „Fabrique Nationale". Nie widział, czy Hubert z panem Złotym wymienili ukłony – natomiast spostrzegł, że Bronek w pewnym momencie porzucił ojca i podszedł do Hubego. Przywitał się z nim mocno potrząsając mu rękę i powiedział mu parę słów na ucho. Hubert uśmiechnął się smutno i był w tym momencie tak czarujący, że Alo westchnął:

„Biedna ta Tatarska".

Bronek nie wrócił do ojca i już stał obok Huberta do końca nabożeństwa, tworząc z nim zadziwiający kontrast swoją koźlą, kędzierzawą, twardą głową.

„Boże drogi – pomyślał Alo – przecież on jest w Akademii!".

Przypomniał sobie, że widywał Bronka na sali ogólnej. Ale pracował on z innym profesorem. Powiadali, że był diabelnie zdolny i wymagający od siebie.

Roztargnienie Ala tak było widoczne, że Bilińska naprzód spojrzała na niego, a potem, przechylając się w ławce, podała mu książkę do nabożeństwa otwartą i wskazała mu palcem w czarnej rękawiczce modlitwę. Książka była francuska. Alo rzucił okiem.

„Modlitwa za duszę przyjaciela".

Odczytał parę perfumowanych frazesów modlitwy i zniecierpliwiony oddał książkę matce. Spojrzał teraz ku trumnie, na której czarnym wieku widniał olbrzymi bukiet ciemnoczerwonych róż. Wydało mu się, że zapach kwiatów dochodzi aż tu.

„Czy mogę nazwać Edgara przyjacielem?" – pomyślał Alo. I zaraz przypomniał sobie ostatni list, który do niego napisał. Cóż było w tym liście? Cała masa rzeczy, które napisał, aby się tylko wydać bęcwałem. Przede wszystkim to zdanie, że nie mógł być na wykonaniu symfonii Edgara, bo musiał być w ambasadzie włoskiej na obiedzie. To nawet była i prawda, wiedział zresztą, że nie symfonię Edgara wtedy grali, ale chciał uchodzić w jego oczach za bardzo „roztargnionego". Chociaż to był rok tylko i parę miesięcy, Alo poczuł, że dziś takiego listu by nie napisał. Tylko mu zrobiło się trochę przykro; Edgar, o którym wiedział, że ostatnio był bardzo samotny, odszedł mając i o nim, i o jego umyśle i sercu bardzo przykre wyobrażenie. Jeszcze popatrzył na trumnę. „Jeżeli teraz mnie widzi, to wie, że w gruncie rzeczy jestem inny". A jednocześnie poczuł, że gdyby nawet mógł go w tej chwili widzieć, to już jest Edgarowi wszystko jedno.

Przeniósł wzrok na matkę. Jeszcze czytała z tej książki, tylko że teraz uniosła woalkę i włożyła okulary. Zwyczajne okulary w czarnej oprawie, którą tak reklamowała „Ilustration". Czytała tę francuską pobożną książkę w grubych okularach na oczach i trochę jak gdyby kiwała głową. Czy to z pobożności, czy aby lepiej widzieć? I wydała mu się nagle bardzo posunięta ku starości. „Ile mama ma lat?" – pomyślał. Nigdy się nad tym nie zastanawiał. A więc jestem bęcwał – pomyślał. – Niepotrzebnie udawałem, bo naprawdę jestem okropny. Mama jest stara, zmęczona. Tyle lat tej dwuznacznej sytuacji". Wiedział, że Szyller kochał się kiedyś w matce. Mimo przywiązania do starego obyczaju zupełnie nie orientował się, dlaczego, jak mu to powiedziała panna Biesiadowska, stara księżna Anna sądziła, że lepiej już by było, żeby wyszła za Spychałę niż za Szyllera. Przecież Szyller był wielkim kompozytorem – i może gdyby się ożenił z mamą, nie potrzebowałby zarabiać i wszystko byłoby lepiej. Nie miałby tych lat, kiedy siedział po dziesięć godzin w szkole z uczniami, mieszkał gdzieś w pokoju, u „kogoś" na Wareckiej, z oknami wychodzącymi na podwórze, gdzie nic nie było widać. Nie potrzebowałby uciekać, wyrywać się czasami do Szwajcarii, czasami do Rzymu, czasami do Mentony. Zrobiło mu się żal Edgara.

„To nic nie szkodzi – powiedział sobie – ale za to był wielkim człowiekiem. Dzieci się będą o nim uczyły w szkole".

Janusz, który siedział bardzo daleko w ławkach i nie widział nikogo ze znajomych obok siebie, nie miał i tej pociechy. Przypomniał sobie, co mówił Marrès Chouart. Utwory Edgara zachowane jako liczby abstrakcyjne, jako stosunek możliwy do powstania wśród wielu innych kombinacji liczb – nie przedstawiały mu się jako anioły pocieszyciele. Przeciwnie, mógłby sobie łacno wyobrazić je jako trąby wzywające na Sąd Ostateczny, bo przecież potem i trąby się rozpadną, jak wszystko – w proch.

Dies irae, dies illa
Solvet mundum in favilla. ★

Ale to były tylko igraszki jego wyobraźni. O d -
c z u ć tego wszystkiego nie potrafił. Zrozumieć
tym bardziej. „Dopóki żyję – myślał – muszę się
chwytać form życia i myśleć w kategoriach mnie
dostępnych, inaczej nie potrafię". Wiedział, że o parę kroków za nim stoi Jadwiga. Nie chciała usiąść
przy nim w ławce. Ale była. Strasznie teraz żałował,
że nie opowiedział wszystkiego Edgarowi. Miał po
temu taką znakomitą sposobność, wtedy w Rzymie.
A teraz wiedział, że nie ma nikogo na świecie,
komu by mógł choćby część prawdy zwierzyć
– i czuł także, że gdyby to powiedział Edgarowi,
sam by łatwiej zrozumiał swoje życie. Tak był
wdzięczny sobie, że Zosię pochował w Sochacze-
wie i Malwinkę zaraz obok matki. Ten olbrzymi,
oficjalny kościół niczego mu nie przypominał i nawet ta kunsztowna muzyka, która huczała na chórze teatralnie, nieszczerze i zupełnie nie odpowia-
dając nastrojowi chwili, nie przypominała w niczym wiejskiej muzyki kościołów jego codziennego
bytu. „Już się od tego odciąłem" – myślał.

Obok niego, w nawie, ale bardzo blisko niego stał
stary, niski człowiek i gorzko płakał. Nie powstrzymywał łez, nie chlipał ani szlochał. Kiwał tylko
głową we dwie strony, na prawo i na lewo, jakby
chciał zaprzeczyć całemu swojemu życiu, jakby

★ W gniewu dzień, w tę pomsty chwilę,
świat w popielnym legnie pyle.
  (w przekł. L. Staffa)

przeczył Panu Bogu wysoko siedzącemu nad głównym ołtarzem i wskazującemu jego nikłą postać
groźnym palcem. „Nie, nie – zdawał się mówić
– nie, Panie Boże, na tak okrutny świat nie ma
zgody. Gadajcie sobie, co chcecie, śpiewajcie, co
chcecie, anieli, ale nie ma, nie ma zgody". Jasne,
duże krople ciekły prędko jedna za drugą z jego
oczu i przy przeczącym ruchu głowy spadały na
prawo i lewo. Wreszcie człowiek ów wyjął z kieszeni dużą chustkę – czystą – i niby to ocierając łzy,
zakrył nią sobie całą twarz i tak trwał przez chwilę,
a miało się już ku końcowi mszy.

Janusz przypomniał sobie, że widział kiedyś tego
człowieka u Edgara. Był to organista gdzieś z Łowicza, którego wnuk garbaty miał wielkie zdolności
muzyczne i którym – Janusz to wiedział – Edgar
opiekował się w swoim czasie. Nawet na gwałt tam
jechał, kiedy ten mały umierał. Ach, i ten organista
miał córkę... o niej to Edgar wspominał raz w Rzymie. Z tego pobytu w Rzymie Janusz pamiętał
każde słowo Edgara; nie pamiętał ani tego, co
mówiła Ariadna (jakie były ostatnie słowa Ariadny?), ani tego, co sam mówił, tylko słowa Edgara.
Potem przecież prawie się nie widywali; Janusz
pojechał jeszcze do Paryża, potem zamknął się
w Komorowie. A tutaj tymczasem lekarze przepisa-
li Edgarowi „Południe". Może już rzeczywiście nic
nie można było zrobić? Ale w życiu takiego człowieka znaczy wszystko, przedłużenie o tydzień...
o dwa... Może by miał jeszcze jakiś pomysł muzyczny? Ale nie, przecież Edgar już od dobrych paru lat
nie pisał. Po *Szecherezadzie* napisał tylko preludia,
a potem... co on napisał potem? Janusz nie pamiętał

nawet, jakieś parę drobnych rzeczy i jedną bardzo ważną... ale już nie pamiętał jaką. Pamiętał *Szecherezadę*. Ola na pewno mu to przypomni. Spyta ją po pogrzebie.

Ola siedziała w dalszym ciągu wyprostowana i sztywna. Nie znaczy to, aby nie widziała tego, co się dzieje naokoło niej. Czuła, że chłopcy stojący niedaleko nie zachowują się jak trzeba w tak poważnych okolicznościach, dobiegały do jej uszu od tamtej strony jakieś szepty, ale nie odwracała głowy. Przed nią też działa się jakaś niestosowna scena. Adaś Przebija-Łęcki, stojąc z prawej strony przy samej trumnie, raz po raz poprawiał ustawione tam wieńce, rozcapierzał wstążki, tak żeby widać było napisy, albo odbierał uroczyście te spóźnione wieńce i wiązanki, które jeszcze przynoszono. Nieco bliżej Oli stał stary pan Szuszkiewicz, który na próżno znakami starał się zwrócić na siebie uwagę siostrzeńca. Ola zrozumiała, że Adaś po prostu udaje, że nie widzi znaków Szuszkiewicza, i zabawiło ją to trochę. Przestała płakać, przestała słuchać muzyki.

Wreszcie spostrzegła, że Szuszkiewicz, niebaczny na nic, wyprawił się aż w regiony najbliższe trumny i ograniczone czarnymi lichtarzami, zaplątał się nawet w jakieś wstążki czy druty zwisające z wieńców żałobnych i schwyciwszy Adasia za rękę wreszcie osiągnął swój cel: zwrócił na siebie jego uwagę.

Ale to było mało. Widać Szuszkiewicz obawiał się, że mu Adaś znowu umknie, bo go ostrożnie i delikatnie wyprowadził za rękę z regionów kandelabrowych i postawił obok siebie tuż przed Olą.

Nie puszczając rękawa nachylił się do jego ucha i dramatycznym szeptem powiedział:

– Co się z tobą dzieje? Dlaczego nigdzie ciebie nie widać?

Na co Adaś z niechęcią odpowiedział:

– Też obrał sobie wuj miejsce. Zajęty jestem, i koniec.

– Czym jesteś zajęty?

Adaś bez słowa wskazał katafalk.

– Ale przecież pogrzeb nie codziennie. Nie widziałem cię taki kawał czasu.

Młody Łęcki wzruszył ramionami.

– Żenisz się podobno. Tak powiadają.

– Przynajmniej nie przy trumnie – powiedział Adaś.

W tej chwili jakiś przepłoszony chłopczyna przyniósł wieniec dwa razy większy od niego i stanął z boku, nie wiedząc, co robić. Adaś Przebija-Łęcki skoczył szybko i odebrał od chłopca wieniec, kiwnął mu władczo głową, żeby mu pomógł ustawić, i dokonawszy tej czynności, odpiął szpilki przytrzymujące rulony fioletowej wstążki i rozwinął ją, muskając jedwabną morę. Było tam napisane złotymi literami: „Wielkiemu Nauczycielowi – Szkoła Muzyczna imienia Władysława Żeleńskiego".

Adaś czytał ów napis i odczytywał jakby jakiś najciekawszy papirus; już nie wrócił do Szuszkiewicza, który pozostał przy Oli. W tej chwili rozległy się na chórze cudowne dźwięki, Ola przestała zwracać uwagę na to, co się przed nią działo.

Kwartet („chyba z Dubiską?" – pomyślała) zaczął grać owo *lento quasi una canzona*, na które wszyscy czekali. Oznaczało to również, że msza się skończyła i nastała zawsze ciężka na pogrzebach pauza pomiędzy mszą a egzekwiami. Odczuli to żałobni słudzy i powychodzili ze swoich zakamarków, z których ich chciał uprzednio bezskutecznie wywabić Adaś Przebija-Łęcki. Podczas kiedy z chóru dolatywały łagodne frazy romansu, piękne i słodkie nad wszelki wyraz, karawaniarze przeciskali się przez tłum zebranych i wolno gromadzili się wokół trumny, jak czarne ptaki, gotowi na znak ukrytego przywódcy chwytać za ustawione wieńce, za metalowe klamry trumny.

W miarę jak melodia taka prosta, taka wnikliwa zaczęła się wznosić nad głowami obecnych, w miarę jak gromadka czarno ubranych ludzi z pirogami na głowach przygaszała swym cieniem zapalone wokół trumny światła – zjawiała się ponad wszystkim, ponad ludźmi, ponad kwiatami, ponad katafalkiem, nieuchwytna, niewyobrażalna, już przeniesiona w inne wymiary postać artysty. Edgar Szyller nie leżał w trumnie, nie jego tutaj chowano na skrzydłach muzyki, która miała trwać nad ludźmi aż do ich takiego czy innego końca, lecz unosił się, płynął ku światłu idącemu z niebieskich witraży kościoła.

Wszyscy odczuli obecność zmarłego w kościele, oprócz jednego Spychały. Nie był bardzo muzykalny i nie wiedział, co grali na chórze. Zresztą nie słuchał muzyki, tylko zewnętrznie działała ona jakoś na niego, nie myślał także o zimnym ukłonie Marii, chociaż jej od dwóch dni nie widział. Spóźnił się na nabożeństwo, bo rozmawiał w Ministerstwie z Beckiem. Beck z chciwością rozpytywał go, jakie są echa jego mowy. Nie było ich wiele i nie były konkretne. Spychała nie wątpił, iż Beck sądził, że wojna jest nieunikniona. Wyczytał to w oczach ministra, w których drzemał wyraz, jaki się widzi u osób nieuleczalnie chorych albo takich, którym grozi aresztowanie. Spychała go chciał jakoś natchnąć lepszą wiarą i zaczął mówić o gwarancjach angielskich. Ale tu dopiero źle trafił. Minister się rozeźlił i powiedział mu bardzo ostro:

– Nie może pan być wyższym urzędnikiem Ministerstwa Spraw Zagranicznych, jeżeli pan wierzy w gwarancje angielskie.

Spychała zamilkł, ale myślał o tym bez przerwy i, po prawdzie mówiąc, nie bardzo wiedział, gdzie się znajduje. Stopniowo dopiero łagodna muzyka i ta skupiona cisza, jaka się zrobiła w kościele, nagle i bezpośrednio wywołały przed okiem Spychały niebieskie fale Czarnego Morza, upał i plażę z czerwonym domkiem kąpielowym przy willi Szyllerów w Odessie, i niebieskawą barwę okładki tomiku niemieckich poezji, który leżał na zemszonym, pasiastym prześcieradle tuż obok ręki Edgara, i wreszcie sam pochylony nieco na bok profil Szyllera i jego wzniesioną rękę z papierosem, i tę rozmowę, z której wynikało jasno, że się zupełnie nie rozumieli. Spychała opanował się, ściągnął rysy i rzucił wzrokiem dokoła. Tuż obok niego, po lewej stronie, stali dwaj wysocy, jednakowo ubrani młodzi ludzie z czarnymi czuprynami, a nieco dalej na skraju pustych rozstawionych krzeseł siedziała Ola.

Spychała przypatrzył się jej wyprostowanej, wzniesionej postaci i spostrzegł łzy, które leciały jej z oczu.

„Jak ona wtedy śpiewała to *Verborgenheit*" – pomyślał przez chwilę. Ale potem znowu myśl jego powróciła do gwarancji angielskich.

Ola słuchając *lento quasi una canzona* nie myślała o Edgarze: myślała o swoich synach. Pamiętała, że w ostatnim liście do Edgara (do Mentony już do niego nie pisała, a potem żal jej tego było bardzo) opisywała mu ich. A przecież on nie mógł się interesować jej synami. Ale pisała do niego jak do przyjaciela – a teraz już nie będzie miała do kogo napisać. Ani o swoich synach, ani w ogóle.

Ola się zastanawiała nad tym, dlaczego się tak niepokoi o synów. Antka powołano do wojska, pojutrze wyjeżdża. Ale przecież wojny nie będzie. Będzie piękne lato, pojadą do Pustych Łąk. Dlaczego Franek nie chce, aby jechali nad morze? A oni, ci dwaj synowie? Przecież im nic nie grozi, nie trzeba się o nich niepokoić. Gruźlicy nie dostaną jak biedny Edgar. Są mocni, wysocy, czarni i dość źle wychowani, czym się martwiła nieboszczka ciocia Michasia. (Ola myślała o matce słowami swych dzieci, mówiła „ciocia Michasia"). Nie oglądając się czuła ich obecność za sobą i już wiedziała, jak będą przy obiedzie opowiadali o pogrzebie „wuja" Edgara. Antek jest taki niesforny i będzie się na pewno śmiał z fiołków na kapeluszu i z nabożnej miny Marysi Bilińskiej. A Andrzej będzie się tylko podśmiechiwał z zadowoleniem, tak jak on to potrafi. Chłopcy nienawidzili Marysi Bilińskiej. Dlaczego?

Poza tym widzieli tu zdradę, jaką w stosunku do nich popełnił Hubhuby, przenosząc całą swą przyjaźń i miłość na syna Marysi. Chłopcy byli oburzeni, gdyż podobno powiedział komuś, że Antek i Andrzej są dla niego za dziecinni. Antek twierdził znacząco: „Pewnie, że my jesteśmy dla niego za dziecinni", i patrzył dziwnie na Andrzeja. Ola zupełnie nie rozumiała, o co im chodzi, ale o coś to musiało chodzić... Nie pojmowała tych sporów i tego wyrywania sobie przyjaciół. „Dlaczego nie może się przyjaźnić i z Alem, i z wami?" – pytała. I dlaczego ja się o nich tak niepokoję?

Muzyka ucichła, zaczęły się egzekwie. Ola dopiero teraz spostrzegła, że pani Royska zjawiła się obok pani Szyllerowej i pomogła jej wstać, gdy ksiądz wyszedł w kapie. Ksiądz szybko odprawił egzekwie, odpowiadał mu okropnym głosem jakiś stary organista. Potem ksiądz zwrócił się do zebranych i powiedział: „Za duszę świętej pamięci Edgara Michała proszę zmówić «Ojcze nasz» i «Wieczne odpoczywanie»...", i dopiero wszyscy się dowiedzieli, że Edgar miał na drugie imię Michał. Nawet Elżbietka o tym nie wiedziała.

Czarne kruki rzuciły się na katafalk. Z niebywałą wprawą usunęli, gdzie trzeba, wielkie świeczniki, dmuchając po drodze na płomienie, chwytali wieńce, rozstawiali niosących, pochrząkując zdejmowali blaszaną wywieszkę z nazwiskiem przybitą do trumny i chwycili za krucyfiks stojący u wezgłowia. Adaś Przebija-Łęcki zdjął z trumny wielki bukiet czerwonych róż. Tu odegrała się mała scenka. Elżunia widząc ten bukiet w rękach Adasia kiwnęła na niego, on nie rozumiał, o co chodzi. Podszedł wreszcie do niej, dźwigając te kwiaty na łonie. Elżbietka usiłowała odłamać jeden kwiat z wiązanki, ale jej to nie szło, ukłuła się, a łodyga nie dawała się ułamać. Adaś chciał pomóc, wyciągnął z bocznej kieszeni scyzoryk, za scyzorykiem ciągnął się sznurek, który się zaplątał między ostrza, sznurek zaś wyłuskał z kieszeni spory rewolwer, który z hałasem upadł na dywan, koło stóp Łęckiego. Młody człowiek, czerwony jak burak, schylił się po rewolwer i jedną ręką trzymając bukiet, wsadził broń szybko do tylnej kieszeni. Elżbietka ciągnęła za kwiat, gestem tym wyszarpnęła bukiet z jednej już tylko ręki Adasia i znowuż bukiet upadł. Adam podniósł go, scyzorykiem odkrajał nadłamany kwiat i dał go Elżbietce. Elżbieta odrzuciła welon z twarzy i cała w czerni posunęła się naprzód z tym czerwonym kwiatem w ręce. Ponieważ podniosła woalkę, widać było, że jest bardzo blada, nie umalowana i że się w ogóle postarzała.

Weszła wprost na Spychałę, który nie mogąc iść z powodu braku czasu na cmentarz, tu już przywitał się z nią i złożył kondolencje w imieniu Ministerstwa Spraw Zagranicznych. Elżbietka podniosła na niego oczy znad czerwonej róży, nie poznając go. Przez chwilę Spychale wydało się, że Elżbietka tylko udaje, że go nie poznała, ale musiał się przypomnieć.

– Jestem Spychała – powiedział.

– Pan go znał – szepnęła Elżbietka. – Co to był za człowiek.

Spychała wypowiedział formułę kondolencji.

Tymczasem trumna, potrójna i bardzo widać ciężka, uniosła się i szła chwiejąc się nierówno nad głowami zebranych, niesiona przez czarnych karawaniarzy, którym „dla formy" pomagali niektórzy z kolegów i muzyków warszawskich. Ksiądz zanuciwszy: *In paradisum deducant te angeli**, szybko poszedł naprzód czerwonym dywanem i czekał już przy głównym wejściu, a srebrny krzyż błyszczał tuż nad jego głową. Za trumną szła pani Szyllerowa, podtrzymywana, wbrew zwyczajom, przez panią Royską. Z drugiej strony podskoczył pan Szuszkiewicz, nadymając się i stąpając nie w takt drobnymi kroczkami swych malutkich nóżek. Za nimi szła Elżbietka, sama drobna, cała w czarnych welonach, po czerwonym suknie z czerwoną różą w ręku, z głową wzniesioną do góry i jakby zasłuchana w muzykę, którą ona jedna tylko tu słyszała. Wszyscy wiedzieli, że gra ostatnią scenę ze *Zmierzchu bogów*, że stąpa za marami, na których niosą Zygfryda – i nikt nie chciał jej psuć efektu biorąc ją pod rękę.

Ola, która znalazła się niedaleko, z pewnym zdziwieniem popatrzyła na starą kobietę idącą z czerwoną różą, jak w teatrze. I przypomniała sobie słodki głos Elżbiety, kiedy śpiewała owo *Verborgenheit* pokazując jej ów skok kwarty. „Jakaż to b y ł a cudowna kobieta!" – pomyślała Ola.

Spychała myślał o tym samym i wspominał tę samą pieśń, której dobrze nie pamiętał muzycznie, ale skojarzyła się ona u niego z upałem, ruchem... i wojną. Myśląc tak o dawnej scenie przy fortepianie, tam, w Odessie, napotkał nagle wzrok Oli. Ukłonił się w milczeniu.

Za Elżbietką, tak jak i przed trumną, płynęły purpurowe róże, bzy i irysy. Była to pora łatwa dla kwiatów... Kwiaty przykrywały wszystko. Tłum ru-

---

* Do raju wprowadzają cię aniołowie.

451

szył także. Wtedy pani Gdańska znalazła się znowu obok Malskiego.

– Wiktorek go tak kochał – powiedziała do niego.

Malski nie wytrzymał.

– Pani, czy pani rozumie? – krzyknął prawie, choć starał się szeptać, i stanął naprzeciw welonów pani Gdańskiej w ten sposób, że zahamował na chwilę cały ruch tłumu. – Czy pani rozumie? To był największy nasz artysta od stu lat! Geniusz! A pani powiada, że Wiktorek go tak kochał.

Pani Gdańska rozłożyła ręce.

– Panie Arturku, niech pan tak nie krzyczy – powiedziała. – Geniusz nie geniusz, ale to nie był mój syn.

– Pani nie masz za grosz taktu – powiedział Malski i starał się odsunąć od Gdańskiej, co mu się na razie udało.

Ale kiedy już na Powązkach wkładali trumnę Edgara do murowanej dziury, Malski wybuchnął piskliwym płaczem – i szukając wokół siebie jakiegoś oparcia, poczuł obejmujące go małe ramiona i drobne rączki. Wypłakał się mocno, do syta, na łonie dobrej mamy Gdańskiej i nawet razem wrócili po pogrzebie do Łodzi.

II

Odprowadzenie Antka na dworzec, gdy wyjeżdżał do wojska, odbyło się bardzo wesoło. Chłopcy prosili rodziców, aby zostali w domu. Antek pożegnał się z matką w mieszkaniu, z ojcem w cukierni.

Natomiast na Dworzec Gdański przyjechał łaskawie Hubhuby z Alem w towarzystwie dwóch aktorek, Basi Budnej i Marysi Tatarskiej. Basia była dzisiaj wielką sławą, śpiewała piosenki w kabaretach, i kiedy przyszła na dworzec w granatowym kostiumie i z gołą głową, wszyscy się za nią oglądali, cała Warszawa ją znała. Marysia zajmowała pozycję daleko skromniejszą, grywała w teatrze „Kot i Pozdrowienie", który pomimo swoich ambicji literackich nieco podupadł ostatnio.wyczerówna starzała się i zapiekała w złości, a Gorbal rozpił się ostatecznie i nigdy nie wiadomo było, czy przyjdzie na przedstawienie. Znudzony dubler czekał co wieczora z pytaniem: czy charakteryzować się, czy nie?

Alo kręcił się teraz koło teatru, wdarł się w łaski Malika, któremu pomagał w pracowni. Rysował u niego także w Akademii, gdzie Malik od niedawna objął katedrę dekoracji teatralnej. Starzejące się aktorki odmładzało takie towarzystwo młokosów, Alo miał ten swój nieszczęsny tytuł i stosunki arystokratyczne, Hubert miał grube pieniądze.

Na dworcu było ciasno i na ogół wesoło. Mnóstwo młodych ludzi odjeżdżało, tak samo jak Antek wezwanych do wojska. Nie przeprowadzano jeszcze wówczas mobilizacji, ale wzywano indywidualnie fachowców z rozmaitych dziedzin. Pomimo swej medycyny Antek był radiotelegrafistą – w ogóle pracował w łączności – wezwano więc go gdzieś tam do Ostrowi Mazowieckiej, Łomży, nad samą granicę Prus Wschodnich... w tych kierunkach wyjeżdżali wszyscy, a dokąd opiewały ich bezpłatne bilety, to było tajemnicą i Antek z poważną miną „nie mówił o tym".

Obaj chłopcy Gołąbkowie trochę zażenowali się przybyciem dwóch aktorek. Antek ubrał się jak na wycieczkę w Tatry – a Andrzej w krótkich spodniach i z gołymi, opalonymi, ale i bardzo owłosionymi nogami wyglądał na szesnaście lat. Gdy się witał z Basią i Marysią – zarumienił się. Hubert ze swoimi lokami robił takie wrażenie, jakby się wyrwał z balu maskowego. Ale zaraz i on, a zwłaszcza bardzo pewna siebie Basia, całemu temu spotkaniu nadali charakter zabawy, czegoś nieprawdziwego, jakiegoś wiosennego karnawału. Basia śmiała się i śpiewała piosenki, a kiedy ktoś z jadących w wagonie trzeciej klasy, pod którym stali, zagrał na organkach, chwyciła Antka i puściła się z nim w taniec, prowadząc go, jak gdyby była tancerzem. Antek się zarumienił, ale był tak prześliczny, że Marysia nie wytrzymała.

– Szkoda byłoby, gdyby zabito naszego żołnierza – zawołała do Basi.

Basia zatrzymała się w tym swoim nieprzystojnym tańcu i nie puszczając Antka przypatrywała się z dołu ku górze jego opalonej pięknej twarzy.

– Ale jego nie zabiją – powiedziała – bo wojny nie będzie.

I nagle spoważniała. Odpięła od kostiumu olbrzymi biały goździk i ofiarowała go Antoniemu.

– Co, nie macie więcej kwiatów dla żołnierzy? – spytał Hubert.

– Nie mamy. Skąd miałyśmy wziąć?

– To jazda, posyłam Piotra do miasta po kwiaty.

Piotr stał tuż obok i z uśmiechem patrzył na swojego Huberta.

– Zdąży Piotr w dziesięć minut do miasta i z powrotem?

– No, a czemu nie? – odpowiedział szofer.

– To proszę. Bukiet kwiatów z najbliższej kwiaciarni. Jakie będą, róże, goździki... ale już, bo pociąg za dwanaście minut odchodzi.

Piotr uciekł, jak młodzik przepychając się przez tłum.

Basia puściła Antka.

Facet, który grał na organkach, wychylił się przez okno.

– No, i czemu panienka nie tańczy, kiedy ja tak ładnie gram? – spytał.

– Ludzie się gorszą – zawahała się Basia.

– Wojna to poważna rzecz – dodała Marysia.

– O, wa – powiedział ten z organkami – nie damy się. Albo to my jacy tacy? – i znowu wyrżnął żwawego krakowiaka na tych organkach.

Antek i Andrzej niepewnie popatrywali na siebie.

– A ty, Hubert? Do wojska nie idziesz?

– Jeszcze mi nie czas. Naszego Aleksandra jakoś nie biorą do rączki – odpowiedział Hubert. – Jakim to cudem? Nie wiem...

– Dostałem zwolnienie – poważnie powiedział Alo i uderzył się w piersi, po portfelu, jakby zaraz chciał pokazać papierek.

– Pewnie przez... – rzuciła Basia, ale w samą porę ugryzła się w język i nie wymówiła nazwiska, które by tu padło bardzo niestosownie.

Korzystając z chwilowego luzu Andrzej przysunął się do Antka.

– Antek, pisz – powiedział tym swoim najniższym głosem, który zawsze świadczył o wzruszeniu.

Antoni nagle wziął go pod rękę i odprowadził na bok.

– Słuchaj, Jędrek – zawsze go Jędrkiem nazywał – pożegnaj jeszcze ojca ode mnie. Wiesz, w sklepie... tyle było ludzi... nawet go nie pocałowałem...

– W rękę? – spytał Andrzej.

– E, tam, w rękę... w ogóle nie pocałowałem. Pożegnaj go. Powiedz mu, że mi jest przykro.

– Jak ja mu to powiem?

– Jak to: jak? Zwyczajnie...

– To już lepiej napisz do niego.

– Jak ja do niego napiszę? Czy to można o takich rzeczach pisać...

– Do rodziców?

– Ja wiem, ty zawsze byłeś ten pieszczoszek.

Daj spokój, Antek, nie wygłupiaj się.

W tej chwili powrócił Piotr z ogromnym snopem różowych goździków.

– Boże drogi, ależ prędko – powiedziała Marysia.

– Tu, na Muranowie, zaraz jest taki sklep – powiedział Piotr. – Wszystkie goździki zabrałem.

Basia chwytała kwiaty i zaczęła je rozdawać odjeżdżającym. Ze wszystkich okien wagonu, obok którego stali, wyciągnęły się ręce.

– Pani, ale pani nie do wojska – zawołała Basia do grubej baby, która też się ciągnęła do kwiatów.

– Cóż to szkodzi? Daj jej kwiatek – powiedział Hubert. – Jak będzie wojna, to kto tam będzie wiedział, kto żołnierz, a kto nie...

Baba się śmiała. Miała szeroką, tłustą twarz.

– Będzie ze mnie wojak, jak się patrzy – zawołała.

Basia jej dała trzy goździki.

– Panienko, panienko, a mnie? – wołał ten z organkami. – Niech pani mi da!

– Już panu przecie dałam trzy goździki! – oburzyła się Basia i zerknęła na tego faceta. Był bardzo przystojny i bardzo ordynarny.

– Zabrali mi koledzy, każdy chce mieć pamiątkę od pani.

– Proszę siadać – zawołał konduktor.

Antek wskoczył na stopnie.

Basia kiwała ku niemu resztką pozostałych kwiatów. Hubert – nagle rozczulony – ściskał mu rękę, Marysia krzyczała:

– Wracaj jako zwycięzca!

Alo był tak olbrzymiego wzrostu, że zasłonił sobą całego Antoniego i wszystkich; wymachiwał dłonią nad głowami tych, co stali na peronie. Widać było, że Antek szukał wzrokiem Andrzeja, ale go nie znalazł. Brat stał zupełnie na boku, poza wszystkimi. Pociąg posuwał się z wolna i ze wszystkich okien wysuwały się kiwające ręce. Niektóre z nich trzymały różowe goździki. Andrzej zobaczył Antka dopiero wtedy, gdy pociąg już odjechał spory kawał. Poczuł jakieś ściśnienie w gardle i szybko, z nikim się nie żegnając, nie czekając aż pociąg zniknie za mostem, wyszedł z dworca, wskoczył do ruszającego tramwaju i pojechał do domu.

Alo i Hubert obejrzeli się, kiedy już go nie było.

– Pan Andrzej uciekł – powiedział Piotr.

– Dziwny chłopak – powiedziała Marysia Tatarska. Bardzo jej się podobała smukła a dziecinna postać Andrzeja.

Młodzi ludzie odwieźli panie do teatru. Odbywała się tam próba generalna *Elektry* Hoffmannstahla. A potem wrócili do mieszkania Huberta w Alejach.

Hubert prowadził niezwykle dziwaczny tryb życia. Alo nie wychodził od niego z mieszkania od chwili, kiedy musiał się tam zjawić z tak straszną wiadomością. Hubert od tego czasu zaciął się, powiedział sobie: nie dam się! – i zacisnąwszy zęby od rana do wieczora był zajęty albo interesami, albo zabawą. Alo nic podobnego nie widział. Co tam Alo, sam stary Szuszkiewicz, który już niejedną karierę młodzieńczą oglądał i miał swój stary sceptycyzm w tych sprawach – nie mógł po prostu zrozumieć, jak on to robił.

Hubert przeprowadził przez sąd przedterminowe uwłasnowolnienie, ponieważ nie mógł liczyć na żadną opiekę. Nie miał żadnych bliższych ani dalszych krewnych. I w osiemnastu latach stał się pełnoprawnym właścicielem majątku, udziału w fabryce „Spłonka" i części spółki komandytowej, co go obarczało olbrzymią odpowiedzialnością. Od chwili śmierci ojca rozpoczął też walkę z panem Złotym. Na szczęście dzięki dobrym stosunkom z Piotrem – od samego dzieciństwa – wiedział, o czym w fabryce mówiono, jaki jest stosunek robotników do Złotego, jakie są rządy pana Seweryna na Targówku i co w trawie piszczy. Bynajmniej nie zląkł się gróźb Złotego i tego strasznego słowa „Belgowie". Odbył natychmiast po swoim uwłasnowolnieniu podróż do Belgii, ułożył się z „Fabrique Nationale", chociaż go oczywiście trochę przy tych układach nabito w butelkę, i po roku brania udziału w posiedzeniach zarządu spółki i fabryki doprowadził do tego, że pan Złoty chwytał się za głowę za każdym razem, kiedy ktoś mu mówił o Hubercie.

– Oj, co ja mam z tym szczeniakiem, co ja z nim mam – powiedział pan Złoty do żony, a oficjalnie nie mógł się przeciwstawić polityce Huberta, zmierzała ona bowiem do wysanowania finansów interesu.

Bronek zmiarkował, że ojciec nie lubi, kiedy kto mówi o młodym Hubem, i bezprzestannie poruszał ten temat przy obiedzie (na kolacji nigdy nie bywał w domu) mówiąc ciągle o przyjaźni, jaka łączyła Ala Bilińskiego z Hubertem.

– Ach, ty ciągle o tych hrabiach – mówiła pani Złota do syna. – Hrabiowie to mogą malować! – dodawała znacząco. – Oni mają pieniądze!

Bronek z uśmiechem patrzył na matkę.

– A Żydzi to nie mogą malować! – mówił i całował panią Złotą w rękę. – Dlaczego mama nie nosi peruczki? – pytał. – O tyle bym mamcię kochał bardziej w peruczce...

– Przestań! Jedz! – mówił do niego pan Złoty.

Bronek w gruncie rzeczy bardzo kochał matkę. Lubił się tylko z nią przekomarzać. A ona, biedaczka, na serio miała łzy w oczach, ile razy musiała powiedzieć sąsiadce czy znajomej, że jej syn kształci się na malarza. Bronek zrobił parę bardzo dobrych rysunków głowy matki. Robił je z wielką miłością. Ale pani Złota ze smutkiem kiwała głową nad tymi rysunkami.

– Podobne, podobne. Ale fotografia podobniejsza – powiedziała. – I co ty będziesz miał z tego wszystkiego?

Hubert pilnował Złotego i patrzył mu na łapy. Ale oczywiście był niedoświadczony. Złoty wybierał się teraz sam w podróż za granicę i Hubert bał się trochę tej wyprawy. Właśnie to było tematem rozmowy przyjaciół, gdy znaleźli się w olbrzymim, pustym mieszkaniu Huberta i gdy Piotrowa, jedyna niewiasta w domu, podała im obiad.

– Mnie się zdaje – powiadał Alo – że absolutnie nie dasz sobie rady ze Złotym. Przede wszystkim ty rozumujesz *gentlemanlike* * i nigdy nie przewidzisz, gdzie zaprowadzi go jego diabelskie rozumowanie.

– Ty wiesz, że ja go trzymam w garści.

– Dlaczego?

– On dostarczał broń do Hiszpanii.

Alo się zaśmiał.

– Przecież to nie było tajemnicą wobec rządu. Moja mama nawet coś na ten temat mogłaby powiedzieć. Nawet wuj Janusz.

– No, w każdym razie on mnie się boi.

– Ja ci radzę, póki czas, sprzedaj swoje udziały w jednym i w drugim interesie...

– Tak, kto je kupi.

– Jak to kto? Złoty! On tylko o tym marzy.

– Wiesz, nie wypada.

– Ja ci powiem. Ja kupię od ciebie zarówno udziały w Spółce, jak i „Spłonkę"... a potem je sprzedam Złotemu.

– Ależ on będzie chciał dać grosze.

– Tobie tak, ale mnie nie. Zaraz zapytamy Adasia, czy mógłbym mieć... no, ile ty to mniej więcej cenisz?

– Och, bardzo dużo.

– Dwa miliony?

– No, mniej, dużo mniej.

---

* po dżentelmeńsku

– Milion dwieście?

– Chyba coś takiego... to trzeba zapytać Szusz-kiewicza. Alu, jakiś ty w gorącej wodzie kąpany.

– Co? W gorącej? Nie, ja naprawdę chciałbym ci pomóc, a przede wszystkim wyrwać cię z tych interesów. Będziesz miał Rotocznię. Będziesz mógł spłacić długi na majątku i gospodarować. Rotocznia to podobno bardzo ładny majątek.

– Przyjedziesz w tym roku latem, zobaczysz.

– Szuszkiewicz moje wszystko trzyma w papierach. No, więc dobrze? Telefonuję.

Alo podszedł do telefonu. Piotrowa była oburzona.

– Proszę księcia, obiad wystygnie.

Ale Biliński już nakręcał numer.

– Halo, to ty, Adasiu? Co? To ty? Jesz obiad? I ja też jem. Słuchaj, ja chciałem się dowiedzieć, ile w tej chwili moglibyśmy osiągnąć sprzedając nasze papiery... co? spadły, powiadasz?... Oczywiście, że spadły do połowy... ale zawsze sprzedać można. Chyba tak? Coś ty taki speszony... Nie wyspałeś się? Bo mi potrzebna będzie zaraz bardzo duża suma pieniędzy. Po co? Chcę kupić fabrykę. Nie śmiej się, naprawdę. Te papiery do niczego. No, dowiedz się. Jutro... dobra, dobra... dowiedz się, czy można by było osiągnąć... – No, coś tak ponad milion... Oczywiście bardzo dużo. A ty myślisz, że pięćdziesiąt procent udziałów jednej z najwięk-szych fabryk warszawskich to mało? Jaka fabryka, to ci nic do tego. Dowiesz się jutro na giełdzie – powiedz jutro wujowi. Wuj z krzesła spadnie... oczywiście, że spadnie... no, ale to chyba nie naj-straszniejsze... bądź zdrów, tak, bądź zdrów. Do widzenia. Jutro zatelefonuję, tak jak teraz... koło drugiej...

Alo odłożył wspaniałym gestem słuchawkę i zasiadł z powrotem do stołu. Hubert śmiał się.

– Pasjami lubię, Alu, kiedy robisz tego wielkiego i energicznego. Ktoś by pomyślał...

Alo uśmiechnął się smutnie.

– Nie wierzysz w moją energię. A mnie się zdaje, że ja mam energię. A może nawet nie energię, ale siłę przetrwania. Ja mam cierpliwość... a to jest bardzo wiele.

– Możliwe. Lepsze to niż moje wyłażenie ze skóry przy każdej okazji. Po co mi to? – nagle zamyślił się Hubert.

– No właśnie ci mówię. Po co to wszystko?

– Sam nie wiem. Aby dowieść ojcu, że nie jestem ten niedojda, za którego mnie miał. Tylko, niestety, nie mam najmniejszej pewności, że mnie ojciec widzi... i że widzi, że nie jestem fajtłapą...

– Kochałeś ojca?

– Wiesz dobrze. Nie mam na świecie absolutnie nikogo. On był jedynym moim krewnym. Tak się jakoś złożyło, tak jakoś było. I właśnie to dla mnie jest najgorsze. Jak on mógł? Czy on nie pomyślał o tym, że zostawia mnie samego. Ta kartka: ponieważ jestem do niczego... Że w tej kartce nie ma ani jednego słowa, ani jednej literki o mnie. Gdzie ta kartka leżała?

– Tylekroć ci mówiłem. No, leżała obok niego na ławie...

– Bo ja sobie zawsze myślę. Może on nie skończył tego pisania? Może on chciał jeszcze coś dodać? Napisać... Hubert...

Alo popatrzył na przyjaciela.

– Dajże spokój – powiedział – stało się.

– Bo oczywiście to wszystko bzdura, zabijać się dlatego, że spłoszył głuszca, że już nie słyszał!... nie mógł polować na głuszce, mógł polować na dziki, to przecie zrozumiałe. Mnie się zdaje, że ten głuszec, którego spłoszył, to była tylko kropla w morzu, coś, co przepełniło nalany kielich. W ojcu była zawsze ta jakaś gorycz, skąpstwo, coś, co go różniło z całym życiem... ze wszystkimi był na bakier... Marysia Tatarska mówiła...

– Ty pytałeś Marysię o ojca?

– A dlaczegóż by nie? Ona bynajmniej nie ukrywała przede mną tych stosunków. O, ja bardzo dawno już o tym wiedziałem. Piotr mi o tym powiedział. Piotr bardzo dbał o moją edukację, trzeba przyznać... no, cóż... skoro...

– No, i co Marysia?

– Bardzo żałuję, że ojciec nie ożenił się z Marysią. Miałbym przynajmniej miłą macochę, mógłbym dla niej pracować...

– Żyłbyś z własną macochą.

Hubert popatrzył uważnie na Ala.

– To nie jest takie straszne – powiedział.

Przez chwilę jedli milcząc.

– Więc Marysia mi mówiła – ciągnął Hubert – że ojciec był w ostatnich czasach bardzo smutny i ciągle powtarzał: mam tego dosyć.

Alo położył rękę na dłoni Huberta, którą ten trzymał na stole, i popatrzył na niego uważnie.

– Ależ, Hubert – powiedział – mówiłeś mi o tym tyle razy, dlaczego przypominasz sobie teraz znowu. To przecie minęło, już przeszło rok. Tyle rzeczy od tego czasu się zmieniło.

Hubert zamyślił się. Nikt by nie poznał w nim w tej chwili wesołego, pewnego siebie Huberta.

– Bo ja myślę, że to bardzo straszno odbierać sobie życie. I że trzeba bardzo pragnąć śmierci...

– To ten pogrzeb Edgara tak ciebie usposobił. I po kiego licha chodzić na pogrzeby.

– Rzeczywiście, sam sobie zadawałem to pytanie. Po co ja tam polazłem? Zrobiłem to dla Antka i Andrzeja. A właściwie mówiąc, dla pani Oli Gołąbkowej. To jedyna kobieta, w której mógłbym się kochać...

– Właśnie. I ciągle przypominasz tamtą sprawę. Już więcej nic nie będziesz wiedział.

– Nic – przyznał Hubert.

Ale po chwili zaczął znowu:

– Bo ludzie strzelają się z tak rozmaitych powodów. Chciałbym wiedzieć...

W tej chwili odezwał się telefon. Alo został sam w jadalni nad pustą filiżanką po czarnej kawie. Patrzył przez okno na majowe drzewa w ogrodzie sejmowym i myślał wciąż o Edgarze. Tak mu było trudno przyjąć do wiadomości, że już go nie ma, i tak mu było przykro przyznawać się samemu sobie, że go mistyfikował. A może nie mistyfikował? Może rzeczywiście z niego jest taki smutny fircyk salonowy? Może go rzeczywiście bardziej bawił nowy frak i obiad we włoskiej ambasadzie aniżeli...

Hubert wrócił.

– No, i co tam?

– Dzwoniła Basia. Widziała tę próbę z *Elektry*. Bardzo namawiała, żeby iść. Podobno Wyczerówna taka znakomita...

– Która to *Elektra*? – spytał Alo.

– No, *Elektra* Hoffmannsthala. Taka niemiecka Elektra. Trzeba będzie pójść. Masz czas jutro?

– Mam, oczywiście. Możemy pójść.

– A Basia będzie?

– Nie, Basia jest dziś na premierze.

– Aha. I dekoracje Malika?

– Przecież sam mu pomagałeś malować?

– Nie, to nie do *Elektry*. To był *Majster i czeladnik*.

– No, właśnie, to jednego wieczoru grają.

– Dziwna kombinacja.

– To ma być coś jak benefis Wyczerówny. Ona zawsze całe życie tę *Elektrę* grała – i teraz chce zagrać. Tylko że teraz benefisów nie ma, więc tak po cichu jej całą kasę za jutrzejsze przedstawienie dadzą. No i Gorbal gra *Majstra i czeladnika*.

– Skąd ty to wszystko wiesz?

– Przecież to ty powinieneś wszystko sam wiedzieć. Co za zabawny z ciebie chłopiec. To ty pracujesz w teatrze.

– Pracuję, pracuję – za dużo powiedzieć. Pętam się koło Malika.

– Koło Malika, jak koło Malika, ale koło Marysi Tatarskiej.

– Ona, cholera, ładna – powiedział Alo w zamyśleniu.

– Nie taka bardzo – ironicznie uśmiechnął się Hubert.

– Hubert, ty mnie zdradzasz! – krzyknął w odpowiedzi na ten uśmiech Alo.

– W każdym razie nie ja – śmiał się już do rozpuku Hubert. – Najwyżej Marysia może ciebie zdradzić.

– Szelma jesteś – wołał Alo i boksował Huberta, który przewalał się po kanapie.

– Oj, daj spokój, daj spokój – śmiał się Hubert – tak zaraz po obiedzie to niezdrowo.

– Ja ci dam spokój – powiedział Alo – przecież ty wiesz, że ja ją kocham.

– Taka miłość – wzgardliwie skrzywił usta Hubert.

Alo wywrócił go na kanapę i młócił po nim kułakami. W tej chwili znowu zadzwonił telefon.

– Urwanie głowy z tymi telefonami – powiedział Hubert wstając z kanapy.

Wziął słuchawkę w rękę i powiedział: – Halo! – ale zaraz ją odłożył.

– Pan Szuszkiewicz pyta, czy jesteś u mnie – powiedział.

Alo poszedł do przedpokoju i wziął słuchawkę z ręki przyjaciela. Ale ledwie powiedział: – Tak, to ja – upuścił słuchawkę na stolik i spojrzał na Huberta z przerażeniem.

– Boże drogi – powiedział cicho – Adaś Przebija Łęcki się zastrzelił.

III

Sala teatru, w którym miał się odbyć ów wieczór – ni to benefis, ni to jubileusz Wyczerówny, była niewygodna. Ponadto miała skrzypiące krzesła i milczała tylko wtedy, kiedy publiczność zastygła w pobożnym skupieniu. Gdy tylko uwaga widzów stawała się mniej natężona, sala skrzypiała jak nie nasmarowane drzwi. Ale w tym momencie, kiedy światła zagasły, a kurtyna miała się podnieść przed przedstawieniem *Elektry*, głęboka cisza zapadła na widowni. Chłopcy siedzieli razem: Alo, Hubert i Bronek Złoty. Przed chwilą jeszcze słuchali z przejęciem opowiadania Ala o samobójstwie Adasia. Przebija-Łęcki zastrzelił się natychmiast po telefonie Ala; oczywiście chodziło tu o pieniądze Bilińskiego, którymi Adam dysponował z polecenia pana Szuszkiewicza całkowicie swobodnie. Alo jeszcze niczego nie sprawdził, lecz był przekonany, że został całkowicie na lodzie.

– Po to moja matka tym wszystkim tak wzorowo gospodarowała, żeby taki chłystek...

Pan Szuszkiewicz zjawił się na Brackiej blady i ledwie żywy i po raz pierwszy nie wiedział, co ma powiedzieć księżnej Marii i Alowi. Alo głęboko żałował starego człowieka, staruszka już bardzo w latach pochylonego, który powtarzał wciąż w kółko:

– A ja mu mówiłem, żeby do mnie przyszedł, a ja mu mówiłem...

Księżna była wściekła, twarda, uparta. Obrzuciła nieszczęsnego Szuszkiewicza gradem wyrzutów. Syn musiał ją powstrzymywać.

– Ależ, mamo – powiedział – ależ, mamo...

– Co mi mówisz „ależ mamo"! Ty biedy nie zaznałeś, nie wiesz, co to jest. A teraz naprawdę ja nie wiem, co będzie.

Stary Szuszkiewicz wyciągnął jakieś papierki i ołóweczki, kładł to wszystko na stole, chciał coś wyliczać i gubiło mu się wszystko, i myśl, i ołówek, i wreszcie papier. Alo przytrzymał go za rękę.

– Drogi panie Wacławie – powiedział – niechże pan da spokój. To się wszystko załatwi.

– Ja wszystko, wszystko, co mam, oddam, jak Boga kocham, oddam – mówił stary patrząc na księżnę psimi oczami.

– Czy pan oszalał? Pan wie przecież, ile wynosił majątek mego syna – mówiła Marysia. I ona też wydostała z torebki jakieś papiery, włożyła okulary w czarnej oprawie i rachowała...

Wszystko to Alo opowiadał przyjaciołom.

– No, to było okropne, po prostu okropne – powiedział.

– I jakże się to skończyło? – spytał Bronek.

Ale w tej chwili właśnie zagasły światła i odezwał się gong.

Umilkli. Alo oczekiwał efektu, jaki mogą dać dekoracje Malika. Bronek nazywał go „starą kanapą" i nie spodziewał się wiele. Dla Huberta była to najprzyjemniejsza chwila z całego teatru, ten moment, kiedy sala się już ściemniła, pierwszy gong już uderzył – i między pierwszym a drugim uderzeniem gongu nastaje ta chwila ciszy i oczekiwania, oczekiwania, które zawsze jest zawiedzione – bo oto widzimy na scenie nagle dobrze znane nam osoby, które udają, że są kim innym i że nie mają nic wspólnego z widzami siedzącymi na sali. A przecież wiedział, że zaraz w pierwszej scenie wystąpi Marysia Tatarska, którą doskonale sobie wyobrażał u siebie w łóżku, a zupełnie nie mógł jej sobie uprzytomnić jako księżniczki argolidzkiej, królewny, córki Agamemnona i Klitemnestry, na pół prymitywnej, na pół bardzo wyrafinowanej. Trochę się uśmiechał na samą myśl, że ujrzy tu

starą Wyczerównę udającą młodą grecką dziewicę
i właśnie Marysię, która swoje prześliczne piersi
przykryje obrzydliwym „chitonem", czy jak się to
nazywa.

Scena się pomału rozświetliła, pozostając zresztą
bardzo ciemną, i rozpoczęły swe rozmowy „służebne", w ten sposób, w jaki w ogóle wszędzie i zawsze rozpoczynają się dramaty. Służebne zgromadzone przy studni opowiadały bardzo swoistym,
warszawskim tonem, jak to się biedna Elektra mar-
twi, jaka Klitemnestra dla niej niedobra i że „przyjdzie, przyjdzie jeszcze do nas Orestes".

I oto nagle wynurzyła się z cienia Elektra-Wy-
czerówna. Cała sala poruszyła się, wszystkie krzesła
skrzypnęły jednakowo i nastała martwa cisza. Nikt,
właściwie mówiąc, nie rozumiał, o co chodzi, ale
z pojawieniem się tej starej kobiety, która bynajmniej niczym nie maskowała swojej starości,
z grzywą własnych włosów spuszczonych na czoło
i zwisających z tyłu do pasa, wszystkim zamarło
serce. Zrozumieli, że coś się dzieje na scenie. A ona,
niezgrabnie stąpając na swych wielkich stopach
i w gruncie rzeczy nic nie widząc przed sobą
z powodu bardzo krótkiego wzroku, z powodu
ciemności na scenie i z tego powodu, że nie stąpała
po drewnianych podestach teatrzyku na Powiślu,
tylko po kamiennych stopniach pałacu w Argos
– wyszła ku przodowi sceny i uczyniła drobny,
szybki ruch lewą ręką w dół, ruch, który wszystkie
owe aktorzyce zmienił nagle w prawdziwe greckie
służebne i odprawił tak, że zniknęły w zupełnej
cichości. I wtedy właśnie Hubert ze zdziwieniem
zobaczył, że piękną, czystą, zadziwiająco wpatrzo-

ną w protagonistkę dziewczyną, jedyną, która została przy studni, była Marysia Tatarska.

Elektra powiedziała pierwsze słowa po długiej pauzie głosem niskim i tak zwyczajnym, jak gdyby pytała siostrę, która godzina. I na to pierwsze wezwanie znowu na sali rozległ się lekki skrzyp. Hubert rzucił okiem na przyjaciół i na innych widzów siedzących w tym samym rzędzie, wszyscy pochylili się naprzód, jak gdyby chcieli odpowiedzieć Elektrze: właśnie wybiła ósma, zaczęliście przedstawienie.

Ale zaczęła mówić z Chryzotemis. Hubert nie wierzył swoim uszom. Marysia była zazwyczaj dosyć ordynarna i kiedy niekiedy kłóciła się bez powodu. Mówił wtedy: „Jak ty możesz być aktorką z tak płaskim głosem i z taką warszawską wymową!". A tutaj potoczyły się słowa jak perły. Hubert widział, jak Chryzotemis zafascynowana nie odrywa oczu od Elektry. Jak odpowiada jej z głęboką wiarą, że ma przed sobą nie ową aktorzycę, którą nazywano „Wycierówną", która liczyła sobie z pięćdziesiąt lat (i to same przestępne – jak mówił Cherubin Kolyszko) ale naprawdę nieszczęsną córę Agamemnona, która chciała się mścić śmierci ojca.

Kiedy Halina Wyczerówna otworzyła usta, kiedy po pierwszym pytaniu zaczęły padać następne kwestie, publiczność zapomniała o wieku i o powierzchowności aktorki. Jej olbrzymie ciemne oczy świeciły poprzez rozrzucone włosy i olbrzymie dłonie wznosiły się ku górze, wynurzając się z wystrzępionych rękawów pokutnej chlamidy. Wszyscy pili te słowa i pili także słowa Chryzotemis, która nagle wydała się nieziemsko piękna i eteryczna. I kiedy w pewnym momencie dialogu Elektra wzięła siostrę na kolana i trzymała ją w tym żałobnym geście Matki Bolesnej, opowiadając o zarżniętym ciele Agamemnona, o zamordowanym ojcu, Hubert poszukał ręki siedzącego obok niego Bronka i ścisnął ją mocno.

Ale Chryzotemis nie chciała zabić matki. A potem zjawiła się Klitemnestra. Przychodziła w całej paradzie królewskich błyskotek, dzwoniąca złotymi łańcuszkami, które spływały jej z rąk, szczękały u pasa i u stóp. I wobec której znowu Elektra się wydawała – choć w łachmanach – prawdziwą królewną. Hubert i Alo trzymali się za ręce, czując, jak ich bez reszty wciąga akcja sceniczna. Zupełnie nie pamiętali, co się z nimi działo, a ona mówiła, buntowała się, przeklinała – i była taka wspaniała. Pochyleni ku scenie – pożerali oczami tę niebywałą osobę, która była czymś, robiła coś, powodowała przed nimi na scenie jakieś dzianie się, którego naprawdę nie pojmowali, które przewyższało ich pojęcia.

Ale nie sama wielka aktorka budziła w nich ten dreszcz niezwykły. Odwieczna bajka Orestei, o której coś tam w szkole słyszeli, uczyli się oczywiście – tutaj działała swoim nieprzepartym, archaicznym czarem. Jakiś zamierzchły a stały świat otwierał się przed nimi jak poważna dekoracja z olbrzymią perspektywą w głębi, w momencie kiedy scena się trochę rozświetliła. Niezmienność natury ludzkiej, która w tych samych formach kocha i nienawidzi od tysięcy lat i nie wie, dokąd ją ta miłość i ta nienawiść zaprowadzi, ludzkość pragnąca sprawiedliwości, a nie umiejąca jej wymierzyć – to dopiero wstrząsnęło naprawdę uczuciem chłopców, którzy jeszcze przed chwilą myśleli o sprawach codziennych i pospolitych.

Zatracało się poczucie czasu. Tylko od chwili do chwili nagle nad salą przechodził dreszcz i skrzyp owych krzeseł. Ludzie starali się nie oddychać. I nagle przyszła wiadomość, że Orestes nie żyje. Hubert drgnął jak na wiadomość o samobójstwie Adasia.

– To niemożliwe – szepnął do siebie.

A Wyczerówna wykopywała teraz miecz spod kamieni. Na przodzie sceny, na prawo, skuliła się jak psica, jak zwierzę, i grzebała, grzebała pazurami w ziemi, darła kamień, aby wydobyć ów krwawy miecz zemsty... Lewą ręką odrzucała włosy, które jej spadały na oczy, i gest ten, który na co dzień spełniał pospolitą funkcję podnoszenia do ust kieliszka wódki, nabierał tutaj jakiegoś innego znaczenia, mówił co innego: stawał się gestem teatru.

Potem zjawił się Orestes. Alo nie wiedział, czy to jest Zbyszek, czy Mietek. Orestes, i koniec. Nie patrzył zresztą na niego, tylko widział blysk oczu promienny i zadziwiający, dziewczęcy, niespodziewanie czysty uśmiech Wyczerówny, która go witała. Z tą samą czystością, niezachwianą czystością podała mu, kiedy już trzeba było, wygrzebany spod ołtarza miecz i kazała zabijać. I czekała jak niecierpliwy zwierz na krew wykonanego wyroku.

A potem był ten potworny krzyk za sceną, po którym parę lekkich okrzyków zerwało się na sali. Elektra przypadła do ziemi i stopniowo zaczęła się podnosić, rosła ku górze, robiła się coraz wyższa, usta jej rozanielił uśmiech, wznosiła się, jakby miała ulecieć, i nagle poczęła tańczyć wokół ołtarza. Zrobiła trzy kroki, ale takie, że Hubert przysiągłby, iż słyszy muzykę im towarzyszącą; skoki rytmiczne, taneczne, zapamiętałe. Rysy jej rozjaśnił tryumfalny uśmiech. Dzieło sprawiedliwości dokonane! I zwaliła się jak podcięty kłos. Skończone.

Przez chwilę trwało milczenie. Potem zerwały się oklaski. Ale chłopcy nie klaskali. Siedzieli przygwożdżeni do krzeseł i nic nie mówili.

Bronek spojrzał na zegarek:

– Trwało godzinę i kwadrans. Zupełnie tego nie zauważyłem.

– Idziesz za kulisy? – spytał Hubert Ala.

– Po co?

– Do Marysi.

– Nie, nie pójdę. I wiesz co? Nie mam już ochoty zostawać na *Majstrze i czeladniku*. Też pomysł, żeby to razem wystawiać!

– No, Gorbal gra.

– Świetnie. Ale zobaczę go innym razem. Chodź, wyjdziemy.

– Dokąd?

– Bronek, idziesz?

– Zjemy coś gdzieś. Teraz będzie pusto – powiedział Alo. – A potem pójdziemy na daleki spacer.

– Dobra. Po takiej porcji trzeba się uspokoić.

– Ale porcja była mocna – powiedział Bronek, gdy się znaleźli na ulicy.

Noc była ciepła i księżycowa. W powietrzu jakby zawisła niebieska mgła. Szli Powiślem, a potem w górę Tamką i niebo nad nimi było z gwiazdami, z księżycem – zupełnie banalne i zupełnie nienaturalne.

– Ja bym tylko dał inny horyzont na miejscu
Malika – powiedział Alo.

– Z gwiazdami? – spytał Bronek.

– Wiesz, że może i z gwiazdami – uśmiechnął się
Biliński.

Restauracja Simona była o tej porze prawie pusta. Zielonawe sale świeciły nakrytymi wykrochma-
loną bielą stolikami.

Chłopcy usiedli w samej głębi przy podłużnym
stole tak, iż wszyscy trzej siedzieli obok siebie.
Patrzyli wyczekująco.

– Nie śmiejcie się – powiedział nagle Bronek
swoim aksamitnym, zadziwiającym basem (mówił
przy tym zawsze tak, jakby powstrzymywał
uśmiech) – nie śmiejcie się, ale ja jestem pierwszy raz
w restauracji. W ogóle nigdy nie bywam w restaura-
cjach, więc nie wiem, jak to się robi. I co najważniejsze, nie mam ani grosza, musicie za mnie zapłacić.

– No, co? – zawołał jak zawsze trochę za głośno
Hubert, potrząsając swoimi bajronowskimi lokami.

– Alo za nas płaci. Ostatnia kolacja ostatniego
z Bilińskich.

Alo uśmiechnął się dobrotliwie.

– Możecie jeść – jeszcze nie zabraknie.

– I pić? – spytał Hubert.

– Nie. Tylko jeść. Najwyżej piwo.

Właśnie podszedł do nich kelner.

– Ja mięsa nie jadam – powiedział poważnie
Bronek.

– Masz ci los. No to co? Jarzyny?

– Są szparagi – powiedział kelner.

– No, więc szparagi. Dobrze? – spytał Alo, widząc, że Bronek cierpiał męki nieśmiałości.

– Dobrze – zgodził się Złoty.

Kelner poleciał w stronę kuchni. Nie zapomniał przedtem postawić na stole karafki mrożonej wódki.

– Napijesz się? – spytał Alo Bronka.

– Trudno, z wami się człowiek powiesi – pół powiedział, pół uśmiechnął się Bronek. Alo nalał wszystkim trzem po dużym kieliszku.

– Nie, więc powiedz naprawdę – zagadnął Hubert – jak ty będziesz żył? Z czego?

– A czy ja wiem? Już tam mama dzisiaj z panem Szuszkiewiczem coś uradzą. Przypuszczam, że spędzą cały dzisiejszy wieczór na omawianiu tego zagadnienia.

– Czy myślisz, że on zabrał wszystkie papiery?

– Przypuszczam.

– To znaczy, nie będziesz miał żadnej gotówki?

– Żeby się taka rzecz mojemu ojcu zdarzyła – westchnął Bronek z taką miną, że obaj chłopcy się roześmiali.

– No, ostatecznie, przecież to nie było wszystko, co mi babka zostawiła – powiedział Alo – jest jeszcze mnóstwo innych rzeczy, jak ten dom na Brackiej...

– To także twoje? – spytał Bronek.

– No, a czyjeż? Jest dom, są place w Warszawie i w Podkowie Leśnej, można to będzie zaraz spieniężyć, bo to idzie jak woda... Pan Szuszkiewicz wyliczał mi przez pół dnia, kiedy ja to „obejmowałem".

– Jakoś tak dość niedbale mówisz o swoim majątku – powiedział z pewnym zgorszeniem Hubert. – Ja mam wszystko moje w ścisłej ewidencji.

Bronek wzruszył ramionami:

– Najlepiej jest nic nie mieć.

Hubert się obruszył:

– Nie jest to dewiza twojego ojca.

– Niestety – uśmiechnął się znowu Bronek i popatrzył na Huberta tak, jakby coś zawinił.

Hubertowi zrobiło się przykro. Kelner postawił przed nimi zakąski. Wspaniałe. Bronek zarumienił się na ich widok.

Hubert podniósł kieliszek:

– Wobec tego za twoje powodzenie, Bronek.

Bronek popatrzył na Huberta z wdzięcznością.

– Dziękuję – powiedział.

Alo popatrzył także na nich, wychylając swój kieliszek:

– Masz rację, Bronek. Hubert jest fajny facet.

– Tylko podobno rzuca dawnych przyjaciół. Skarżył mi się Andrzej Gołąbek...

– No, dziecko, sam powiedz – rozczulił się nagle Hubert – no, jak ja z nimi mogę. To takie ćwoki...

– Nie masz racji – powiedział Alo.

– No, nie, nie ćwoki. Ale nie wiem, jak to nazwać. Takie mamy synki.

– Raczej taty synki – wstawił Bronek

– Dlatego, że Andrzej kocha ojca, to zaraz... – powiedział Alo.

Hubert zaperzył się:

– Przepraszam, ja też kochałem mojego ojca.

Alo powrócił do pierwszego tematu rozmowy:

– No, i powiadam wam, zabrał papiery, sprzedał, przehulał. Ale to przecie nie wszystko – mogę żyć i bez tych papierów. Ja w ogóle mogę żyć bez forsy – a on zaraz wziął i zastrzelił się. To straszne.

– Gdzie on się zabił?

– W mieszkaniu swoim, miał taki pokój na Śnia-
deckich. Zaraz po moim telefonie.

– Ale skąd miał rewolwer?

– Zaraz, zaraz – powiedział Alo – pamiętasz,
Hubert, jak zatelefonowałeś na Bracką, a ja ci po-
wiedziałem, żebyś zaraz przyszedł? Kiedy to było?
W zeszły czwartek, prawda?

– Zdaje się, że w czwartek.

– Wyobraźcie sobie, Adaś był wtedy u mnie
i pokazywał mi swoją maszynę. No, parabellum
pierwszej klasy. Ale tak jakoś dziwnie bawił się tym
rewolwerem... i coś takiego czułem. Bałem się go
po prostu – powiedział dość zabawnie Alo, rozkładając ręce. – Czort wie, co takiemu przyjdzie do
głowy. Miał dziwne oczy – błyski w oczach, których u niego nie lubiłem. Nie podobał mi się. I jak
tylko Hubert zadzwonił, to mu powiedziałem:
przychodź natychmiast.

– A on co?

– Pożegnał się i wyszedł.

– Myślisz, że on cię chciał zastrzelić?

– Myślę.

– Ależ dlaczego?

– Jakoś mógł może upozorować. Że niby oburzo-
ny, że ja straciłem... czy żeby... czy ja wiem co?

– Zdaje się, że to jest twoja fantasmagoria.

W tej chwili wszedł do restauracji Malik. Z daleka zobaczył chłopców, bo nikogo innego na sali nie
było. Podszedł do ich stołu.

– Dobrzeście zrobili, żeście wyszli po *Elektrze*.
Widziałem was w teatrze. Ja także nie wytrzymałem.
Po co taki przekładaniec? *Elektra* i *Majster i czeladnik*?

– Dla publiczności.

No, mnie się zdaje, że publiczność miała zadowolenie właśnie w *Elektrze*. Widzieliście? Widzieliście? Co za artystka... Ale po co ja wam to mówię. Zapewne o niczym innym nie rozmawiacie.

Chłopcy spojrzeli po sobie i uśmiechnęli się lekko.

– To niebywałe, to zupełnie nadzwyczajne – pienił się Malik, siadłszy do stolika. – Tego zupełnie nie można określić, to jest jakieś pozateatralne.

Chłopcy, każdy z osobna, poczęli patrzeć w swój talerz. Bronek zresztą z dość nieszczęśliwą miną, bo piętrzył się na nim stos gorących, do połowy zielonych (w karcie było *à l'italienne*) szparagów. Trochę ich krępowały słowa Malika.

– Bardzo się panu udały dekoracje – powiedział Alo i przekrajał swój *côtelette de volaille*. Masło trysnęło aż na Huberta.

– Co robisz – krzyknął Hubert – moje ubranie!

– Tak powinno być – zaśmiał się Alo – to jest klasyczny *côtelette de volaille*.

– Ja się na tym nie znam – mówił Hubert – a ja dzisiaj pierwszy raz włożyłem to ubranie. Nawet na to nie zwróciłeś uwagi.

– A, rzeczywiście, bardzo ładne – przyznał obojętnie Alo.

– Ale ja cały czas na nie patrzyłem – z zażenowaniem powiedział Bronek – i nie wiedziałem, dlaczego tak dobrze dzisiaj wyglądasz.

Do stolika podszedł Mietek. Za nim ku wielkiemu swemu przerażeniu zobaczyli okrągłą twarz Walerka Royskiego. Dopiero widząc wytartą po charakteryzacji, białawą twarz Mietka, domyślili się, że to on grał Orestesa. Walerek wysunął się przed niego i przywitał się ze wszystkimi.

– Powiedz mi – zaatakował od razu ostro Malika
– co to znaczy wystawienie tej sztuki! Dlaczegoście
wy to wystawili? Czy wiesz, kto to jest pan Hoffmannsthal? Hugo „von" Hoffmannsthal? To jest
syn rabina wiedeńskiego.

– A czy ty wiesz, kto to był Ajschylos? – spytał
go Malik.

– Głupie żarty. Ale ja chciałbym wiedzieć – ciągnął Walerek stojąc nad stolikiem – kto to układa
taki repertuar? Skąd taki wiatr idzie? Czy to Gorbal,
czy to Wyczerówna, czy to ty, mój najmilszy mala-
rzuniu? – Widać było, że Walery jest podpity.

– Sprawiedliwość! Sprawiedliwość! Różna bywa
sprawiedliwość na świecie.

Walerek chciał usiąść przy ich stole i szerokim
gestem zapraszał speszonego (i też trochę zawiane-
go) Mietka. Malik się zaniepokoił.

– Nie siadaj tutaj – powiedział – siądziemy przy
innym stoliku. Ja tu ze skóry wychodzę z tego
dzisiejszego wrażenia...

– Tak, ona była wspaniała – zdawkowo powiedział Mietek.

– Kto, Marysia? – spytał gapiowato Walery.

– Tu ci młodzi panowie rozmawiają o kotletach
i gabardynach; jaka ta młodzież dzisiaj niewrażliwa
– dodał. I kiwnąwszy tylko głową sąsiadom, przeniósł się z Mietkiem do innego stolika.

Chłopcy stłumili chichot. Ale zaraz zapłacili. Wychodząc, ostentacyjnie ukłonili się Malikowi. Walerek im się nie odkłonił.

Nie umawiając się ani nie mówiąc do siebie ani
słowa, zaczęli schodzić ulicą Karową. Jest to jedna
z najdziwniejszych ulic w Warszawie. Kiedyś tam

zbudowano ten ślimak, którym mało kto jeździ, ma on bowiem wiraże zastosowane jeszcze do konnych powozów i samochód się źle na nich czuje. Arkady tego ślimaka przywodzą na myśl jakieś dekoracje.

Alo, Hubert i Bronek schodzili pomału pod arkadami, ciemno tu było i ciepło, nagrzany bruk, nagrzany beton ocieplał powietrze. Lampy paliły się rzadko, a blask księżyca tu jakoś nie docierał, a może księżyc na razie schował się w chmurach. Dość, że było tu ciemnawo i niesamowicie.

– Tutaj, na tym ślimaku, trzeba było zagrać *Elektrę* – powiedział, raz tylko przerywając ciszę, Bronek.

Zeszli potem Karową aż nad samą Wisłę. Kroki ich klapały po bruku, bo chociaż godzina nie była specjalnie późna, jednak tu już było zupełnie pusto. Zeszli ku wodzie i usiedli na wysokim kamiennym brzegu. Przed sobą mieli wolną przestrzeń wodną pomiędzy dwoma starymi barkasami, służącymi za przystanie. Ale wysokie światła były już pogaszone i stare łajby spały przytulone do brzegu, jak śpią czasami zwierzęta w stajni. Woda pukała lekko o brzeg i o drewniane ściany przystani. Ciągnęły się tutaj łańcuchy i sznury, ale kawałek wody w tym miejscu był zupełnie wolny, czarny, zaciemniony i przelewający się tak, jak gdyby woda była jakąś gęstą cieczą. Stan wody był wysoki. Dopiero gdzieś ku praskiemu brzegowi wynurzały się posrebrzone księżycowym blaskiem łachy. Przy brzegu było ciemno.

Chłopcy usiedli ciasno obok siebie, bo już robiło się chłodnawo, i bardzo długo nic nie mówili.

Jak zwykle zaczął mówić Alo swym rozsądnym i spokojnym tonem. Hubert mu dokuczał, że mówi przez nos.

– Ten Malik to idiota – powiedział. – O czym wy myślicie cały czas?

– O *Elektrze* – odpowiedział bez wahania Hubert.

– Ja też – westchnął raczej Bronek.

– Ja może nie tyle o *Elektrze* – ciągnął Alo – ale o tym, o co w tej sztuce chodzi. O sprawiedliwości... lepiej powiedziawszy, o nieosiągalnej sprawiedliwości. Że właściwie mówiąc, nie można być sprawiedliwym...

– Co też ty pleciesz? – Hubert się oburzył.

– A jak to nie? No, dobrze, Elektra namówiła Orestesa i on zabił matkę... i co dalej? Więc to nie było sprawiedliwe.

– To się tam potem reguluje u Ajschylosa.

– Ja wiem, przy pomocy czarnych gałek. Ale gałki nie załatwiają sprawy. Fakt faktem: zabił matkę, i koniec. Mnie zabito ojca. I co ja mam z tym fantem zrobić? Mścić się na bolszewikach? To nie ma najmniejszego sensu, bo ten, kto zabił mojego ojca, jest nieuchwytny, a kto kazał zabić, jeszcze nieuchwytniejszy...

– Ja myślałem o czym innym – powiedział Hubert bardzo powoli i rozważnie, co tak nie pasowało do niego, że Bronek spojrzał na niego zdziwiony. W świetle księżyca, gdy oko się przyzwyczaiło do ciemności, Hubert wydawał się jakiś tajemniczy, jakby narysowany przez bardzo dobrego malarza.

– Constantin Guys – wymienił Bronek półgłosem swego ukochanego rysownika. – Ja cię muszę kiedyś narysować – powiedział głośno.

Hubert się obruszył.

– Dziękuję ci. Twoje modele muszą zawsze rozbierać się do naga.

– Ciebie narysuję w ubraniu – obiecał Bronek.

– Nie przeszkadzaj – ciągnął Hubert – ja myślałem o czym innym. Zupełnie o czym innym. Jest sobie ta bajka o Elektrze i Orestesie, bajka o złych skutkach wojny trojańskiej, o obowiązkach... ciężkich obowiązkach, jakie spadły na tych dwoje... To straszne musieć tak zabijać. No, gdybym ja się na przykład dowiedział, że mego ojca zabiła Marysia Tatarska...

Alo wciągnął w tym miejscu powietrze, jakby się zdziwił czy przestraszył. Wziął Huberta za rękę.

– Skąd wiesz, że to nie Marysia Tatarska?

Hubert wycofał rękę.

– Nie rób ze mnie Hamleta. Nie nabierzesz mnie na to. Ale ja jeszcze zupełnie o czym innym. I jak gdyby bez związku z tym przedstawieniem.

– Ja też bez związku z tym przedstawieniem – powiedział Alo – bo to wiesz, to jest tak, jakby mnie ta Wyczerówna wzięła za głowę – niby butelkę – i mocno wstrząsnęła. Wszystko się przestawiło we mnie i wyszło na jaw mnóstwo rzeczy.

– Czy wy mi dacie powiedzieć? – zniecierpliwił się wreszcie Hubert.

Brzegiem przechodził policjant.

– Co wy tutaj tak siedzicie, panowie? – rzucił niegroźnym głosem.

Chłopcy odwrócili się i zobaczyli sylwetkę policjanta na tle gdzieś tam oświetlonej Warszawy.

– Tak siedzimy, gadamy, panie władza. Nic się pan nie bój. To studenci. My dobre ludzie – zawołał w odpowiedzi Hubert. Ponieważ ostatnie zdanie odpowiedział już odwróciwszy się ku rzece, poszedł od niego pogłos po wodzie, odbił się o drewniane ściany przystani: „my dobre ludzie" – huknął jakoś jak w beczkę powiedziane.

Policjant ruszył powolnym, ale sprężystym krokiem.

– No, no – rzucił na odchodnym – tylko czego nie zmalujcie.

Od tego dialogu, od owego pohuku po wodzie, od owych sprężystych kroków policjanta powiało jakimś głębokim spokojem. Bronek wyciągnął się i położył na brzegu.

– My dobre ludzie – powtórzył i chwilkę pomilczeli.

Z księżyca widać zdjęły się chmurki, bo woda pojaśniała. Nie ta przy brzegu, ta była wciąż czarna i gęsta, ale ta dalej. Tak jakby srebrna łacha spod praskiego brzegu roztapiała się w Wiśle i powoli rozjaśniała swoim kolorem jej fale. Łódeczka, mała, nikła, na której nie widać było wioślarza, przeciągnęła środkiem. Słychać było cichutkie klapanie wiosła jak odgłos jakiegoś wodnego owada.

– A czy my w ogóle ludzie – spytał jeszcze Bronek, ale mu nikt nie odpowiedział.

– Wiesz – jeszcze po chwilli mówił Złoty, nie zwracając się do nikogo specjalnie – ja czasem widzę przedmioty, te barki, tę łódkę, most w oddali nie tak, jak one są, a tak, jakbym je chciał wymalować. A wymalować to znaczy otworzyć je, te przedmioty, otworzyć jak drzwiczki, jak furtkę, aby zobaczyć, co się za nimi kryje. Nigdy się nie zobaczy tego, co się za nimi kryje – ale one „zapraszają"

– tak mówi Proust – zapraszają do tego, aby je otworzyć. I to ja nazywam malarstwem. W tym właśnie chciałbym się zrealizować, niejako urzeczywistnić – i wtedy dopiero poczułbym się człowiekiem...

– A ja myślę, że umiałbym się urzeczywistnić jak Elektra w czymś, czego bym dokonał. W wykopaniu miecza na przykład – to mówił Hubert. – Wiesz, dlaczego mnie tak szalenie zdenerwowała scena wykopywania miecza – zresztą ona to robiła jak fachowy łopaciarz – bo mi się zdawało, że ona w miarę jak wykopuje, jak wydobywa ten miecz, staje się człowiekiem. Z jakiejś bestii, zwierza jakiegoś, powiedziałbym, ze starej kobiety. A człowiek wierzył, że ona ma dwadzieścia lat, zmienia się w człowieka.. Rodzi się. Myślałem, że asystujemy przy porodzie. Wtedy urzeczywistniła się. Chciałbym się urzeczywistnić w ten sposób.

Alo chrząknął w tym miejscu.

– No? – spytał znowu bardzo przez nos i „arystokratycznie", jak to nazywał Hubert. – Musicie się koniecznie urzeczywistnić? Inaczej nie możecie żyć?...

– Nuda – powiedział Hubert.

– Urzeczywistniajcie się, ile chcecie, ale dajcie mi czasami wtrącić słówko, przerwaliście mi w pół zdania i teraz rozpoczęliście balet pawiów; który ładniejszy, który mądrzejszy. Teraz znowu Hubhuby mówi: nuda! Jakież to wszystko piękne, pięknoduchowskie.

– Pozwól nam na to, tak tego będzie niedługo.

– Patrz na wodę, patrz na wodę – bezmyślnie i jakby do siebie powtarzał Bronek, ale leżąc na wznak patrzył na ogromne niebo i na gwiazdy pobladłe wobec blasku księżyca.

– Dlaczego niedługo?

– Bo widzisz – i to chciałem powiedzieć od samego początku – każde pokolenie wznosi się jak fala, ma jakieś zadanie do spełnienia, jakąś furtkę do otworzenia, jak powiada ten mały malarz, a potem opada, filistrzeje, gubi się w piasku i już nie wykonuje zadań, tylko polecenia, może obowiązki. Jak w morzu, grzebień się wznosi – i paf! opada, i brzeg jest równy i gładki, bo plaża. Otóż Elektra nie poszła na plażę. Ona się wzniosła na grzbiecie fali – i pękła jak bańka mydlana. I to jest właśnie takie piękne. Nie przeżyła siebie. Nie chciałbym jej widzieć panującej w Argos, chodzącej po pałacu z kluczykami do spiżarni Atrydów, w której teraz są same podpłomyki – a dawniej nie to bywało. Ach, jakbym ja nie chciał przeżyć siebie... – Hubert się rozmarzył i dopiero po tym monologu można było zauważyć, że trochę jednak ta wódka wypita u Simona działała na niego.

– Ach, ty marny – jęknął Bronek najniższym swoim głosem i zawsze składając wargi w ten sposób, jak gdyby wstrzymywał się od śmiechu. – Ty nie jesteś żaden przemysłowiec ani myśliwy...

– Myśliwy to ja – wstawił Alo.

– No, to sportowiec...

– Ładny sportowiec, nawet pływać nie umiem – powiedział Hubert.

– Tylko po prostu poeta. Cóż, nie wiedziałem nawet, że potrafisz tak gadać.

Hubert też położył się na wznak i patrzył w niebo.

– Jaka krótka noc – powiedział rozważnie Alo – na wschodzie szarzeje.

– Warto się rozgrzać, bo robi się chłodno – zawołał Hubert.

I nagle, nim tamci się zdołali opamiętać, Hubert szybko zrzucił z siebie to „piękne" ubranie i wyłuskał się z bielizny. Bronek patrzył na to ze zdziwieniem, ciało Huberta wyglądało jak orzech włoski wydarty ze skorupy, krzepkie i jędrne, trochę za dojrzałe jak na jego lata. Hubert cofnął się, rozpędził się i z rozmachem skoczył w wodę.

– Boże drogi – przypomniał sobie Bronek – on przecie nie umie pływać.

– Nie umie pływać? – spokojnie mówił Alo. – To najlepszy pływak, jakiego znam. On cię nabierał.

Z dołu, z zimnej wody dolatywało prychanie. Jasna plama piany posuwała się zatoką pomiędzy przystaniami.

– Ale to naprawdę już świta – powiedział Bronek – pora, by zasnąć. Co tam moja mama porabia!

– Ja już się dziś kłaść nie będę – zauważył Alo – mam przecie spotkanie w banku z Szuszkiewiczem, a potem pogrzeb tego idioty.

– Jak można popełnić samobójstwo – wobec życia – głęboko i z przekonaniem powiedział Bronek, wciąż leżąc na wznak i patrząc w gwiazdy.

IV

Na Brackiej powoli wytworzył się zwyczaj, aby ranne śniadanie jadać w „małym stołowym", położonym nie na pierwszym piętrze, ale na dole, zaraz obok hallu. Pokoik był to ciemnawy, okna wychodziły na kąt podwórza, więc Marysia Bilińska urządziła go trochę w stylu *rustique**. Stół był przykryty dużą serwetą z baskijskiego płótna w czerwone i granatowe kraty, a meble były wszystkie z jasnego drzewa. Niewiele to pomogło i pokoik, dawny służbowy kredensik, zawsze wyglądał jak w oficynie. Panna Tekla wzruszała na to ramionami.

– Dla lokajów byłoby niedobrze, a cóż dopiero dla państwa.

Ale musiała ustąpić woli Bilińskiej.

– Jest nas teraz tak mało – mówiła Marysia – dla trzech osób ten ogromny stołowy *c'est tellement morne***.

Rzeczywiście w domu była tylko Bilińska, Alo i panna Biesiadowska.

Tego dnia koło pół do dziesiątej w tym małym stołowym spotkały się pani Szuszkiewiczowa i panna Tekla. Bilińska jeszcze nie zeszła, Alo zaś poszedł z panem Szuszkiewiczem do banku.

Dwie panie, które popijały kawę siedząc naprzeciwko siebie nad obrusem w czerwono-granatową kratę, niekoniecznie się lubiły. Stosunki się jeszcze pogorszyły, kiedy panna Potelos w tak późnym wieku odmieniła stan panieński. Panna Tekla fukała zawsze na ten temat:

– Stare babsko i amorów się zachciało...

Teraz jednak połączyła je ze sobą wspólna troska, a także właściwa starym kobietom – może

---

* wiejskim
** to takie smętne

w ogóle ludziom – radość, że życie nie płynie
nudnym, ustalonym nurtem, że coś się dzieje. Tak
jakby dlatego, aby „coś się działo", potrzeba było
samobójstwa młodego człowieka i przepadku większej części majątku księżnej Anny. Tym razem więc
panna Tekla z panią Szuszkiewiczową udzielały
sobie informacji przyciszonym szeptem i z widocz-
ną dobrą wolą i wzajemną życzliwością.

– Mój mąż – zawsze podkreślała te słowa wobec
panny Tekli, a właściwie mówiąc, wobec wszystkich – m ó j   m ą ż przeczuwał tę biedę już od
dawna; Adam po prostu nie chciał z nim rozmawiać.

– Jeżeli przeczuwał, to powinien był księżnę
uprzedzić – zauważyła panna Tekla.

– Jakżeż tak zwracać podejrzenia na siostrzeńca?
Adam był dla mojego męża jakby rodzone dziecko.

– I pani myśli, że tam w safesach już nic nie
zostało?

Pani Szuszkiewiczowa uśmiechnęła się gorzko.

– Gdyby coś było, toby się przecie nie zabijał.
Prawda? Panna Tekla westchnęła.

– Pogański to obyczaj – mruknęła pod nosem.
– I ten stary Hube.

– Mnie się zdaje – ciągnęła dawna panna Potcloa
– że to właśnie samobójstwo Hubego nasunęło mu
tę myśl. Bo to, proszę pani – *comme la peste* * – jeden
od drugiego się zaraża, i tak to idzie.

Pani Szuszkiewiczowa uśmiechnęła się.

– To wcale nie jest wesołe – powiedziała do niej
groźnie panna Tekla.

---

* jak dżuma

Ale zaraz złagodniała, siorbnęła spory łyk kawy i zachęcała panią Szuszkiewiczową do spróbowania „jej" rogalików.

Stół zresztą był ugarnirowany aż miło. Rozmaite gatunki chleba, rogalików, sucharków piętrzyły się w koszyczkach. Nie brakowało ani miodu, ani wybornych śliwkowych powideł, wszystko wydane staremu Stanisławowi osobiście przez pannę Teklę ze spiżarni.

Weszła Bilińska w jasnej porannej sukni. Przy świetle słonecznym, w pełni wiosennego dnia, widać było wszystkie cienkie zmarszczki; bardzo odmieniały one jej twarz.

Z niepokojem spojrzała na panie siedzące naprzeciwko siebie przy stole. Obawiała się, że się kłócą. Uśmiechy na złagodzonych twarzach uspokoiły Bilińską. Usiadła i zażądała kawy trochę mdlejącym głosem. Była szczerze przejęta wydarzeniami, ale u niej wszystkie gesty miały cechy nieszczerości.

– I co pani na to? – zwróciła się do Szuszkiewiczowej.

– To było do przewidzenia – powiedziała Francuzka. – Kiedy ktoś jest taki lekkomyślny jak mój mąż...

– Lekkomyślny – to nie jest przymiotnik, którego bym właśnie użyła w stosunku do pana Wacława – powiedziała Bilińska wkładając cukier do kawy.

Dopiero teraz zauważyła przed samym nakryciem położoną depeszę. Ściągnęła brwi. Ale rozpieczętowała ją spokojnie.

– To od pana Kazimierza – powiedziała do panny Tekli.

– Ma jakieś trudności z tą swoją rodziną? – z głęboką obojętnością, a nawet z pogardą w głosie powiedziała stara panna.

– Ach, tak, to doprawdy niefortunna rodzina. Zupełnie nie umieją się gospodarzyć.

W tej chwili rozległy się kroki i weszli Alo i pan Szuszkiewicz. Alo po nieprzespanej nocy wyglądał okropnie. Matka myślała, że to z powodu straty majątkowej.

Panowie nie witając się stanęli przy stole i Alo wyjmując z bocznej kieszonki rzucił na stół duży pierścień ze sczerniałego złota z olbrzymim szmaragdem.

– C'est tout * – powiedział.

– Co to jest? – spytała panna Tekla.

– Pierścionek, który mi zapisał Edgar Szyller.

Panna Tekla wzięła pierścień do ręki i jak gdyby to było najważniejsze, poczęła oglądać na wszystkie strony wspaniały, ciemnozielony kamień z wersetem Koranu wyrytym na nim arabskimi znakami.

– Wszystko zabrał? – spytała księżna.

– Niestety wszystko.

Słowa te Szuszkiewicz wypowiedział dosyć obojętnie i usiadł przy stole. Ale z twarzy jego widać było, jak przejęty jest tą sprawą. Natomiast Alo był tak spokojny, że to zwróciło uwagę matki. Popatrzyła na niego uważnie, kiedy usiadł do stołu i zażądał kawy. Panna Biesiadowska mu natychmiast nalała, dobierając najgrubszych kożuszków śmietanki.

– Na tobie to, zdaje się, żadnego wrażenia nie uczyniło – powiedziała bardzo zimno Bilińska.

---

* To wszystko.

– A cóż ja mam robić? – nagle dość ordynarnie zniecierpliwił się Alo.

Szuszkiewicz uważał za stosowne interweniować:

– Księżna pani jest tym specjalnie przejęta. Księżna pani przed rokiem oddała nam majątek w takim porządku...

– „Nam" – przerwała Bilińska gwałtownie – w każdym razie nie panu i nie pańskiemu siostrzeńcowi.

Alo z kolei spojrzał ze zdziwieniem na matkę. Nie widział jej nigdy tak wzburzonej. Siorbał jednak z apetytem swoją kawę.

– Co teraz będzie?! – spytała Bilińska Szuszkiewicza. – Ja miałam ostatnio też pewne straty.

Alo nastawił ucha.

Szuszkiewicz rozłożył na stole swoje krótkie, pulchne rączki.

– Proszę księżny – powiedział – przecież można upłynnić rozmaite inne części majątku. Na przykład place w Wildze nad Wisłą...

Alo tymczasem smarował masłem rogalik po rogaliku. Po nieprzespanej nocy miał apetyt.

– Gdzie byłeś wczoraj wieczorem? – spytała ostro matka.

– W teatrze.

Alo widział, że panna Tekla rzuciła na Bilińską dwa czy trzy spojrzenia pełne zdziwienia i dezaprobaty. Bilińska nie mogła się opanować.

– Z kim? – spytała.

– Z przyjaciółmi – powiedział Alo smarując jeszcze jeden rogalik masłem, tym razem już dla demonstracji.

Szuszkiewicz westchnął.

– Teatr zgubił Adama – powiedział splatając z powrotem ręce.

Alo zdziwił się bardzo.

– Nie słyszałem, żeby Adaś bywał w teatrze – powiedział.

– Bywał, bywał – potwierdziła szybko Szuszkiewiczowa.

– Zdaje się, że go zgubiły knajpa i dziwki – powiedział Alo.

– *Quelle expression!** – zgorszyła się Bilińska.

– Na te rzeczy nie wydałby milionów czy setek tysięcy – powiedziała zbierając ze stołu panna Tekla. – Najgorsze to, że zakładał stajnię wyścigową. Na stajnię można dopiero puścić pieniądze! Ja już niejedno widziałam.

Alo zaśmiał się.

– Jak się chce, to się na byle co puści.

– Nie miliony!

– Nawet miliony. Co panna Tecia chce, nasze panie lubią brylanty, a czasem nawet i wille. To mało kosztuje?

– Właśnie, właśnie – powiedziała Bilińska, znacząco patrząc na syna. – Bardzo mi się nie podoba twoje towarzystwo.

– Bardzo mi przykro.

– Czy był z księciem wczoraj młody Hube? – spytał Szuszkiewicz.

Alo zniecierpliwił się i baskijską serwetką strzepnął okruszyny ze stołu.

– A co już panu do tego, panie Szuszkiewicz? – spytał.

---

* Co za wyrażenie!

– Alu – przestrzegła go matka.

– Nic, oczywiście nic – powiedział Szuszkiewicz – tylko chciałem księcia zapytać, o czym mówił Adasiowi w ostatnim telefonie?

Alo zamarł nagle i popatrzył na Szuszkiewicza dziwnym wzrokiem. Było w nim zdziwienie i coś jakby strach.

– Mnie się zdaje, że ten mały Hube ma bardzo zły wpływ na ciebie – dodała jeszcze Bilińska.

– Czy pan nie zna treści mojego telefonu? – spytał Alo.

– Owszem – bardzo poważnie powiedział Szuszkiewicz i popatrzył jak bazyliszek na młodego Bilińskiego.

– Więc dlaczego pan pyta?

– Chciałbym wiedzieć, dlaczego książę potrzebował tak gwałtownie olbrzymiej sumy pieniędzy.

– Alu, co to znaczy? – spytała Bilińska. Alo ułowił w tym pytaniu nutkę nieszczerości. Matka wiedziała o wszystkim i teraz go we dwójkę z Szuszkiewiczem osaczali.

– To było na wpół żartem. Chciałem odkupić od Hubego jego udziały w Spółce i jego część „Spłonki".

– Od Huberta?

Alo zrozumiał całą grę. Szuszkiewicz pragnął zwalić przynajmniej część odpowiedzialności za kradzież papierów na samego Ala i w tym duchu usposobił matkę.

– Ostatecznie miałbym do tego prawo, będąc pełnoletnim – bąknął Alo niepewnym już tonem.

– Co za lekkomyślność! – powiedziała półszeptem pani Szuszkiewiczowa.

– Alu, przecież ty miałeś klucze od safesów – zawołała jeszce Bilińska.

– Oczywiście, że miałem. Ale nie zaglądałem tam
od półtora roku. Raz w życiu tam byłem, i to
z panem Szuszkiewiczem. To okropna instytucja.

– Chodził więc tylko Adaś?

– Może mama sprawdzić. Przecież się tam zapi-
suje daty i nazwiska odwiedzających.

– Ostatnio podobno „Spłonka" jest w kiepskich
interesach? – spytał Szuszkiewicz.

– To cała polityka – powiedział Alo.

– Polityka? A czyja? – stanowczo Szuszkiewicz
zmieniał się w sędziego śledczego.

– Po części Złotego...

– Złotego? Przepraszam, a kto był z księciem
wczoraj w teatrze jako trzeci? – indagował Szuszkiewicz.

– Co to znaczy? – zawołał Alo i zerwał się z krzesła. – Pan wie dobrze i mama wie, że byłem wczoraj
w teatrze z Hubertem i z Bronkiem Złotym...

– *Comme toujours* ★ – szepnęła była panna Potelos.

– Nie *comme toujours*, żadne *comme toujours*, bo
Bronka widuję bardzo rzadko...

– To ładna spółka – powiedziała Bilińska.

– Z ograniczoną odpowiedzialnością sądową
– syknął Szuszkiewicz.

Alo rąbnął pięścią w stół.

– Wypraszam sobie podobne żarty – krzyknął
i zarumienił się jak burak – Ja... ja... ja... – i tu
z emocji i niewyspania, z wściekłości i z poczucia

★ Jak zawsze.

niesprawiedliwości zaciął się i nie wiedział, co powiedzieć.

– Usiądź – spokojnie kazała księżna.

Alo usiadł posłusznie.

Nie oburzała go gra, którą prowadził Szuszkiewicz, ale był przerażony łatwością, z jaką matka dawała się wciągnąć do tej gry. Nie dowierzała mu do tego stopnia, że myślała o nim najgorsze rzeczy.

– Jeżeli mnie podejrzewacie o to, że to ja zaprzepaściłem ten majątek – powiedział podnosząc ciężkie powieki na matkę – to dlaczego w takim razie Adam miał sobie palnąć w łeb?

– Bo może nie chciał... strzelać do kogo innego – powiedział bardzo ciężko Szuszkiewicz, patrząc uważnie na swoje ręce gmerające w serwetce.

– Co takiego? – cofnął się Alo w swoim krześle, aż zatrzeszczało.

– *Mais, mon mari...* * – powiedziała bardzo cicho, ale wyraźnie pani Szuszkiewiczowa.

– Pieniądze to straszna rzecz – powiedział jeszcze Szuszkiewicz.

Alo milczał.

Po chwili dopiero wyszeptał:

– *Maman*, ja zupełnie nie rozumiem... ja nie wiem, jak mam zareagować.

Aż tu nagle podniosła się panna Tekla. Jednym rzutem spojrzenia obiegła wszystkich zebranych i stuknęła palcem w stół.

– Dość tego – powiedziała takim głosem, jakiego nikt nie słyszał dotychczas w pokoju. Czasami mówiła tak do służby w kuchni.

---

* Ale mój mąż...

Wszyscy spojrzeli na nią zdziwieni.

– Dość tego – powtórzyła panna Biesiadowska.
– Nie wolno rzucać takich podejrzeń na małego. To są wszystko imaginacje wyssane z palca. Może pan sobie bronić swojego siostrzeńca, jak pan chce, panie Wacławie – może pan i sam maczał swoje rączki w te sprawy...

Szuszkiewicz chwycił się za skronie.

– Być może czy nie może. Ma pan rację, pieniądze to straszna rzecz, ale myślę, że pan jeszcze nie stracił do tego stopnia głowy, aby dojść tam, gdzie doszedł pana siostrzeniec. Tylko że Ala w to mieszać nie wolno. Ja nie dam. Rozumie pan, nie dam.

– A jakże może pani nie dać? – z pogardą odezwała się Szuszkiewiczowa.

– Mogę go nie dać – krzyknęła panna Tekla ze łzami w głosie – mogę go obronić przed wami, zbiry...

– Panno Teklo – nie poznaję pani – powiedziała Marysia Bilińska i włożyła swoje okulary, jak gdyby chciała się bliżej przypatrzyć osobie, którą widywała codziennie od rana do wieczora.

– Pani cofnie te słowa – rzucił przez zęby Szuszkiewicz.

– Bo ja wiem i mam na to świadków, że pan dostarczył pistoletu Adasiowi – rzuciła jak kamień panna Tekla.

– Jezus, Maria – powiedziała zmiażdżona nagle Szuszkiewiczowa.

– I nie wiem, na co pan mu to dostarczył – ciągnęła panna Biesiadowska opanowanym już głosem – czy żeby się sam zabił, czy żeby zabił Ala. Pan jest mordercą, panie Szuszkiewicz – dodała siadając z powrotem.

– To za wielkie słowa, paniusiu – powiedział opanowany już pan Wacław.

Marysia siedziała, już nic nie rozumiejąc. Przez chwilę trwała cisza. Nagle przerwał ją spokojny i rzeczowy głos starego pana:

– Czy księżna pani potrzebuje teraz gotówki na utrzymanie domu?

Bilińska wzruszyła ramionami i przeszła także na codzienny ton rozmowy:

– Ja nie. Może Alo?

– Na razie nie potrzebuję – powiedział Alo lekko drżącym głosem. – Będę potrzebował gotówki w momencie, gdy zwykle obcinało się kupony.

– Czy książę pozwoli mi uruchomić place w Podkowie?

– Wolałbym Wilgę nad Wisłą. Nie wierzę w ten interes.

– Słusznie, słusznie – spokojnie powiedział Szuszkiewicz – i może te pod Jaktorowem?

– Właśnie. Myślałem już o tym – powiedział Alo.

Szuszkiewicz spojrzał na zegarek.

– Niestety, już pora – powiedział.

– O której pogrzeb? – spytała Bilińska.

– O jedenastej i pół zaczyna się msza święta – powiedział Szuszkiewicz, robiąc minę, jak gdyby już był w kościele.

– To już czas.

Wszyscy się pożegnali i rozeszli. Alo chciał się przebrać i poszedł na górę. Przed drzwiami swego pokoju przyłapał pannę Teklę. Uściskał ją w milczeniu.

– Skąd pani się dowiedziała? – spytał.

– O, ja się od razu domyśliłam – powiedziała panna Tekla. – To zbrodniarz.

– No, tego bym nie powiedział. Ale skąd?

– A nie powiesz nikomu?

– Skądże.

– Hubert mi powiedział. Stary kupił rewolwer w Spółce dwa miesiące temu. Hubert kazał sprawdzić numer. Ten sam. Hubert to twój prawdziwy przyjaciel – dodała.

– A widzi pani – z tryumfem powiedział Alo i poszedł się przebrać.

V

W lipcu Malski przyjechał do Komorowa. W jego ustawicznych poszukiwaniach „letniego mieszkania" wpadło mu do głowy zwrócić się do Janusza. Janusz nie miał na to wielkiej ochoty, ale cóż miał robić? Zadepeszował: „Proszę przyjeżdżać". Jadwiga zresztą przyjęła raczej łaskawie tę wizytę.

– Przynajmniej pan będzie miał do kogo usta otworzyć – powiedziała, gdy Janusz z całą ostrożnością zawiadomił ją, że jeden pan z Łodzi przyjedzie do Komorowa na wypoczynek na parę tygodni.

Zresztą na razie nie tyle Janusz otwierał usta, co biedny Malski. Ostatnie miesiące przeżył w bardzo trudnych warunkach. Żadna praca mu nie odpowiadała, przenosił się z miejsca na miejsce, wszystkie szkoły muzyczne w Łodzi już miały dość jego nerwowej krzątaniny. Mieszkania także zmieniał, jak mógł, ostatecznie wylądował w pałacu pani

Gdańskiej – ale oczywiście nie mógł tam długo usiedzieć.

– Już sama służba tam jest nie do wytrzymania. Niech pan sobie wyobrazi wygalonowanego fagasa, który panu drzwi otwiera i który z pogardą mówi o swoich chlebodawcach. O pani Gdańskiej on mówi: ta stara wariatka...

Janusz próbował protestować:

– No, chyba nie mówi jej tego w oczy?

Malski piszczał:

– A jeżeli za oczy, to jeszcze gorzej.

Janusz interweniował:

– Mam wrażenie, że nie on jeden nazywa za oczy panią Gdańską: ta stara wariatka.

– Pewnie – ucieszył się Malski – ja pierwszy.

– Panie Arturze – uśmiechnął się Janusz.

– No, proszę pana. Czyż to nie wariatka? Te pieniądze, czy pan może sobie wyobrazić te pieniądze... I wie pan, gdzie ona pojechała na lato? Gdzie obrała sobie wilegiaturę?

– Gdzież, proszę pana? – spytał Janusz nie zainteresowany, ale rozbawiony.

– W Kolumnie. Rozumie pan? W Kolumnie pod Łodzią. No, takie żydowskie letniaki. Piętnaście sosen wsadzonych w piasek i drewniane „dacze". To pani Gdańska nie może gdzie indziej wyjechać na lato, tylko do Kolumny.

– Przesadza pan – powiedział Janusz – słyszałem, że w Kolumnie bardzo ładny las.

– A, ładny! Może i ładny... ale to okropne, takie letniaki. I jeszcze koniecznie chciała, żebym ja z nią tam jechał. „To bardzo zdrowotna miejscowość", powiada. Tak powiedziała: „zdrowotna miejscowość". Całą olbrzymią willę tam wynajęła i pojechała samochodem z kucharką i z psem. Ciekawy jestem, po co jej ten samochód? W Kolumnie...

– Ależ pan ostatnio coś zmieniał adresy. Każdy list dostawałem z innym.

Malski pobladł nagle i popatrzył na Janusza ze strachem. Rude włoski na głowie wydały się jeszcze bardziej żółte.

– Ja nie wiem, co to jest – powiedział konfidencjonalnie, zbliżając się do Janusza – ale ja nie mogę wytrzymać.

Po czym odszedł z powrotem w kąt pokoju, zatrzymał się, zastanowił, i począł chodzić po przekątni mówiąc już zupełnie normalnym głosem, piszcząc tylko czasami.

– Przedostatnie moje mieszkanie wynająłem po południu, a nie wiedziałem, że okna wychodzą na lotnisko. Lotnisko w Łodzi! Po co nam potrzebne są lotniska... W Łodzi? Cały ranek startowały samoloty. Pan wie, jak startują samoloty? No, to straszne, po prostu straszne... jakże ja miałem mieszkać w takim miejscu? Dobrze, że mnie ta stara Gdańska zabrała do swojego pałacu... na Wólczańską. „Daję panu *une chambre d'ami**", powiedziała. Ale gdzie tam, *une chambre d'ami*. Szoferski pokój w mansardzie... ciasno, nie ma toalety...

– Ale przynajmniej cicho? – spytał Janusz.

– Cichusieńko... – zatrzymał się nagle Malski przed Januszem i rozpłynął w anielskim uśmiechu. – Cichusieńko! Pan sobie nie może wyobrazić tej ciszy. Tylko ten fagas w liberii... Przynosi mi

---

* pokój gościnny

codziennie śniadanie do łóżka – i wyobraź pan sobie! – pragnie konwersować. Opowiada mi łódzkie plotki... ach, naprawdę, to bardzo nieciekawe... ale opowiada. Staje w drzwiach z taką swobodną pozą i narzeka, że ja dużo palę. A to nawet nie on sprząta w moim pokoju... Takie wielkie, mocne chłopisko, dawniej byłby z niego taki – jak to się mówi, laufer czy halabardnik?

– Laufer co innego, halabardnik co innego.

– Kozak, kozak – nagle wykrzyknął Malski jak Archimedes swoją „eurekę". – Kozak! On byłby kozakiem. Czy u państwa na Ukrainie byli jeszcze kozacy?

– Nie, nie było – odpowiedział Janusz dla świętego spokoju. A jednocześnie przypomniał mu się ów kozak – jakże on się nazywał? – który odwiózł to zawiniątko Marysi. Gdyby nie ten kozak, nie byliby w tej chwili w Komorowie.

– Mam nadzieję, że tutaj pan będzie miał względną ciszę.

– Tak, względną. Ja bardzo źle sypiam – nagle prawie z rozpaczą powiedział Malski. I potem dodał znowu konfidencjonalnie: – Ja się boję...

Janusz cofnął się w fotelu.

– Czego?

– Ach, te lęki – pisnął Artur – lepiej o nich nie opowiadać. Ale tutaj to na pewno kogut pieje o świcie. Prawda?

– Koguty są zamknięte w kurniku, a pański pokój wychodzi na ogródek. Chce pan zobaczyć?

Przeszli przez sień do tego pokoiku, który prowadził prosto z sieni do ogródka. Janusz nie rozbudował domu w Komorowie, ale to, co było, urządził bardzo ładnie i wygodnie. Zresztą samo się urządziło przez tych osiemnaście czy dziewiętnaście lat. Pokoik „ogrodowy", jak go nazywała Zosia, był pokoikiem dziecinnym i zajmowała go Malwinka przez parę miesięcy swego życia. Januszowi było nad wyraz boleśnie wprowadzić tu teraz kogo innego, ale wiedział, że muszą się stawać takie, jak to zawsze nazywał, „łatwe tryumfy życia nad śmiercią". Wolał tu umieścić kogoś tak obojętnego, jakim był Malski. Pokój zresztą, zupełnie przemeblowany przez Jadwigę, w niczym nie przypominał dawnego dziecinnego. Janusz, który tu nigdy nie zaglądał, wszedł jak do numeru hotelowego.

– Czy nie ma gdzieś blisko lotniska?

Janusz wzruszył ramionami.

– Ale szosa niedaleko?

– Tak, szosa bardzo niedaleko, trzeba tylko przejść tą aleją. Zresztą jechał pan przed chwilą...

– A Puszcza Kampinoska? – z niepokojem pytał Malski, wyglądając przez okna na rozkraczone jabłonie z powyciąganymi w przestrzeń rękami.

– Puszcza też niedaleko – niecierpliwił się już Janusz.

– Niech pan się nie gniewa – z żalem w głosie powiedział Malski – ale ja jestem taki niespokojny.

– Wojny nie będzie – matowym głosem powiedział Janusz.

– Nie będzie? Na pewno nie będzie? – ucieszył się Malski.

– No, niech się pan rozgości – zaprosił go Janusz – niech pan jeszcze przed obiadem przejdzie się po ogródku.

Ogródek był zupełnie taki sam jak wtedy, kiedy Janusz tu przyjechał po raz pierwszy. Jabłonie wymarzły i posadzono inne, tak że nawet i drzewa w ogrodzie nie zmieniły swego wzrostu. Janusz rzucił okiem na tak dobrze znane sobie floksy i słoneczniki, na alejkę, która szła ku lasowi, i pomyślał, że Malski na to wszystko patrzy świeżymi oczami.

„Ciekawy jestem, jakie mu się to wydaje".

Wyszedł do sieni. Tam czekał na niego Ignac, który przyszedł od pana Fibicha.

Odprawił go i poszedł do ogólnego pokoju, zatrzymał się pośrodku i sam nie wiedział, co chciał robić. Nigdy nie było tak pełno umarłych w Komorowie, jak w chwilach, kiedy się zjawiał ktoś obcy. Nawet kiedy przyjeżdżał Alo, całe życie wydawało się niepotrzebne i zbędne wszelkie wysiłki do ułożenia go w jakieś możliwe formułki. Po prostu rozłaziło się w palcach jak zleżały jedwab.

Potem poszedł do drugiego pokoju, do swojej sypialni, która była ongiś sypialnią Zosi, i patrzył na ogród. Wszystko tak samo, nawet jeżeli stary dąb urósł przez te lata, to na olbrzymim drzewie nie było tego znać. Malski wyszedł także do ogrodu. Spacerował alejką w dół, do stawku, krokiem, jakby chodził po wspaniałym parku.

„Wygląda, jakby chodził po Kolumnie" – uśmiechnął się Janusz.

Chmurzyło się, na tle szarego nieba drzewa ogrodu nabierały plastyczniejszych kształtów i ruda głowa Malskiego skupiła na sobie promienie rozproszonego światła.

Właśnie taki przyjazd obcego człowieka do samotnego domu, zjawienie się pokracznej figurki

Malskiego wśród dobrze znanych, codziennych drzew sprawiało, iż Janusz odczuwał bolesność i niezrozumiałość swojego istnienia.

„Co to wszystko znaczy?".

„Ale przecież trzeba było coś robić dla ludzi – uśmiechnął się. – Chociażby dla Malskiego, to uczeń Edgara".

„A właśnie – przypomniał sobie – muszę mu powiedzieć o tym liście".

I wyszedł do ogródka. Malski siedział na ławeczce pod dębem z taką miną, z jaką siadłby egzotyczny kanarek na swojskiej leszczynie. Janusza bawiło to jednak trochę.

– Jakże się panu te letniaki podobają?

– Cudowne, proszę pana, takie jakieś... jakby to powiedzieć? Prapolskie.

Słowo „prapolskie" powiedział w cudzysłowie, drwiąc sam z siebie, ale jednak powiedział.

Janusz usiadł obok niego na ławce. Ciemnoszary kolor nieba rozjaśnił jak gdyby zieleń młodych jesionów i orzechów stojących przed dębem. Liście stały wszystkie nieruchome, gotowe jednak drgnąć w każdej chwili.

– Wie pan – powiedział Janusz – stary Jarzyna mi mówił na pogrzebie, że ma jakieś listy Edgara... Pewnie do Rysia pisane. Trzeba by pojechać zobaczyć.

Malski się ożywił:

– Ależ oczywiście. Czy nie można by teraz zaraz pojechać.

– To bardzo daleko, panie Arturze. Trzeba się wybrać wcześnie z rana...

– Daleko? Jak daleko?

– Ze czterdzieści kilometrów.

– Ale pan ma samochód?

– Mam. Nie mam tylko szofera.

– Ja poprowadzę – zapewnił Malski – ja kiedyś prowadziłem auto.

– No, na to już nie pozwolę – zaśmiał się Janusz. – Pozabija nas pan, i koniec.

Malski się obraził.

– Dlaczego mam koniecznie pozabijać?

Ostatecznie jednak powiózł ich pan Fibich, któremu się bardzo nie chciało porzucać swojego ogrodu, akurat wypadały mu pilne roboty przy zbieraniu malin.

– Czyż to taka pilna robota zbieranie malin? – zdziwił się Janusz.

– Malina to lubi wyschnąć albo opaść – twierdził ogrodnik.

Stary Jarzyna mieszkał w dalszym ciągu w tym obszernym, niskim pokoju z żółtym fortepianem w rogu. Ale chyba już na łaskawym chlebie, bo i niedowidział, i niedosłyszał. Pilnowała go hoża dziewczyna, Danusia. Powinna się była raczej nazywać Jagienka, taka była mocna. Tupała biegając tam i z powrotem.

Stary był trudny w rozmowie, nie bardzo wiedział, o co chodzi, ale poznał obu przybyłych. Malskiego ciągle ściskał to za ramię, to za kolano:

– Pan to z moim Rysiem kolegował.

I pochlipywał troszeczkę.

– Nikogo, panie kochany, nikogo – mówił do Janusza pokazując na pusty pokój. – No, proszę pana, sam jak palec. Ta Danusia to córka stróża czy ogrodnika... stamtąd, pan wie? Z Arkadii... pan Edgar ją znał. Takie było miłe dziecko...

Danusia zjawiła się na horyzoncie.

– Danusiu – zawołał stary. – Danusiu! Chodź tu do panów. Pamiętasz pana Edgara? laleczki ci wycinał...

Danusia wzruszyła ramionami. Wydało jej się, że wszystko, o czym mówił stary organista, wylęgało się w jego rozmiękczonym mózgu.

– A nic ja tam nie wiem – powiedziała.

– Podasz co panom? – pytał dalej organista.

– A co mam podać? Herbaty mogę dać...

– No, to daj, moje dziecko.

Okazało się, że stary nic nie pamięta o listach. Dowodził, że żadnych listów nie było, że Edgar nigdy nie pisywał do Rysia i że nie pamięta, żeby o tych listach komukolwiek mówił.

– Jak to, nie mówił mi pan na pogrzebie Edgara? – pytał Janusz.

– A, na pogrzebie – potwierdził stary i znowu się rozczulił. – Tak, na pogrzebie mówiłem panu, ale to żadne listy, to kartka.

Niech będzie kartka – powiedział Malski – ale chcielibyśmy zobaczyć.

– Nuty były, a jakże, były... Tutaj na fortepianie, nuty Rysia, tam i pana Edgara były... jak to Rysio nazywał? Aha, szkice... Były takie szkice. Ale to Helena wszystko spaliła. Jeszcze przed śmiercią. Spaliła, niech mi pan wierzy. Ona wszystko tłukła i paliła. Taka już była. I do radia mnie nie dopuszczała...

– No, a ta kartka? – spytał Janusz.

Ale stary go nie słuchał. Przypomniał sobie teraz o Helenie.

– Pan wie – mówił – ona się tak męczyła. Całe dziesięć dni... Nie mogła nic jeść. Wszystko w środku miała popalone, to jej z przeproszeniem enemę dawali z wina i z mleka... och, panie, jak ona się męczyła. Dzień i noc siedziałem przy niej. To już ona za wszystkie grzechy odpokutowała...

I począł szukać chustki do nosa.

– Mówił pan o tej kartce – przypomniał staremu Janusz.

Danusia wniosła dwie szklanki mętnej herbaty.

– Danusiu, gdzie to ta karteczka? Pamiętasz, taka niebieska? Taka od pana Edgara?

– A co dziadek się uwziął z tym panem Edgarem – burknęła Danusia stawiając szklanki na stole.

– Takie to było łagodne dziecko – zwrócił się Jarzyna do Janusza.

– Poszukaj tej kartki, niedawno ci pokazywałem. Taka niebieska, błyszcząca.

– A tom sobie na ścianie przypięła. Nie wolno czy co?

– To przynieś, dziecko, przynieś...

– Ja z panią pójdę – skoczył Malski.

Danusia przeszła przez sień i weszła do ciasnej izdebki. Stało tam łóżko porządnie posłane i stolik. Więcej nic. Nad łóżkiem do pasiastego łowickiego dywanika przypięta była kartka pocztowa. Danusia odpięła ją niechętnie i bez słowa, nadęta, podała Malskiemu, który zatrzymał się w progu. Malski z tryumfem zaniósł ją do dużego pokoju.

– Jest, jest – piszczał, machając kartką w ręku.

Janusz odebrał mu ją z ręki.

Była to kartka pocztowa trochę większego formatu niż normalny. Na jaskrawoniebieskim, błyszcącym niebie rysowała się sylwetka Łuku Triumfalnego w Paryżu. Obok widniała podkowa, przepleciona dwiema czterolistnymi koniczynami. Kartka była popstrzona przez muchy, ale jej niebieska barwa nie wyleniała, i czysto, ordynarnie, narzucająco się obrzeżała wspaniałą sylwetkę arku. Z drugiej strony widniał adres napisany ręką Edgara i po lewej stronie te wyrazy: „Serdeczne pozdrowienia z Paryża przesyła Edgar Szyller". To wszystko.

Janusz uśmiechnął się i oddał zabrudzoną kartkę Malskiemu. Ten obracał ją na wszystkie strony.

– To nie ma żadnej wartości – powiedział Janusz. Malski się oburzył.

– Jak to nie ma wartości? A podpis?

– Podpisów Edgara jest dużo – powiedział Janusz – nawet na wekslach u krawca.

– I więcej pan nie ma nic? – z rozpaczą zwrócił się Malski do Jarzyny.

– No, nie mam. Nie było nigdy żadnych listów. Pan Edgar czasem przyjeżdżał, i to dawno, dawno jeszcze – ale pisywać nie pisywał. Może Helena co miała.

Janusz nie chciał poruszać tej drażliwej sprawy i milczał

– Ona paliła jakieś papiery... – stary urwał i popatrzył na Myszyńskiego bezradnie.

Janusz jeszcze raz wziął kartkę do ręki. Jakim cudem Edgar, zawsze taki staranny, pisujący, o ile mógł, na pięknych, a zawsze na porządnych papierach, starający się nie posyłać pocztówek – mógł kupić takie okropieństwo i wysłać to do Łowicza? Czy nie miał innej kartki pod ręką, czy mu to ktoś ofiarował jako okaz kiczu? Czy idąc Elizejskimi

Polami natknął się na nieszczęśliwego staruszka, który wybłagał u niego kupienie kilku kartek. Daty Szyller nie postawił, data stempla pocztowego była zatarta. Od frontu kartka nie wypłowiała, ale od spodu była żółta, widać długo leżała na słońcu. Taki malutki strzępek, kartka od jednego umarłego do drugiego. I już nic nie odzyska tego momentu, kiedy Edgar kartę wysyłał, ani tego, kiedy Rysio ją odebrał. Może już był chory? Posłanie jednego brata do drugiego brata, brata w chorobie, w śmierci. Zapadły w nicość moment życia człowieka. „Takiego człowieka" – dodał w myśli Janusz.

Malski nie rozumiał Janusza.

– No, cóż – powiedział nagle bardzo głośno, tak że aż Janusz drgnął – musimy jak niepyszni wracać z tą minimalną zdobyczą. Prawda, panie Januszu?

Janusz popatrzył na niego niechętnie.

– Myślę, że nawet bez zdobyczy – powiedział spokojnie.

– Jak to, nie weźmie pan tej kartki?

– A po co?

– Jak to, po co? To kartka Edgara!

– Żadnej luki w jego biografii ta kartka nie wypełni. Nawet nie ma na niej daty.

– Mamy termin *ad quem* – uczenie powiedział Artur.

– Weźcie, panowie, weźcie – mówił stary Jarzyna, kręcąc się na swoim fotelu – po cóż to nam.

Danusia stała w progu z ponurym spojrzeniem, słuchając targu i rozmowy o „jej" kartce.

Janusz spojrzał na nią, uśmiechnął się i podszedłszy do niej, podał kartkę.

– Niech pani to weźmie, panno Danusiu, i niech pani z powrotem przypnie nad łóżkiem. To kartka od pewnego bardzo wielkiego człowieka, który panią kochał, kiedy pani miała trzy lata.

Danusia zarumieniła się, opuściła oczy i prawie wyszarpnęła kartkę z rąk Janusza. Miała taką minę, jakby wszyscy drwili z niej. Zawróciła na pięcie i znikła. Nie pokazała się już więcej aż do końca wizyty, która zresztą nie trwała długo.

– Mam do pana żal, panie Januszu – powiedział Malski w samochodzie – pozbył się pan cennej pamiątki.

– Nie pozbyłem się – odpowiedział Janusz – pozostawiłem ją tam, gdzie powinna być z e s w o - j e j n a t u r y.

– Ach, nigdy nie wiadomo, gdzie jest prawdziwa natura rzeczy – zasmucił się nagle Malski i stał się podobny do małej, melancholijnej małpki, śledząc blisko osadzonymi oczami mijane drzewa.

Janusz odwrócił się od tego widoku. Powiedział:

– Panie Fibich, nie tak prędko.

I pomyślał, że dobrze się stało, że ten Malski do niego przyjechał i podzielił jego samotność.

Na dłuższą metę jednak trudno było wytrzymać z nim w ciasnym mieszkaniu. Nie sypiał nocami i Janusz słyszał, jak się niepokoi i jak nie może zamieszkać w swoim łóżku. Wieczorami słuchał radia, czego Janusz nie znosił, rankiem spóźniał się na śniadanie. Ale Jadwiga na niego nie narzekała.

– Przynajmniej można się odezwać do niego. I słucha.

Znaczyło to, że Janusz jej nie słucha.

Postanowił, jak to powiedział śmiejąc się do siebie, „rzucić Malskiego na szersze tło". Zaproponował mu, że pojadą do Zakopanego i pójdą w góry. Malski zgodził się z łatwością.

– Ja jeszcze nigdy nie byłem w Zakopanem – powiedział nie bez melancholii.

– I gór pan nie widział?

– Nie widziałem.

– No to jedziemy.

Ten pobyt w górach ogromnie się różnił od dawnych wycieczek Janusza. Mógł być kiedyś tu z Henrykiem Antoniewskim, który dziś był kresowym wojewodą, mógł być i z Arturem Malskim, który był mu bliższy z tego względu, że ubóstwiał Edgara. Po prostu Januszowi było przyjemnie, że taki entuzjazm może istnieć, że takie uczucie egzystuje na świecie. I to u nas, gdzie zawsze najmniej jest entuzjazmu w stosunku do ludzi.

Oczywiście wszystko było inne w Zakopanem i w górach, bo czasu sporo upłynęło od owej pamiętnej wycieczki z 1920 roku, i ludzie byli inni, i stosunek do gór całkiem inny, a przede wszystkim sam Janusz był inny i inaczej na wszystko reagował. Nie umiał się oprzeć smutkowi, gdy widział tłumy na Krupówkach, gdy się musiał wykłócać w kolejce po bilety na Kasprowy. Tak, bo już teraz miały ich wynieść wagoniki na Kasprowy i stamtąd mieli ruszyć. Ależ gdzież mogli „ruszyć", skoro Malski miał na swych malutkich stópkach ładne żółte buciczki, które mu się zaraz podrą, nim zejdą z Liliowego do schroniska? Przełęcz na Liliowem nabrała teraz dla Janusza zupełnie innego kształtu, gdy się do niej dochodziło „z góry"; wówczas kiedy

się ją osiągało z dołu marszem nudnym, a jednocześnie tak pięknym – istniała perspektywa ujrze-
nia tego dawniej najpiękniejszego widoku – zadumy i samotności Doliny Wierchcichej.

– To zupełnie niemożliwe, to jest nierzeczywiste
– mówił Malski głośno i nie zwracając uwagi na
zdziwionych sąsiadów, kiedy na Kasprowym wyszli przed schronisko. Janusz na tyle się już przyzwyczaił do Malskiego, że raczej się rozczulał jego
słowami, niż niecierpliwił.

Malskiego wszystko bawiło i dziwiło, i to, że
człowiek musi się pochylać w tył przy schodzeniu,
i to, że jego żółte butki ślizgały się po upłazkach
i że piargi usypywały się pod jego obcasami. Dopytywał się ciągle o nazwy poszczególnych szczytów,
a specjalnie o Kościelec. Ani rusz nie mógł zrozumieć, gdzie ten szczyt leży i gdzie leży owych
dwanaście stawów w Dolinie Gąsienicowej.

– Ja widzę tylko dwa – powtarzał – a gdzie inne
dziesięć?

Zamilkł jednak, czy się zmęczył, czy góry już nie
wydały mu się piękne i imponujące, dość, że szedł
w ciszy aż do zakrętu na ścieżkę ku Czarnemu
Stawowi. Poszli tą ścieżką, która szeroka jak trotu-
ar, dopiero pod koniec, wznosząc się wysokimi
stopniami, staje się męcząca. Były to pierwsze dni
sierpnia, czas był wspaniały, chociaż zbierało się na
burzę. Kiedy wdrapali się na wielki głaz przy Czarnym Stawie, słońce stało wysoko na granatowym
niebie, ale paliło za bardzo. Staw rozścielał się
przed nimi jak dywan, gładki, niebieski, o tym
głębokim szafirowym tonie, które mają tylko tat-
rzańskie jeziora. Jakoś tłumy turystów, które szły

w tę stronę za nimi, jeszcze nie dotarły tutaj i panowała zupełna cisza. Zadziwiająca sceneria Czarnego Stawu, znakomita kompozycja tej kotliny zrobiła wrażenie na Arturze. Co jak co, ale rozumiał, gdy coś było pięknie skomponowane.

– O, motyl, motyl! – zawołał.

Czerwony motyl (wydawał się czerwony, był to zwyczajny pokrzywnik) wyleciał ponad staw i wahał się widać, czy lecieć dalej, czy wracać, bo jakoś trzepotał się niezdecydowanie na wprost przed wędrownikami. Janusz nie mówił ani słowa, ale wszystko zostawało przed nim – jak góry. Równie nieprzebyte życie – i równie nie do opanowania.

Poszli chwilę, przeszli przez kładkę, doszli do miejsca, gdzie ścieżka zbacza na Granaty. Potem zawrócili. Gdy przechodzili już koło miejsca, gdzie zginął Karłowicz, i oglądali pamiątkowy kamień, Malski się zaniepokoił.

– Dlaczego tu wykuto swastykę? – spytał.

– No, bo to taki góralski znak. Bardzo dawny podobno...

– To niedobrze, bo jak Niemcy to zobaczą...

– Jacy Niemcy? – zapytał Janusz obcesowo.

Ale Malski zamilkł i już nic nie mówił aż do schroniska. Janusz nie chciał zachodzić do schroniska warszawskiego, do Murowańca. Wolał starym zwyczajem napić się mleka u Bustryckich. Ale przed chatą u Bustryckich nie było wolnego miejsca, weszli więc z Malskim do środka i siedli zupełnie ukryci w kącie, przy oknie. Janusz widział przychodzących z Kasprowego ludzi.

Chmurzyło się i nawet słychać było już parę razy grzmoty. Niebo nad Kozimi Wierchami było jeszcze szafirowe, ale od dołu coś gnało białe i obłe chmury. Popijali kwaśne mleko i Malski wydobył zabrane w drogę z pensjonatu bułeczki z serem i szynką.

– Trzeba zawsze myśleć o takich rzeczach w podróży – powiedział sentencjonalnie, częstując Janusza, który oczywiście nie myślał o „takich rzeczach".

Wówczas Januszowi rzuciła się w oczy swojska sylwetka. Spośród szeregu idących z Kasprowego turystów nagle wyróżniła się znajoma postać. Nie ulegało wątpliwości, to był Andrzej Gołąbek. Z nim szedł drugi, nieznajomy, czarny chłopiec – i jakaś dziewczyna. Troje młodych także nie znalazło miejsca przy stołach przed chatą, usiedli więc wprost na kamieniach. Andrzej rozesłał namiot czy śpiwór i usadził na nim dziewczynę. Umieścili się tuż przed oknem, ale okno było zamknięte i nie słychać było, co mówili. Dziewczyna rozwiązała plecak i wydostawała zapasy, a obaj chłopcy rozłożyli starą mapę Zwolińskiego, porządnie naklejoną na płótnie, i oglądali szlak, którym mieli iść. Z tego, co pokazywali palcem, Janusz zorientował się, że się kierują przez Dolinę Pańszczycy – na Krzyżne. Zazdrościł im tego jedynego w Tatrach widoku – i ze smutkiem znów spojrzał na buty Malskiego. Były już mocno podrapane, obcasy miały pościerane i na dobrą sprawę nie nadawały się do dalszego użytku. Trzeba było wracać do Zakopanego.

Ale nim wyszli z chaty Bustryckiego, musieli przeczekać deszcz, który nagle uderzył swoimi dzirytami w skały i w kosodrzewiny; Janusz nie spuszczał wzroku z tej trójki młodych. Po chwili dopiero domyślił się, że ta dziewczyna to Helenka. Obliczył sobie w pamięci, że Helenka może mieć trzynaście lat zaledwie. Ale już była rozwinięta, wyglądała jak pąk jakiegoś kwiatu – i chociaż Janusz musiał ją nie tak dawno widzieć w mieszkaniu na Czackiego – nie mógł jej poznać w pierwszej chwili.

W przeciwieństwie do obu chłopców Gołąbków, którzy byli bardzo ciemni, w typie Walerka, tylko o wiele szlachetniejszej urody, Helenka była jasna, jak matka, jak Józio. I właśnie w tym swoim pół męskim, pół kobiecym stroju – była w spodniach, ale włosy miała uplecione w dwa warkocze i przytrzymane niebieskimi wstążkami – przypomniała Januszowi wszystko to, czym zachwycał się w dzieciństwie i młodości. Przypominała w ruchach panią Royską, śmiała się zupełnie jak Ola – ale przede wszystkim była tak szalenie, tak niezwykle podobna do Józia, jak gdyby była jego siostrą.

„Jakże ja mogłem jej nie poznać" – myślał Janusz, udając, że słucha jakiegoś opowiadania Malskiego o *Elektrze* Straussa. Przecież po tym poznałbym ją na krańcach świata.

I patrzył na dołek (tylko jeden, z lewej strony twarzy), gdy się śmiała, i na ten jasny, płowy kolor włosów, nie połyskliwych, ale puszystych, i na ten sposób wydymania ust, kiedy mówiła coś niechętnie do swoich towarzyszy. Podziwiał nieprawdopodobny urok tej twarzy, te jasne oczy odrobinę podciągnięte koso ku górze, naokoło których tworzyły się takie miłe fałdki (bo to jeszcze nie mogły być zmarszczki) przy każdym uśmiechu. Była bardzo wesoła, ale grymasiła, a kiedy zaczął padać deszcz, narobiła krzyku. Słychać było przez szybę, jak wołała: „Andrzej, Bronek!" – i nagle cała trójka stanęła pod strzechą tuż koło okna. Janusz się cofnął, bojąc się, że go poznają, a potem pomyślał, że nawet gdyby go poznali, to udadzą, że go nie widzą; taki wujaszek spotkany na wycieczce to okropnie nudna rzecz.

Miał teraz twarz Helenki trochę powyżej szybki, przy której siedział, i mógł obserwować niezwykle żywe zmiany uczuć i usposobień na jej nerwowej, krótkiej twarzy. Wszystko mówiła i robiła z ogromnym, jeszcze zupełnie dziecinnym przejęciem. A w ruchach i w pewnej wyższości, z jaką traktowała chłopców, przebijała się już zupełna, zdobyta kobiecość.

I nagle w jakimś geście, którym odepchnęła brata, bo jej przeszkadzał zawiązać plecak, i w pewnym błysku oczu ujrzał nie tylko całego Józia, wyprawę swoją wojenną i ten zielony stos lucerny, na którym Józio skonał – ale i całą młodość.

Jak zafascynowany patrzył na tę młodziutką dziewczynę.

– Zadziwiające zjawisko – szepnął do siebie – skąd ona się wzięła?

Malski nie zwrócił na to uwagi. Obszernie wykładał Januszowi o swoim stosunku do symfonicznej muzyki Straussa i dlaczego nie lubi *Rosenkavaliera*.

– Ale deszcz przestał padać – powiedział w pewnej chwili – możemy już iść. Chodźmy!

– Chodźmy! – powiedział Janusz i podniósł się z miejsca.

Gdy wyszli, było mokro i chłodno. Niebem leciały podarte białe obłoki, kamienie świeciły w słońcu.
Przelotny deszcz minął.

Janusz podniósł głowę i spojrzał na białe chmury.

Nade mną leci w szafir morza...

przypomniał mu się stary wiersz.

I podczas kiedy podchodzili w górę ścieżką do
Zakopanego, ujrzał, jak ta trójka, młoda i szczęśliwa, skacząc z kamienia na kamień szła szybko
czerwonymi znakami w stronę maliniaków, w stronę przełęczy Krzyżne.

– Uspokój się – powiedział sam do siebie Janusz
– ty już nigdy nie będziesz z nimi.

VI

W celi było ich szesnastu. Niedawno siedmiu
stąd wyprowadzono. Janek zauważył, że byli to
sami kryminaliści. Zostało tylko dziewięciu towarzyszy. Janek najlepiej czuł się z dwoma młodymi.
Jeden był to chłopak może dwudziestoletni
– przynajmniej wyglądał na takiego – nazywał się
Lilek. Jego ogromne szare oczy w ciemnej twarzy,
teraz w więzieniu podkrążone siwym cieniem,
patrzyły na Wiewiórskiego jak w obraz. Drugi był
starszy, Aleksy, wysoki, spokojny, o bardzo doj-
rzałym uśmiechu. Ten lubił zadawać pryncypialne
pytania, ale jak najciszej, aby nie zwrócił na nie
uwagi wysoki, chudy i złośliwy drab, którego
więzienie, zdaje się, „poprawiło” kompletnie.

Drwił ze wszystkiego, co mówił Wiewiórski. Nazywał się Wit Nowak. Obwiniał on o wszystko takich, powiadał, „świętych mazgajów", jak Wiewiórski. Na jego karby kładł rozwiązanie partii komunistycznej; w ostatnich latach wiadomość o porozumieniu Ribbentrop-Mołotow dostała się jakimiś drogami do celi i wzbudziła śmiech Wita i szczere zaniepokojenie Wiewiórskiego.

Wit Nowak twierdził, że tacy „święci mazgaje" mówią to samo co księża, tylko że ksiądz obiecuje raj na tamtym świecie – a Wiewiórski obiecywał jeszcze na tym.

– To nie ja obiecuję, kochany – uśmiechał się Janek – to Lenin i Stalin.

– I ksiądz kardynał Kakowski – urągał Nowak.

Janek ustępował pokornie. Siadali we trzech na pryczy w kącie z Aleksym i Lilkiem, i coś sobie szeptali. Choć i to nie bardzo, bo przez ten czas, co siedzieli razem w celi, nagadali się do syta. Dobry humor opuścił teraz nawet Janka i czasami zamiast opowiadać wesoło, trajlować, jak potrafił – siadał ponuro, bez ruchu i patrzył w przestrzeń.

Wit Nowak drwił:

– Co ty tam widzisz, Janek? – pytał.

A kiedy Wiewiórski nie odpowiadał, dodawał:

– Widzisz już wieczną szczęśliwość, kiedy wszelka własność zostanie zniesiona. Uważasz, wszelka własność... nikt nic nie będzie miał – tylko szczęście będzie panować na całym świecie.

– Nie drwij, Wit – powiadał do niego Aleksy, stając w pozie, jakby chciał bronić Wiewiórskiego.

– No, no – powiadał zaczepny Nowak – nie broń wodza. Wódz sam się obroni.

Nazywał Wiewiórskiego „wodzem".

Ale tego wieczora, co wyprowadzono kryminalnych, i Wit był zaniepokojony. Siedział na swojej pryczy i nasłuchiwał.

Więzień, który długo siedzi w zamknięciu, nauczy się po najdrobniejszych oznakach domyślać, co się dzieje w gmachu. Po samym sposobie włożenia klucza do zamku, w sposobie otwierania zasuw – zdolny jest zauważyć, że coś nie tak się układa jak zwykle. Zgaduje z łatwością, kiedy są egzekucje, kiedy przywożą nowych, z wyrokami świeżymi czy też z innych więzień. Tym razem nie były to ani egzekucje, ani nowe transporty. Większe ilości aut zajeżdżały przed więzienie, nie otwierano rygli i bram, nie wjeżdżały one do podwórza, tylko zostawały na zewnątrz. Potem niektóre z nich odjeżdżały. Już z wieczora panował jakiś ruch na wszystkich korytarzach, otwierano gdzieś drzwi i zamykano, ale wszystko odbywało się cichutko i jak we śnie.

– Ktoś by pomyślał, że oni wieją – powiedział nagle głośno Wiewiórski.

– Cicho, towarzysze, spać – zawołał porządkowy, bo była już noc.

– Dzisiejsza noc nie do spania – szepnął jakby do siebie Lilek.

– Lilek, słyszysz? – szepnął Wiewiórski – oni wieją.

– Co to znaczy? – pytał Aleksy.

– A bo ja wiem.

– Cicho, cicho – uspokajali towarzysze.

Wiewiórski przyłożył głowę do posłania, lecz nie spał. Nagle, gdzieś już chyba nad ranem, samochody spod gmachu więzienia ruszyły.

Naprzód jeden motor zawarczał, potem drugi, a potem stopniowo wiele innych i słychać było, że poszły wszystkie.

– Towarzysze, oni wieją – zerwał się Wiewiórski – oni wieją. Zwiali, zwiali.

Wszyscy zerwali się z prycz.

– Och, ty głupi – zawołał Wit Nowak – łeb ci się pomieszał, cholera. Spać nie da...

– Będziesz spał! w takiej chwili!

Lilek uderzył z rozpędu w drzwi.

Ale już i w innych celach słychać było hałasy, krzyki, dobijania się do zamknięć. Jasne stało się od razu, że na korytarzach straży nie ma. Tumult w celi powstał taki, że już i Wit Nowak nie protestował, tylko krzyczał razem z innymi:

– Otwierać, otwierać!

Aleksy chciał się dostać do okna i stanął na plecach jednego z więźniów, ale nie mógł poradzić sobie z zamknięciem. Widział tylko nad więzieniem szafirowe, pogodne niebo jesiennej nocy. Świtało.

Nagle doleciał hałas szybkich kroków na korytarzu, okrzyki gdzieś na dole – i rozległ się dziwny zgrzyt; ktoś otwierał cele jedną za drugą. Wszyscy więźniowie stłoczyli się przy drzwiach, a gdy się one otwarły, wywalili się na korytarz, wywracając prawie tego, który im otworzył. Tylko Wiewiórski zatrzymał się przy nim. Był to starszy, poważny człowiek z siwiejącą brodą.

– Co się stało? – spytał Janek.

– Uciekli. Zostawili nas samych.

– Jak to, uciekli?

– No, uciekli. Nawiali.

– Dlaczego?

– Co się pytasz. Niemcy nadchodzą.

– Niemcy...

Jaś musiał się oprzeć o ścianę korytarza. Patrzył zupełnie nieprzytomnie na starego faceta.

– Jak to Niemcy nadchodzą? A my się nie bronimy?

– Bronimy... ale podobnież rozbili nas *w puch i prach*.

Lilek leciał z powrotem przez korytarz, wołając gromkim głosem:

– Wiewiórski, gdzie Wiewiórski, Wiewiórski...

– Jestem. Czego wrzeszczysz?

W tej chwili zgasła elektryczność. Zapanowały ciemności. Lilek po ciemku domacał się Wiewiórskiego i trzymał go za ramiona, jak gdyby lękał się go utracić.

– Wiecie, towarzyszu – powiedział – wszystkie klucze leżały przy wejściu, w sieni na stole, i napis był: „Ci, co zostali, to sami komuniści".

– Wydali nas na śmierć.

Ale Janek nie słuchał ich. Tylko powtarzał w kółko:

– Rozbili, rozbili, rozbili...

W gmachu było ciemno, smrodliwie i bardzo gorąco. Gdy się znaleźli przed więzieniem, ogarnął ich chłód przedświtu i świeży, niezwykle ożywczy powiew. Janka chwycił zawrót głowy taki, że się zatoczył. Lilek go trzymał.

– Co wam, towarzyszu Janie? – powiedział poważnie.

Niedaleko więzienia przechodziła szosa na Poznań. Panował na niej ruch. Widać było ludzi, auta i konie. Pędzili ku tej szosie. Lecąc tak – już ich trzech tylko było: Janek, Lilek i Aleksy – natknęli się na jakiegoś cywila, który wiał w tę samą stronę.

– Obywatelu, co się dzieje? – zagadnął go Aleksy.

– A wy skąd? – spytał tamten nieufnie.

– My polityczni...

– A może szpiegowie? – spytał jeszcze tamten.

– Dosyć żartów – powiedział Janek bardzo mocno – niechże nam pan powie, co się dzieje. My nie wiemy, my z mamra.

– Gnają nas jak psów.

– A to na szosie?

– Ludzie uciekają...

– Dokąd?

– A tak, byle przed siebie, chociażby do Poznania.

– Gdzież są Niemcy? – spytał jeszcze Aleksy.

– Wszędzie, panie, wszędzie.

Cywil w jasnej marynarce i bez czapki widać był mocno przestraszony.

– Jak to wszędzie?

– Ano wszędzie. Już są pod Warszawą. Warszawa się broni.

– Prędzej, Lilek – wrzasnął Jasick z nagłą siłą – lecim!

I począł pędzić przed siebie, jakby tę Warszawę miał tuż przed nosem.

Dopadli szosy.

Jechały nią furmanki, rowery. Od czasu do czasu przeciskał się przez ten tłum samochód, rycząc głośno. Wszystko to oświetlał blask zachodzącego księżyca. Była wówczas pełnia.

Aleksy odwrócił się ku zachodowi, gdzie niebo było jeszcze zupełnie ciemne. Na tym ciemnym tle zaczęły rozbłyskać jakieś dziwne światła, szybko przebiegające po firmamencie. Tak jakby całe niebo w kurczach prężyło się i rozluźniało.

– Patrz – pokazał to Lilkowi.

– Co to jest? – spytał Lilek.

– Armaty strzelają. To pociski.

I poprzez skrzyp wozów i ustawiczny szmer kroków na szosie, który pluskał nieprzerwanie jak rzeka, przebił się daleki, jednostajny, odległy huk.

– Wojna – powiedział Lilek, wciągając powietrze, jakby się miał rozpłakać – wojna.

– Patrz, ciężarówka wojskowa! Pusta! Skacz! – zawołał Janek na towarzyszy, ruszając z kopyta za powolnie przeciskającą się ciężarówką. – Skaczcie! Obywatele, do Poznania, zabierzcie do Poznania! – wołał trzymając się klapy.

– Właź pan, my do samej Warszawy – odpowiedziały mu jakieś raźne, nie przestraszone głosy.

W świetle księżyca ujrzał w samochodzie gromadę spokojnych i opanowanych ludzi.

„Kolejarze!" – pomyślał.

I podał rękę Lilkowi i Aleksemu, ażeby im pomóc wleźć do ciężarówki. A potem zwrócił się do siedzących w środku.

– Dziękuję wam... towarzysze – powiedział.

Ciężarówka, przebiwszy się przez zatory, ruszyła nieco szybciej w stronę Poznania.

– Panowie do Warszawy? – spytał jakiś głos. – Bo my Poznań objeżdżamy...

– Do Warszawy – skwapliwie potwierdził Lilek.

– Do Warszawy – powtórzył z dużym zastanowieniem Janek. – Do stolicy.

VII

Kazimierz Spychała zatelefonował do ministerstwa. Spojrzał przez otwarte okno, była czarna, ciepła noc, z daleka dolatywał szmer, odległy ruch, jak gdyby jakieś olbrzymie owady szeregiem dążyły w dal. Szmer taki, jaki wydaje chrabąszcz chrobocząc o szyby zamkniętego okna – tylko spotęgowany wielokrotnie.

W słuchawce odezwał się senny głos.

– Halo!

– Czy mój samochód gotowy?

– Kto mówi?

– Kazimierz Spychała.

– Samochód pana radcy zabrała pani ministrowa.

– Ministrowa? – zdziwił się Kazimierz.

– Tak – był potrzebny na coś tam.

– A jest jaki inny samochód w ministerstwie?

– Nijakiego samochodu nie ma.

– A kto jest tam jeszcze w biurach?

– Nikogo nie ma. Ja sam jezdem.

– Kto pan jest?

– Woźny. Stanisław Błaszczyk.

Spychała odłożył słuchawkę. Nie ma samochodu!

– Psiakrew! – zaklął, poszedł znowu do sypialni i zapalił światło. Na zasłanym łóżku stała mała walizeczka z dobrej skóry, błyszcząca wszystkimi srebrnymi przykrywkami flakonów i puszek.

Spychała stanął pośrodku pokoju i zamyślił się. Uciekli. Wszyscy uciekli.

Zadzwonił.

Służący zjawił się od razu. W kuchni widocznie nie spali. Stanął w progu i popatrzył na Kazimierza ze smutkiem, ale i z szacunkiem.

Kazimierz powiedział:

– Niech mi Wojciech spakuje walizkę. Tak jak na „mały wyjazd".

– Na mały? – spytał melancholijnie Wojciech.

– Jak najmniejszy. Nie wiadomo, czy nie będę musiał nieść tej walizki.

– A samochód?

– Nie ma samochodu.

– Nie ma samochodu – powtórzył Wojciech i widocznie zachmurzył się, miał on widać nadzieję na ten samochód.

– Czy i Wojciech chce jechać? – spytał Spychała.

– Wszyscy uciekają, to co ja będę sam robił w Warszawie?

– Rzeczywiście – zamyślił się Kazimierz – tylko że samochodu nie ma żadnego w ministerstwie.

– A samochód pana radcy?

– Pożyczyłem księżnej...

– Aha... – z niepokojem przeciągnął Wojciech – no, to i co teraz będzie?

– Zobaczymy, zobaczymy – nerwowo powiedział Spychała i spojrzał na zegarek. Była trzecia dwadzieścia w nocy. – Nie ma co się tak spieszyć.

– O, mnie się zdaje, że trzeba bardzo się spieszyć – powiedział Wojciech ze znaczącą miną.

„Oni tam w kuchni wiedzą o wiele więcej niż ja" – pomyślał Spychała. Nastawił radio. Milczało.

– No, to ja jednak pójdę do księżnej, może jeszcze nie wyjechała – powiedział Spychała.

Gdy wyszedł na ulicę, za Wisłą gdzieś poczynało różowieć na niebie. Od wody szedł chłód, a na zachodzie błyszczał nadszarpnięty księżyc. Na bocznych ulicach panowało zupełne milczenie. Szmer owadów dochodził z ulic głównych. Aby dostać się do pałacyku Bilińskiej, nie potrzebował przecinać Alei Jerozolimskich. Przed domkiem mieszczącym się w podwórzu czerniał jego samochód naładowany kuframi. Panna Tekla stała na schodach i pilnowała pakowania, widać było po oczach, że zapłakana. Na jej zmęczonej twarzy walczyły o lepsze różowe blaski świtu i jaskrawe światło dochodzące z oświetlonego hallu.

Z głównej klatki schodowej odezwał się jakiś senny głos:

– Zaciemniać, zaciemniać...

– Kto tam? – spytała ze złością panna Tekla.

– Komendant LOPP-u – odezwało się z ciemności – zaciemniać, zaciemniać!

– Przecież już świta, zaraz będzie dzień – zniecierpliwiła się panna Biesiadowska.

– Czy księżna jest u siebie? – zapytał Spychała.

– W salonie. Pakuje miniatury – powiedziała panna Tekla.

Kazimierz wszedł do środka. W całym domu paliły się lampy. Wszystko było oświetlone, *a giorno*, jak w dnie wielkich przyjęć. W hallu na krześle siedział Alo, w płaszczu, w czapce, z neseserem w ręku. Patrzył sennie przed siebie i palił papierosa. Nie przywitali się.

– Gdzie mama? – zapytał tylko Spychała.

Bez słowa papierosem wskazał na drzwi salonu. Spychała wszedł tam.

W salonie panował nieład. Wśród słomy i wiórów, pośród porozstawianych mebli stała nieruchomo Maria. Wysmukła i wysoka, wydała się nagle Spychale tą dawną. Tego pamiętnego dnia, kiedy zobaczył ją po raz pierwszy, stała także pośrodku zburzonego pokoju i wyciągała ku niemu ręce. Teraz nie wyciągnęła rąk.

– Mario, jedź już – powiedział bez wstępów Spychała – świta. A w dzień samoloty walą...

Księżna spojrzała na niego bezładnie. W jej niebieskich wielkich oczach odmalował się żal i jakieś spłoszenie. Bała się nie samolotów niemieckich, ale tej chwili, jaka miała nastąpić.

– Jedź – powtórzył Spychała.

Maria ogarnęła płócienny płaszcz i z trwogą popatrzyła raz jeszcze na Spychałę, a potem znowu na portrety i miniatury wiszące na ścianie, nad kanapą. Bynajmniej ich nie spakowała.

– Widzisz, widzisz... – powiedziała.

Wyciągnęła wreszcie do niego ręce, na co Spychała tak długo czekał. Rzucił się i zaczął je całować – jak wówczas, dwadzieścia lat temu – i jak wówczas wydało mu się, że zaczyna się jakaś inna, nowa epoka życia. Że dzieją się rzeczy tak olbrzymie.

– Widzisz, widzisz, znowu tułaczka – powiedziała księżna.

W tej chwili wszedł Alo.

– Mamo, wszystko gotowe – niecierpliwił się – jedziemy.

– Weź te miniatury – powiedziała księżna.

Alo zerwał ze ściany jednym gestem – jak ziarnka agrestu z krzaka – cały szereg miniatur i wpakował je sobie do kieszeni.

– Do widzenia – powiedziała księżna do Spychały i podnosząc obie ręce do góry owiązała na małym słomkowym kapeluszu jedwabny woal koloru gęstego dymu. – Do widzenia.

To było wszystko. I dopiero kiedy siedziała już w samochodzie, a przy niej senny, wpatrzony w przestrzeń Alo i brązowa Mucha, która jedna wesoło szczekała ciesząc się z podróży, kiedy panna Tekla ułożyła w nogach ostatnie kuferki i pledy, Bilińska zwróciła się do Spychały.

– Kazi – powiedziała wysuwając rękę w brązowej rękawiczce ponad opuszczoną szybę – może jednak pojedziesz z nami?

– Nie ma już miejsca – ponurym głosem wypowiedział Alo.

– Nie, nie – wstrząsnął głową Spychała i poczuł, że wzrok mu zakrywa fala łez. Nie wiedział, dlaczego jest taki wzruszony, czy żal mu, że ona odjeżdża, czy tego, że jest taka okrutna w swoim egoizmie.

– *Oh, Kazi* – powiedziała księżna – *ne pleurez pas!* *

W tej chwili szofer zapalił motor i piękny buick Spychały ruszył lekko sprzed ganku, objechał podwórze i znikł w czarnym jeszcze otworze bramy. Kazimierz spojrzał na wysokie niebo nad czterema piętrami kamienicy. Było zielone, z jednej strony różowe.

– Byle ich tylko co złego nie spotkało – szepnęła stojąca obok niego panna Tekla. – Teraz muszę wszystko pozamykać – powiedziała na pół do siebie.

---

* proszę nie płakać!

Poszedł. Od Alei Jerozolimskich oddzielało go kilkadziesiąt kroków. Spojrzał. Środkiem jezdni sunął z monotonnym hałasem zwarty tłum pojazdów, ludzi, koni, wozów, karet, samochodów. Piesi czepiali się kłonic, stopni, siedzieli z tyłu na samochodach. Ranni żołnierze z zakrwawionymi bandażami na głowach siedzieli na jakichś obłąkanych armatach, które ni stąd, ni zowąd wzięły się wśród tego chaosu i sunęły naprzód niby ogromne mrówkojady z podniesionymi ryjami. W samochodach siedziały blade, zaspane osoby, na wozach psy, klatki, lampy i palmy tworzyły bezładne martwe natury.

Wszystko to było oświetlone szaroróżowym teatralnym światłem, które płynęło prostymi promieniami zza Wisły. Od czasu do czasu każdy z uciekających wznosił głowę i oglądając się wstecz, rzucał niespokojne spojrzenie na wysokie, ciemne jeszcze niebo na zachodzie.

Na rogu Brackiej i Jerozolimskich zwarty tłum rozszczepiał się w pewnym miejscu na dwa strumienie, które pozostawiały wolną wysepkę. Na owej wysepce leżał zabity koń, w dziwnej pozie, z przekrzywioną w tył, daleko odrzuconą głową i czterema nogami wzniesionymi do góry. Duże, mocne podkowy na kopytach błyszczały w różowym blasku.

Spychała stał przez chwilę na brzegu trotuaru. Bezmyślnie patrzył na pchający się tłum, na tłok koni i krów, na mechaniczne ruchy ludzi, którzy pochyleni, jednostajnie szli naprzód, naprzód, naprzód. Nie wiedział, co począć.

W tym momencie mały granatowy samochód zahamował gwałtownie tuż przy nim, ocierając się prawie stopniem o krawędź trotuaru. Za szybą ujrzał pogodną twarz pani Royskiej.

– Niech pan jedzie ze mną – powiedziała opuszczając szybę – zaraz, zaraz, bo tu nie można stać.

Kazimierz bez chwili namysłu, zapominając o „małym" i „wielkim" pakowaniu Wojciecha, otworzył drzwiczki samochodu, usiadł obok pani Eweliny – i pojechali. To samo różowawe, upiorne światło padało teraz na twarz pani Royskiej, oświetlało jej srebrne włosy i raziło go w oczy. Samochód z trudnością torował sobie drogę. Na wiadukcie było nieco luźniej, ale na Pradze wpadli znów w taki tłok, że posuwano się naprzód z minimalną szybkością. Nic mówili do siebie nic.

W pewnej chwili pani Royska pochyliła się do szofera i powiedziała:

– Ludwiku, pojedź szosą otwocką, tam będzie może lepiej.

Rzeczywiście szosa otwocka była luźniejsza, mały siny samochód przekradał się szybciej naprzód. Od strony szosy lubelskiej poczynały dobiegać pierwsze detonacje, było coraz jaśniej i promienniej. Dzień wstawał pełen słonecznej chwały.

Po godzinie byli już w Pustych Łąkach. Pani Royska zajęła się gospodarstwem. Spychała nawet nie wszedł do domu, od razu poszedł przejść się po parku.

Stare, wysokie drzewa stały w pełni sił i krasy pod błękitnym porannym niebem. Olbrzymie klony przykrywały zielonymi czapkami niskie czeremchy i kaliny, całe teraz w czarnych i koralowych jagodach. Spokój panował między niebosiężnymi pniami, jesienne kwiaty na klombach pachniały już późną, nie miodową wonią. Wszystko, co przeżył, wydawało mu się snem.

Czasami tylko dochodził niski, groźny warkot i słychać było z daleka, jak gdzieś na kogoś czy na coś padały bomby. Tutaj panowała cisza, zielone liście lekko się kołysały.

Towarzyszył mu w tej przechadzce po gęstym, niezupełnie już zielonym parku ów zapach nie miodowy, nie kwiatowy. Po dobrej chwili przypomniał sobie, że był to najdawniejszy zapach, jaki pamiętał: zapach dzieciństwa – zapach ziemi.

Widocznie gdzieś za parkiem orano – otoczenie pani Royskiej pracowało równie niezamącone jak ona – i zapach świeżej, wilgotnej ziemi wpływał wąskimi pasmami pomiędzy okazałe pnie klonów i jesionów.

Spychała stanął i przez chwilę wciągał zapach w nozdrza. Przypomniała mu się chata rodzinna i dziad, i ojciec... wspomnienia, które zewsząd odpędzał. I teraz machnął ręką. Poszedł przed dom, gdzie ostatnie fioletowe astry, podbite już rdzą, tłoczyły się na dużym klombie jak niesforne dzieci.

W tej chwili z drewnianego dziwacznego domu z dwoma kopułkami po bokach wyszła pani Royska. Miała już w ręku ogromny snop jesiennych kwiatów, który ktoś widać przyniósł jej przed chwilą. Uśmiechnęła się spokojnie do Kazimierza.

– Idę na grób Józia – powiedziała – chodźmy razem.

Spychała milcząc poszedł za nią. Dróżka wiodąca do sybillińskiej świątyńki była dosyć wąska, tak że musiał postępować za panią Eweliną. Mimo woli podziwiał jej sprężysty, spokojny krok i letnią jasną suknię, na którą Royska zdążyła zmienić swój podróżny strój.

„Ileż, u licha, ona ma lat? – spytał sam siebie Spychała i począł wyliczać w dość skomplikowany sposób: – Od naszej rozmowy w Odessie upłynęło lat... Boże drogi, już dwadzieścia pięć lat. Ćwierć wieku! Ileż przez ten czas się zmieniło – a ona zawsze jednakowa..."

Widocznie i pani Royska myślała o tym samym, bo gdy naciskając środek kutego w żelazie słonecznika weszła do kapliczki i złożyła snop fiołkowych i żółtych kwiatów na czerwonym marmurze grobowca, powiedziała, siadając na półokrągłej laweczce, przyległej do ścian altanki:

– Pamięta pan naszą rozmowę w Odessie?

Wiele było rozmów w Odessie, ale Spychała od razu wiedział, że chodzi tu o tę rozmowę z lipca 1914 roku. Przecież i on myślał o tamtej rozmowie.

– Pamiętam – powiedział, siadając po drugiej stronie płyty – właśnie ją sobie przypominałem.

– Tak dziwnie bywa w życiu – zacięła się nieco pani Royska – czasami zapomina się o ważnych sprawach... a przecież ta rozmowa nie była ważna... wcale nieważna... – zamyśliła się.

– Mówiliśmy o przyszłości Józia – powiedział Spychała.

– Nie było się o co kłopotać – westchnęła matka.

– Troski nasze były przedwczesne. Ale czy mogliśmy co wiedzieć? Tkwiliśmy w zastanym świecie, zupełnie nieprzygotowani do tego, co miało nastąpić...

– Człowiek jest zawsze nieprzygotowany. Czyśmy się przygotowali do tego, co nastąpiło teraz?

Spychała nie odpowiedział, nasłuchiwał. Z bardzo daleka przyleciał odgłos kilku głuchych detonacji.

– To straszne – powiedziała pani Royska.

Schyliła się nad grobowcem i poprawiła leżące kwiaty, tak aby nie zasłaniały wykutej w marmurze daty: 1898–1918.

– Czasami myślę sobie – zwróciła się znowu do Spychały – że może tak jest lepiej... że Józio odbył to wszystko już wtedy, przed ćwierć wiekiem. Krótkie życie – i śmierć na polu chwały. W każdym bądź razie w momencie bardziej dla nas chwalebnym niż obecny...

Spychała nie lubił takich spekulacji myślowych. Jakby to było, gdyby mogło być inaczej... a inaczej nie mogło być. I dzisiaj nie mogło być inaczej. Z goryczą musiał przyznać:

– Zapracowaliśmy na dzień dzisiejszy.

Pani Royska spojrzała na niego uważnie. Cała pogoda znikła z jej twarzy, a z oczu wyglądał strach, wyrzut i okropne pomieszanie.

– I pan także... – powiedziała zacinając się. Usta jej drżały.

Ale trwało to bardzo krótką chwilę. Znowu opanowana, zwróciła się oczami ku płycie. Spychała widział teraz jej piękny profil z krótkim, prawie zadartym nosem i puszyste siwe włosy. Nagle poczuł w sobie te same męty, co wówczas w Odessie – nienawiść do tej kobiety za jej urodę, rasę, za jej nieznośną pańskość.

– Józio, gdyby żył, pracowałby również na dzień dzisiejszy – powiedział, chcąc zrobić przykrość Royskiej.

Ale ona nie odczuła tego motywu, nie odwróciła wzroku od napisu na grobowym marmurze, uśmiechnęła się nawet łagodnie.

– Właśnie o tym mówię – powiedziała – może to lepiej, że on już odbył swą klęskę i chwałę...

Spychałę zniecierpliwiły te słowa jeszcze bardziej.

– Po prawdzie powiedziawszy – rozpoczął na pozór spokojnie i nie patrząc na panią Ewelinę – taka to i chwała... Już tam rozpoczął to, co robiliśmy nadal tutaj – my.

– Jak to? – przepłoszyła się pani Royska.

– Bardzo to ładnie wyglądało – trochę mocniej ciągnął Spychała – sam brałem w tym udział, więc wiem. Pięknie wyglądali ułani, chorągiewki, lance... ładnie to opisał w Ameryce niejaki Bolesławski... może pani czytała?

– Nie, nie – niecierpliwie potrząsnęła głową Royska, czekając na to najważniejsze, co miał powiedzieć Kazimierz.

– To było szaleństwo. Oczywiście, pod Gniewaniem, pod Tywrowem, pod Kaniowem. Ginęli jak muchy. Za co?

– Jak to za co? Za Polskę.

Spychała zaśmiał się gorzko.

– Za Polskę. Ale za jaką Polskę? Chciało się naszym panom Ukrainy. Takich dochodów jak majątki podolskie i ukraińskie żadna ziemia w rdzennej Polsce nie dawała i dać nie mogła. Trudno się było pozbywać naszych kolonii... Inni szukali za morzami. A tu było pod ręką; ziemia mlekiem i miodem płynąca.

Pani Royska wzdrygnęła się.

– Jak to, więc Józio za to zginął?

– Nie pamięta pani Moliniec? – z ironią spytał Kazimierz.

– Och, panie Kazimierzu – zawołała z prostotą pani Royska i zakryła twarz rękami. – To nieprawda...

– Kochała pani Molińce?

– Kochałam.

– I ludzi?

Pani Royska nie odpowiedziała.

– Widzi pani, tak to było.

– Więc Józio zginął na darmo.

– Za taką Polskę, na jaką zasłużyliśmy. Za taką, jaką budowaliśmy.

– To nieprawda, nieprawda! Wszędzie, gdzie lała się nasza krew, była inna Polska, prawdziwa – pani Royska wstała. – On nie myślał o waszych kapitałach, on nie myślał o waszych majątkach...

– Naszych majątkach – poprawił Spychała.

– Naszych majątkach. On chciał, żeby było pięknie, po nowemu...

– Ale jak?

– Nie wiem – pani Royska znowu usiadła. Pogoda dawno już opuściła jej oblicze.

– Myślę, że on o niczym nie wiedział. Chciał trochę powojować i tak... pomachać szabelką. Widziałem go...

– Jaki był? – szepnęła pani Ewelina.

– Bardzo piękny. Przypominał mi jakiś obraz, nie pamiętam już jaki. Miał czapkę mocno podpiętą paskiem pod brodę. Wąs mu się ledwie sypał. Na policzki wybiegał mu raz po raz rumieniec – i gasł...

Pani Royska zamknęła oczy, wyprostowała się i chwytała chciwie każde słowo Spychały. Spod powiek zaciśniętych spłynęły łzy.

– Nie możemy go potępiać, panie Kazimierzu. Niech pan tak o nim nie mówi. Niech go pan ocali dla matki i dla Polski.

– Ocalimy go dla legendy. A co o nim powie historia?

– Historia jest zbiorem legend. Takich czy owakich.

Spychała poruszył się niecierpliwie.

– Chciał pan, aby był taki. Nasza rozmowa...

– Byłem głupi szczeniak. Potem dopiero wiele zrozumiałem. Po wyjeździe z Odessy.

– Człowiek się zawsze uczy – powiedziała pani Royska i otworzyła pełne nie spływających łez oczy – a ja wiele zrozumiałam dzisiaj. W ciągu naszej podróży. Gdyśmy uciekali z Warszawy.

Spychała się przygarbił.

– Uciekali z Warszawy – powtórzyła dobitnie i znowu energicznie pani Royska. – Czy pan rozumie, panie Kaziu, co znaczą te słowa? Uciekali z Warszawy...

– I dokąd? – spytał Kazimierz znacznie spokojniejszym głosem.

– Dokąd? Po sam kres naszych przeznaczeń. Pan musi uciekać za granicę...

– Maria już tam pojechała – wyszeptał zupełnie cicho Kazimierz, tak cicho, że nie był nawet pewien, czy Royska go posłyszała.

Teraz był odwrócony bokiem, patrzył na grobowy napis. Gdyby widział wzrok pani Royskiej skierowany na niego, przekonałby się, że nie tylko słyszała jego słowa, ale że poczuła na ich dźwięk coś w rodzaju głębokiej pogardy dla Kazimierza.

Chwilę milczeli. Potem pani Royska uklękła i dała znak Kazimierzowi, aby ukląkł przy niej. Modliła się szeptem, a potem zaczęła mówić głośniej, zrazu jakby od niechcenia. W miarę jak mówiła, głos jej mocniał i krzepł. Spychała zdziwił się nieco i patrzył na panią Royską jak na zadziwiającą osobę, niby wówczas w Odessie. I nagle w tej opanowanej, zamkniętej w sobie kobiecie odczuł dawny entuzjastyczny styl jej młodości. Bo przecie to była jeszcze młodość, ów dawny czas utracony.

– Przepraszamy cię, Józiu – mówiła pani Ewelina – przepraszamy twoje święte, rozsypane, zapomniane przez wszystkich prochy... nie tylko za to cię przepraszamy, żeśmy cię posądzili... żeśmy podsuwali tobie niegodne, nie sprawdzone, niskie zamiary i cele... ale żeśmy ci odmówili chwały śmierci za ojczyznę... umierałeś, jak myślałeś, że trzeba umierać... i umarłeś w chwale, rozumiesz, synu, w chwale twojej wiary, twego zaufania, twojej młodości... Wierzymy, wierzymy nawet w takiej jak dziś chwili – podłej, strasznej, zabijającej – że nie umarłeś na darmo...

Głos się załamał pani Ewelinie, pochyliła się na kamień i oparła głowę na kwiatach dopiero co złożonych na grobie. Spychała klęczał na jednym kolanie, zupełnie zgubiony, bezradny i w gruncie rzeczy przestraszony. A może i trochę przejęty. Niespodziewane słowa pani Royskiej mogły przepalić jego chłód wewnętrzny. Serce biło mu mocno.

VIII

Mały oddział piechoty, w którym znajdował się Antek Gołąbek, pozostawiono jako garnizon w Łomży, podczas gdy reszta skupionej koło tego mias-

ta dywizji uderzyła na Mazury. Pierwsze trzy dni
września Antek spędził w nieznośnej bezczynności,
kręcąc się po koszarach nad wieczór i rano, dzień
spędzając po większej części pod bombami. Starał
się oszczędzać swoich żołnierzy i zaganiał ich do
schronów. Sam nie mógł tam wytrzymać, przeciwnie, wychodził z lornetką na dach budynku stajen-
nego i stamtąd obserwował naloty na miasto, na
koszary i na okoliczne wsie. Miał przy sobie lornet-
kę polową buchniętą Hubertowi w momencie uda-
wania się na dworzec – i przy jej pomocy oglądał
nękające ataki samolotów. Czuł, że to niewiele jak
na obrońcę ojczyzny, ale nie mógł nic na to poradzić. Koszary były kompletnie bezbronne, nie mógł
jednak powstrzymać żołnierzy, aby nie strzelali od
czasu do czasu ze swoich karabinów – niby to do
samolotów, a po prostu Panu Bogu w okno.

Na trzeci dzień pod wieczór rozległy się jakieś
detonacje na północy. Mały oddziałek łomżyński
pozbawiony był łączności, informacji, jakichkol-
wiek wieści o tym, co się działo. Komunikaty radiowe w bardzo krótkim czasie stały się chaotyczne
i nieregularne. Pod wieczór wystrzały stały się
bliższe, były to jednak nie strzały armatnie, które
pozostały gdzieś w tyle, jak gdyby artyleria nie
ruszała się z miejsca, ale salwy i pojedyncze strzały
karabinowe. Wieczorem wpadły jakieś motocykle,
na dziedzińcu koszarowym powstał chaos.

– Wychodzić, wychodzić – powtarzali sobie żołnierze w ciemności. Elektrownia po prostu przestała
działać – nie trzeba było przestrzegać zaciemnienia.

Antek mało miał doświadczenia wojskowego,
a cóż dopiero bojowego. Ustawiono ich w czwórki

i kazano dźwigać szpule z drutami telefonicznymi. Szybko wyruszyli z miasta, kierując się na południe, w stronę Warszawy. Krok małego oddziału rytmicznie rozlegał się na szosie, nie wolno było ani rozmawiać, ani palić papierosów. Automatycznie stąpając Antek ukołysał się powoli i wprowadził w stan pół snu, pół jawy. Zaraz za miastem weszli w lasy.

Las, jak zawsze las w nocy, wyrastał ponad głowy, ku górze, czarną ścianą, wśród której, hen, gdzieś otwierała się bladoniebieska, oświetlona księżycem droga. Powoli począł rozróżniać w ciemności twarze kolegów. Wszystkim im noc nadawała wyraz skupiony i bynajmniej nie senny. Antoniemu wydawało się, że razem ze wszystkimi wstępuje na jakąś wysoką górę, jak gdyby nocą, w ciemności wchodzili na Zawrat. Dziwił się tylko, że piargi pod nogami nie osypują się w dół.

Co godzina zatrzymywano ich na dziesięć minut. Antoni odkładał zwój drutu i wyprężał zbolałe ramię. Strugi potu spływające po plecach stygły i zmieniały się w strumyki chłodu. Potem gdzieś od pierwszych rzędów rozlegał się cichy okrzyk, coś chrzęściło i kompania ruszała.

W środku trzeciej godziny ktoś go szturchnął w bok.

– Co, śpisz, Gołąbek? Wołają cię... Wystąp!

Znalazł się na brzegu szosy z pięciu innymi żołnierzami. Jakiś porucznik zaprowadził ich w głąb lasu. Trzech zostawił na miejscu z aparatem, resztę powiódł dalej między drzewami, przez które przezierały srebrne plamy światła księżycowego. Ci, co poszli za porucznikiem, ciągnęli druty telefoniczne, przerzucając je od gałęzi do gałęzi.

Odchodząc porucznik powiedział:

– Czekajcie tutaj, dadzą wam znać, co macie robić.

Rzucił im hasło i poszedł. Zostali w ciemności. Podzielili się między sobą czasem, kto ma czuwać nad aparatem. Antek nie bardzo się orientował, o co chodzi. Zasnął.

Kiedy obudził się, było jasno. Dwóch żołnierzy rozdzianych do koszuli siedziało obok niego i jadło czarny chleb. W lesie była kompletna cisza.

– Te, Gołąbek – powiedział jeden z nich, białawy Wilek – masz tam co w plecaku?

– Co mam mieć – odpowiedział Antoni przecierając oczy – to co i wy: chleb.

– Patrzcie go, taki warszawski piesek i nie ma nic do żarcia.

– Myśmy myśleli – dodał Wilek – że masz jakieś ananasy.

– Ojczyzna nas zostawiła o suchym chlebie – powiedział ten drugi, mały, czarniawy, chyba kolejarz.

– Dobrze, że chociaż chleb gryziesz, nie ziemię – powiedział Wilek.

– Czekaj, czekaj! – wykrzyknął ten czarny. – Jeszcze tu trochę posiedzimy, to i ziemię gryźć będziemy. Fryca tylko patrzeć...

– Co wy, co wy? – wykrztusił Antek, z trudem wracając do rzeczywistości.

– Psi szczekali w nocy za lasem, w tej stronie – pokazał Wilek. – Idź, Gołąbek, zobacz, czy tam czego nie ma. Mleko może jest, czy co?

– Ano, rzeczywiście – skocz no, Gołąbek, w tę stronę.

Gołąbek nie bardzo mógł „skoczyć", nogi miał odparzone, ale poszedł w kierunku, który mu wskazywali towarzysze. Było wcześnie i noc była chłodna, ale już w powietrzu czaiło się gorąco. Rosa w niezmiernej obfitości obciążała liście wysokich paproci i błyszczała na gęstych kępach borówek i czarnych jagód. Twarde listki tych jagód, gdzieniegdzie już zaczerwienione, błyszczały jak szkło. Miał dziwne wrażenie idąc przez te gąszcze leśnego poszycia, wrażenie, że się budzi z bardzo przykrego snu. W miarę jak posuwał się, znane wszystkim uczucie, że już kiedyś widział ten pejzaż, te drzewa i te zarośla, przeradzało się w pewność, że idzie znaną sobie okolicą. Przyspieszał kroku, zapominając o bólu odparzonych nóg – a kiedy spomiędzy rzadkich sosen przeświecać zaczęła polana – czy też po prostu pole, począł biec. Wyszedłszy na kraj lasu, zatrzymał się jak wryty i wciągnął głęboko powietrze. Widział znany – i spokojny w tej chwili obrazek. Pole od lasu schodziło w dół wachlarzem, zarosłe zrudziałymi pędami kartoflanej naci, a w dole ciągnęła się białym pasmem znajoma szosa. Za szosą stały budynki gospodarskie i chata, niska, ale obszerna i schludna, z chaty właśnie wyszła wysoka i wyprężona jak struna dziewczyna.

– Anielcia, Anielcia! – zawołał Antek, choć zrozumiał, że jego wołanie nie doleci do kobiety. Zdziwił się sam dźwiękiem swego głosu, brzmiała w nim radość i przestrach. Przed chwilą myślał, że się budzi ze snu, poznając znajome przedmioty; w tej chwili wydawało mu się, że śni znowu sen przyjemny, sen odnajdywanego dzieciństwa – i lękał się, że jego okrzyk zdmuchnie ten obraz i znowu będzie lęk, ból nóg, zmęczenie i nieprawdopodobny bezsens wojny.

– Anielcia, Anielcia – powtórzył zupełnie już słabo; powtarzając to imię nie chciał jej zawołać, tylko nazywał samemu sobie to zjawisko, które widział przed sobą.

Chata babki nie zniknęła, była oczywistą prawdą – ale i wojna była prawdą; odezwały się gdzieś daleko na wschodzie i na północy grzmoty salw artyleryjskich.

Antek począł zbiegać z góry kartofliskiem, potykając się i przewracając jak zając, powtarzając imię babcinej wychowanki. A tymczasem Anielcia wyszła za wrota obejścia i minąwszy cień dwóch wiśni stojących przy płocie, stanęła na szosie i zasłaniając oczy od słońca patrzyła to w jedną, to w drugą stronę. Na kartoflisko oczywiście nie spojrzała. Dopiero zwrócił jej uwagę hałas kroków biegnącego i potykającego się żołnierza. Drgnęła, nastroszyła się i zaszła za płot, jak gdyby to mogło ją jakoś ochronić.

Antek dopadł do płotu i schwycił się zań, dysząc ciężko:

– Anielcia? Nie poznajesz mnie?

– Antek! – zawołała po chwili. – Boże Święty! A ty skąd tutaj?

– Stoję w lesie z kolegami!

– Jezus, Maria, przecież rodzice odjechali przed chwilą...

– Jacy rodzice?

– No, twoi! Z Helenką, no, może dziesięć, piętnaście minut... samochodem. Wyjechali koło północy z Warszawy, chcieli zdążyć przed świtem do Pustych Łąk. Ale ojcu zrobiło się niedobrze, ciotka ich nie puszczała (nazywała starą Gołąbkową ciotką) i zamarudzili. No, żeby dziesięć minut...

– Ale dlaczego oni pojechali?

– Nie wiesz? Wszyscy z Warszawy uciekają...

– Jak to wszyscy?

– No, może...

– Warszawa nie będzie się bronić?

– Czy ja wiem? Dużą szosą to taki tłum podobnież wali... Pani Ola mówiła... tutaj to spokojnie, boczna droga...

– A po cóż oni do Pustych Łąk?

– Czy ja wiem? Nie wiem... Tak, aby gdzieś uciec, ludzie gnają. Żyda z Ostrowi na szosie zabiło... do nas jechał.

– Babka śpi? – spytał Antek, byle tylko coś powiedzieć, byle nie trwać w niemożliwym śnie. – Rodzice pojechali – powtarzał – rodzice pojechali.

Zaniepokoiła go ta sprawa, chociaż ostatecznie nie było w tym nic nadzwyczajnego.

– Ojciec poczuł się niedobrze? – odwrócił się do Anielki wchodząc do chaty.

– Tak. I dlatego zamarudzili. Pani Ola zastrzyk robiła i strzykawka nie chciała się zagotować. Za późno wyjechali, zaraz będą na dużej szosie, a tylko patrzeć, jak samoloty przylecą...

– Kto prowadził?

– Twój ojciec.

– To nowym samochodem?

– Tak, tym nowym, osobowym...

– Boże drogi – znowu Antkowi serce się ścisnęło.

– A Helenka? – spytał.

– Helenka, jak dziecko. Rada była. Śmiała się...

– Śmiała się?

– Lepiej, że się śmiała, jak by miała płakać. Pani Ola płakała.

Antek popatrzył na Anielkę.

Stała przed nim wyprostowana jak struna, piersi miała dziewczęce i nie wyglądała wcale na swój wiek. Antek pomyślał: „Przecież ona już po trzydziestce... – a potem zirytował się sam na siebie: – Też mi takie myśli przychodzą do głowy... w takiej chwili!".

I zwracając się do Anielki, powiedział:

– Daj mi jakiegoś mleka, czy co. Ja tam mam jeszcze dwóch kolegów w lesie.

– Mleko mam – powiedziała Anielka – i tu twoi rodzice zostawili jakieś konsierwy...

Babka jeszcze leżała w łóżku. Nie bardzo zdawała sobie sprawę z tego, co się dzieje wokoło. Tylko co Franciszkowie z małą (wychowują ją na hrabiankę) zjawili się i znikli, a teraz znowuż zjawił się najstarszy wnuk, piękny i czarny.

– A ty skąd? – spytała, wydobywając rękę spod skomplikowanych pierzyn, derek i kołder.

– Jestem, babciu – powiedział Antek podnosząc głos, chociaż stara Gołąbkowa nie była głucha – jestem tu niedaleko, tak mi wypadło.

– Rodziców widziałeś? – spytała z jękiem.

– Nie, nie widziałem.

Obojętnie przyjęła tę wiadomość.

– Co się tu dzieje? Co dzieje! – westchnęła. – Ja już nic nie rozumiem. To Niemcy biją nas?

– Nie wiem, babciu, ja w lesie. Chyba biją.

– Ludzie z Warszawy uciekają... mówił Franek.

A potem do siebie, jakby zgryźliwie:

– Do Pustych Łąk, do Pustych Łąk... a czemu to u mnie nie zostali? W chłopskiej chałupie najbezpieczniej, ale oni – nie...

Weszła Aniela.

– Masz tu dwie butelki mleka. W co ty to weźmiesz?

– Daj jaką kobiałkę.

– Żołnierz z kobiałką!

– Nie twoja rzecz – a potem dodał z goryczą: – Ja już tak jak nie żołnierz...

Poszedł pod górę wprost przez kartoflisko, niosąc kobiałkę z dwoma butelkami mleka i błyszczącą puszką konserw. Idąc i plącząc się wśród zrudziałej naci kartoflanej, odwrócił się nagle. Anielcia stała na szosie przed chatą.

– A kto ci te kartofle wykopie? – rzucił z ironią kuzynce.

– A pewnie ty – zawołała do niego – chyba nie będziesz miał lepszej roboty?

– Na razie chyba nie...

Koledzy czekali na niego z niecierpliwością.

– Gdzieś ty się podziewał? Myśleliśmy, żeś nawiał.

– Bo tu moja babcia mieszka – powiedział Antek, stawiając butelki przed kolegami.

– Nie gadaj!

– Jak Boga kocham.

– A może ty w każdej wiosce „babcię" masz?

– Słowo honoru. Babcia rodzona, matka mojego ojca.

– Gołąbkowa, znaczy się – powiedział Ludwik i odkorkował mleko.

– Chodź, chodź, coś ci pokażę – wołał Wilek. Zerwał się i porzucił na pół otwartą puszkę mięsnych konserw – zaraz ci pokażę...

Pociągnął Antka wzdłuż zarzuconego na gałęzie drzew telefonicznego przewodu. O kilkanaście metrów, dosłownie o kilkanaście metrów drut rozwieszony na drzewach się kończył. Jego ucięty kawałek zwisał obojętnie z sosnowej gałęzi, a opodal leżała pusta szpulka kablowa.

– Pilnuj tylko tego drutu, koleżko – powiedział Wilek i w głosie jego drżała złość i gorzki śmiech – stój tu i czekaj. A hasło pamiętasz? Wzywaj przez swoją dziurkę, może ci kto tu odpowie.

– Nie rozumiem – powiedział Antek. – Co to znaczy?

– A to znaczy, że nas pan porucznik wystawił do luftu. Mogliśmy stać do usranej śmierci. Jak fryce przyjdą, to nas zastaną na posterunku...

– Cholera! – zaklął Antek.

– Możemy iść do twojej babci, jużeśmy się nawojowali – powiedział czarny Ludwik.

Wypili mleko, siedząc jednak na miejscu i jedząc mięso z czarnym stwardniałym chlebem. Hurkot artyleryjski się zbliżał, wszyscy trzej dobrze to słyszeli, ale żaden nie zwrócił na to uwagi kolegów. Udawali, że to nic. Nad lasem, ale w głębi, raz po raz odzywał się ciężki huk bombowców i gdzieś na szosę ku Siedlcom spadały pociski. Głuche detonacje wybuchów szły gęstymi seriami, a potem wszystko milkło.

Poszli wreszcie do chaty starej Gołąbkowej. Aniela przywitała się z nimi obojętnie. Siedli wszyscy czworo na ławeczce i na przyzbie przed chatą. Od południa wszelkie odgłosy zacichły. Samoloty odleciały.

– No, i co teraz będzie? – spytał Antek.

Zaczęło się już ściemniać, słońce się pochyliło.

– Ojciec powiadał – zwróciła się Anielka do Antka – że wszystko kaput.

Wilek się obruszył.

– Co ma być kaput? Co ma być kaput? W tydzień się narodu nie ubije.

W tej samej chwili posłyszeli głuchy łoskot motoru i dość wysoko ukazał się nad nimi niemiecki myśliwiec. Zachodzące słońce odbijało się w śrubach i srebrzyło jego kadłub.

– Patrz, jak spokojnie sobie leci i nikt go nie zaczepia.

– Ja go zaczepię – powiedział czarny Ludwik.

Zerwał karabin z ramienia i strzelił w górę, w stronę samolotu. Chciał strzelić raz jeszcze, ale Wilek go zatrzymał.

– Będziesz ty milczał, pieronie. Sprowadzisz na nas jaki oddział.

– Ty myślisz, że oni są blisko?

– Oni są już tu, między nami – powiedział ponuro Ślązak.

Samolot, jak duży żuk, nie spiesząc się poleciał dalej, w stronę, skąd dochodził monotonny, to wzbierający, to gasnący dźwięk bombowców.

– Może babcię schować do piwnicy? – spytała Anielcia.

– Po co? – zaśmiał się Antek. – A cóż tu się jej stanie?

– A jak będzie się miało co stać, to i w piwnicy się stanie.

Ledwie o babci powiedziano, aż tu babcia stanęła na progu.

– Anielka – zawołała mocnym głosem – bój się Boga, dziewczyno! Tyś krów na półdzień nie wydoiła.

Anielka schwyciła się za głowę.

– Świat się wali – powiedział Antoni nie wstając z ławy – a babcia chce, żeby o krowach pamiętać.

– Wali, nie wali, a jak to można krowy nie wydoić?

Anielka już leciała ze skopkiem do obory.

– A i nie nakarmiła pewnie – narzekała stara Gołąbkowa.

– Gdyby nie nakarmiła, toby ryczały.

– Biedna gadzina – westchnęła babcia. A potem ogarnęła wzrokiem trzech siedzących żołnierzy i zapytała dość surowo: – A wy co tutaj majstrujecie?

– Porzucili nas tu samych, nie wiemy, co robić – powiedział Ludwik.

Babcia zbliżyła się.

– To i tak siedzicie? A mnie się zdawało, że jak wojna, to wojna...

– Czasem jest tak, a czasem, babciu, inaczej. Wojna całkiem niepodobna do tego, co o niej mówią! Tylko tyle, że ludzi zabijają.

– Walą w te szosy jak w mrowisko – no ugrozą powiedział czarny Lutek.

– A gdzie tu miasto niedaleko, babciu? – spytał Ślązak.

– A gdzie ma być? Tu miast nie ma blisko. Do Siedlec można albo co. I rzyki tu ni ma. W Bartodziejach była Pilica...

– A na co nam „rzyka", babciu? – zaśmiał się Antoni. – Chyba się kąpać nie będziemy, bo nam Niemiaszki nie dadzą.

– No, wstawajcie, Gołąbek, Ludwik, idziemy – powiedział Wilek. Wstał i stuknął obcasami, aby sobie rozruszać zasiedziałe nogi.

– Dokąd? – spytał niechętnie Ludwik.

– Radia babcia nie ma? – spytał Antek.

– Co? Radia? A skądże?

– Ojciec babci nie zafundował?

– Twój ojciec? On musiał myśleć o tylu rzeczach...

– A teraz uciekł...

– Co miał robić w Warszawie? Czekać, aż go tam zastrzelą?

– A na drogach? Brrr...

Anielka tymczasem wróciła od doju.

– Ty nie chodź, Antek – powiedziała – jak się ściemni, pójdziemy do sąsiada. To dwa kilometry. On ma radio.

– I wy zostańcie – powiedział Antek.

– Nie, nie. Nam trzeba iść – powiedział Wilek – gdzieś przecie jakieś wojsko musi być.

– Aby tylko nasze! – z ironią warknął Ludwik. Ale bynajmniej ta gorzka uwaga nie powstrzymywała jego temperamentu. Poruszał się dziarsko i jakoś tak zawsze, jak gdyby tańcował na czyimś weselu. Mimo że był ponury, wzbudzał sympatię. Nagle objął Antka i pocałował go.

– To zamiast twojej kuzynki – powiedział.

Aniela się zaśmiała.

– Proszę, mnie można także. Ja się nie wstydzę.

Ale Ludwik jej nie pocałował.

Wyszli przed bramę na drogę. Pożegnali się jak przed kinem i Wilek z Ludwikiem poszli szosą w stronę Siedlec.

– Za cztery kilometry będzie duża szosa!
– w ślad za nimi krzyknęła Anielcia.

– Dziękujemy! – zawołali i odwróciwszy się, pokiwali ręką.

Antek i Aniela stali przed wrotami, dopóki sylwety dwóch żołnierzy nie zginęły za zakrętem. Niebo nad lasem zaciemniało się już.

– Chodźmy do chaty – powiedziała Aniela.

– I daj mi coś jeść, bo umieram z głodu – westchnął Antek.

– Dam ci jajecznicy z kartoflami, chodź – powiedziała ona – pod piecem się dawno pali.

– Szkoda, że nie poczęstowałaś kolegów.

– Oni wzięli konsierwy – powiedziała Aniela i weszli do chaty.

Nagle zrobiło im się „luźno" i wesoło. Jakby spadł z nich jakiś ciężar i nie trzeba było myśleć o niczym. Nie słychać było niemieckich samolotów – to jak gdyby i wojna odeszła gdzieś. „A może to i nieprawda? – myślało każde z nich – może wojny nie ma? A może Niemcy się wrócą? Pójdą sobie, gdzie pieprz rośnie?".

– Masz wódkę, Aniela? – spytał Antek.

– A co ty, szczeniaku, wódkę pijesz? – odpowiedziała „kuzynka".

– Ale masz?

– Mam, ale tylko dla siebie...

Napili się.

– Wiesz, jak ja pójdę jutro do Siedlec, to by mi się przydało cywilne ubranie – powiedział Antek.
– Nie macie tam czego?

– Jak babka zaśnie, to zobaczę w kufrze. Musi tam mieć coś niecoś.

– Co, jeszcze po dziadku?

– Bogać tam. Ale Władek wszystko zostawił, jak wiał.

– Jaki Władek?

– Jak to jaki? Brat twego ojca.

– Mój ojciec nie ma brata.

– Nigdy ci nie mówiono? Brat Franka, Władek...

– Pierwsze słyszę...

– No, był. Ale uciekł. Najpierw siedział w ciupie, a potem zwiał. Do Rosji zwiał.

– Co ty mówisz?

– To po nim tam zostało wiele...

Nagle rozległ się tuż przed chatą szmer motoru. Anielcia szybko wyjrzała przez okno.

– Jezus Maria, Niemcy! – krzyknęła cicho. – Wiej, Antek!

– Już? – zapytał Antek.

– No! – wołała Aniela – za chatę i do stodoły. Zaraz tam przyjdę.

Antek wyskoczył otwartym oknem za chatę i przekradłszy się pod ścianą, wpadł do stodoły. Zabudowania starej Gołąbkowej stały w prostokąt, obejmując małe podwórko, błotniste i z dużą gnojówką pośrodku. Antek wpadł do stodoły i ukrył się w kącie w sianie. Pachniało tu mocno i było duszno. Nie zdawał sobie sprawy z tego, co się działo. Po jakimś kwadransie przyszła, cichutko otwierając wrota, Anielcia.

– Chodź – szepnęła.

Odgarnęła trochę siana i ukazały się drzwi murowanego spichrzyku. Anielka otworzyła je z jeszcze większymi ostrożnościami.

– Siedź tu, aż nie przyjdę.

– A co oni?

– Piją mleko.

Zamknęła za nim drzwiczki i słyszał, jak założyła sianem. Było w jego kryjówce ciemno i duszno. Natykał się na jakieś narzędzia. Nie śmiał drgnąć, żeby czego nie wywrócić.

Słyszał po pewnym czasie, że motor ruszył sprzed domu i jakby zawrócił od Siedlec ku kierunkowi, skąd był przyjechał.

„No, pojechali" – pomyślał.

Ale Anielcia długo nie przychodziła. Musiała już być późna noc.

Nagle posłyszał, że wrota otwierają się cichutko. Potem posłyszał, jak Aniela odgarnia siano i otwiera drzwiczki spichrzyku.

– Antoś, jesteś tu? – spytała dość głośno.

– A co?

– Pojechali. Zawrócili. Pytali, czy tu nie było żołnierzy.

– Więc to Niemcy? Naprawdę Niemcy?

– A co się tak dziwisz?

– Niemcy? Tu?

– Mówili, że za nimi siła idzie.

– Jak mówili?

– Jeden trochę po polsku.

Anielcia dotknęła go w ciemnościach.

– Przyniosłam ci ubranie i bieliznę po Władku. Rozbierz się.

– Tutaj?

– Lepiej tu. Babka nie będzie widzieć.

– Babka nie śpi?

– Ale. Z niej prawdziwy marek. Strasznie się tych Niemców przestraszyła.

– A ty nie?

– Ja też. No, masz.

Antek zrzucił wojskową kurtkę.

– A buty? – spytał.

– W butach zostań. Masz krótkie...

– Ano.

– Rozebrałeś się już?

– Jeszcze.

– No, prędzej.

Antek poczuł, że Anielka ściąga z niego koszulę, ale potem objęła go bardzo mocno – i już nie myślała o ubieraniu.

– Daj koszulę – powiedział Antek dygocąc – gdzie ją masz?

– Poczekaj jeszcze chwilę – powiedziała Anielka. I Antek poczuł, jak obejmowała go za głowę i szukała ust.

IX

Spychała dotknął ramienia pani Eweliny.

– Proszę pani, proszę pani – powiedział.

Pani Royska uniosła się, ale nie zwróciła twarzy do Spychały.

– Proszę pani, teraz tak nie można – powiedział nagle Spychała poważnym i szczerym głosem – właśnie teraz. Teraz trzeba się trzymać jak najmocniej.

– Ja wiem – powiedziała pani Ewelina nie wstając z klęczek.

Pomyślała sobie przy tym: „Jaki ten Kazimierz ma niezwykły głos. Zupełnie inny niż przed chwilą. Tak jakby teraz nic nie udawał".

– Ciociu, ciociu! – rozległ się jakiś zwyczajny męski głos za nimi.

Zerwali się oboje. W drzwiach do kapliczki stał wysoki, szczupły młodzieniec.

– Co wy robicie u wujka Józia?

– Andrzej! – zawołała pani Royska. – Skąd się wziąłeś?

Wyszli na zewnątrz. Jasny dzień prawie letni otrzeźwił ich natychmiast. Andrzej Gołąbek pocałował panią Royską w obie ręce. Spychałę uderzyła niezwykła uroda chłopca. Ubrany był w jakieś quasi-wojskowe ubranie, spod kurtki wyglądał kołnierz jedwabnej koszuli, otaczający smagłą szyję. Gęstwa ciemnych włosów spadała mu na czoło, odgarnął je ręką, bardzo nerwowym ruchem. Na twarzy spod warstwy kurzu przeglądały fałdy zmęczenia, buty miał strasznie zakurzone.

– Andrzej, skąd ty tutaj?

– Przyszedłem z Warszawy – powiedział chłopiec, a głos miał schrypnięty – na piechotę. To jest, nie wszędzie na piechotę, czasami się podwoziłem – od miasteczka do miasteczka.

– Chodź, pewnie jesteś głodny – pani Royska nie bawiła się w rozpytywanie o zbędne szczegóły – chodźmy do domu.

Skierowali się w stronę mieszkania. Pani Royska szła naprzód, energicznym, nerwowym krokiem, za nią Andrzej, na końcu Spychała. Spychała, idąc tak, widział, że Andrzej goni ostatkiem sił. Spostrzegł, że obcasy „sportowych", ale widać bardzo niewytrzymałych, eleganckich butów Andrzeja są starte po obu stronach. Pozdzierane warstwy fleków sterczały na zewnątrz.

Przeszli w milczeniu na ganek.

– Chodź do stołowego – powiedziała pani Royska – zaraz każę ci coś dać. Może zimnego mleka.

– On już ma i tak przeziębione gardło – powiedział Spychała – lepiej coś gorącego.

Andrzej bez słowa zwalił się na krzesło przy okrągłym stole. Pani Royska wyszła na chwilę i zaraz wróciła, siadła obok Andrzeja i patrzyła na niego bez słowa.

– A gdzie twoi? – spytała po dobrej chwili.

– Nie wiem – wyszeptał z trudem Andrzej. – Idę już czwarty dzień... – przy tych słowach wargi mu się skurczyły boleśnie jak u małego dziecka i z trudem wciągnął powietrze.

Spychała usiadł pod ścianą i patrzył na zakurzoną twarz chłopca. Służąca przyniosła gorące mleko i chleb. Andrzej pociągnął jeden łyk mleka i ułamał kawałek chleba. Ale nie wytrzymał, nagle pochylił się nad stołem i ukrywszy twarz w zgiętym ramieniu, począł gorzko, niegłośno płakać. To już nie był dziecinny płacz.

Pani Royska nie poruszyła się, tylko gładziła chłopca po głowie. Rzuciła przy tym spojrzenie na Spychałę. Ten odwrócił wzrok. Andrzej po chwili, nie podnosząc twarzy z łokcia, wyciągnął drugą ręką nieczystą chustkę z kieszeni i przycisnął ją do ust i do oczu. Powoli się uspokajał.

– Jedz, jedz – powiedziała pani Royska, zdejmując mu rękę z głowy.

Służąca przyniosła teraz duży półmisek krągłych i dojrzałych pomidorów. Andrzej podniósł się zupełnie, twarz miał pomazaną łzami i smugami kurzu, chciwie spojrzał na pomidory.

– Jedz, jedz – powtórzyła pani Royska i słychać było, że gardło miała ściśnięte wzruszeniem.

Andrzej wziął jednego pomidora i jadł go jak jabłko, sok wyciekał mu z ust, wycierał go tą samą chusteczką. Gdy zjadł pomidora, popatrzył żałośnie na panią Ewelinę.

– To okropne, ciociu – powiedział – nigdzie mnie nie chcieli przyjąć.

– A o co ci chodziło? – spytała pani Royska.

– Chciałem do wojska. Od Annasza posyłali do Kajfasza. Jak głupi włóczyłem się. Co to znaczy, ciociu?

– Nasze wojska rozbite...

– Jak to rozbite? To nie może być... – powiedział Andrzej i znowu usta mu drgnęły.

– Niemcy nas rozbili – powiedziała pani Ewelina i popatrzyła na Spychałę, jakby brała go na świadka prawdziwości swoich słów i chciała, aby chłopcu wytłumaczył sytuację. – Na folwarku mówili – dodała, ponieważ Spychała milczał – na folwarku mówili, a oni dobrze wiedzą, że Niemcy dziś w nocy zajmą sąsiednie miasteczko. Romek twierdzi, że jutro rano powinni tu być...

– To nie do pojęcia – powiedział Andrzej i sięgnął po drugiego pomidora.

Spychała milczał i nie spuszczał wzroku z chłopca. Uważał na każdy jego gest, na każde słowo, wbijał sobie w oczy jak fotografię, aby zapamiętać na zawsze. Od pierwszej chwili, kiedy Andrzej zjawił się przy kaplicy grobowej Józia i kiedy zrozumiał, kim jest ten młody człowiek, nie opuszczała go jedna myśl: to jest syn Oli, mógłby być moim synem.

Do głowy jego zajętej polityką, miłością Marii, fałszywą sytuacją życiową rzadko przychodziła myśl o Oli i o krzywdzie, jaką jej wyrządził. Przypuszczał zresztą, że Ola była szczęśliwa z mężem, z dziećmi. Widywał ją czasem na koncertach, na ulicy – mieszkali przecież w jednym mieście. Rozmawiali kiedyś, ale obojętnie, na obiedzie w jakiejś ambasadzie. Ale nigdy nie myślał o synach Oli, nie wyobrażał sobie, że mogli to być jego synowie – w ogóle nie wyobrażał sobie, aby mógł mieć dzieci, i nigdy tego nie pragnął.

Kiedy jednak ujrzał tego niezwykle pięknego chłopaka i posłyszał, jak strasznie płacze, dlatego że Niemcy nas rozbili, w sercu jego urosło wielkie, niespodziewane, nagłe pragnienie prawdziwego szczęścia. Tak bardzo zachciało mu się, aby Andrzej był jego synem, aby mógł mu powiedzieć parę słów nie tonem starszego pana, obcego polityka, ale tonem ojca.

„Także wybrałem sobie odpowiednią chwilę – pomyślał przy tym – pragnienie szczęścia, kiedy tu świat się wali. Nie wyspałeś się, Kazimierzu – mówił do siebie – i zajączki ci we łbie latają. Trzeba opanować się i obmyślić sytuację – Niemcy przyjdą tu dziś w nocy. Muszę wiać dalej... Dokąd?".

Służąca wywołała panią Royską, park pełen był uchodźców z wozami i z końmi. Co chwila o coś ją pytano.

Spychała został sam na sam z Andrzejem.

„Ciekawy jestem, czy coś o mnie wie?" – pomyślał, wstał ze swojego krzesła i zaczął chodzić tam i z powrotem po stołowym pokoju. Przez okna widać było zajeżdżające furmanki. Przywozili rannych. Front – o ile to można było nazwać frontem – zbliżał się szybko.

– A ty chciałeś walczyć? – spytał nagle Spychała, przystając niedaleko Andrzeja, tak aby widzieć z bliska jego gęste, granatowe, pokudłaczone na wszystkie strony włosy.

– No, a jakże? – powiedział z pełnymi ustami chłopiec.

– I nic z tego nie wyszło – skonstatował Spychała.

– Niech mi pan powie... dlaczego? Czy pan może zrozumieć?

– Chyba jeszcze nie rozumiem. Ale staliśmy na glinianych nogach.

– My, to znaczy kto?

– Państwo polskie, rozumiesz? Nie byliśmy przygotowani.

– To po co kłamali?

Spychała nic nie odpowiedział. Ciężkim krokiem przeszedł przez cały pokój i usiadł z powrotem na tym samym krześle.

– Bo jakże tak? To dlaczego zbierali na te karabiny? To dlaczego nam nie powiedzieli prawdy? Dlaczego zostaliśmy oko w oko z nieprzyjacielem... dlaczego... dlaczego... dlaczego...

Spychała nie słuchał już pytań i lamentów Andrzeja. Było mu wstyd do łez i pięści zaciskały się z gniewu. Zresztą także i z gniewu przeciwko samemu sobie. W dalszym ciągu serce mu biło żywo. Wreszcie ułowił jakieś zdanie Andrzeja, który mówił szybko i histerycznie.

– ... trzeba było inaczej żyć...

Inaczej żyć? Jakże on mógł inaczej żyć? Wszystko z góry określało jego życie: i dom, i legiony, i MSZ. I Maria... Nie mógł inaczej żyć, musiał w ten sposób, wszystko determinowało to życie. Nie mógł być ojcem tego pięknego, gorącego chłopca, choć teraz tak strasznie tego żałował. Czy można inaczej żyć? Czy można zacząć życie na nowo, teraz, kiedy już ma czterdzieści pięć lat? I wszystko porzuciło go tutaj, MSZ, Maria... Czy ma doganiać Marię? Musi. To przecie jego obowiązek. Wzdrygnął się.

Pani Royska wróciła do pokoju.

– Aha, zjadłeś – powiedziała do Andrzeja, przelotnie musnąwszy jego czuprynę – zaraz zresztą będzie obiad.

A potem zwróciła się do Spychały:

– Panie Kazimierzu, myślę, że najlepiej będzie, jeśli pan wyjedzie gdzieś ku środkowi nocy. Dam panu samochód, odeśle mi go pan ze Lwowa albo z zagranicy, jak pan chce. Benzyny jeszcze trochę mamy. Myślę, że nie będę już potrzebowała samochodu. A ty, Andrzeju, zostaniesz u mnie?

– Tak, ciociu. Rodzice chyba tu przyjadą. Chciałbym zobaczyć ojca... pewnie się o mnie niepokoi, Antek jest w wojsku... ale może też się znajdzie... ja zostanę tu, ciociu.

– Jak chcesz – powiedziała pani Royska.

Spychała pochylił się w stronę Andrzeja i popatrzył na niego uważnie.

– Ciebie czeka nowe życie – powiedział nagle.

Andrzej spojrzał na niego ze zdziwieniem.

W tej chwili pani Royska spojrzała przez okno i zawołała:

– Patrzcie, Ola przyjechała...

Spychała i Andrzej skoczyli na równe nogi. Rzeczywiście przed ganek zajechał prosty wóz, zapchany słomą, a z niego gramoliła się Ola. Helenka w białej chusteczce na głowie podskakiwała już niecierpliwie obok wozu.

Andrzej zawołał:

– O Boże!

I wypadł na ganek.

– Gdzie tatek? – krzyknął nie witając się.

Ola zastygła na krawędzi wozu.

– Jak to? Ojca tu nie ma?

Pani Royska też ukazała się przed domem.

– Ciociu – wołała Ola, którą Andrzej zsadził z wozu. – Ciociu! Czy Franka tutaj nie ma?

– Nie, nie ma.

– To straszne – powiedziała Ola i zwaliła się na drewniany fotel stojący na ganku. Andrzej stał nad nią przerażony.

– Coście z ojcem zrobiły? – wołał. – Coście z ojcem zrobiły?

Helenka stanęła przy matce i milczała.

Pani Royska uniosła brwi wysoko.

– Co to znaczy, Helenko?

– Mamo, coście z tatkiem zrobiły?

– To spytaj raczej, co on z nami zrobił. Jechaliśmy nowym buickiem...

– I co? I co? – Andrzej ciągnął matkę za rękaw jak dziecko.

– Zajechaliśmy do babki, myśleliśmy, że może z nami pojedzie. Ojciec dostał swojego ataku u babki. Zrobiłam mu zastrzyk. Ale to zabrało trochę czasu. Nim się zastrzyk wygotował...

– I co? Atak przeszedł? Kto prowadził?

– Ojciec prowadził. Ale kiedy wyjechaliśmy, już było rano.

– Już było jasno – westchnęła Helenka.

– Co za nierozwaga – z wyrzutem, ale gdzieś w przestrzeń powiedziała pani Ewelina.

– I co? I co? – dopytywał się Andrzej.

– No, i co? – zniecierpliwiła się Helenka. – Bombardowali. I przez jej ramiona przeszedł wyraźny dreszcz. – To okropne! – dodała.

– Uciekłyśmy w pole – mówiła Ola. – To było tuż przed Siedlcami. A kiedy wróciłyśmy z kartofliska, samochodu nie było.

– Jak to nie było? – zdziwiła się niepomiernie Royska.

– No, nie było.

– Czy w to miejsce upadły bomby? – pytał Andrzej. Ola potrząsnęła przecząco głową.

– Nie, bomby upadły daleko dalej – wyjaśniła Helenka.

– Cóż się stało? – spytała Royska.

– Samochód pojechał – powiedziała mała i rozpłakała się.

– Cicho bądź! – krzyknął na nią Andrzej. – Tego jeszcze brakowało.

– Jaki ty jesteś niedobry – powiedziała do niego matka.

Pani Royska utuliła Helenkę.

– Mnie się nawet wydawało z daleka, z tego kartofliska, że samochód ruszył – powiedziała Ola – ale pomyślałam, że to niemożliwe. Franio był znacznie bliżej samochodu. Przypadł w rowie, a nam kazał lecieć w kartoflisko... Bombardowanie szosy trwało długo...

Helenka wzdrygnęła się w objęciach pani Eweliny.

– No, więc myślałyśmy, że pojechał tu. Jechaliśmy do Pustych Łąk, rozumiesz – Ola wyciągnęła rękę do Andrzeja, ale ten jej nie ujął.

– Może został w Siedlcach – powiedziała pani Royska.

– Cała fala szła przez Siedlce – mówiła Ola – ale droga do Pustych Łąk była wolna. Wynajęłyśmy furmankę u kowala – tam, wiesz, koło krzyża. No, i przyjechałyśmy...

– Trzeba było czekać na ojca na tym samym miejscu – zawołał z gniewem Andrzej – choćby do nocy.

– Ale kiedy samochód pojechał – powiedziała Helenka, odwracając na Andrzeja z łona pani Royskiej zapłakane oko. – Ja widziałam.

– Widziałaś?

– Widziałam. Tatek wsiadł i pojechał.

– Sam?

– Nie, z kilkoma panami. Krzyczałam, ale byłam za daleko...

– To dziwna historia – pani Royska bardzo się zacięła na słowie „dziwna". – Ale chodźcie do pokoju. Rzeczy żadnych nie macie?

– Nic – szepnęła Ola.

– Ładna historia – otrząsnęła się pani Royska. – No, trudno. Chodźcie do pokoju. Umyjecie się. Zaraz będzie obiad.

Pani Royska zaaferowana zniknięciem Franciszka Gołąbka nie zastanawiała się nad tym, jaka scena teraz nastąpi. Ola weszła do przedpokoju wsparta na ramieniu Andrzeja i zaraz stanęła przy wieszakach, ściągając z głowy płócienny kapelusz przytrzymany woalem. Andrzej zdjął z matki płaszcz. Wtedy Ola postąpiła z powrotem ku wchodzącej z ganku pani Royskiej, do której tuliła się spłakana Helenka. Pani Royska zaczęła:

– Helenka urosła. Cóż to za ogromna pannica...

Ale spostrzegła, że Ola znieruchomiała z na pół otwartymi ustami. W rogu przedpokoju stał chudy, wysoki Spychała. W cieniu sieni wydawał się znacznie młodszy, niż był, wydawał się po prostu młody. Ukłonił się głęboko Oli. Ola znieruchomiała. Dopiero po chwili wyciągnęła rękę i podała dłoń Kazimierzowi. Ten ucałował końce jej palców, ale nie powiedział ani słowa. Andrzej stał za matką i ze zdziwieniem przypatrywał się tej scenie. Na pozór banalna, wydawała się ona czymś niezwykłym i dziejącym się poza normalnymi granicami. Ale wszystko teraz było poza normalnymi granicami.

Gdy po półgodzinie domownicy i przybyli zeszli się przy obiedzie, opanowali się prawie całkowicie i rozmowa się toczyła, jak przystało, towarzyska. Tylko Andrzej nie brał w niej udziału, popatrywał przez okno, w milczeniu, i gdy drogą za parkiem przejeżdżało jakieś auto, wstawał i szedł do okna. Zdarzyło się to dwa razy w ciągu obiadu. Obiad był zupełnie normalny. Ola pytała się o Walerka. Ostatnio był w Siedlcach z Klimą i z małą Ziunią, ale od początku wojny matka nie miała o nim wiadomości.

Po obiedzie przeszli na czarną kawę do salonu. Pani Royska kładła nacisk na to, aby formy codziennego bytowania nie zmieniły się ani na jotę. Tak rozumiała słowa Kazimierza wypowiedziane przy grobowcu: „Właśnie teraz nie można".

Otworzono radio, ale Warszawa milczała. Andrzej począł szukać czegoś na całej skali. Prąd był słaby, mało co dało się złapać. Słychać było tylko skwierczenie.

W pewnym momencie rozległ się jednak ostry kobiecy głos mówiący po białorusku. Spikerka, prawdopodobnie z Mińska, dyktowała innym stacjom czy redakcjom dzienników ostatnie wiadomości. Wiadomości przeznaczone były do druku, gdyż mówiąca nadawała ortografię trudniejszych cudzoziemskich wyrazów, litery nazwisk mówiła imionami i podawała starannie znaki przestankowe. Andrzeja szczególniej uderzyło słowo „przecinek" – kośka – który spikerka wymawiała z lubością jak „kuośka". Głos spikerki brzmiał przekornie i był bardzo ożywiony.

„Rząd polskiej republiki – podawała owa nieznana kobieta – w dniu dzisiejszym opuścił terytorium swojego kraju (kuośka) udając się przez miejscowość Zaleszczyki (Z – jak Zoja, A – jak Aleksander, L – jak Ludmiła itd.) do Rumunii...

... głównodowodzący siłami wojska polskiego marszałek Rydz-Śmigły (nie kończąca się litania imion) również opuścił swoje wojsko i wyjechał w ślad za prezydentem Mościckim i rządem do Królestwa Rumunii..."

Spikerka nie przestawała szczebiotać. Specjalnie milutkim głosikiem powiedziała:

„Państwo polskie – można powiedzieć (kuośka!) przestało istnieć..."

Andrzej nie bardzo rozumiał, stacja nadawała po białorusku. Zobaczył tylko, że matka pobladła. Schwycił ją za rękę.

– Mamo, mamo – co ona powiedziała? Co ona powiedziała?

Ola przetłumaczyła:

– Ona powiedziała, że państwo polskie przestało istnieć.

– To nieprawda – wyrwał Andrzej rękę z dłoni matki i żachnął się w stronę Spychały – to nieprawda.

– Ona tak powiedziała.

– Ale to nieprawda! – zawołał Andrzej już przez łzy i podszedł do Spychały. Podniósł obie ręce zaciśnięte w kułaki do góry.

– To pan... – krzyknął wysokim głosem – to wy...

Skoczył do przedpokoju i widać było przez otwarte drzwi, jak ukrył twarz w wiszących na wieszakach płaszczach i znowu rozpłakał się.

Ola i Spychała zostali naprzeciwko siebie w głębokich fotelach. Nikogo więcej w salonie nie było.

– Czy on zawsze taki wrażliwy? – spytał Spychała półgłosem.

– Nie. Nie, przeciwnie. On jest bardzo twardy. Ale po tych wszystkich przejściach... On jest bardzo przywiązany do ojca.

– Taak? – z pewnym zdziwieniem powiedział Spychała.

– Niezwykle. Dla niego to straszny cios.

– Rzeczywiście – spytał Kazimierz – co się mogło stać z panem Franciszkiem?

– Najgorsze jest to – tłumaczyła się Ola – że Andrzej zamiast zastanawiać się nad postępkiem ojca, jak gdyby obwinia mnie, że to ja męża porzuciłam...

– Ma do pani żal.

– Ale całkiem niesłuszny. Cóż ja mogłam zrobić?

– Tak... – powiedział Spychała, jak gdyby myśląc o czym innym – cóż pani mogła zrobić?

Ola spojrzała na Spychałę i przez chwilę oczy ich się spotkały. Spychała odwrócił je szybko od Oli ku wchodzącej pani Royskiej.

– Przepraszam – mówiła pani Ewelina – ale woda nie chciała się zagotować – i postawiła tacę z maszynką na stole.

A zobaczywszy w głębi hallu Andrzeja, spytała niespokojnie: – Dlaczego Andrzej płacze?

Ola milczała. Spychała po chwili dopiero powiedział:

– Rząd, prezydent Mościcki, marszałek Rydz--Śmigły opuścili granice Polski.

X

Z początku wojny, gdy szosą sochaczewską ruszyły tłumy uchodźców i toczyły się wozy, armaty, kulawe samochody i pieszy tłum, niektórzy z ludzi zbaczali kasztanową aleją wynoszącą zaledwie jakich dwieście metrów i zjawiali się w Komorowie. Janusz nie chciał nikogo widzieć, był do tego stopnia wstrząśnięty zdarzeniami, że nie mógł z nikim rozmawiać. Za to „Żermena" zajmowała się zahaczającymi o Komorów wędrowcami. Przy bramie od podwórza stała wielka dzieża z mlekiem, kto chciał, mógł się napić. W piekarni położonej przy kuchni podwórzowej pieczono bez przerwy chleb, który w pokaźnych ilościach znikał w podróżnych torbach uchodźców.

Ale po kilku dniach tłum zahaczających o folwark przerzedził się znacznie, można powiedzieć, znikł całkowicie. Jadwiga kazała zlikwidować wypiek chleba i odstawić faskę do mleczarni. Janusz nie mógł zrozumieć, o co chodzi. Spytał Ignaca.

– Spieszy im się, proszę pana – powiedział fornal.

– Jak to spieszy?

– Spieszno im do Warszawy. Niemiec po piętach goni. Czasu nie mają na oglądanie się po stronach...

Nocami spać było trudno. Za Sochaczewem grzmiało, a właściwie mówiąc, nie grzmiało: rozlegał się jeden przeciągły huk, niebo nad Puszczą Kampinoską stało jasne i różowe; i jeszcze przez ten róż przechodziły jakieś iskry i drżące rozjaśnienia, jakby tam się paliła zorza północna. A z bliska dolatywał przez całą noc wyraźny i nieustanny szmer z szosy, owo chrobotanie owadów.

Ignac powiedział tego ranka – był to szósty września – że Niemcy zjawili się na wschód od Komorowa. Spłynęli innymi drogami i otoczyli już Warszawę. Pewnego razu to się wszystko zatrzymało. Ale od zachodu posuwali się wciąż ludzie, tabory, ciężarówki i rozbite oddziały wojska. Widocznie, minąwszy kasztanową aleję prowadzącą na folwark Janusza, tłum natknął się na oddziały armii niemieckiej. Rozległy się bezładne strzały.

Na szosie zakotłowało się. Uciekający pchali się w przeciwnym kierunku i skręcali na boki. Kasztanowa aleja znowu napełniła się ludźmi. Układali się pod drzewami, kryjąc się za pniami. Na szosie rozlegały się regularne odgłosy broni. Wymiana strzałów stała się klasyczna.

Janusz chodził niespokojnie z pokoju do pokoju. W „dziecinnym" znalazł jakąś książkę, pozostawioną tu przez Malskiego. Gruba monografia o Bachu. Otworzył stronicę i spotkał jakiś bardzo naczerwieniony przykład. Miał wrażenie, że punkty nut odpowiadają rytmowi wystrzałów na szosie.

Jadwiga weszła od kuchni, niespokojna.

– Co to, bitwa prawdziwa? – spytał Janusz.

– Na szosie... – powiedziała tylko gospodyni i znowu poleciała.

Nagle rozległ się wystrzał armatni, jak gdyby tuż pod oknami.

Wszystkie szyby w domu rozdzwoniły się. Nawet jedna gdzieś, chyba w pokoiku na górze, wyleciała na podłogę. Słychać było drobny brzęk wysypanego szkła.

Znowu zjawiła się Jadwiga:

– Ajej, Niemcy palą budynki przy szosie.

Janusz wyszedł na ganek. Nad kasztanową aleją unosił się dym i płomienie.

Ignac znowu stał niedaleko domu.

– Byle tylko nas nie podpalili – powiedział.

Przyszedł pan Fibich.

– Tam jacyś cywile strzelają... To nie wojsko – powiedział.

– Na szosie pustka jak na stepie – dodał Ignacy.

– Nasi posuwają się podobno... – powiedziała Jadwiga.

Janusza niecierpliwiła ta niejasność. Nie miał pojęcia, co się dzieje naokoło niego. Do Komorowa, oprócz uciekających z daleka i zupełnie nieprzytomnych ludzi, nikt nie zaglądał.

Tak przeszło do nocy.

Siatka strzałów stawała się coraz mniej gęsta, zacichało. Janusz spał już prawie, po północy zwykle zasypiał na parę godzin. Ale to stopniowe zamilkanie bitwy na szosie wyciągnęło z niego senność. Jednocześnie wielki huk za lasem powiększył się wyraźnie. Noc była jasna resztkami księżyca i ciepła, jak wszystkie noce początku wojny. Zarzucił szlafrok i znowu wyszedł na podwórze. Widział, jak przez obszerny dziedziniec przebiegło parę cieni. Wszyscy kierowali się ku bramie. Poszedł i Janusz w tę stronę.

Przy bramie stała grupka ludzi. Milczeli, spoglądając ku szosie przez gęste nawisy kasztanowych liści. Był tu Ignac, pan Fibich, jeszcze kilku ludzi.

Spostrzegłszy Janusza posunęli się trochę, jak gdyby w milczeniu chcieli go przyjąć do swego grona.

– Co się dzieje? – spytał Janusz.

– Cisza na szosie. Chyba Niemcy górą – powiedział pan Fibich, a któryś z fornali chrząknął rozgłośnie.

– Na pewno? – wahająco zapytał Janusz.

I jakby w odpowiedzi na te słowa na niedalekiej szosie rozległo się parę bezładnych strzałów karabinowych. Strzały te w ciszy jasnej, jesiennej nocy były szczególnie plastyczne i gwałtowne. Karabiny strzelały coraz regularniej. Zaczynało się na nowo. Zebrani przy bramie posłyszeli dwa razy, jak kula przelatując zabrzmiała smutnym, strunnym dźwiękiem.

– Kule latają – powiedział pan Fibich – chodźmy lepiej do domu.

Nie posłuchali tej rady. Strzały karabinów na szosie to gasły, to znowuż rozbrzmiewały jak agoniczne pasaże fortepianu. Nagle rozległa się regularna salwa.

– O, na nowo draka – powiedział Ignac.

Janusz nic nie rozumiał.

– Co to się dzieje? – powtórzył.

– Ktoś chce zatrzymać Niemców na szosie – powiedział jeden z fornali.

– Tam są nasi – westchnął Ignac.

– Panie hrabio? – spytał znowu tamten – nie ma pan broni w domu?

– Ja? broni? – zdziwił się Janusz. – Nie, nie mam.

– Szkoda, bobyśmy poszli pomóc.

– Dużo byś wskórał – powiedział pan Fibich jak gdyby ze zgorszeniem.

– Wskórał, nie wskórał, a paru Niemiaszków bym wywalił.

Janusz wzruszył ramionami.

– Trzeba wracać – powiedział i ruszył ku domowi. Przemarzł.

Nikt nie poszedł jego śladem.

– Słuchaj, Ignac – powiedział jeden z parobków – ciemno choć oko wykol, podejdziemy, zobaczymy, co tam się dzieje...

– Nie idźcie groźnie powiedział pan Fibich.

– Tatuniu, tatuniu, i ja – skamlał mały synek Ignaca.

– Zamilcz, szczeniaku – ofuknął go ojciec – nie masz co tu robić. Już cię nie ma.

Mały Felek, korzystając z cienia panującego przy bramie, usunął się nieco w bok, ale pozostał. Na szosie brzmiała rzadka, ale regularna wymiana strzałów.

Ignacy i drugi fornal, Stanisław, wysunęli się z bramy i przypadli do pierwszego kasztana w alei. Panowały tam ciemności, ale szosa oświetlona była blaskiem jasnego nieba. Zresztą i księżyc powinien był wstać już niedługo. Za puszczą zieleniało.

Spod trzeciego drzewa fornale zauważyli jakieś postacie przebiegające szosą na poprzek. Biegły z tamtej strony na tę, do Komorowa.

Stanisław trącił Ignaca w bok.

– Słuchaj – szepnął – jak gdyby w długich spodniach. Cywile, czy jak?

– Tam cały dzień podobno cywile strzelali – szepnął Ignacy.

– Żebym ja miał karabin – zobaczylibyśmy z bliska.

– Kto wie, czy na szosie nie dostanie karabinu.

– Głupiś. Tam jasno jak w dzień, trafią w ciebie jak w kaczy kuper.

Znowu przeskoczyli parę drzew. Byli teraz w połowie alei idącej od Komorowa do szosy. Strzały umilkły, słychać było tylko, jak ktoś bezskutecznie zapuszczał motor.

– Maszynę im rozwalili – z radością w głosie powiedział Stanisław.

Ale w tej chwili Ignac, przebiegłszy do następnego kasztana, natknął się w ciemności na kogoś mocno przywartego do pnia.

– Cholera! – zaklął prawie głośno – a tu kto?

– Cicho – szepnął przywarty do kasztana cień – cicho. Niemcy niedaleko.

– Ktoś ty jest?

– Nas tu jest kilku. Pełzaliśmy pod gniazdo.

– Uciekłeś z szosy?

– No, bo co? Wywąchali nas i gnali, że ojej. Naboi nie mam... panie, pomóż mi pan...

– Co tam?

– Tam, przy samej szosie, człowiek leży...

– Jaki człowiek?

– Postrzelili... nasz dowódca...

– Jaki dowódca? Oficer?

– On nas zebrał do kupy – opowiadający zapomniał o ostrożności i mówił coraz głośniej. Po jego zapale i po barwie głosu Ignac poznał, że jest on bardzo młody. – Bo mówi, bracie, jakże tak można? To bez wystrzału Niemca puścimy? Oficer! Oficerowie uciekli. A to jest cywil... towarzysz...

– Gdzie jest ten towarzysz? – rozległ się szept obok nich. Stała tu kobieta w narzuconej chuście.

– Jadwiga? – spytał Ignac – a ty skąd?

– A co? Tylko tobie wolno? Gdzie jest ten cywil?...

– Leży przy samej szosie. Ściągnąłem go do rowu...

– A Niemcy?

– Strzelali cały czas po szosie. Ale w bok nie zejdą. Boją się. Oni tam mają gniazdo karabinów. My do nich z armaty, ale co tam...

Ruszyli od drzewa do drzewa. Jadwiga, Stanisław, Ignac i nieznajomy.

Janusz tymczasem rzucił się w szlafroku na łóżko.

„Chyba nie zasnę" – pomyślał.

Zdawało mu się, że ledwie głowę do poduszki przyłożył, a już go zbudzono. Spał parę godzin, bo w oknie było niebiesko jak przed świtem.

– Co chcesz? – spytał Jadwigi stojącej nad nim. Ciągnęła go za rękaw szlafroka. – Czego chcesz?

– Wstawaj, wuja przynieślim – odpowiedziała jakimś szczególnym głosem.

Janusz pomyślał, że to jeszcze sen.

– Wstawaj, wuja przynieślim, ranny, ciężko ranny.

– Jakiego wuja? – Janusz zerwał się na równe nogi – nieprzytomna jesteś!...

– To ty nieprzytomny... chodź...

Pociągnęła go do pierwszego za sienią pokoju. Na stole jadalnym stały trzy różnej wysokości lichtarze z płonącymi świecami. Na kanapie za stołem leżał człowiek. Był bardzo blady. Jasne włosy wielkim stosem, jak rozrzucona słoma, otaczały jego czoło. Miał na sobie jakąś kurcinę, rozpiętą pod szyją. Janusz pochylił się przez stół i zrozumiał: to leżał Janek Wiewiórski.

Wyprostował się i z największym zdumieniem spojrzał po obecnych. W głowach kanapy stał czarniawy chłopiec lat może dwudziestu i płakał jak dziecko. Nie poruszał się wcale, tylko łzy mu płynęły z oczu jak z jakiego mechanicznego przyrządu. Był tu jeszcze Ignac, jeszcze jakiś nieznajomy człowiek i pani Fibichowa.

Pani Fibichowa ujęła jeden z lichtarzy i zabierając go, powiedziała głośno:

– Tu się nie powinny palić trzy świece!

Na dźwięk tego głosu Janek otworzył oczy. Myszyński pochylił się ku niemu.

Janek długo, ale przytomnie patrzył na niego. Widać prawie było, jak w mózgu jego odbywała się jakaś praca. Wreszcie uśmiechnął się tak miło i niewyraźnie, jak uśmiechają się po raz pierwszy w życiu parutygodniowe niemowlęta. Jak uśmiechała się Malwinka. Poruszył ustami.

– Kochany – powiedział – to ja u ciebie?

Wiewiórski nigdy nie mówił Januszowi po imieniu.

– Co się zrobiło? Skąd ty? – odpowiedział pytaniami gospodarz.

– Postrzelili mnie... paskudnie... Lilek, opowiedz... ja nie mogę.

Płaczący chłopiec siorbnął potężnie nosem i jakby wciągnął wilgoć łez w siebie.

– My z więzienia szli razem – powiedział jakoś tak nagle zdeterminowany – towarzysz Janek razem z nami. Aż tu... Tu my się zebrali... No, bo Niemiec był już przed nami... od Warszawy...

Wiewiórski uniósł się nieco na łokciu i już prawie nieprzytomnie spojrzał na Janusza, patrzył mu w oczy znowu z intensywnym pytaniem.

– No, bo jak można? – powiedział nagle pełnym, zadziwiająco mocnym głosem. – Niemiec już od Warszawy? Nie, jakże tak można?... Kochany...

Stojący nad nim Lilek położył mu olbrzymie dłonie na ramionach.

– Towarzyszu – powiedział – nie ruszajcie się. Rana się otworzy.

Wiewiórski opadł.

– Et – wyszeptał znowu słabo.

– Gdzie on dostał?

– Prawe płuco. Dwie kule.

– Krwawi?

– Jakoś się tam zatkało.

Wiewiórski znowu otworzył powieki. Źrenice miał rozszerzone i oczy szkliły mu się jak paciorki. Stały się prawie czarne.

– Bo widzisz – zaczął mówić szybko i nie bardzo wyraźnie, zacierając sylaby i nie specjalnie do Janusza, a raczej tak, w powietrze – bo widzisz, tak, bracie, nie można. To nie nasza sprawa uciekać. Niech sobie, kto chce, ucieka... Tak nie może być... wszystko wieje... wszystko wieje... Janusz, rozumiesz? Bo ty nawet nie wiesz...

I nagle stanął w pół zdania, w pół słowa. Wszystko przecięło jak nożem – i mowę tego człowieka, i oddech. Wzrok mu się tylko bardziej zaszklił i znieruchomiał. Między życiem a śmiercią nie było żadnego przejścia.

– Janek – zawołał Myszyński – Janek – i schwycił go za rękę.

Przyjrzał mu się, a potem podnosząc głowę spotkał wzrok czarnego Lilka wpatrzony w niego, jeszcze z pytaniem i nadzieją. Januszowi z chłodu porannego poczęła drżeć szczęka – a cisza zrobiła się taka, że słychać było, jak krew Wiewiórskiego ścieka z kanapy i stuka o podłogę.

Fibichowa trąciła w łokieć nieruchomą Jadwigę.

– Wujo skończyli – powiedziała głośnym szeptem.

– Świeć Panie nad jego duszą – powiedział poważnie Ignacy i przeżegnał się szerokim krzyżem.

Pojaśniało. Na twarzy umarłego zabłysły jakieś różowawe plamy idącego od okna światła. Janusz schylił się i wielkimi palcami obu rąk zasunął powieki. Pierwszy raz spełniał tę funkcję i zdziwił się, że powieki zasuwają się z taką łatwością. Jakby przekręcał dwa klucze w dobrze naoliwionym zamku.

Wtedy od podwórza nadbiegł jakiś hałas, odgłosy ruchu. Ktoś szedł szybko przez sień – i nagle wpadł mały syn Ignacego.

– Niemcy przyszli – powiedział.

Janusz oderwał się od kontemplacji twarzy zmarłego i spojrzał po obecnych.

– W ogród – a potem w las – powiedział do czarnego Lilka.

Ani on, ani drugi towarzysz Wiewiórskiego nie namyślali się ani chwili. Wypadli przez tylny ganeczek. Jadwiga stała w oknie od ogrodu i patrzyła za nimi, po chwili dała znak ręką.

– W porządku – powiedziała swoim niskim głosem.

W tej chwili otworzyły się drzwi i paru niemieckich żołnierzy weszło do pokoju. Poprzedzał ich wysoki oficer w tygrysiej pelerynie. Za nimi stał Fibich.

– *Herr Graf* – zawołał oficer od progu – *haben Sie keine polnische Soldaten im Hause?* *

Janusz odwrócił się ku niemu ze zdziwieniem. Niemiec mówił tak głośno.

– *Ich habe nur einen, aber er ist tod* ** – odpowiedział Myszyński.

Oficer spojrzał na zabitego i machnął ręką.

– *Ach, dreck* *** – powiedział i szybko przeszedł do drugiego pokoju, otwierając okno, przy którym tylko co stała Jadwiga.

---

* Panie hrabio... czy nie ma u pana w domu polskich żołnierzy?
** Mam tylko jednego, ale jest martwy.
*** Ach, gówno!

XI

W nocy rzeczywiście pani Royska wysłała Spychałę dalej. Na wschód z początku biegła jego droga, potem na południe.

Jeszcze przed świtem zajechał przed płonące Siedlce. Tłum wozów, powozów – nawet karet – stał na zatłoczonym placyku przy wjeździe do miasta. Z otaczających placyk domów wylewały się przez okna jak gdyby spokojne płomienie i wyciągały ku górze, niby ręce, niby płatki olbrzymich tulipanów. Po dachach, między dachówkami, między czarnymi kawałami papy biegały ognie jak szczury. Dym wznosił się oświetlony na czerwono i zaraz znikał w czarnej przestrzeni.

Można było objechać Siedlce naokoło, ale nikt tego nie robił. Wszyscy chcieli się przedrzeć przez płomienie. Spychała myślał się dostać jak najprędzej do Lwowa, łudził się, że dopędzi ministerstwo.

Polecił szoferowi objechać miasto. Gdy byli już w polu, zauważył, że świtało.

Musiał się zdrzemnąć, bo gdy znów rozejrzał się wokoło, już było zupełnie jasno. Na prawo od szosy wznosiło się szmaragdowe pole zarosłe końskim zębem. Szosa w tym miejscu zakreślała łuk wokoło niewielkiego wzgórza zbiegającego ku wąwozowi. Pole końskiego zębu kończyło się tutaj prostopadłą ścianą. Kazimierz polecił szoferowi stanąć.

Wyszedł na szosę, dzień był biały, a słońce, dość niskie jeszcze, schowało się za owo wzgórze. Po przeciwnej stronie nieba na zachodzie czerniały jeszcze resztki nocy albo dymy nad Siedlcami. Na szosie było zupełnie pusto, tylko parę spalonych aut na górce i ślady uderzeń bomb świadczyły o tym, że i tutaj dostrzegły uciekających bystre oczy niemieckich lotników. W powietrzu była zupełna cisza.

„Nie ma skowronków? – pomyślał – prawda, przecie to jesień".

Było zimno, zrobił więc parę kroków i stanął obok zaoranego częściowo pola, ciągnącego się obok końskiego zębu. Tutaj już nie potrzebował wciągać nozdrzami zapachu mokrej, jesiennej ziemi. Szedł on ku niemu całymi falami z rudawych skib, rozsypanych miałko długimi pasmami.

– Orzą – powiedział sam do siebie Kazimierz.

I wtedy spostrzegł oracza.

Opuszczał się ze wzgórza, idąc wprost ku niemu. Pług zaprzężony był w parę mocnych koni – lekka kurzawa wznosząca się z roli podobna była do długiego różowego pióropusza, przeświecało przez nią bowiem promieniste, niedzielne słońce. Oracz idąc za końmi pokrzykiwał na nie, ale go nie było widać.

Kazimierz zrobił krok i wtedy ujrzał zza koni wychylającego się starego człowieka z nie nakrytą łysą głową. Wydało mu się, że musi na niego poczekać. W tej chwili doleciał go huk przelatującego w oddali samolotu.

Oracz dojechał do samej drogi, zawrócił końmi mocno pokrzykując i zatrzymał się. Był to stary, pomarszczony chłop. Kiedy uśmiechnął się do Kazimierza, sieć drobnych zmarszczek otoczyła jego małe, siwe oczy. Zadarty nos jeszcze bardziej podniósł się w górę przy tym uśmiechu. Chłop widać chciał mu coś powiedzieć, ale wahał się i stał drapiąc się w głowę.

Szofer również wysiadł z samochodu i stanął obok Kazimierza.

Spychała nagle przeszedł przez płaski rów i podszedł do chłopa. Jasny blask słońca zalewał twarz oracza rumieńcami ranka i jaśniał na błyszczących od potu okrągłych kłębach gniadych koni, które napierały na siebie.

– Dzień dobry, dziaduniu – powiedział Kazimierz.

– Dzień dobry – niepewnie powiedział chłop – a pan cóż, uciekają od nas?

Spychała zawahał się.

– Niemcy grzeją z góry... – dość obojętnie ciągnął chłop – a jak w Siedlcach? Czy całe spalone?

– Nie, nie – powiedział nieoczekiwanie dla samego siebie Spychała – ja tylko chciałem trochę poorać.

– O! – zaśmiał się stary – a bo to pan umie?

– Orałem w młodości – powiedział Spychała – orał mój dziad, orał mój ojciec. Czemuż bym ja nie potrafił?

I zwracając się do szofera, który gapił się stojąc na tle szosy i zielonych krzaków, powiedział mu dość gwałtownie:

– Niech pan wraca, niech pan wraca i powie pani Royskiej, że ja tu zostałem.

Szofer się wahał. Kazimierz przekroczył rów z powrotem i zbliżył się do niego poufnie.

– Niech pan jedzie, niech pan powie... ja mówię całkiem poważnie. Ja tu zostanę. Dam panu list.

Wyrwał kartkę z notesu i napisał parę słów.

Szofer odszedł powoli i niechętnie. Spychała zawrócił do chłopa i powiedział prosząco:

– Niech pan mi da. Spróbuję.

Chłop w milczeniu i nieufnie odsunął się od pługa – Spychała położył obie dłonie na czepigi i krzyknął na konie.

Z początku nie szło mu. Ale nagle przypomniał sobie sposób trzymania i z wolna odcinał skibę, w tym miejscu gliniastej i przerośniętej ziemi, która się odwalała zwartym, tłustym pasem.

– Wiśta, wiśta! – zawołał na konie, które poczuły obcą dłoń i szły z jakimś wewnętrznym oporem.

Bruzda szła równo w górę. Po chwili Kazimierz był już na szczycie pochyłego pola i stamtąd odwrócił się za siebie. Konie stanęły i dyszały ciężko. Spychała otarł pot z czoła i rozejrzał się.

Dołem wiła się szosa, znikała łukiem za zieloną ścianą końskiego zębu i potem wynurzała się za nią, biała, wąska, sprężysta. Nad nią widniał na niebieskim niebie jeden duży obłok.

Szosą odjeżdżał szafirowy mały samochód pani Royskiej, a w przeciwnym kierunku gnały dwa samochody pasażerskie i jedna ciężarówka. Kazimierz patrzył na nie z obojętnością. Za zaoranym polem ciągnął się kawał zasiany żytem, które już puszczało małymi, rzadkimi na pozór, czerwonymi kiełkami, świecącymi w promieniach słońca. Na każdym kiełku drżała jeszcze kropla rosy.

Chłop nie ruszył się z miejsca. Stał tam, gdzie zostawił go Spychała, i śmiał się do niego z daleka, widać tylko było, jak mu błyszczały w słońcu zęby.

Przez małą chwilkę Kazimierz pomyślał o swoim przeszłym życiu.

– Po to się piąłem do góry – powiedział. Ale uśmiechnął się sam do siebie. Nawet nie wywołał obrazu Marii, bał się tego, jeszcze nie był pewien, czy się nie roztkliwi.

Nachylił się, zakasał swoje długie spodnie, pobrudzone już na dole brązową ziemią, która całymi grudkami przylgnęła do czarnego materiału – i gnając konie, które z trudem ruszyły dalej, począł ciągnąć bruzdę w dół wzgórza.

Wkrótce ziemia zakryła przed nim szosę, chłopa, łan kukurydzy – i nawet obłok na niebie. Pierwsze dzisiejsze bomby głucho wybuchały gdzieś w oddali.

Spis treści

Warszawskie Wydawnictwo Literackie
MUZA SA
ul. Marszałkowska 8, 00-590 Warszawa

tel. (0-22) 827 72 36, 621 50 58

Dział zamówień: (0-22) 628 61 87

Skład i łamanie: MUZA SA
Przygotowanie do druku: P.U.P. ARSPOL, Bydgoszcz
Druk i oprawa: Łódzka Drukarnia Dziełowa SA, Łódź